Jean-Luc **Penfornis**

Vocabulaire

Progressif

du Français
des Affaires

2ᵉ ÉDITION

avec 250 exercices

CLE
INTERNATIONAL
www.cle-inter.com

CRÉDITS PHOTOGRAPHIQUES

Direction de la production éditoriale : Béatrice Rego
Marketing : Thierry Lucas
Édition : Christine Grall
Maquette et couverture : Fernando San Martín
Mise en page : Arts Graphiques Drouais (28100 Dreux)
Iconographie : Clémence Zagorski
Dessins : Marco
Enregistrements : Studio Quali'sons

© CLE International/SEJER – Paris, 2013
ISBN : 978-209-038143-6

FSC
www.fsc.org
MIXTE
Papier issu
de sources
responsables
FSC® C022030

INTRODUCTION

■ **À qui s'adresse ce livre ?**

Le **Vocabulaire progressif du français des affaires** s'adresse à des étudiants ou à des professionnels de niveaux intermédiaire et avancé désireux d'apprendre le français dans un objectif professionnel.

L'ouvrage vous aidera à développer non seulement votre vocabulaire des affaires, mais aussi un certain nombre de savoir-faire professionnels. Vous pourrez ainsi communiquer plus aisément dans les situations les plus courantes du monde des affaires.

Ce livre peut être utilisé aussi bien en classe qu'en auto-apprentissage, les corrigés des exercices se trouvant dans un livret séparé.

■ **Comment ce livre est-il organisé ?**

L'ouvrage contient 70 leçons. Chaque leçon tient sur deux pages.

Les 15 premières leçons portent sur le vocabulaire lié à des savoir-faire professionnels communs à tous les domaines des affaires, tels que **téléphoner, assister à une réunion, parler en public, négocier,** etc.

Les 55 leçons suivantes parcourent le monde des affaires. Elles couvrent des domaines aussi variés que **la culture d'entreprise, les ressources humaines, l'éthique dans les affaires, la production, le marketing, la comptabilité, la finance,** etc.

Chaque leçon traite un thème différent et peut constituer le sujet d'un cours.

La présentation du vocabulaire respecte une progression dans le choix des thèmes. Au fil des leçons, en effet, les thèmes abordés deviennent de plus en plus techniques. L'ouvrage commence ainsi par l'étude de savoir-faire courants (ex. : téléphoner), qui ne requièrent pas l'emploi d'un lexique technique, et il se termine par des thèmes plus spécialisés, telles la finance ou la comptabilité.

Néanmoins, chaque leçon est autonome, ce qui permet de parcourir librement le livre, à votre rythme et selon vos propres intérêts. Vous pouvez donc très bien commencer par étudier un thème technique, comme les actions à dividende prioritaire (leçon 64), et continuer par un exercice portant sur des savoir-faire généraux, comme par exemple, l'aménagement d'une salle de réunion (leçon 2).

Selon le principe en usage dans cette collection, chaque leçon est constituée, sur la page de gauche, d'une présentation, sur la page de droite d'exercices. Ces deux pages peuvent aisément être exploitées et développées en classe, par exemple pour des débats ou des activités de groupe.

■ La page de gauche

Les mots ne sont jamais présentés dans une liste sèche de vocabulaire ils sont mis en contexte dans des phrases, des histoires, des dialogues, des témoignages. Souvent, ils sont prononcés par des hommes et des femmes d'affaires, experts dans le domaine étudié. Ces personnages expliquent racontent, donnent leur avis. Les mots, ainsi mis en scène, sont bien vivants et vous n'aurez aucun mal à en saisir le sens.

Il est bien entendu que cet ouvrage ne recherche pas l'exhaustivité. Pour d'évidentes raisons matérielles et pédagogiques, il est impossible d'enseigner *tout* le vocabulaire des affaires.

■ La page de droite

Les exercices vous permettront de mettre en pratique, de vous approprier progressivement et d'assimiler les notions abordées à la page de gauche.

Ces exercices sont variés : questions à choix multiples, vrai ou faux, exercices à trous, exercices d'association, d'identification, petits cas, etc.

À la fin de l'ouvrage, pour chacune des huit grandes parties, vous trouverez des activités pour évaluer vos connaissances et pour communiquer en utilisant le lexique des affaires. Un index développé vous permettra de vous orienter à travers les leçons et de retrouver diverses occurrences des mots ou expressions.

Nous espérons que vous prendrez plaisir à utiliser ce livre.

SOMMAIRE

SAVOIR-FAIRE

ENTREPRISES

1 — RÉUNION 1 : TYPES DE RÉUNIONS

A. TYPES DE RÉUNIONS

Il y a toutes sortes de réunions, des grandes et des petites, avec des objectifs différents. Voici quelques exemples de réunions :

Réunion de service	Dans la société Ixtel, **une réunion de service se tient** tous les lundis matins : le chef de service **fait le point** avec ses collaborateurs sur les projets en cours, c'est **une séance de travail** obligatoire pour tous.
Réunion d'information	Au cours d'**une réunion d'information**, le directeur explique la nouvelle organisation de l'entreprise.
Séance de brainstorming	Le directeur d'une agence de publicité organise des **séances de brainstorming** : ce sont des réunions de créativité et de recherche d'idées, où chaque **participant** à la réunion **fait des suggestions**.
Colloque	Chaque année, à Madrid, **un colloque réunit** une centaine de spécialistes venus **débattre** (discuter) sur des questions économiques. Un colloque réunit moins de participants qu'**un congrès**.
Assemblée	Une fois par an, **l'Assemblée générale** des actionnaires de Ixtel **est convoquée** pour prendre des décisions importantes. Cette année, Ixtel **a tenu** son assemblée annuelle le 3 mars. Les **membres** de l'assemblée ont **délibéré** (discuté) longuement avant de **voter**.
Réception	L'ouverture officielle des nouveaux bureaux de Ixtel a été **inaugurée** le 3 mars. La direction avait organisé **une** grande **réception**. Tout le personnel était invité à **un cocktail** où était servi **un** grand **buffet** (table garnie de plats froids et de boissons).

B. RÉUNIONS À DISTANCE

Avec **la téléréunion** (= **la téléconférence**), plusieurs personnes se trouvant dans des endroits séparés sont reliées entre elles par des moyens de télécommunications (Internet, satellite, etc.).

Il existe deux types de téléréunion :
– **la réunion par téléphone** : elle réunit plusieurs personnes au téléphone. On peut aussi l'appeler « **réunion téléphonique** » ou « **audioconférence** » ou « **conférence téléphonique** » ;
– **la visioconférence** (= **la vidéoconférence**) : elle permet aux participants de se voir grâce à des caméras et à des écrans.

E X E R C I C E S

1   Lisez les déclarations suivantes et/ou écoutez. Dans quel type de réunions cité en A de la page 10 pouvez-vous le plus probablement entendre ces déclarations ?

> On pourrait imaginer une souris avec de grandes oreilles.

> Je vous présenterai aujourd'hui les résultats du trimestre. Comme vous pouvez le voir sur ce schéma, les ventes ont progressé de 5 %.

1. *Séance de brainstorming*

4. _____

> Voulez-vous une coupe de champagne ?

> Après une pause de 20 minutes, nous poursuivrons ce débat autour d'une table ronde.

2. _____

5. _____

> Je vous propose de passer au vote.

> Cette semaine sera très chargée.

3. _____

6. _____

2 Complétez les mentions manquantes.

Réunion nocturne chez Ixtel

Cette année, l'Assemblée générale des actionnaires de Ixtel était c_____ pour le 3 mars. Elle s'est t_____ à la date prévue dans la grande salle des conférences. Le président a présenté la situation, puis les m_____ de l'assemblée ont d_____ jusqu'à une heure du matin. La direction avait prévu ensuite une r_____ autour d'un b_____ . Mais comme il était tard, tout le monde est parti bien vite.

3 De quel type de réunion s'agit-il ?

Comme les participants n'ont pas besoin de se déplacer, elle permet de gagner du temps. Mais elle a des limites. Celui qui parle perçoit mal comment son message est perçu par les autres. L'animateur ne peut pas observer les réactions du groupe, et sa tâche est donc plus difficile.

Il s'agit de la _____

RÉUNION 2 : ORGANISATION

A. PRÉPARATION

Marius Guillard, consultant, est spécialisé dans l'organisation des réunions. Il donne quelques conseils à un groupe d'**hommes** et de **femmes d'affaires**.

■ **Programmez** la réunion bien à l'avance : **lieu, date, durée**, etc.
■ Précisez **l'ordre du jour** (= la liste des **sujets à traiter**).
■ Faites une liste des **participants**. Invitez uniquement les personnes dont **la présence** à la réunion est nécessaire.
■ Il ne faut pas négliger **les conditions matérielles** :
– réservez **une salle de réunion** confortable, **éclairée**, **spacieuse** (grande) ;
– retenez **le matériel** dont vous aurez besoin : **stylos feutres**, **bloc-notes**, etc.
– préparez **les dossiers** et **documents** qui seront distribués ;
– vérifiez les connexions Internet et pensez aux bouteilles d'eau et aux verres.

B. SALLE DE RÉUNION

Marius Guillard conseille de bien réfléchir à **la disposition** de **la salle**.

Cette disposition de type salle de classe freine (limite) les échanges au sein du groupe.

La forme circulaire (en cercle) favorise (aide) le contact **en face-à-face**. L'animateur a une place identique à celle des autres.

Disposer les tables en U facilite la communication et permet de concentrer l'attention sur l'animateur.

C. AUTOUR DE LA RÉUNION

Les déclarations suivantes ont été entendues dans les couloirs d'un bureau.
■ Il prévoit de **faire une réunion** la semaine prochaine.
■ La réunion du 8 mars a été **reportée** au 16 mars.
■ La réunion du 12 mars a été **avancée** au 3 mars.
■ Finalement, il n'y a pas de réunion ! La réunion a été **annulée**.
■ Je ne peux pas **assister** à la réunion, j'ai **un empêchement** (un problème).
■ La date de la réunion n'a pas encore été **fixée**.

E X E R C I C E S

1 Voici l'extrait d'une fiche d'évaluation. Complétez les mentions manquantes.

ÉVALUATION DE LA RÉUNION

*Donnez-nous votre avis sur le déroulement de la réunion
en répondant aux questions suivantes.*

1. La réunion a-t-elle été p_____ suffisamment à l'avance ?

2. L'o_____ du j_____ a-t-il été communiqué à l'avance ?

3. Le s_____ traité justifiait-il une réunion ?

4. Les p_____ à la réunion ont-ils été bien choisis ?

5. Votre p_____ était-elle nécessaire ?

6. Les conditions m_____ étaient-elles satisfaisantes ?

7. La d_____ des tables facilitait-elle la communication ?

8. Le l_____ de la réunion convenait-il ?

2 À quelle disposition de la salle de réunion correspondent les caractéristiques suivantes ?

1. L'animateur fait partie du groupe. ⇒ ... **a.** Salle de classe

2. La communication est à sens unique :
l'animateur parle, les autres écoutent. ⇒ ... **b.** Tables en U

3. La communication dans le groupe est possible,
mais l'animateur garde une place centrale. ⇒ ... **c.** Tables en cercle

3 Complétez les déclarations suivantes. Puis écoutez pour vérifier.

1. La réunion d'hier a été r_____ à demain.

2. Il faudrait f_____ une nouvelle date de réunion.

3. Il ne peut jamais a_____ aux réunions, il a toujours un e_____ .

4. La réunion de demain est inutile, je propose qu'on l'a_____ .

5. Comme il faut prendre une décision très vite, la réunion a été a_____ d'une semaine.

6. Dans cette entreprise, on f_____ beaucoup de réunions.

RÉUNION 3 : ANIMATION

A. ANNONCER L'ORDRE DU JOUR

Jacques Tissot, directeur général de la société Ixtel, **anime** une réunion. Comme les participants ne se connaissent pas, il propose de **faire un tour de table** : chacun se présente successivement.

Jacques Tissot annonce **le thème** de la réunion :
- **Nous sommes ici aujourd'hui pour parler de**…

Ensuite, Jacques Tissot précise **l'ordre du jour** :
- **Si vous le voulez bien, je commencerai par présenter… Ensuite, nous examinerons…** Puis **il entre dans le vif du sujet.**

Le secrétaire de séance a déjà commencé à **prendre des notes**. À l'aide de ces notes, il rédigera **le compte rendu** écrit de la réunion.

B. METTRE DE L'ORDRE

Jacques Tissot doit **gérer les temps de parole** des participants. Pour cela, il peut dire :
- Madame Bernard, **c'est à vous de parler**.
- **Désolé**, madame Bernard, mais monsieur Bouquet **a demandé la parole**.
- **Attendez, nous ne pouvons pas tous parler à la fois**.

Si quelqu'un **s'écarte de** l'ordre du jour, Jacques Tissot peut dire :
- **Revenons à notre sujet, s'il vous plaît.**

C. DEMANDER DES EXPLICATIONS

Jacques Tissot doit **stimuler** et **clarifier les échanges** entre les participants. Pour cela, il **reformule** certaines positions en disant :
- **Si je comprends bien, vous nous dites que**…

Au cours de la réunion, Jacques Tissot demande des précisions :
- **Qu'entendez-vous par** budget important ?
- **Pouvez-vous nous donner un exemple de**… ?
- **Vous nous dites que c'est la meilleure solution. Mais pour quelle raison ?**

D. CONCLURE

Pour résumer ce qui a été dit, Jacques Tissot peut dire :
- **En résumé, on peut dire que**…
- **Donc, si nous résumons ce qui a été dit, …**
- **En conclusion, nous pouvons dire que**…

« **Je crois que nous avons fait le tour de la question**. », dit finalement Jacques Tissot.

E X E R C I C E S

1 Julie Andrieu dirige une réunion. Reconstituez les phrases qu'elle a prononcées. Puis écoutez pour vérifier.

1. Que voulez-vous dire ⇒ **c**
2. Pouvez-vous nous donner ⇒ ...
3. Il faudrait absolument ⇒ ...
4. J'ai organisé cette réunion ⇒ ...
5. Je crois que Jean-Jacques ⇒ ...
6. Est-ce que vous avez ⇒ ...
7. Pouvez-vous noter ⇒ ...
8. Je suggère que ⇒ ...

a. pour que nous parlions du projet Cerise.
b. ce point dans le compte rendu ?
c. par là, Jean-Jacques ?
d. nous passions au point 3 de l'ordre du jour.
e. terminer avant 17 heures.
f. une solution à proposer ?
g. un exemple, Jean-Jacques ?
h. a demandé la parole.

2 Lisez les déclarations suivantes et/ou écoutez. À quel moment de la réunion l'animateur a-t-il prononcé ces phrases ?

	AU DÉBUT	AU MILIEU	À LA FIN
1. Julien Boulard m'a demandé d'excuser son absence.	☐	☐	☐
2. Il ne faudrait pas que nous parlions tous à la fois.	☐	☐	☐
3. Vous croyez que ce sera difficile, c'est bien ça ?	☐	☐	☐
4. Je crois que nous nous écartons de notre sujet.	☐	☐	☐
5. Il reste à fixer la date de la prochaine réunion.	☐	☐	☐
6. Je vous rappelle l'ordre du jour.	☐	☐	☐

3 Voici le témoignage d'un participant à une réunion. Complétez les mentions manquantes.

« La réunion a commencé à 9 heures précises. Comme on ne se connaissait pas, on n'a commencé par faire un _____ de _____ . Ensuite, l'animatrice a pris la _____ pour présenter _____ du _____ . Elle m'a demandé de tenir le rôle de _____ de _____ . J'ai donc dû _____ des notes pendant toute la réunion et maintenant, je dois rédiger le _____ _____ . »

Je dois rédiger le compte rendu de réunion.

4

RÉUNION 4 : PARTICIPATION

A. EXPRIMER SON POINT DE VUE

Au cours d'une réunion, vous pouvez exprimer votre point de vue en commençant par dire : « **À mon sens...** », « **À mon avis...** », « **Je trouve que...** », « **Je pense que...** ».

Voici quelques expressions utiles pour exprimer votre accord ou votre désaccord :

Vous êtes d'accord	Vous n'êtes pas d'accord
Je suis tout à fait d'accord. **Je suis de votre avis.** **Vous avez (absolument) raison.** **Excellente idée : nous pourrons ainsi...**	**Je ne suis pas de votre avis.** **Je ne partage pas votre point de vue.** **Ce n'est pas vrai de dire que...** **Il n'a jamais été question de...**

B. GARDER LA PAROLE

Si quelqu'un vous **coupe la parole** (vous interrompt), vous pouvez dire :
■ **Laissez-moi continuer, s'il vous plaît.**
■ **Vous permettez que je termine.**
■ **Si vous n'y voyez pas d'inconvénient, je voudrais terminer. Je disais donc que...**

Si vous voulez apporter une explication, dites :
■ **Je tiens à préciser que...**
■ **Je voudrais ajouter un point qui me paraît important.**

Laissez-moi continuer, s'il vous plaît !

C. COMMENT ÉTAIT LA RÉUNION ?

Deux collègues de travail parlent d'une réunion à laquelle ils viennent d'assister.

AURÉLIE : À mon avis, c'était **une perte de temps** absolue, le genre de réunion **interminable**, qui **ne débouche sur** rien. C'était terriblement **ennuyeux**.

GABRIEL : Je ne suis pas d'accord, j'ai trouvé cette réunion très **utile**, et très **productive**.

AURÉLIE : Productive ? La seule décision qu'on ait prise, c'est de fixer la date de la prochaine réunion.

GABRIEL : Pas du tout, on a **échangé nos points de vue**, tout le monde a donné son avis.

AURÉLIE : Sauf que Pauline, comme toujours, **monopolise la parole** les trois quarts du temps, et tout ce qu'elle dit **est hors sujet.**

GABRIEL : Tu exagères ! Bougon a **passé la parole à** tout le monde.

AURÉLIE : Moi, franchement, je trouve que Bougon est trop **mou**. Il devrait être plus **directif** et limiter **le temps de parole** de chacun. On n'a pas traité la moitié des points **inscrits** à l'ordre du jour et on a terminé avec une heure de retard.

1 Choisissez la signification correcte.

1. Cette réunion est inutile.

☐ Elle ne sert à rien.

☐ C'est très intéressant.

2. Il monopolise la parole.

☐ Il garde la parole.

☐ On ne l'entend pas.

3. Il est trop directif.

☐ Il est trop mou.

☐ Il est autoritaire.

4. Elle ne m'a pas passé la parole une seule fois.

☐ Je n'ai pas pu dire un mot.

☐ J'ai parlé une seule fois.

5. C'est une perte de temps.

☐ Ça ne débouche sur rien.

☐ C'est une réunion productive.

6. Cette question était inscrite à l'ordre du jour.

☐ Cette question était prévue.

☐ Cette question était hors sujet.

7. Il a dépassé son temps de parole.

☐ Il a trop parlé.

☐ Il ne parle pas assez.

8. C'était une réunion interminable.

☐ Elle était trop longue.

☐ On est allé trop vite.

2 🎧 5 Associez les deux parties de la phrase. Puis écoutez pour vérifier.

1. Permettez-moi au moins de ⇒ **c**

2. Ce n'est pas vrai de dire que ⇒ ...

3. Il n'a jamais été question de ⇒ ...

4. Je ne pense pas que ⇒ ...

5. Je souhaiterais ajouter ⇒ ...

a. un dernier point.

b. nous ne faisons rien de la journée.

c. terminer ma phrase.

d. renoncer à ce projet.

e. ce soit la meilleure solution.

3 🎧 6 Voici des extraits d'un échange entre deux participants à une réunion. Les répliques sont dans le désordre. Mettez dans l'ordre les répliques de l'extrait 1, puis celles de l'extrait 2. Puis écoutez pour vérifier.

■ *Extrait 1*

☐ Insister ? Mais pourquoi voulez-vous... ?

☐ À mon sens, il faudrait insister et...

☐ Laissez-moi terminer, s'il vous plaît. Je disais qu'il faudrait insister et je suis sûr qu'on y arrivera.

■ *Extrait 2*

☐ On ferait mieux de laisser tomber.

☐ Je veux dire qu'il faut être réaliste, on a perdu trop de temps sur cette affaire.

☐ Que voulez-vous dire par là ?

5 TÉLÉPHONE 1 : PRÉPARATIFS

A. AUTOUR DU TÉLÉPHONE

Il y a plusieurs façons de dire qu'on téléphone : on peut **téléphoner** à quelqu'un, **appeler** quelqu'un, **passer un coup de fil** (**un coup de téléphone**) à quelqu'un. **Le coût** (prix) de **la communication téléphonique** peut dépendre de l'heure de votre **appel**. Si vous entendez **la sonnerie** de votre téléphone, c'est que vous **recevez** un appel.

Presque tout le monde **a le téléphone.** Au bureau, on utilise **un téléphone fixe, avec fil.** On sort avec son **portable** (= son **mobile**). Avec un portable, on peut envoyer des **textos** (messages écrits), se connecter à Internet, etc. Pour trouver un **numéro de téléphone**, on consulte **l'annuaire**.

B. NUMÉROS

Vous voulez téléphoner à quelqu'un, à Paris. Vous **décrochez** le téléphone. Vous entendez **une tonalité** et vous **composez le numéro**.

Accès à l'international : 00 zéro zéro	Indicatif du pays : 33 trente trois	Indicatif de la ville : 1 un	Numéro du correspondant : 41 42 75 91 quarante et un, quarante-deux, soixante quinze, quatre-vingt-onze

C. MESSAGES TÉLÉPHONIQUES

Vous appelez Jonathan **à son domicile.** Vous **tombez sur le répondeur.** Vous entendez :
■ « Vous êtes bien chez Jonathan Pujol, au 01 41 42 75 91. Vous pouvez **laisser un message** après **le bip sonore**. »
Vous **raccrochez**, sans laisser de message.

Vous appelez **le standard téléphonique** de la société Ixtel, où travaille Jonathan.
Mais **le (la) standardiste** ne répond pas et vous entendez ce message :
■ « Bienvenue chez Ixtel. Veuillez ne pas raccrocher. Vous souhaitez **accéder au menu**. **Appuyez sur la touche étoile** (*) de votre téléphone. Votre appel concerne le service technique, **faites le 1**. Votre appel concerne le service commercial, faites le 2. Vous souhaitez être **mis en relation avec** un conseiller, faites le 3. »

1   Entourez la bonne réponse

1. Vous voulez | appeler | téléphoner | à la société Ixtel, mais vous ne connaissez pas le numéro.

2. Vous | consultez | dictez | l'annuaire téléphonique sur Internet. Vous | cherchez | pressez | le numéro.

3. Ça y est ! Vous avez trouvé le numéro. Vous | décrochez | raccrochez | votre appareil. Vous entendez une | tonalité | sonnerie |. Vous | composez | transférez | le numéro.

4. Maintenant, chez Ixtel, le téléphone est en train de | sonner | recevoir un appel |.

5. La standardiste | décroche | raccroche |. « Société Ixtel, bonjour », dit-elle. Maintenant, c'est à vous de parler.

2   Écrivez les chiffres en lettres, comme dans l'exemple.

Ex. : 34 12 21 15 : trente-quatre – douze – vingt et un – quinze

72 91 31 14 : _____

67 48 09 96 : _____

17 82 54 99 : _____

3   Vrai ou faux ?

	VRAI	FAUX
1. Pour appeler l'étranger, faites d'abord le 00.	☐	☐
2. Un téléphone mobile = un téléphone portable.	☐	☐
3. Dans tous les cas, si vous tombez sur un répondeur téléphonique, vous pouvez laisser un message.	☐	☐

4   Les opérations suivantes sont dans le désordre. Mettez-les dans l'ordre.

☐ J'ai laissé un message.

☐ J'ai raccroché.

☐ En appelant Ixtel, je suis tombé sur un répondeur.

☐ J'ai entendu un message d'accueil.

5   Pierre Dupont a enregistré le message suivant sur son répondeur téléphonique. Supprimez six mots qui vous paraissent inutiles.

Bonjour. Vous êtes bien chez Pierre Dupont. Je suis absent pour le moment. Vous pouvez laisser un message après le bip sonore. Merci.

6

TÉLÉPHONE 2 :
PRISE DE CONTACT

A. ENTRÉE EN COMMUNICATION

Vous téléphonez à quelqu'un. Plusieurs situations peuvent se présenter :
– Le téléphone **sonne**, mais personne ne **répond** : votre **correspondant** est **absent**.
– **La ligne est occupée** : votre correspondant **est en ligne**.
– Votre correspondant répond : « **Allô !** », dit-il. La conversation peut commencer.

Bonjour, monsieur.

Pourrais-je parler à M. Pujol ? Je souhaiterais parler à M. Pujol, s'il vous plaît. Pourriez-vous me passer M. Pujol? Je voudrais parler à la personne qui s'occupe de…	C'est de la part de qui ? Qui dois-je annoncer ? Ne quittez pas, je vous le passe. Un instant, je vous prie. Je vous mets en ligne.
Allô ! M. Pujol ? Vous êtes bien M. Pujol ?	Oui, c'est lui-même. Oui, c'est bien moi.
Je suis Clara Combe, de l'agence Bontour. (C'est) Clara Combe Labat à l'appareil	Bonjour, madame, que puis-je faire pour vous ? En quoi puis-je vous être utile ? C'est à quel sujet ?
Je vous appelle au sujet de… Je vous téléphone parce que… J'aurais besoin d'une information…	

B. ABSENT OU INDISPONIBLE

Pourrais-je parler à M. Pujol, s'il vous plaît ?	Je regrette, M. Pujol est en réunion / en déplacement / absent / en ligne pour le moment. Vous pouvez le joindre sur son portable. Le poste est occupé, voulez-vous patienter ? Son poste ne répond pas. Pouvez-vous rappeler un peu plus tard ? Voulez-vous lui laisser un message ?
Savez-vous quand je peux le joindre ? Je rappellerai plus tard. Est-ce que je peux (lui) laisser un message ? Pouvez-vous lui dire que Clara Combe a appelé ? Pouvez-vous lui demander de me rappeler ?	Entendu, c'est noté. Est-ce qu'il a votre numéro ?

EXERCICES

1 🎧 **7** **Choisissez la bonne réponse. Puis écoutez pour vérifier.**

1. Pourrais-je parler à madame Cartier ?
- ☐ C'est lui-même.
- ☐ C'est de la part de qui ?

2. Allô ! Jonathan, c'est toi ?
- ☐ Je vais voir s'il est là.
- ☐ Je ne crois pas.

3. Je suis bien dans l'entreprise Ixtel ?
- ☐ C'est bien ça.
- ☐ Ixtel à l'appareil.

4. C'est à quel sujet ?
- ☐ J'aurais besoin d'une information.
- ☐ Pouvez-vous lui dire que j'ai appelé ?

5. Ne quittez pas, je vous la passe.
- ☐ C'est noté, merci.
- ☐ Merci bien.

6. Voulez-vous patienter ?
- ☐ Est-ce que je peux laisser un message ?
- ☐ Non, je préfère patienter.

7. À quel moment est-ce que je peux la joindre ?
- ☐ Pouvez-vous rappeler dans une heure ?
- ☐ Est-ce qu'elle a votre numéro ?

8. Je regrette, elle est en déplacement pour la journée.
- ☐ Je patiente encore un peu.
- ☐ Dans ce cas, je rappellerai demain.

2 **Dites-le plus poliment.**

1. C'est qui à l'appareil ? _____

2. C'est pourquoi ?_____

3. Rappelez plus tard. _____

4. Vous attendez ?_____

5. Elle est pas là aujourd'hui. _____

3 **Complétez les mentions manquantes.**

1. Le téléphone s_____ , mais personne ne répond : le correspondant est a_____ ou alors il ne veut pas répondre.

2. La l_____ est o_____ : le correspondant est en l_____ ou il a oublié de raccrocher son téléphone.

3. Je n'arrive pas à j_____ monsieur Pujol. À chaque fois que j'a_____ , on me dit qu'il est en d_____ ou en r_____ . Je l_____ un m_____ lui demandant de me r_____ . Mais il ne me r_____ jamais. Je crois qu'il ne veut pas me parler.

7 TÉLÉPHONE 3 : COMPLICATIONS

A. J COMME JACQUES

| Madame Jirkowaskonovky | → | Pourriez-vous épeler votre nom, s'il vous plaît ? |

Si vous voulez épeler un nom, vous pouvez dire, par exemple, « J comme Jacques »
ou « G comme Georges ». Les mots ou expressions suivants peuvent vous être utiles :

- A = A majuscule
- a = petit a ou a minuscule
- ll = deux L
- ç = C cédille

- é = E accent aigu
- è = E accent grave
- ê = accent circonflexe
- – = tiret

- ' = apostrophe
- . = point
- / = slash
- @ = arrobas

B. MAUVAIS NUMÉRO

| Monsieur Tissot ? | → | Je suis désolé(e), il n'y a personne de ce nom ici.
Je crois que vous avez fait le mauvais numéro / que vous faites erreur.
Êtes-vous sûr d'avoir fait le bon numéro ? |

| Je ne suis pas au 03 86 01 22 ? | → | Non, ici, c'est le 01 21. |

| Excusez-moi, j'ai dû faire une erreur.
Je me suis trompé de numéro. | Ce n'est pas grave.
Je vous en prie. |

C. INCIDENTS TECHNIQUES

La ligne est mauvaise. Je ne vous entends pas très bien / J'ai du mal à vous entendre.
Pourriez-vous parler un peu plus fort / répéter plus lentement, s'il vous plaît ?

Allô ! Je ne sais pas ce qui est arrivé.
La communication a été coupée / nous avons été coupés.
J'ai raccroché par erreur.
J'ai appuyé sur le mauvais bouton / la mauvaise touche.

D. POUR CONCLURE

| Pouvez-vous … ? | → | Vous pouvez compter sur moi.
Je lui transmettrai votre message.
Je n'y manquerai pas. |

| Merci beaucoup, au revoir. | → | Au revoir. |

E X E R C I C E S

1 🎧 **8** **Choisissez la bonne réponse. Puis écoutez pour vérifier.**

1. Pourriez-vous parler un peu plus fort, s'il vous plaît ?

☐ Bien sûr, est-ce que vous m'entendez mieux maintenant ?

☐ Ce n'est pas grave.

2. Dites-lui simplement que j'ai appelé.

☐ Vous pouvez compter sur moi.

☐ Je crois que nous avons été coupés.

3. J'ai dû faire une erreur, excusez-moi.

☐ Je vous en prie.

☐ Je n'y manquerai pas.

4. Je crois que vous avez fait un mauvais numéro.

☐ Je ne suis pas chez Manuela ?

☐ Désolé, j'ai raccroché par erreur.

2 🎧 **9** **Voici des extraits de quatre entretiens téléphoniques. Les répliques sont dans le désordre. Mettez-les dans l'ordre. Puis écoutez pour vérifier.**

■ *Entretien 1*

☐ C'est de la part de qui ?

☐ Bien sûr, O-G-E-R.

☐ Excusez-moi, pouvez-vous épeler votre nom, s'il vous plaît ?

☐ Pierre Oger.

■ *Entretien 2*

☐ Non, ici, c'est le 73 38.

☐ Je vous en prie.

☐ Excusez-moi.

☐ Je ne suis pas au 04 75 22 72 38 ?

■ *Entretien 3*

☐ Pouvez-vous lui dire que la réunion de jeudi est annulé ?

☐ Pourriez-vous lui transmettre un message ?

☐ Vous pouvez compter sur moi.

☐ Bien sûr.

■ *Entretien 4*

☐ Non, vous êtes au ministère des Transports.

☐ Je crois que vous faites erreur.

☐ Allô, Jonathan ?

☐ Je ne suis pas chez Jonathan ?

3 🎧 **10** **Complétez les mentions manquantes. Puis écoutez pour vérifier.**

1. J comme _____ ou G comme _____ ?

2. Ah bon ? Je ne _____ pas _____ Ixtel ?

3. La _____ n'est pas très bonne, j'ai du _____ à vous entendre.

4. J'ai dû _____ tromper _____ numéro, excusez-moi.

TÉLÉPHONE 4 : RENDEZ-VOUS

A. PRENDRE RENDEZ-VOUS

On ne prend pas rendez-vous de la même manière selon qu'il s'agit d'un rendez-vous professionnel ou d'un rendez-vous entre amis.

■ *Rendez-vous professionnel*
– Quel jour vous **conviendrait ?**
– Lundi prochain, **ça m'arrangerait**. Vers 11 heures, **si possible**.
– Je regrette, mais je ne suis pas **disponible** à cette heure-là. **Que diriez-vous de** lundi après-midi ? **Je peux vous proposer** 14 H 00.
– Un peu plus tard, **c'est possible ?**
– Est-ce que 16 heures **vous irait ?**
– **C'est parfait.**

■ *Entre amis*
– **On pourrait se voir ?**
– Oui, si tu veux. Quand ça ?
– Demain soir, **t'es libre ?**
– **Ça ne m'arrange pas** vraiment. Mardi, **tu pourrais ?**
– A quelle heure ?
– A dix heures, **ça te va ?**
– Je **préférerais** 9 heures.
– **D'accord, ça marche.**
– **On dit** « mardi, 9 heures », alors.

B. DÉPLACER UN RENDEZ-VOUS

Vous changez l'heure ou la date de votre rendez-vous si **vous avez un empêchement** = **un contretemps** (quelque chose qui vous empêche d'être présent au rendez-vous). Par exemple, vous **êtes pris(e)** = occupé(e). Vous êtes même **débordé(e)** = très occupé(e). Vous pouvez aussi être **en déplacement** (en voyage), **en réunion**, etc.

■ *Comment avancer l'heure*
– **J'ai un rendez-vous** à 11 heures avec monsieur Pujol. Serait-il possible de le **déplacer ?**
– Voulez-vous **avancer** ou **reporter** le rendez-vous ?
– Je voudrais l'**avancer** d'une heure.
– Voulez-vous **fixer le rendez-vous** à 10 heures, alors ?
– C'est ça, 10 heures.
– **Pas de problème**, madame, **c'est noté.**
– **Formidable**, merci bien.

J'ai un empêchement

Pas de problème, madame, c'est noté.

■ *Comment reporter un rendez-vous*
– Est-ce qu'on pourrait reporter le rendez-vous au lendemain ?
– Un instant, s'il vous plaît, je **consulte son agenda**.... Malheureusement, **ça ne va pas être possible**, monsieur Pujol est pris toute la journée.

■ *Comment annuler un rendez-vous*
– J'ai un empêchement, je serai en déplacement toute la semaine.
– Si je comprends bien, vous souhaitez **annuler** votre rendez-vous. Voulez-vous **prendre un** autre **rendez-vous** tout de suite ?
– Malheureusement, **je n'ai pas mon agenda sur moi. Je rappellerai** la semaine prochaine.

E X E R C I C E S

1 🎧 11 Voici l'extrait d'un entretien téléphonique. Les répliques sont dans le désordre. Mettez-les dans l'ordre. Puis écoutez pour vérifier.

☐ Quel jour vous arrangerait ?

☐ Le mieux, pour moi, serait mercredi à la même heure.

☐ C'est entendu, monsieur Bertin, mercredi 12, à 10 heures.

☐ Je voudrais reporter le rendez-vous.

2 🎧 12 Choisissez deux réponses possibles. Puis écoutez pour vérifier.

1. Pourrait-on reporter le rendez-vous à la semaine prochaine ?

☐ « Je vous rappellerai le mois prochain. »

☐ « Je regrette, ça ne va pas être possible. »

☐ « Malheureusement, je serai en déplacement toute la semaine. »

2. Demain, t'es libre ?

☐ « À quelle heure ? »

☐ « P comme Pierre. »

☐ « Ça dépend pourquoi. »

3. Que diriez-vous de jeudi à 14 heures ?

☐ « C'est parfait. »

☐ « J'aimerais autant 14 heures. »

☐ « Ça ne m'arrange pas du tout. »

4. Je souhaiterais avancer un peu l'heure. Est-ce que c'est possible ?

☐ « À 10 heures, vous seriez disponible ? »

☐ « Un instant, je consulte son agenda. »

☐ « C'est noté. »

3 🎧 13 Complétez les mentions manquantes de cet entretien. Puis écoutez pour vérifier.

– Quel jour vous c_____ , monsieur ?

– Je n'ai pas mon a_____ sur moi.
Est-ce que je peux vous r_____ ?

– Oui, bien sûr, nos bureaux sont ouverts jusqu'à 18 heures.

– Je vous r_____ d'ici une heure.

– Très bien, monsieur, à tout à l'heure, alors.

9

ÉCRIT 1 : LETTRE D'AFFAIRES

A. PRÉSENTATION

Nathalie Lefranc travaille dans la société Ixtel. Elle explique comment on rédige une lettre d'affaires en France :

« Pour écrire une lettre, c'est facile.
– Vous prenez une **feuille blanche de format A4** (21 x 29,7cm). En **en-tête** se trouve le nom de **l'expéditeur**. Il y a d'autres informations concernant l'expéditeur tout en bas de la page.
– Écrivez le nom et l'adresse du **destinataire** en haut, à droite.
– **L'objet** indique brièvement le motif de la lettre. Écrivez le nom sans article.
– Pensez à faire des **marges** sur les côtés. Faites beaucoup de **paragraphes**.
– Bien sûr, n'oubliez pas de **signer**. »

IXTEL
CONSEIL
INFORMATIQUE

Société RENAUDIN
67 boulevard Farge
69007 LYON

Lyon,
le 16 mars 2015

Objet :
Projet Omega

Madame, Monsieur,

Nous avons bien reçu ce jour votre lettre du 3 mars **concernant**… **Nous vous prions de bien vouloir**… **Nous vous remercions par avance. Veuillez recevoir, Madame, Monsieur, nos salutations distinguées.**

Nathalie Lefranc

Nathalie LEFRANC
Chef de projet

Société anonyme
au capital
de 60 000 €
2, rue Bichat
69002 Lyon
RCS Lyon B 997 657 009

B. TITRE DE CIVILITÉ

Dans **le titre de civilité**, de préférence, n'indiquez pas le nom de famille du **correspondant**. Écrivez simplement « **Madame** » ou « **Monsieur** ». Si vous envoyez votre lettre à une société, et pas à quelqu'un en particulier, écrivez « **Madame, Monsieur,** ».
Vous devez reprendre le titre de civilité à la fin de la lettre, dans la formule de politesse.

C. CONTENU

Il se compose d'**une introduction**, d'**un développement**, d'**une conclusion**, d'**une formule de salutations**. Vous pouvez employer le « je » ou le « nous », mais pas « je » et « nous » dans la même lettre.

Dans l'introduction, commencez par faire référence à ce qui s'est passé. Par exemple :
■ **Je fais suite à** notre entretien téléphonique du 3 mars.
■ **Nous vous remercions de** votre lettre du 3 mars.

Dans le développement, on transmet une information et / ou on formule une demande. Voici des expressions extraites de différentes lettres :
■ **Nous vous prions de bien vouloir** nous adresser… = **Nous vous demandons de**…
■ **Nous sommes heureux de** vous informer… = **Nous avons le plaisir de**…
■ **Nous avons le regret de** ne pas pouvoir… = **Nous regrettons de**…

La formule de salutations est souvent précédée d'une conclusion (une attente, un espoir, des remerciements, etc.). Par exemple : « **Dans l'attente de votre réponse,** je vous prie de recevoir… »

E X E R C I C E S

1 Regardez l'extrait de lettre ci-contre. Il y a trois erreurs. Quelles sont ces erreurs ?

1. _____

2. _____

3. _____

MOBILIA
Location de mobilier

Sarah GIBERT
72 rue Beaulieu
14000 CAEN

Le 7 juin 2015, Caen

Objet :
La table de ping pong

Madame Catherine Gibert,

---

2 Voici des phrases extraites de différentes lettres d'affaires. Les mots sont dans le désordre. Mettez-les dans l'ordre, en ajoutant la ponctuation.

1. Nous avons bien reçu / sur / la nouvelle collection / votre documentation / ce jour

2. Avec mes remerciements / Monsieur / distinguées / recevoir / je vous prie de / Madame / mes salutations

3. Nous regrettons de / que nous ne pouvons / répondre favorablement / vous informer / malheureusement pas / à votre demande

---

3 Voici des phrases extraites de différentes lettres. Complétez les mentions manquantes.

1. Nous avons le _____ de vous faire savoir qu'il ne nous sera malheureusement pas possible de nous rendre à votre aimable invitation.

2. Nous faisons _____ à votre demande d'information _____ le projet Omega.

3. Je vous demande de bien _____ m'indiquer vos meilleurs prix.

4. Nous vous _____ de votre courrier du 12 octobre.

5. Je reste dans l'_____ de votre réponse et vous _____ de recevoir, Monsieur, mes meilleures salutations.

ÉCRIT 2 : COURRIER ÉLECTRONIQUE

A. E-MAIL, COURRIER ÉLECTRONIQUE, COURRIEL ?

Le terme « **e-mail** » ou « **mail** » désigne à la fois le message électronique (un e-mail), le moyen de communication (par e-mail) et l'adresse elle-même (« Passe moi ton e-mail). On dit aussi « **courrier électronique** ». Les Québécois parlent de « **courriel** ».

B. ÉCRIRE

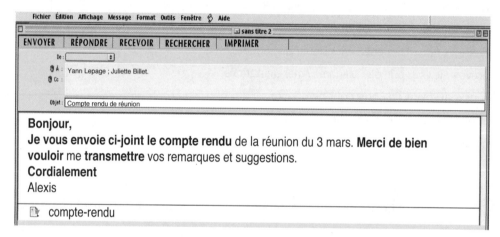

Pour demander, vous pouvez écrire :
- **Merci de (bien vouloir)** m'envoyer…
- **Pourriez-vous / Pouvez-vous** m'envoyer… ?

Le plus souvent, on termine par :
- **Cordialement**

Parfois on dit :
- **Bien cordialement / Très cordialement**

C. ENVOYER

Pour envoyer un courrier électronique, c'est facile :
– dans **la zone À, tapez** l'adresse du **destinataire** du **message** ;
– dans la zone **Cc** (**Copie conforme**), tapez l'adresse du destinataire de la copie du message ;
– dans la zone **Objet**, expliquez très brièvement pourquoi vous envoyez ce message.

Vous pouvez **insérer un document** sous forme **d'une pièce jointe**. Pour cela, **ouvrez la liste** « Insertion » et **faites un double clic** sur **l'option** « Insérer comme pièce jointe ». Pour envoyer le message, **cliquez** sur **le bouton** Envoyer .

EXERCICES

1 Sur quel bouton cliquez-vous dans les situations suivantes ?

1. Vous êtes devant l'écran de votre ordinateur. Vous venez d'ouvrir votre messagerie électronique. Vous voulez savoir si vous avez reçu du courrier. Vous cliquez sur _____ .

2. Vous venez de recevoir un message. Vous souhaitez répondre tout de suite. Vous cliquez sur _____ .

3. Vous avez écrit un message et vous êtes prêt à l'envoyer. Vous cliquez sur _____ .

4. Vous avez besoin d'une copie papier de votre message. Vous cliquez sur _____ .

5. Vous devez écrire un second message, et vous avez oublié l'adresse e-mail de votre correspondant. Vous cliquez sur _____ .

2 Les paragraphes du message suivant sont dans le désordre. Mettez-les dans l'ordre.

À :	Christine Guillard ; Yohan Bocquet
Cc :	
Objet :	voyage de fin d'année

☐ Il propose les destinations suivantes : l'Italie, l'Espagne, la Grèce, l'Allemagne.
☐ Bien cordialement.
☐ Pouvez-vous faire une petite enquête dans votre service et nous indiquer quelle est la destination favorite du personnel ?
[1] Bonjour,
☐ Le comité d'entreprise souhaite organiser un voyage à la fin de l'année.
☐ Merci de nous répondre avant la fin de la semaine.

3 Vous voulez envoyer un e-mail. Un ami vous donne des conseils. A-t-il raison ? A-t-il tort ?

	IL A RAISON	IL A TORT
1. Dans la zone À, tu écris l'adresse du destinataire.	☐	☐
2. Dans la zone Cc, tu indiques en quelques mots l'objet du message.	☐	☐
3. Pour joindre un document, tu ouvres la liste « Fichier » et tu cliques sur « Insérer comme pièce jointe. »	☐	☐
4. Finalement, pour envoyer ton message, c'est très simple, il suffit de cliquer sur « Envoyer ».	☐	☐

11

PARLER EN PUBLIC 1

A. TYPES DE DISCOURS

Faire un discours ou **prononcer un discours**, c'est **prendre la parole** devant un groupe de personnes. Un discours peut durer de quelques minutes à plusieurs heures.

Voici des exemples de différents types de discours.
■ **Une présentation** : un directeur de marketing **présente** un nouveau produit aux responsables des ventes.
■ **Un exposé** : un étudiant **fait un exposé** devant la classe.
■ **Une conférence** : **le conférencier**, professeur à la Sorbonne, **fait une conférence** qui **porte sur** les nouvelles technologies de l'information.
■ **Une conférence de presse** : le président d'une grande entreprise fait une conférence de presse devant des journalistes.
■ **Un toast** : au cours d'un cocktail, le directeur d'une entreprise **porte un toast à** la réussite d'un nouveau projet ; il fait un petit discours et propose de boire.

B. PRÉPARATIFS

Charlotte Sénéchal, consultante en entreprise, a l'habitude de parler en public. Elle explique comment elle prépare ses **interventions** :

« Je réfléchis beaucoup au **plan** de mes exposés. Mes présentations ont trois **parties** : **une introduction, un développement et une conclusion**. Le développement, en particulier, est très **structuré**, avec deux ou trois parties bien distinctes.

J'arrive toujours 15 minutes à l'avance. Je m'habitue à **la salle** et **au matériel.** Je place **le tableau, l'écran, le projecteur, l'ordinateur** à l'endroit qui me convient. Je teste **le micro.**»

C. INTRODUCTION

Charlotte Sénéchal explique à un groupe d'hommes et de femmes d'affaires comment devenir **un intervenant** efficace. Voici comment elle commence son exposé.

1. Elle indique **le sujet** de son intervention.

Je vous parlerai des conditions de réussite d'une présentation.

2. Elle dit pourquoi c'est un sujet intéressant.

C'est un sujet important parce que vous avez souvent l'occasion d'**intervenir** en public.

3. Elle annonce **les grandes lignes** de **son plan.**

Je vous parlerai **d'abord** des conditions de fond et **ensuite** des conditions de forme.

Pour présenter une succession de faits ou d'idées, Charlotte Sénéchal utilise de nombreux mots ou expressions. Par exemple :
– pour commencer : **(tout) d'abord, en premier lieu, dans un premier temps ;**
– pour continuer : **puis, ensuite, en second lieu, dans un second temps, par la suite ;**
– pour terminer : **enfin, en dernier lieu, finalement, pour terminer.**

E X E R C I C E S

1 Associez chaque déclaration à la situation correspondante.

Déclarations	Situations
1. « Comme vous le voyez sur ce tableau, les ventes ont progressé de 6 %. » ⇒ ...	**a.** Lors d'un colloque, un conférencier commence un discours.
2. « Je voudrais lever mon verre à la réussite de madame Blandin et de toute son équipe. » ⇒ ...	**b.** Le directeur d'une entreprise présente les résultats de l'année.
3. « Il ne m'est pas facile de prendre la parole après la brillante intervention du professeur Lavigne. » ⇒ ...	**c.** Au cours d'un cocktail, un chef de projet fait un petit discours.

2 Complétez les mentions manquantes.

1. Avant de p_____ la p_____ en p_____ , mieux vaut connaître quelques techniques de présentation.

2. Si la salle est grande, ne prenez pas le risque de casser votre voix, utilisez un m_____ .

3. Pour intéresser le public, commencez par lui dire combien votre s_____ est important.

4. Pour guider votre public, faites un exposé s_____ , en distinguant bien l'i_____ , le d_____ , la c_____ , et annoncez tout de suite les principales p_____ du p_____ .

5. Bien sûr, vous pouvez projeter des supports visuels à partir de votre o_____ .

6. Parlez toujours face au public : pendant que vous écrivez au t_____ , arrêtez de parler.

3 🎧 **14** Voici l'introduction d'une conférence sur l'avenir de l'Union européenne. Les phrases sont dans le désordre. Mettez-les dans l'ordre. Puis écoutez pour vérifier.

☐ Ensuite, j'examinerai les difficultés que nous rencontrons en ce moment.

☐ C'est un sujet qui est d'actualité et qui soulève beaucoup de passions.

☐ Comme vous le savez, mon intervention porte aujourd'hui sur l'avenir de l'Union européenne.

☐ Pour terminer, j'essaierai de décrire quelques scénarios possibles pour l'avenir.

☐ Tout d'abord, je ferai un bref rappel historique de la construction européenne depuis ses débuts, en 1957.

12 PARLER EN PUBLIC 2

A. CONTENU

Voici quelques recommandations de Charlotte Sénéchal pour parler en public.

■ Ayez **un objectif** clair, **traitez le sujet** annoncé.
■ Ne faites pas de **digressions** (ne vous écartez pas du sujet), allez à l'essentiel, ne dépassez pas **le temps imparti** (donné).
■ Adaptez votre langage à **l'auditoire** (= au public).
■ Racontez des **anecdotes** (petites histoires), ayez un peu d'humour.

Voici des mots ou expressions qu'un **orateur** utilise pour :
– introduire un exemple : **par exemple, je vous donne un exemple ;**
– ajouter : **de plus, en outre, aussi, également ;**
– rectifier : **en fait, en réalité, en vérité ;**
– conclure : **en conclusion, pour conclure, en définitive, finalement.**

Voici ce qu'il peut dire à la fin de son exposé :
« **Je répondrai maintenant volontiers à vos questions**. »

B. VOIX, GESTES, REGARD

■ Parlez **fort (à voix haute)**, et au bon rythme. Respirez, parlez **distinctement**, ar-ti-cu-lez. Ne soyez pas **monotone**, mettez de **l'intonation** dans votre voix.
■ **Faites des pauses**, des silences. Pour **mobiliser l'attention**, arrêtez-vous de parler pendant quelques secondes. Un petit silence peut réveiller ceux qui dorment.
■ Ouvrez vos bras en direction de l'auditoire.
■ Regardez l'auditoire. Posez votre regard sur chaque personne.
■ Soyez **détendu** (pas nerveux) et **gardez le contact avec** le public.

C. FACE AUX PERTURBATEURS

Avant de prendre la parole en public, beaucoup de personnes **ont le trac**. Elles ont peur des réactions du public. Pour faire face aux **perturbateurs** (les personnes qui dérangent), voici ce que Charlotte Sénéchal recommande.

Vous devez trouver le moyen de les réveiller.

■ **Les retardataires** : s'ils sont bruyants, arrêtez-vous de parler jusqu'à ce qu'ils soient installés.
■ **Les bavards** : demandez-leur s'ils ont des remarques à formuler.
■ **Les contestataires** : écoutez-les avec attention et sérieux, et répondez-leur calmement.
■ **Les somnolents** : s'ils sont nombreux à **somnoler** (dormir), vous devez trouver le moyen de les réveiller.

E X E R C I C E S

1 Complétez les mentions manquantes.

Julia Lepage est une bonne oratrice.

1. On comprend facilement où elle veut aller, son o_____ est clair.

2. Le c_____ est adapté au s_____ annoncé et répond aux attentes de l'a_____ .

3. Elle ne cherche pas à trop dire, elle respecte le temps i_____ .

4. Elle raconte des a_____ , mais elle ne fait pas de d_____ inutiles.

2 **(15)** Associez. Puis écoutez pour vérifier.

Arthur Le Breton n'est pas un bon orateur.

1. Il n'est pas à l'aise, il semble nerveux, on dirait
   qu'il a peur. ⇒ *b*

2. On n'a pas le temps de prendre
   des notes. ⇒ ...

3. Il parle toujours sur le même ton, il finit par
   endormir le public. ⇒ ...

4. Il ne respire pas. Du début à la fin, il parle sans
   s'arrêter. ⇒ ...

5. Il est assis, immobile, les bras croisés sur la table.
   ⇒ ...

6. Ses yeux fixent quelque chose au plafond. ⇒ ...

7. Les gens assis au fond de la salle n'arrivent pas
   à l'entendre. ⇒ ...

8. Il avale ses mots, et ce qu'il dit est difficilement
   compréhensible. ⇒ ...

a. Il parle trop vite.

b. Il a le trac.

c. Il n'articule pas.

d. Il ne bouge pas.

e. Son discours est monotone.

f. Il ne fait pas de pause.

g. Il ne parle pas assez fort.

h. Il ne regarde pas le public.

3 Complétez les mentions manquantes avec *en outre, en fait, par exemple, pour conclure*.

1. Elle devait prendre longuement la parole pendant la réunion. _____ , elle n'a pas dit un mot.

2. Il connaît bien son sujet. _____ , c'est un excellent orateur.

3. La salle de conférence est en mauvais état. _____ , de nombreux sièges sont cassés.

4. _____ , je dirais que pour bien parler en public, mieux vaut connaître les techniques dont
   j'ai parlé au cours de cet exposé.

13 NÉGOCIATION 1 : SITUATIONS

A. TYPES DE NÉGOCIATIONS

La négociation est une suite d'**entretiens** (discussions), d'échanges de **points de vue** (opinions), de demandes. Le but de la négociation est de **parvenir** (arriver) **à un accord**, de **conclure une affaire**. Une personne qui **mène une négociation** est **un négociateur** ou **une négociatrice**.

Il y a de nombreux types de négociation. Exemples : **une négociation commerciale** entre un vendeur et un acheteur, **une négociation diplomatique** entre plusieurs États, **une négociation salariale** entre la direction d'une entreprise et un syndicat, etc.

Une négociation internationale

B. AVANCÉE DE LA NÉGOCIATION

À l'ouverture de (= au début de) la négociation, les négociateurs **font connaissance**. Ils cherchent à **engager** = **entamer** = **débuter** la négociation dans **un climat de confiance**. Ensuite, la négociation **progresse** = elle **est en bonne voie**. Bientôt, elle est sur le point d'**aboutir** = de **réussir**.

Certaines négociations sont longues et difficiles. Les **rapports** (les relations) sont **conflictuels** = les négociateurs **sont en conflit**. À tout moment, une négociation peut **capoter** = **échouer** (= ne pas réussir). Quand personne ne veut **céder** = **faire des concessions** (abandonner un point de la discussion), la négociation ne peut plus **avancer**. Il y a un **blocage**. On dit que la négociation est **dans l'impasse**.

Dans certains cas, on est obligé de **rompre** la négociation = la négociation **est rompue**. On parle alors d'**échec** de la négociation. C'est dommage, car il est toujours préférable de régler un conflit **par la voie de la négociation**.

C. CONDITIONS DE RÉUSSITE

Nolwen Lepage est **agent immobilier**. C'est une négociatrice **avertie** (expérimentée). Voici ses conseils pour mener une bonne négociation :

« D'abord, vous devez bien vous préparer : pensez à vos **objectifs**, analysez les **enjeux** (ce que vous voulez gagner ou perdre), évaluez vos **forces** et vos **faiblesses**, prenez des informations (sur le produit, sur votre **interlocuteur**, etc.).
– **Faites le point** des problèmes à **résoudre**.
– **Mettez-vous d'accord** avec votre interlocuteur sur la façon de **traiter** les problèmes.
– **Questionnez**-le sur sa vision du problème. Ecoutez-le.
– Si nécessaire, **faites** un peu de **chantage** (« Si vous ne faites pas ceci, vous n'obtiendrez pas cela »), mais n'essayez pas de le **tromper**. »

E X E R C I C E S

1 Les situations suivantes POURRAIENT-ELLES être des situations de négociation ?

	OUI	NON
1. Vous achetez une voiture.	☐	☐
2. Vous vendez votre voiture.	☐	☐
3. Vous voulez obtenir une augmentation de salaire.	☐	☐
4. Vous discutez avec un collègue de travail.	☐	☐
5. Vous êtes au téléphone avec votre cousine.	☐	☐
6. Vous êtes seul au bureau en train de lire votre journal.	☐	☐

2 Complétez les mentions manquantes.

1. La négociation a d_____ à 9 heures précises.

2. Deux heures plus tard, à 11 heures, Félix Cointre, l'un des n_____ , déclare que la négociation

est en b_____ v_____ et que les entretiens se poursuivent normalement.

3. À 15 heures, coup de théâtre : Félix Cointre explique que les r_____ sont devenus extrêmement

c_____ . « J'ai peur que nous soyons dans une i_____ , *précise-t-il*, personne ne veut

c_____ quoi que ce soit, nous aurons beaucoup de mal à p_____ à un accord ».

4. À 17 heures 20, Félix Cointre annonce que la négociation est définitivement r_____ .

3 Vrai ou faux ?

	VRAI	FAUX
1. Au travail, nous avons souvent l'occasion de négocier.	☐	☐
2. Il faut réfléchir à ses objectifs avant de négocier.	☐	☐
3. On perd du temps à analyser les enjeux.	☐	☐
4. Au début, il est important d'établir un climat de confiance.	☐	☐
5. Mieux vaut contester dès le départ ce que dit l'autre.	☐	☐
6. Il ne suffit pas de questionner, il faut aussi écouter les réponses.	☐	☐
7. Il ne faut jamais faire le moindre chantage.	☐	☐
8. Il est utile de faire le point de temps en temps sur les progrès de la négociation.	☐	☐
9. Un bon négociateur ne fait jamais de concession.	☐	☐
10. Au cours d'une négociation, il vaut mieux montrer ses forces et dissimuler (cacher) ses faiblesses.	☐	☐

14 NÉGOCIATION 2 : STRATÉGIES

Selon Nolwen Lepage, une experte de la négociation, les négociateurs peuvent adopter une stratégie **compétitive** ou une stratégie **coopérative**.

A. COMPÉTITION

Nolwen Lepage : « Quand les négociateurs jouent **la compétition**, ils acceptent de **s'asseoir à la table de négociation**, mais ils ne **se font** pas **confiance**. Ils cherchent à **maximiser** leurs **gains**, c'est-à-dire à augmenter au maximum ce qu'ils gagnent. Leur relation est basée sur un **rapport de force** : le plus fort **gagne**. Après la négociation, **la partie perdante** cherche, si elle le peut, à **remettre en cause** (= à ne pas appliquer) **l'accord.** »

Stratégie compétitive

B. COOPÉRATION

Nolwen Lepage : « Si les négociateurs décident de **coopérer,** ils vont essayer de **réaliser un projet en commun**. Ils se font **mutuellement** confiance. Ils souhaitent **instaurer une relation à long terme**, et non pas **à court terme**. Ils font **des concessions** pour arriver à **un compromis** (un arrangement). Ils ne cherchent pas à **imposer** (faire accepter par la force) leurs solutions. Finalement, il n'y a pas de **perdant**. Tout le monde gagne quelque chose. C'est une stratégie **gagnant-gagnant.**»

Stratégie coopérative

C. CHOISIR SA STRATÉGIE

Nolwen Lepage parle de son **expérience** :

« Je cherche d'abord à connaître **la position** de l'autre. Au cours de la négociation, je n'hésite pas à changer de stratégie selon les circonstances. Une stratégie n'est pas **statique** : elle peut évoluer.

Dans la dernière négociation que j'ai **menée**, mon interlocuteur et moi-même sommes tout de suite **tombés d'accord** pour coopérer. Tout au long de la négociation, nous avons cherché à **calmer les tensions**, à **minimiser** (diminuer le plus possible) les obstacles. Plusieurs fois, **je suis revenu sur ma position** (j'ai changé d'avis). Finalement, nous avons trouvé **un terrain d'entente** (une position commune). Nous avons réussi à **passer une transaction** (un contrat) **avantageuse** pour les deux parties. »

E X E R C I C E S

1 **Compétition ou coopération ?**

	COMPÉTITION	COOPÉRATION
1. Les parties sont adversaires.	☐	☐
2. On cherche un terrain d'entente.	☐	☐
3. On essaye de trouver un accord.	☐	☐
4. On veut se montrer le plus fort.	☐	☐
5. On fait confiance.	☐	☐
6. On fait des concessions.	☐	☐
7. On menace.	☐	☐
8. On fait son possible pour éviter les tensions.	☐	☐
9. On souhaite entretenir des relations à long terme.	☐	☐

2 **Complétez les mentions manquantes avec les mots suivants :**
compromis – gains – intérêts – partie – projet – relation – stratégie – transaction

1. Ils réalisent ensemble un grand _____ .

2. Elle cherche à maximiser ses _____ .

3. Ils ont passé une _____ .

4. Ils ont trouvé un _____ .

5. Ils veulent instaurer une _____ durable.

6. Elle a brusquement changé de _____ .

7. Elle représente la _____ adverse.

8. Nous essayons de respecter les _____ de tout le monde.

3 **Remplacez les mots barrés par les mots qui conviennent.**

1. Ils se sont assis à la ~~chaise~~ _____ de négociation.

2. Il cherche à ~~refaire~~ _____ en cause l'accord qui a été passé.

3. Ils n'ont pas réussi à ~~se porter~~ _____ d'accord.

4. Elle est têtue : elle ne revient jamais sur ~~son avis~~ _____ .

5. Avant toute négociation, il faut soigneusement analyser le ~~tour~~ _____ de force.

6. À la fin d'une négociation, il y a souvent un gagnant et un ~~gagnant~~ _____ .

7. Ils ne ~~s'accordent~~ _____ pas confiance.

8. Ils ont finalement trouvé ~~une terre~~ _____ d'entente.

NÉGOCIATION 3 :
ENTRE CULTURES

A. SITUATION INTERCULTURELLE

Tony Fritsch, consultant, parle de la culture : « **La culture**, c'est la manière dont un groupe fait les choses. Le groupe peut être familial, professionnel, religieux, social, national, etc. Ainsi, par exemple, chaque famille, chaque métier, chaque religion a sa propre culture.

Quand des personnes appartenant à des cultures différentes se rencontrent, elles se retrouvent dans une situation **interculturelle**. La communication est parfois difficile parce que chacun a des habitudes, des **valeurs** (ce qui est vrai, beau, bien, etc.), des règles, des **comportements** (attitudes) différents. Ces différences peuvent être à l'origine de **malentendus** – on croyait se comprendre, mais on ne s'est pas compris – ou même de **conflits**. »

B. OBJECTIFS

Imaginons trois négociateurs, Jennifer, Yoshi et Félix, chacun étant le stéréotype d'une culture différente, avec ses propres priorités dans la négociation.
■ Jennifer : elle veut être **performante**, c'est-à-dire obtenir des résultats. « Je suis là pour **faire des affaires**, pour **gagner de l'argent**. », dit-elle très franchement.
■ Yoshi : il voudrait **aboutir** (arriver) **à un consensus** (= **un accord mutuel**), il fait son possible pour mettre tout le monde d'accord.
■ Félix : il veut que les autres remarquent combien il est intelligent.

C. COMMUNICATION

Dans une négociation, chacun a une manière différente de se comporter, de s'exprimer, de saluer, de s'habiller, etc.
■ Jennifer : elle est **pragmatique** et **directe**. Elle veut rapidement **entrer dans le vif du sujet** (parler du point essentiel). Elle pose à Yoshi des tas de questions indiscrètes. Elle est habillée (de façon) **décontractée** (relax).
■ Yoshi : il est **réservé** et **courtois** (poli). Il sourit beaucoup. Il réfléchit longtemps avant de parler. Quand il dit « Nous étudierons votre proposition », cela signifie « Votre proposition ne nous intéresse pas ».
■ Félix : En arrivant à la réunion, il **serre la main** des participants. Quand il parle, il est **logique**, **abstrait**, souvent **passionné**. Il apprécie les **déjeuners d'affaires** au restaurant.

D. PRISE DE DÉCISION

Chaque négociateur a sa manière de **prendre une décision.**
■ Jennifer : c'est **une fonceuse** (elle **agit** et décide vite) et **une battante** (elle aime se battre... pour gagner).
■ Yoshi : il a besoin de **collecter** beaucoup d'informations avant de prendre une décision.
■ Félix : il hésite, il n'aime pas **prendre de risques**, il **se méfie** des autres (= il n'a pas confiance dans les autres).

E X E R C I C E S

1 À quelle culture se réfère chacune des situations suivantes ?

1. Chez les Dupont, on mange en regardant la télévision. ⇒ **c**

2. Comme tous les Français, il est arrivé en retard à la réunion ⇒ ...

3. Avant d'ouvrir la négociation, ils ont fait une prière. ⇒ ...

4. Les deux négociateurs, deux grands et riches bourgeois, s'entendent très bien. ⇒ ...

5. Un colloque scientifique international se tient en ce moment à Bruxelles. ⇒ ...

6. Dans cette banque, tous les hommes portent un costume noir. ⇒ ...

a. Nationalité

b. Profession

c. Famille

d. Religion

e. Entreprise

f. Milieu social

2 Associez.

1. Entrer ⇒ ...

2. Serrer ⇒ ...

3. Prendre ⇒ ...

4. Faire ⇒ ...

5. Obtenir ⇒ ...

6. Aboutir ⇒ ...

a. la main

b. des résultats

c. à un consensus

d. dans le vif du sujet

e. des affaires

f. une décision

3 16 Trouvez le mot manquant à la page ci-contre. Puis écoutez pour vérifier.

1. – Je le trouve un peu hypocrite, pas toi ?

   – Ah bon ? Moi, au contraire, je le trouve toujours franc et _____ .

2. – Elle voit toujours le côté pratique des choses.

   – Tu as raison, c'est quelqu'un de _____ .

3. – C'est un intellectuel, il n'a pas l'esprit très concret.

   – C'est vrai, tout ce qu'il dit est _____ .

4. – Est-ce qu'il se laisse décourager facilement ?

   – Absolument pas, les obstacles ne lui font pas peur, c'est un _____ .

5. – Il se contredit sans arrêt, un jour il dit « blanc », un autre jour il dit « noir ».

   – Je suis d'accord avec toi, il n'est pas très _____ .

6. – C'est un grossier personnage, il manque totalement d'éducation.

   – Avec moi, au contraire, il s'est toujours montré poli et _____ .

7. – Il fait les choses trop vite, il devrait réfléchir un peu avant d'agir.

   – On ne le changera pas, c'est un _____ .

16 TYPES D'ENTREPRISES 1

A. AUTOUR DE L'ENTREPRISE

Une entreprise produit et **vend** des **biens**
et / ou des **services dans un but lucratif**
(= pour gagner de l'argent).

Dans certains cas, on utilise les mots suivants
pour désigner une entreprise :
– **Une firme** : c'est une grande entreprise.
– **Une exploitation** : **exploitation agricole,
exploitation minière,** etc.
– **Une compagnie** : **compagnie d'assurances,
compagnie d'aviation, compagnie de
navigation, compagnie de chemin de fer**, etc.
– **Une agence** : **agence de publicité, agence
matrimoniale, agence de voyage, agence
immobilière,** etc.

Une entreprise peut avoir plusieurs
établissements, situés à des endroits différents.

Un établissement est **une unité de production**
(ex. : **une usine**) ou **une unité commerciale**
ou **administrative** (= **une succursale**)
qui appartient à l'entreprise, mais qui
fonctionne de façon relativement indépendante.

Une exploitation agricole

NOTE : Le mot « **société** » est un terme juridique. L'économiste parle de l'entreprise Dupont alors
que le juriste préfère parler de la société Dupont.

B. TAILLE DES ENTREPRISES

Pour mesurer **la taille** (= la dimension) d'une entreprise, on utilise généralement
deux critères : **le chiffre d'affaires** et le nombre de **salariés** (travailleurs).

Le chiffre d'affaires est le total des ventes d'une période déterminée. Le chiffre d'affaires
annuel correspond à toutes les ventes réalisées par l'entreprise pendant
un an. Plus le chiffre d'affaires est élevé, plus l'entreprise est grande.

Selon le nombre de salariés, on peut distinguer :
– les **très petites entreprises** : moins de 10 salariés ;
– les **petites entreprises** : de 10 à 50 salariés ;   Les **PME** (petites et
– les **moyennes entreprises** : de 50 à 500 salariés ;   moyennes entreprises)
– les **grandes entreprises** : plus de 500 salariés.
On parle même d'**entreprises géantes**. On dira, par exemple, que la société IBM est
un géant de l'informatique.

Une entreprise locale est une entreprise qui exerce ses activités dans une région
déterminée. **Une entreprise multinationale** = **une multinationale** est présente
dans plusieurs pays.

E X E R C I C E S

1   **Vrai ou faux ?**

	VRAI	FAUX
1. Un établissement peut avoir plusieurs entreprises.	☐	☐
2. Une entreprise peut avoir plusieurs succursales.	☐	☐
3. Un employé de bureau travaille généralement dans une usine.	☐	☐
4. IBM est à la fois une entreprise et une société.	☐	☐

2   **Parmi les « organismes » suivants, soulignez ceux qui sont des entreprises.**

▪ La Croix-Rouge   ▪ Un hôtel   ▪ Un hôpital public

▪ Le Ministère de la Défense   ▪ Toyota   ▪ Une compagnie d'assurance

3   **Associez.**

1. Une exploitation ⇒ ...   **a.** d'aviation

2. Une compagnie   ⇒ ...   **b.** agricole

3. Une agence   ⇒ ...   **c.** informatique

4. Une entreprise   ⇒ ...   **d.** de publicité

4   **Complétez les mentions manquantes.
Puis écoutez pour vérifier.**

Il existe des entreprises de toutes tailles. Par exemple, la boulangerie du coin de la rue est une entreprise, tout comme la m_____ qui emploie des milliers de s_____ et qui réalise des centaines de millions d'euros de c_____ d'a_____ par an dans le monde entier. Aujourd'hui, les entreprises sont de plus en plus g_____ . Certaines sont même devenues des entreprises g_____ . Mais de nombreuses p_____ et m_____ entreprises (les P_____) restent encore très dynamiques.

Une très petite entreprise

17 TYPES D'ENTREPRISES 2

A. ACTIVITÉS DES ENTREPRISES

L'exploitation agricole	C'est une ferme. On y **cultive** des légumes, des fruits, des céréales, etc. On peut aussi y pratiquer **l'élevage.**
L'entreprise industrielle	Elle transforme et fabrique des biens matériels en grandes quantités. Ex. : **une entreprise automobile, une entreprise agroalimentaire** (Danone).
L'entreprise artisanale	Une personne, **l'artisan**, travaille **pour son propre compte** en exerçant **un métier** (travail) **manuel** (avec les mains). L'artisan est **un ouvrier qualifié** (= qui a reçu **une formation professionnelle** particulière). Il peut être aidé par un **apprenti** (une personne **en apprentissage** = qui apprend **le métier**). Ex. : **un plombier, un menuisier, un tailleur,** etc.
L'entreprise commerciale	Elle achète et vend des biens *sans* les transformer. Ex. : **une épicerie, un supermarché, une librairie,** etc.
L'entreprise de services	Elle vend des services. Exemples : **une agence de voyage, une entreprise de transport,** etc.

B. À QUI APPARTIENNENT LES ENTREPRISES ?

Une entreprise publique appartient à l'État. Son rôle principal est de **rendre un service public.** Ex. : **une entreprise de transport public** comme la SNCF (Société Nationale des Chemins de Fer). La notion de service public est différente selon les pays : cela dépend de la place de l'État dans l'activité économique.

Une entreprise privée appartient :
– soit à une seule personne : on parle alors d'**entreprise individuelle,**
– soit à plusieurs personnes qui **s'associent** pour créer **une personne juridique,** qu'on appelle **une société** ; la société est alors propriétaire de l'entreprise.

NOTE : **une entreprise familiale** est une entreprise qui appartient à une famille.

Comme chaque pays a son propre système juridique, les types de société diffèrent d'un pays à l'autre. Selon le pays où se trouve **le siège social** (= l'adresse principale de la société), on parlera de **société de droit japonais,** de **société de droit allemand,** etc.

À l'intérieur d'un même pays, il existe de nombreux types de sociétés. En France, par exemple, une entreprise peut avoir **la forme d'**une **société anonyme (SA),** d'une **société à responsabilité limitée (SARL),** d'une **société en nom collectif (SNC),** etc.

Une entreprise privée peut être **nationalisée** (= achetée par l'État) et une entreprise publique peut être **privatisée** (= vendue par l'État). En France, à certaines époques (1945, 1981), il y a eu beaucoup de **nationalisations.** À d'autres époques (à partir de 1996), au contraire, il y a eu des **privatisations.**

E X E R C I C E S

1 **Vrai ou faux ?**

	VRAI	FAUX
1. Air France est une entreprise industrielle.	☐	☐
2. Carrefour est une entreprise commerciale.	☐	☐
3. Une petite boulangerie est une entreprise artisanale.	☐	☐
4. Nestlé et Danone sont des exploitations agricoles.	☐	☐

2 **Associez.**

1. société ⇒ ...
2. siège ⇒ ...
3. entreprise ⇒ ...
4. personne ⇒ ...
5. transport ⇒ ...
6. métier ⇒ ...

a. individuelle	**d.** manuel
b. public	**e.** social
c. anonyme	**f.** juridique

3 (18) **Voici un extrait de trois différents entretiens. Complétez les mentions manquantes. Puis écoutez pour vérifier.**

■ *Entretien 1*

– Vous travaillez chez un artisan plombier, n'est-ce pas ?

– Oui, c'est exact, mais pour le moment, j'apprends le _____ , je suis seulement un _____ .

– Combien de temps dure l'_____ ?

– Trois ans, et après je pourrai m'installer comme artisan à mon propre _____ .

■ *Entretien 2*

– À votre avis, faut-il _____ les entreprises publiques ?

– Non, je ne suis pas favorable aux _____ , l'État ne doit pas vendre ses entreprises.

– Alors, êtes-vous favorable aux _____ ?

– Non plus, je pense qu'il faut laisser les choses comme elles sont : les entreprises _____ doivent rester privées et les entreprises _____ doivent rester _____ .

■ *Entretien 3*

– Il y a cinq ans, mon frère et moi nous sommes _____ pour créer notre entreprise.

– Une entreprise _____ , alors ?

– Exactement, c'est une affaire de famille.

– Et où se trouve-t-elle, cette entreprise ?

– Le _____ social est à Bruxelles. C'est une _____ de _____ belge.

18

SECTEURS D'ACTIVITÉ

A. ACTIVITÉ PRINCIPALE

Un secteur est un ensemble d'entreprises exerçant la même activité principale.

Mathieu, 34 ans, travaille dans un laboratoire spécialisé dans la recherche en **biotechnologie**.

« **Le laboratoire** appartient à un grand groupe **pharmaceutique**. La biotechnologie est une activité de plus en plus importante, *explique-t-il*. Pour certaines entreprises, c'est même devenu l'activité principale. »

Mathieu travaille dans le secteur pharmaceutique. Il existe bien d'autres **secteurs d'activité**. En voici quelques-uns :

Secteurs	
• **agroalimentaire** : produits alimentaires • **automobile :** automobiles • **bancaire** : banques • **immobilier** : immeubles • **informatique** : ordinateurs • **textile** : tissus, vêtements • **pétrolier** : pétrole	• **de la distribution :** grand et petit commerce • **des télécommunications :** téléphonie, services Internet • **du tourisme** : voyages, loisirs • **de l'hôtellerie** : hôtels • **de la restauration** : cafés, restaurants • **des médias** : journaux, télévision, cinéma

Certains secteurs **se portent bien** : ils sont **en pleine croissance** (ils se développent). Ce sont **des secteurs de croissance = des secteurs d'avenir = des secteurs porteurs.**

D'autres secteurs **se portent mal** : ils **sont en difficulté.** Ce sont des secteurs **en crise.**

B. PRIMAIRE, SECONDAIRE, TERTIAIRE

On peut classer **les actifs** (les gens qui travaillent) dans trois grands secteurs :
– **le secteur primaire** : activités agricoles (agriculture, forêts, pêche) et minières (extraction de matières premières. Ex. mines de charbon).
– **le secteur secondaire** : production industrielle et artisanale.
– **le secteur tertiaire** : services (transports, assurances, commerce, administrations, etc.)

Personnes au travail dans une entreprise du tertiaire

1 Les phrases suivantes sont extraites de la presse économique. À quel secteur d'activité se réfère chacune d'elles ?

Secteurs

1. Sur le site Internet de Carrefour, vous pouvez faire vos achats en ligne.   *distribution*

2. Les ventes de logements neufs sont restés très dynamiques. _____

3. L'usine de Montluçon produit des camions et des autobus. _____

4. Les adolescents s'habillent de plus en plus tôt en tailles adultes. _____

5. Le laboratoire de Lyon a découvert deux nouvelles molécules dans le domaine du diabète. _____

6. Paris reçoit annuellement 26 millions de visiteurs. _____

7. Joël Carlier est le spécialiste incontesté de la nouvelle cuisine. _____

8. Le plus gros fabricant d'ordinateurs au monde est américain. _____

9. La société Fournil fabrique des viennoiseries surgelées (croissants, brioches, etc.). _____

10. Les réserves mondiales de brut au Moyen-Orient s'élèvent à environ 360 milliards de barils. _____

11. Le crédit reste fortement encadré par l'État. _____

12. Un prix spécial a été décerné au film *Les images du travail à la chaîne* de Alain P. Michel. _____

2 Dans quel secteur d'activité travaillent-ils ?

	PRIMAIRE	SECONDAIRE	TERTIAIRE
1. Un directeur d'hôtel	☐	☐	☐
2. Un employé de banque	☐	☐	☐
3. Un artisan menuisier	☐	☐	☐
4. Un ouvrier agricole	☐	☐	☐
5. Un ouvrier d'usine	☐	☐	☐
6. Un agriculteur	☐	☐	☐
7. Un chauffeur de taxi	☐	☐	☐
8. Un agent immobilier	☐	☐	☐

3 **19** Primaire, secondaire ou tertiaire ? Complétez. Puis écoutez pour vérifier.

Le secteur _____ joue aujourd'hui un rôle prédominant dans l'économie des pays riches. La définition la plus courante de ce secteur est négative : les activités qui ne font partie ni du secteur _____ , comme l'agriculture, ni du secteur _____ , comme l'industrie, font partie du secteur _____ .

19 CULTURE D'ENTREPRISE 1

A. LA CULTURE D'ENTREPRISE, QU'EST-CE QUE C'EST ?

Tony Fritsch, consultant, parle de la culture d'entreprise : « L'entreprise est un groupe social avec son langage, son histoire, ses valeurs, ses interdits, ses tabous, ses rites, ses symboles, etc. Une entreprise est comme une grande famille. Dans chaque entreprise, il y a **un climat social** particulier, un « **esprit maison** », comme on dit. »

Tony Fritsch : « La manière dont **le temps de travail** est **aménagé** (organisé) est un bon indicateur de la culture de l'entreprise. »

B. GESTION DU TEMPS

Pierre Corbeau travaille chez GASS, une entreprise de 65 salariés qui fabrique des filtres à eau. Il parle des **horaires de travail** :

« Nous avons des **horaires variables** : nous pouvons arriver entre 8 heures et 10 heures du matin, et partir entre 16 et 19 heures.
À chaque fois que vous arrivez ou que vous partez, vous devez **pointer** (= enregistrer l'heure). **La pointeuse** (machine qui sert à pointer) se trouve dans le hall d'entrée. Chacun est libre d'aménager **son emploi du temps** (= **planning**) comme il veut. »

L'entreprise NAVARRO est un autre fabricant de filtres à eau, mais chez Navarro il n'y a ni horaires variables ni pointeuse. Victor Michon, qui travaille chez Navarro, explique comment les choses fonctionnent :

« Nous devons arriver au bureau à 9 heures précises. Madame Fauvel, la directrice, est très stricte sur l'heure. Elle-même est toujours **ponctuelle**. Pour elle, **la ponctualité** est très importante. Les réunions commencent toujours **à l'heure prévue**, et il est très mal vu d'arriver **en retard**. Chez Navarro, **la discipline** est très stricte. On est un peu comme à l'armée.

Tous les lundis, de 9 heures à 10 heures, nous établissons l'emploi du temps **hebdomadaire** (= de la semaine). Madame Fauvel établit **un tableau** détaillé indiquant **la répartition des tâches** (travail). Notre emploi du temps est extrêmement **chargé**. Madame Fauvel dit toujours que le **temps, c'est de l'argent** et qu'**il n'y a pas une minute à perdre**. »

1 🎧 **20** Différentes personnes parlent de l'aménagement du temps de travail dans leur entreprise. Complétez les mentions manquantes. Puis écoutez pour vérifier.

1.
Je peux a_____ mon t_____ de t_____ comme je veux parce que nous avons un système d'horaires v_____ .

2.
Depuis qu'ils ont installé une p_____ à l'entrée, je dois travailler plus. Avant, je prenais au moins deux heures pour le déjeuner. Maintenant qu'il faut p_____ , je déjeune en 30 minutes.

3.
On a tous énormément de travail, nos e_____ du t_____ sont très c_____ . Mais le temps, c'est de l'a _____ , comme on dit, et c'est pourquoi on ne veut pas p_____ une m_____ .

4.
La p_____ , chez nous, ça n'existe pas, les réunions ne commencent jamais à l'heure p_____ . Mais comme tout le monde arrive en r_____ , il n'y a pas de problème.

5.
Ici, vous êtes l_____ de travailler quand vous voulez, chacun a ses propres h_____ de travail, on ne vous demande même pas combien d'h_____ vous travaillez ou si même vous travaillez.

6.
Le problème, c'est que la r_____ des tâches n'est pas très précise, on ne sait pas exactement qui fait quoi.

7.
Le directeur est un ancien militaire, et il se croit encore à l'armée. Il ne tolère aucun r_____ et il nous impose une d_____ très s_____ .

8.
Je travaille dans une e_____ de huit personnes. Nous avons réparti les t_____ de chacun aussi précisément que possible. Regardez comme tout est clairement détaillé dans ce t_____ .

20

CULTURE D'ENTREPRISE 2

A. DISTANCE HIÉRARCHIQUE

Tony Fritch est consultant en entreprise. Il parle de deux entreprises qu'il connaît bien : la société Delattre et la société Miok.

« Dans une entreprise, **la distance hiérarchique** entre **les supérieurs** (les directeurs) et **les subordonnés** (les « inférieurs ») peut être plus ou moins longue. Chez Delattre, la distance hiérarchique est longue : les **supérieurs hiérarchiques** ont des relations **distantes** avec les employés. Par exemple, pour rencontrer le patron, un employé doit prendre rendez-vous avec la secrétaire au moins deux semaines à l'avance.

Dans l'entreprise Miok, en revanche, les supérieurs sont facilement **accessibles** : on peut les rencontrer facilement. **La hiérarchie** est **plate** : il n'y a pas beaucoup d'**échelons** (= **niveaux**) **hiérarchiques**. Le directeur général de Miok est toujours **disponible** pour écouter **ses collaborateurs**. Sa porte est tout le temps grand ouverte. »

B. SYMBOLES

Tony Fritch : « Chez Delattre, on attache beaucoup d'importance **au statut social** et particulièrement **au statut hiérarchique**.

Le directeur **occupe** un immense bureau au dernier étage d'une tour de 30 étages. Il vient au travail dans sa grosse voiture, il ne prend jamais **les transports en commun** (bus, métro, etc.). Il soigne **sa tenue vestimentaire** (vêtements) : il est très chic et porte toujours un **costume cravate**.

Quand il **est en voyage d'affaires**, il **prend l'avion en classe affaires**, jamais **en classe économique**, et bien sûr, il **descend** dans des **hôtels quatre étoiles**. »

C. LANGAGE

Dans les entreprises françaises, l'utilisation de « monsieur » ou de « madame » est un **signe** de respect et marque aussi les différences de statut hiérarchique.

Tutoyer (dire « tu ») ou **vouvoyer** (dire « vous ») n'a pas toujours une signification claire. Dans certains milieux, on **se tutoie** facilement et dans d'autres milieux, tout le monde **se vouvoie**.

Tony Fritch : « **Le tutoiement** n'implique pas nécessairement des relations **étroites**, et **le vouvoiement** ne veut pas nécessaire dire que les relations sont distantes. Chez Miok, par exemple, bien que le patron soit **proche** du personnel, tout le monde le vouvoie. »

Jacques, vous avez réservé mon vol pour Bangkok ?

Oui, madame.

1 **Dans chacune des situations suivantes, dites si la distance hiérarchique est courte ou longue.**

	COURTE	LONGUE
1. Il n'y a que trois niveaux hiérarchiques entre le grand patron et l'employé de base.	☐	☐
2. Dans le restaurant de l'entreprise, une salle est spécialement réservée au personnel de direction.	☐	☐
3. Les supérieurs hiérarchiques préfèrent garder une certaine distance avec leurs subordonnés.	☐	☐
4. Pour rencontrer le directeur, il suffit de frapper à la porte de son bureau et d'entrer.	☐	☐
5. Pour prendre rendez-vous avec madame la directrice, vous devez appeler l'un de ses trois secrétaires.	☐	☐
6. Le directeur n'a pas de subordonnés, il n'a que des collaborateurs.	☐	☐

2 **Dites le contraire en remplaçant l'adjectif.**

1. Il travaille dans un bureau *minuscule*.   ⇒ *Il travaille dans un immense bureau.*

2. Ils entretiennent des relations *distantes*.   ⇒_____

3. Il est tout le temps *occupé*.   ⇒_____

4. C'est quelqu'un de tout à fait *inaccessible*. ⇒_____

5. Elle est très *éloignée* de son personnel.   ⇒_____

6. La hiérarchie est *élevée*.   ⇒_____

3 **Terminez les phrases.**

1. Il fait un voyage   ⇒ *e*   **a.** social

2. Il voyage en classe   ⇒ ...   **b.** quatre étoiles.

3. Il descend dans des hôtels   ⇒ ...   **c.** cravate

4. Il travaille en costume   ⇒ ...   **d.** affaires

5. Il surveille sa tenue   ⇒ ...   **e.** d'affaires.

6. Ils n'ont pas le même statut ⇒ ...   **f.** en commun

7. Il prend les transports   ⇒ ...   **g.** vestimentaire

4 **Complétez avec les mots suivants : *tutoyer, vouvoyer, se tutoyer, se vouvoyer*.**

1. Au bureau, il est normal de _____ un collègue de travail et de _____ le directeur.

2. On pourrait _____, qu'en pensez-vous ?

3. Bien qu'ils se connaissent depuis longtemps, ils continuent de _____.

21 CROISSANCE DE L'ENTREPRISE

A. CROISSANCE INTERNE

Une entreprise **croît** ou **se développe** quand son chiffre d'affaires ou quand le nombre de ses salariés augmente.

On parle de **croissance interne** quand l'entreprise se développe par ses propres moyens.

C'est le cas, par exemple, de la société Danone, du jour de **sa création** en 1919 jusqu'aux années 60.

1919	Isaac Carasso, **le fondateur** (= **le créateur**) de la société Danone, commence **la fabrication** de yaourts dans un petit **atelier**.
1932	Isaac Carasso construit **une usine** à Levallois-Perret, dans la région parisienne.
1958	Danone **modernise** ses **installations** (= équipements) à Levallois-Perret et construit une autre usine, la plus moderne d'Europe, qui **fabrique** 200 000 pots par jour.
1960	Danone **est en plein essor** (= **en pleine croissance**). L'entreprise vend ses produits dans toute la France.

B. CROISSANCE EXTERNE

Dans le cas d'**une croissance externe**, l'entreprise se développe en rachetant d'autres entreprises. C'est le cas de Danone, après 1967.

1967	Année de **la fusion** : Danone **fusionne** avec **le fabricant** de fromages frais Gervais. L'entreprise s'appelle maintenant **Gervais-Danone**.
1973	Année de **l'absorption** : la société BSN **absorbe** (achète) Gervais Danone. L'entreprise s'appelle maintenant BSN.
1999	BSN abandonne son nom pour s'appeler Danone.
Aujourd'hui	Danone est devenu **un leader mondial** sur plusieurs **produits alimentaires**.

Danone est aujourd'hui **un groupe** de plusieurs entreprises : **une société mère**, dont **le siège** est en France, **contrôle** d'autres sociétés, appelées des **filiales**. Une filiale appartient à plus de 50 % à une société mère, mais elle est juridiquement indépendante.

Quand une société X achète une partie d'une société Y, on parle de **prise de participation** : X **prend une participation** dans Y. Si X achète la totalité ou une part **majoritaire** de Y, on parle de **prise de contrôle** : X **prend le contrôle de** Y.

Aujourd'hui, les entreprises sont de moins en moins nombreuses et de plus en plus grandes. C'est ce qu'on appelle **la concentration** des entreprises.

1   Qu'est-ce que c'est ?

1. C'est le lieu de travail d'un artisan.

   ⇒ C'est un a_____ .

2. Il a fondé une entreprise.

   ⇒ C'est un c_____ .

3. Cette entreprise est la première sur son marché.

   ⇒ Elle est l_____ .

4. Elle emploie de plus en plus de salariés.

   ⇒ C'est une entreprise en p_____ e_____ .

5. C'est un lieu de fabrication.

   ⇒ C'est une u_____ .

6. C'est lui qui fabrique.

   ⇒ C'est un f_____ .

7. C'est fait pour être mangé.

   ⇒ C'est un p_____ a_____ .

8. C'est là où se trouve l'adresse principale de la société.

   ⇒ C'est son s_____ .

2   Vrai ou faux ?

	VRAI	FAUX
1. Pour se développer, une entreprise doit nécessairement moderniser ses installations.	☐	☐
2. Une entreprise en pleine croissance, c'est une entreprise qui se développe.	☐	☐
3. Une filiale contrôle à plus de 50 % la société mère.	☐	☐
4. Une filiale est une société.	☐	☐
5. Deux sociétés X et Y qui se regroupent pour créer une société Z réalise une fusion.	☐	☐
6. Une société qui achète une autre société réalise une absorption.	☐	☐
7. En principe, une société qui absorbe une autre société change de nom.	☐	☐
8. Dans tous les cas, quand une société X prend une participation minoritaire dans une société Y, on peut dire que X prend le contrôle de Y.	☐	☐
9. Un groupe d'entreprises comprend généralement une société mère et des filiales.	☐	☐
10. De nos jours, la concentration des entreprises est le résultat (la conséquence) aussi bien de la croissance externe que de la croissance interne des entreprises.	☐	☐

22 DISPARITION DE L'ENTREPRISE

A. DÉCLARATION DE FAILLITE

Quand une entreprise ne peut plus payer ses **créanciers** (**fournisseurs**, banques, etc.), on dit qu'elle est devenue **insolvable** ou qu'elle **est en cessation de paiement**.
Elle doit **déposer son bilan** auprès du **tribunal de commerce** et le tribunal déclare que l'entreprise **est en faillite.** C'est ce qui est arrivé à Sud Marine, une entreprise de construction navale installée à Marseille.

SUD MARINE
FERME SES PORTES

Qui veut acheter Sud Marine ? Personne.
Aucun **repreneur** (= acheteur) ne s'étant présenté,
le tribunal de commerce de Marseille a **prononcé**
hier **la liquidation** (= la vente) des biens
de l'entreprise. La décision n'a surpris personne.

Depuis plusieurs années déjà, Sud Marine **tournait au ralenti** (= produisaient moins). **Le carnet de commandes** était de plus en plus vide.

L'entreprise, fortement **endettée**, avait du mal à **rembourser ses dettes**. Bref, **les affaires allaient mal.**

Il y a deux ans, Alain Tournier avait **pris la tête de** Sud Marine avec une mission très claire : **le redressement** (= **le sauvetage**) de cette entreprise **au bord de la faillite** (= sur le point de **faire faillite**).

« Nous **redresserons** rapidement l'entreprise », avait promis le nouveau **P-DG** (Président – Directeur général).

À peine arrivé, Alain Tournier avait mis en place **un plan de restructuration** : des ateliers ont été fermés, des emplois supprimés. Selon les syndicats, **ces restructurations** auraient **entraîné la suppression (perte)** de 160 emplois.

Mais ces efforts n'ont pas été suffisants. Sud Marine n'a pas pu **résister à** la crise du secteur. Au début de l'année, l'entreprise a perdu son plus **gros client**. Le plan **a échoué** (= n'a pas réussi).

Résultat : pour la quatrième année consécutive, **les comptes étaient dans le rouge** (= Sud Marine perdait de l'argent). **Son endettement** n'avait pas diminué. Bien au contraire, l'entreprise **s'était endettée** davantage.

LES AFFAIRES ONT MAL TOURNÉ

Les affaires ont donc **mal tourné** pour Sud Marine. Dans un mois, l'entreprise **cessera** (= arrêtera) ses **activités** et fermera définitivement ses portes. ∎

Sud Marine ferme ses portes

B. CAUSES ET CONSÉQUENCES

La faillite de Sud Marine **est due à** = **provient de** = **est causée par** = **a pour cause** = **s'explique par** la crise.
La crise **a entraîné** = **a conduit à** = **a provoqué** = **a causé** = **a occasionné** la faillite de Sud Marine

1 **Choisissez la bonne réponse.**

1. Une entreprise en difficulté a du mal à payer :

☐ ses clients.

☐ ses fournisseurs.

2. Une entreprise qui ne peut plus payer ses dettes doit :

☐ déposer son bilan.

☐ payer ses créanciers.

3. Une entreprise qui rembourse ses dettes :

☐ continue de s'endetter.

☐ diminue son endettement.

4. Quand une entreprise perd de l'argent, on dit :

☐ que ses comptes sont dans le rouge.

☐ qu'elle tourne au ralenti.

5. Le chef d'une entreprise en difficulté doit essayer de :

☐ redresser l'entreprise.

☐ liquider l'entreprise.

6. Le plan de redressement d'une entreprise peut occasionner :

☐ des suppressions d'emplois.

☐ une crise économique.

7. La faillite d'une entreprise peut s'expliquer par :

☐ la faillite d'un gros client.

☐ le redressement de cette entreprise.

8. Une entreprise qui cesse ses activités :

☐ est nécessairement en faillite.

☐ peut être en bonne santé.

2 **Mettez dans l'ordre.**

▪ *Scénario 1*

☐ Il met en place un plan de restructuration.

☐1 En juin un nouveau P-DG prend la tête de l'entreprise.

☐ Il a pour mission de redresser l'entreprise.

☐ L'entreprise doit déposer son bilan.

☐ Le plan de restructuration échoue.

▪ *Scénario 2*

☐ Cortex fait faillite.

☐ Conclusion : les affaires ont mal tourné.

☐ Mais peu à peu le carnet de commandes se vide.

☐ Au début, les affaires vont plutôt bien.

☐ La société Cortex est au bord de la faillite.

▪ *Scénario 3*

☐ Elle devient insolvable.

☐ L'entreprise a du mal à payer ses dettes.

☐ Elle doit déposer son bilan.

☐ Le tribunal prononce sa liquidation.

☐ Elle est déclarée en faillite.

▪ *Scénario 4*

☐ Mais deux ans plus tard, Telton est sauvée et crée de nouveaux emplois.

☐ Arrive un nouveau P-DG qui met en place un plan de redressement.

☐ Le plan entraîne la perte de 300 emplois.

☐ C'est l'histoire de Telton, une entreprise endettée, au bord de la faillite.

23

PROFESSIONS 1

A. QU'EST-CE QUE VOUS FAITES DANS LA VIE ?

Il arrive qu'on vous demande : « **Qu'est-ce que vous faites dans la vie ?** » ou alors « **Quelle est votre profession ?** » ou encore « **Vous faites quoi comme métier ?** »

Si vous ne travaillez pas, vous pouvez répondre, par exemple : « Je ne travaille pas encore, **je suis étudiant(e)** ». Si vous travaillez, la réponse dépend évidemment du travail que **vous exercez**. Vous pouvez dire : « **Je suis caissier** dans un supermarché », « **Je travaille comme hôtesse de l'air** », etc.

Il existe des centaines de professions différentes et il n'est pas possible ici de les énumérer toutes. En voici juste quelques-unes, à titre d'exemples :

ingénieur	réceptionniste	comptable	analyste financier	audit
conseiller fiscal	modéliste	vendeur	chef de produit	
juriste d'entreprise	attaché commercial	employé de bureau		
webmestre	contrôleur de gestion	garçon de café		

B. VOUS FAITES QUOI EXACTEMENT ?

Chaque profession a ses particularités, sa culture, son langage. Voici deux personnes qui parlent de leur métier :

Marius, **agent immobilier** :
« Je travaille pour une petite agence immobilière. **Je suis chargé des** transactions sur les locaux professionnels. D'abord, je recherche à Paris des bureaux ou des boutiques à vendre. Ensuite, **je dois** trouver des acheteurs. **Ce n'est pas moi qui** vends ou qui achète. Moi, je suis simplement **un intermédiaire, je joue le rôle d'**arbitre entre le vendeur et l'acheteur, **je conseille**. »

Gaelle, **chargée de clientèle** :
« Je travaille dans une agence bancaire, à Marseille. **Mon rôle consiste à** conseiller les clients et à leur proposer des produits de la banque. Depuis trois ans, **je m'occupe des** petites entreprises, **j'ai** donc surtout **affaire à des chefs d'entreprise.** Je cherche à développer **un portefeuille de clients**, et pour cela, je dois **prospecter le marché**, c'est-à-dire rechercher de nouveaux clients. J'ai des **objectifs à atteindre** et, avec **la concurrence**, ce n'est pas facile. »

E X E R C I C E S

 Associez.

1. Mon rôle consiste ⇒ ...
2. Je m'occupe ⇒ ...
3. Nous avons affaire ⇒ ...
4. Je dois ⇒ ...
5. C'est moi ⇒ ...
6. Je joue le rôle ⇒ ...

a. qui suis responsable de l'organisation.
b. des relations avec les fournisseurs.
c. d'interprète.
d. atteindre des objectifs
e. à informer les visiteurs.
f. à une clientèle internationale.

 Trois personnes parlent de leur travail. Lisez et/ou écoutez ce qu'elles disent et découvrez la profession de chacune.

 Bonjour, je m'appelle Julie. Mon travail consiste d'abord à assurer la sécurité à bord. Pendant le vol, je demande aux passagers de respecter les consignes de sécurité, je leur présente les équipements de sauvetage, etc. J'essaye aussi de leur rendre le voyage le plus agréable possible. Je distribue des journaux, des boissons, des jouets aux enfants, et c'est nous qui servons les repas.

 Bonjour, je suis Antonin, c'est moi qui suis chargé d'accueillir les clients et de leur donner des informations sur les chambres disponibles. Les clients me posent aussi beaucoup de questions sur ce qui se passe dans la ville, sur les possibilités de loisirs, etc. Souvent, ils me demandent de leur réserver une place au restaurant ou au théâtre. Côté administratif, je dois tenir à jour le fichier des clients, en notant les arrivées et les départs, et quand le client s'en va, c'est moi qui fais la note et qui encaisse les paiements.

 Bonjour, moi, c'est Caroline, et j'ai 25 ans. Le soir et le samedi, **j'enregistre vingt à trente articles à la minute et je fais une trentaine de clients par heure. Le magasin vend sur**tout des produits alimentaires. La direction compare mes résultats avec ceux de mes collègues, je dois donc être très rapide. En même temps, il faut que je sois très attentive pour ne pas faire d'erreur, et on me demande aussi d'être aimable et souriante avec les clients.

Vrai ou faux ?

	VRAI	FAUX
1. Un garçon de café est en contact avec le public.	☐	☐
2. Un ingénieur exerce un métier artistique.	☐	☐
3. Un comptable travaille avec les chiffres.	☐	☐
4. Un juriste d'entreprise exerce une activité sportive.	☐	☐
5. Un employé de bureau fait de la recherche.	☐	☐

24

PROFESSIONS 2

A. CARRIÈRE PROFESSIONNELLE

La carrière professionnelle
est la progression dans une profession.
On peut aussi parler de **parcours**
professionnel. **Faire carrière**,
c'est réussir dans une profession.
Un(e) carriériste est une personne
qui cherche à faire carrière.

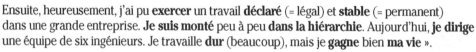

Il a fait une belle carrière.

Deux personnes, Izir et Françoise, parlent
de leur carrière professionnelle :

Izir, 48 ans, est **ingénieur** :
« Je suis arrivé en France il y a 18 ans.
Les deux premières années, j'ai travaillé
au noir (= illégalement), comme certains
travailleurs immigrés. Je travaillais **d'arrache-pied** (= sans interruption),
et j'étais très **mal payé**.

Ensuite, heureusement, j'ai pu **exercer** un travail **déclaré** (= légal) et **stable** (= permanent)
dans une grande entreprise. **Je suis monté** peu à peu **dans la hiérarchie**. Aujourd'hui, **je dirige**
une équipe de six ingénieurs. Je travaille **dur** (beaucoup), mais je **gagne** bien **ma vie** ».

Françoise, **retraitée**, 68 ans, **travailleuse bénévole** :
« J'ai travaillé **dans les affaires** pendant près de 40 ans. J'ai commencé par vendre
des aspirateurs en faisant du **porte à porte** chez les clients. À la fin de ma carrière,
j'étais chef des ventes chez un fabricant de meubles. Il y a deux ans, **j'ai pris ma retraite**,
mais je n'ai pas vraiment **cessé** (= arrêter) de travailler. Je suis restée très **active.**
Aujourd'hui, je travaille **bénévolement** (= gratuitement) dans une association.
Nous aidons les jeunes à trouver un emploi. »

B. COMMENT TROUVEZ-VOUS VOTRE TRAVAIL ?

Votre travail peut être :
– **dur, ardu, pénible**	le travail est difficile.
– **épuisant, harassant**	le travail est très fatigant.
– **ennuyeux, fastidieux**	le travail n'est pas intéressant, vous vous ennuyez.
– **routinier, répétitif**	il faut toujours faire, répéter la même chose.
– **enrichissant**	le travail vous apporte de nouvelles connaissances.
– **passionnant**	le travail vous intéresse beaucoup, il vous passionne.
– **prenant**	le travail prend du temps et vous occupe beaucoup l'esprit.

C. MOTS FAMILIERS : AUTOUR DU BOULOT

■ J'adore **mon boulot**.	J'adore mon travail.
■ J'ai trouvé **un bon job**.	J'ai trouvé un bon travail.
■ **J'ai du pain sur la planche**.	J'ai beaucoup de travail.
■ Il **bosse** dur. C'est un **bosseur**.	Il travaille beaucoup.

1 (22) **Complétez les mentions manquantes. Puis écoutez pour vérifier.**

1.– Est-ce qu'elle travaille encore au noir ?

– Non, maintenant elle a un travail d _____ .

2.– Tu es payé combien ?

– Je ne gagne rien du tout, je travaille b _____ .

3.– Il a l'air un peu paresseux.

– Et pourtant, il travaille d _____ .

4.– Vous aimez ce que vous faites ?

– Bof ! À vrai dire, pas tellement, c'est toujours pareil, c'est très r _____ .

5.– Elle pense à son travail ?

– Elle ne pense qu'à ça, elle a un travail extrêmement p _____ .

6.– Il est toujours fatigué.

– Ce n'est pas étonnant, il a un boulot é _____ .

7.– Il paraît que votre travail est très ennuyeux.

– Ce n'est pas vrai, j'ai un travail très intéressant, p _____ même.

8.– Vous ne vous ennuyez pas au bureau ?

– Pas du tout, j'apprends tous les jours quelque chose, ce que je fais est très e _____ .

9.– Qu'est-ce qu'il fait comme boulot ?

– Pour l'instant, je ne sais pas, il change sans arrêt, il n'a pas de travail s _____ .

10.– Est-ce qu'il travaille beaucoup ?

– Énormément. C'est un gros b _____ .

2 **Associez pour compléter les phrases.**

1. Il a fait	⇒ *b*	a. d'arrache pied.
2. Il a pris	⇒ ...	b. une belle carrière.
3. Il est monté très haut	⇒ ...	c. sa retraite très jeune.
4. Il travaille du matin au soir	⇒ ...	d. du pain sur la planche
5. Il a immigré aux États-Unis	⇒ ...	e. à l'âge de 20 ans.
6. On a encore	⇒ ...	f. sa vie.
7. Bien qu'il ne travaille pas, il reste	⇒ ...	g. une petite entreprise.
8. C'est un petit boulot	⇒ ...	h. dans la hiérarchie
9. Il dirige	⇒ ...	i. très actif.
10. Il gagne très bien	⇒ ...	j. mal payé.

LIEU DE TRAVAIL

A. À LA VILLE

« Bonjour, je m'appelle Sophie. L'entreprise où je travaille vient de **déménager** dans **le quartier des affaires**, loin du centre ville. Nos bureaux se trouvent maintenant au 28e **étage** d'**une tour** de 35 étages. **Les installations** sont modernes, nous sommes très bien **équipés**. À cause de **la climatisation**, il est interdit d'ouvrir les fenêtres. **L'insonorisation** est parfaite : on n'entend aucun bruit de l'extérieur, c'est très bien **insonorisé.** Ce sont des bureaux de type **paysager.** »

NOTE : Dans un bureau paysager, l'espace est divisé par des **cloisons mobiles** ou par des plantes, de différente hauteur. Chacun **dispose de** son propre **espace de travail**, et peut aisément communiquer avec ses collègues. Il est facile de modifier **la disposition.**

Sophie, de nouveau : « Avant **le déménagement**, nos bureaux se trouvaient dans **un immeuble** ancien du centre ville. Ils **donnaient sur** une rue bruyante. Nous n'avions pas beaucoup d'espace, on était **serrés comme des sardines.** **Je partageais** un bureau **minuscule** (très petit) avec un collègue. Seul avantage : comme nous étions dans **un quartier commerçant** (avec beaucoup de commerces), je pouvais **faire les magasins** (= faire des achats) pendant la pause déjeuner. »

B. À LA CAMPAGNE

« Bonjour, je m'appelle Tony. Je travaille chez Petit Beurre, un fabricant de gâteaux industriels installé à la campagne. Nous avons **une** petite **usine**, où nous fabriquons 8 000 gâteaux par jour. L'usine est divisée en quatre **ateliers**.

Moi, je ne travaille pas dans l'usine. Je travaille dans **les bureaux** du premier étage, dans le service administratif. Chacun a son propre bureau. Le mien est particulièrement **spacieux** (grand). Il donne sur un jardin. De l'autre côté du **bâtiment** (immeuble), il y a **un parking** réservé au personnel. Au deuxième et dernier étage, il y a la **cantine**, où on peut manger à midi. »

Tony, de nouveau : « Ma femme est graphiste. Elle travaille **à domicile.** »

NOTE : **Le travail à domicile**, qu'on appelle aussi **le télétravail,** est en plein développement. D'après certaines études, **les travailleurs à domicile** ou **télétravailleurs** seraient les plus **efficaces**.

E X E R C I C E S

1 🎧 (23) **Lisez les témoignages suivants et complétez les mentions manquantes.**
Puis écoutez pour vérifier.

1.
Je travaille dans le q _____ des affaires.

2.
Mon bureau se trouve au 3ᵉ é _____
d'un petit i _____.

3.
S'il y avait un p _____, je viendrais
travailler en voiture.

4.
En ce moment, il fait très chaud,
la c _____ ne fonctionne pas, c'est
difficile de travailler dans ces conditions.

5.
On est trois à p _____ un bureau
minuscule, on est très s _____,
on peut à peine bouger.

6.
On est mal é _____, les installations
sont vieilles, il y a des fils électriques par terre.

7.
Le bureau donne sur la rue, et même avec
les fenêtres fermées, il y a beaucoup de bruit,
c'est vraiment très mal i _____.

8.
Dans notre c _____, on mange bien
pour pas cher.

2 **Éliminez l'intrus.**

1. minuscule / petit / spacieux / serré.
2. une tour / un déménagement / un immeuble /un bâtiment.
3. une cloison / un domicile / un bureau / une usine.
4. climatisé / insonorisé / silencieux / tranquille.

3 **Vrai ou faux ?**

	VRAI	FAUX
1. Dans un bureau paysager, il y a toujours beaucoup de plantes.	☐	☐
2. Dans un atelier, il peut y avoir plusieurs usines.	☐	☐
3. Les usines sont souvent situées dans le quartier commerçant de la ville.	☐	☐
4. Les employés du service administratif travaillent généralement dans un atelier.	☐	☐
5. En principe, les télétravailleurs travaillent à domicile.	☐	☐

26 DIPLÔMES ET FORMATION

A. UNIVERSITÉ ET GRANDE ÉCOLE

En France, **les lycéen(ne)s** – les élèves des lycées (= écoles secondaires) – passent **le baccalauréat** (= **le bac**) vers l'âge de 18 ans. Ils peuvent soit **réussir** soit **rater** (= ne pas réussir) l'examen. Après le bac, beaucoup **s'inscrivent à** = **entrent à** l'Université et quelques-uns – une minorité – **entrent dans une grande école.**

Agathe et Caroline travaillent chez PPX, une entreprise industrielle installée dans la région parisienne. Elles parlent de leurs études après le bac.

Agathe, 40 ans, est **responsable du personnel** : « **J'ai une formation de** juriste, **j'ai fait des études de droit à la faculté de droit,** à Paris. J'ai **écrit une thèse** en **droit du travail** et j'ai **obtenu un doctorat.** Tout de suite après mes études, j'ai trouvé un emploi à **la direction du personnel** d'une grande entreprise. Je suis restée près de cinq ans dans cette entreprise, puis je suis entrée **comme directrice du personnel** chez PPX, et c'est **le poste** que **j'occupe** encore aujourd'hui. »

Caroline, 31 ans, est **directrice commerciale** : « Après le bac, j'ai préparé **le concours d'entrée** d'**une grande école de commerce.** Nous étions environ 2 000 **candidats** pour une centaine de **places.** Heureusement, j'ai réussi le concours. Pendant **ma scolarité** (= le temps passé à l'école), **j'ai fait des stages** dans plusieurs entreprises pour **acquérir de l'expérience.** À ma sortie de l'école, je suis entrée chez PPX. »

Amphithéâtre de la Sorbonne

B. FORMATION CONTINUE

Jordan, 38 ans, travaille également chez PPX. Il parle de sa formation : « J'ai commencé à travailler à 16 ans. Je n'**avais** aucun **diplôme**, pas même le bac. J'ai commencé ma carrière comme ouvrier. Le travail n'était pas très intéressant. **J'ai suivi des cours du soir.** Ce n'était pas facile, je travaillais le jour, et j'étudiais le soir. J'ai fini par **décrocher** (= obtenir) un diplôme d'ingénieur. Aujourd'hui, chez PPX, je continue **à suivre des stages** de **formation continue.** On n'en sait jamais assez, n'est-ce pas ? »

NOTE : La formation continue est la formation que vous recevez pendant que vous travaillez.

Jordan, de nouveau : « Comme nous travaillons beaucoup avec l'Allemagne, PPX m'a envoyé deux semaines à Berlin pour **pratiquer** mon allemand. »

1 Associez

■ *Scénario 1*

1. Elle entre   ⇒ **d**   **a.** un stage.

2. Elle reçoit   ⇒ ...   **b.** une bonne formation.

3. Elle fait   ⇒ ...   **c.** de l'expérience.

4. Elle acquiert ⇒ ...   **d.** dans une grande école.

■ *Scénario 2*

1. Il écrit   ⇒ ...   **a.** dans une entreprise.

2. Il passe   ⇒ ...   **b.** une thèse.

3. Il entre   ⇒ ...   **c.** un poste important.

4. Il occupe   ⇒ ...   **d.** son doctorat.

■ *Scénario 3*

1. Elle fait   ⇒ ...   **a.** un diplôme d'ingénieur.

2. Elle obtient   ⇒ ...   **b.** des études d'ingénieur.

3. Elle travaille   ⇒ ...   **c.** son français.

4. Elle pratique   ⇒ ...   **d.** comme ingénieur.

■ *Scénario 4*

1. Il étudie   ⇒ ...   **a.** d'étudier.

2. Il rate   ⇒ ...   **b.** l'économie.

3. Il arrête   ⇒ ...   **c.** au chômage.

4. Il se retrouve ⇒ ...   **d.** ses examens.

2 Mettez dans l'ordre chronologique.

☐ Les cours commencent début septembre.

☐ Le jour J arrive : elle passe le concours avec deux mille autres candidats.

☐ Trois semaines plus tard, elle apprend ses résultats. Quel bonheur ! Elle a réussi.

[1] Éva travaille dix heures par jour : elle prépare le concours d'une grande école.

☐ Elle entre dans un cabinet de consultant.

☐ Trois ans plus tard, elle obtient le diplôme de l'école.

☐ Elle suit assidûment (régulièrement) les cours.

3 Complétez les mentions manquantes.

1. Pour entrer dans une g _____ école, il faut passer un c _____ difficile. Il y a toujours
beaucoup de c _____ pour un nombre limité de p _____.

2. Chez PPX, les salariés peuvent s _____ des s _____ de formation c _____.

3. Il a une f _____ scientifique. Maintenant, il travaille c _____ directeur financier chez PPX.

4. Il a beaucoup de d _____, et pourtant il a du mal à trouver un e _____ intéressant.

5. En France, il faut avoir le bac pour s'i _____ à l'u _____.

6. Mathieu, 18 ans, n'a rien fait pendant sa s _____ et il a fini par r _____ son b _____.

27 EMPLOI ET CHÔMAGE

A. POPULATION ACTIVE

La population active (= les actifs) comprend les personnes présentes sur **le marché de l'emploi** (**= le marché du travail**), à savoir :
– les personnes qui travaillent : **les actifs occupés** ;
– les personnes qui **sont à la recherche d'un emploi** : **les actifs inoccupés = les chômeurs.**

La population inactive (= les inactifs) comprend les enfants, les retraités, les personnes qui restent **au foyer** (à la maison), les malades, etc.

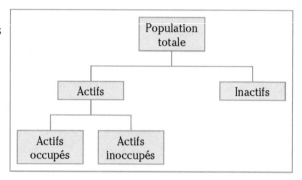

Un chômeur est aussi appelé **un demandeur d'emploi** ou **un sans-emploi**. Un **chômeur de longue durée** est une personne qui **est au chômage** depuis longtemps.

Les chiffres de l'emploi sont publiés régulièrement par le gouvernement. **Le taux de chômage** est **un indicateur** intéressant pour apprécier **l'état de santé** d'une économie.

$$\text{Taux de chômage} = \frac{\text{Actifs inoccupés (= chômeurs)}}{\text{Population active}}$$

Dans de nombreux pays, **la situation de l'emploi** est préoccupante parce que le taux de chômage est **élevé**. Le chômage **touche** (= **concerne**) environ 10 % de la population active, et la situation **se dégrade** (= **empire**) d'année en année.

B. RÉSULTATS ET TENDANCES

L'emploi et surtout le chômage font souvent les titres de la presse. Voici quelques titres :

CRÉATION D'EMPLOIS :
la guerre des chiffres

Des emplois ont été **créés**, mais combien ? Les experts ne sont pas d'accord.

Société KM7 :
les salariés manifestent contre les suppressions d'emploi

Les salariés de la société KM7 protestent parce que la société **supprime** des emplois.

Comment **toucher les indemnités de chômage.**

Les conditions qu'un chômeur doit remplir pour **toucher** (= recevoir) **les aides de l'État**.

1 Vrai ou faux ?

	VRAI	FAUX
1. Les retraités font partie de la population inactive.	☐	☐
2. Les chômeurs font partie de la population active.	☐	☐
3. Un chômeur = un actif inoccupé = un demandeur d'emploi = un sans-emploi.	☐	☐
4. L'état de santé de l'économie dépend du taux de chômage.	☐	☐
5. En principe, les inactifs touchent des indemnités de chômage.	☐	☐

2 Complétez les mentions manquantes.

EMPLOI

Chômage : les jeunes fortement touchés

L'Institut national des statistiques a publié hier les c _____ de l'emploi. Mauvaise nouvelle : la s _____ de l'emploi dans le pays continue de se d _____, en particulier pour les jeunes.

Le t_____ de chômage reste très é_____. Il t_____ maintenant 11,6 % de la population a_____.

La moitié des jeunes diplômés sortant de l'Université sont à la r_____ d'un e_____. Ils sont souvent dans une situation difficile. Pour l'instant, en effet, un jeune qui n'a pas encore travaillé ne reçoit aucune i_____ de chômage.

Les étudiants ont m_____ dans les rues de la capitale. Ils veulent obtenir des a_____ de l'État et des c_____ d'emplois de la part des entreprises. *« Nous allons vous aider »*, a déclaré le ministre de l'emploi devant un groupe de jeunes. Jonathan Lambert, le porte parole de l'Union des étudiants, a dit que le ministre de l'emploi devrait plutôt s'appeler ministre du chômage.

Seule consolation : les c_____ de longue d_____ sont en diminution. Les jeunes diplômés peuvent donc garder espoir : ils restent de moins en moins longtemps au chômage. ■

Des étudiants manifestent à Paris

28 RECHERCHE D'EMPLOI

A. MÉTHODES DE RECHERCHE

Pour trouver un emploi, vous pouvez :
– **consulter** les **offres d'emploi** dans la presse et sur Internet,
– faire paraître (= publier) **une demande d'emploi**,
– utiliser vos **relations** personnelles ou professionnelles,
– vous adresser à **un cabinet de recrutement** (= un « **chasseur de tête** »), etc.

B. CV ET LETTRE DE MOTIVATION

Noémie Poulain est à la recherche d'un emploi. Elle répond à **une petite annonce** publiée dans la presse par l'entreprise Berthier. Elle envoie à la **Direction des ressources humaines (= le service du personnel)** de l'entreprise un **CV (curriculum vitae)** et **une lettre de motivation**.

Dans son **CV**, Noémie donne des informations sur :
– son **état civil** : elle a 26 ans, elle est célibataire, etc.
– sa **formation** : elle **a fait** une grande école d'ingénieur,
– son **expérience professionnelle** : elle a travaillé comme ingénieur pendant trois ans,
– ses **activités extra-professionnelles** : elle joue souvent au tennis.

Dans sa lettre de motivation, Noémie **postule** (= demande = **pose sa candidature à**) l'emploi proposé. Elle explique pourquoi elle veut le travail et en quoi **son profil** (ses **compétences**, qualités, formation, âge, etc.) correspond à l'emploi.

C. ENTRETIEN D'EMBAUCHE

Noémie obtient un rendez-vous pour **un entretien d'embauche** = une discussion entre **le candidat** et **l'employeur**.

Kevin Pelissier est **le DRH (Directeur des ressources humaines)** de Berthier. Il parle de **la procédure de recrutement**, c'est-à-dire des méthodes que l'entreprise utilise pour **recruter** du personnel :

« Nous **convoquons** plusieurs candidats à **un entretien de groupe**. Nous faisons ensuite **une** première **sélection** et nous convoquons les meilleurs candidats à plusieurs **entretiens individuels**. Finalement, nous choisissons le meilleur d'entre les meilleurs. »

Finalement, Noémie **obtient le poste**. Elle **est embauchée / recrutée / engagée** par Berthier le 1er mars = Berthier l'embauche / la recrute / l'engage le 1er mars.

Un entretien d'embauche

1 Qui est-il ? Le candidat ou l'employeur ?

	CANDIDAT	EMPLOYEUR
1. Il fait paraître une offre d'emploi.	☐	☐
2. Il consulte les demandes d'emploi.	☐	☐
3. Il actualise son CV.	☐	☐
4. Il rédige une lettre de motivation.	☐	☐
5. Il reçoit les CV et fait une première sélection.	☐	☐
6. Il est convoqué à un entretien.	☐	☐
7. Il pose la plupart des questions.	☐	☐
8. Il a le profil recherché.	☐	☐
9. Il embauche un nouveau salarié.	☐	☐
10. Il obtient le poste.	☐	☐

2 De quel type de document est extrait chacune des informations suivantes ?

1. _____   2. _____

■ **EXPÉRIENCE PROFESSIONNELLE**

2008-2012   • Éditions Lombard, Bruxelles
                   Responsable des ventes
                   Chargée d'animer
                   une équipe de six vendeurs.

_____

Merci d'adresser
lettre manuscrite + CV + photo
à BCT, 92 rue Danton, 35000 Rennes.

3 **24** Complétez les mentions manquantes. Puis écoutez pour vérifier.

1. Dans votre CV, donnez quelques détails sur votre é _____ c _____ (âge, nationalité, etc.),
   décrivez votre e _____ p _____, expliquez votre f _____, dites un mot sur vos
   a _____ e _____-professionnelles. Dites la vérité, mais ne vous sous-estimez pas.

2. Envoyez votre CV et une l _____ de m _____ soit à un c _____ de r _____,
   soit directement au s _____ du p _____ de l'entreprise (ou à la direction des r _____
   h _____).

3. Pendant l'e _____ d'e _____, mettez en avant vos qualités et vos c _____, essayez
   de convaincre l'employeur que votre p _____ correspond bien au p _____ proposé.

29 CONTRAT DE TRAVAIL

A. LETTRE D'ENGAGEMENT

Le contrat de travail est **une convention (= un accord)** entre **un(e) salarié(e)** et **un employeur**. L'**obligation** principale du salarié est d'**exécuter le travail**. Celle de l'employeur est de payer **le salaire**. Ce contrat peut prendre la forme d'**une lettre d'engagement**, qu'on appelle aussi **une lettre d'embauche**. Voici des extraits d'une lettre d'engagement :

> Madame,
>
> À la suite de notre entretien du 18 février, nous vous confirmons votre engagement **en qualité d**'ingénieur **à compter du** 1er mars **pour une durée indéterminée**. […]
>
> Vous **exercerez vos fonctions sous l'autorité du** directeur de la production.
>
> Votre **rémunération** annuelle **est fixée à** 62 000 euros. […]
>
> Nous vous rappelons que **nous sommes convenus d'une période d'essai** de deux mois. Pendant cette période, chacune des parties est libre de **résilier** le contrat de travail, à tout moment, sans indiquer de **motif**. »

En France, pour un emploi **à plein temps**, la durée du travail est de 35 heures par semaine. Si vous travaillez moins de 35 heures, vous travaillez **à temps partiel**. Mais si vous dépassez 35 heures par semaine, **vous faites des heures supplémentaires**.

B. TRAVAIL TEMPORAIRE

« Bonjour, je m'appelle Thomas. Je travaille pour Attica, qui est **une entreprise de travail temporaire** ou, comme on dit aussi, **une entreprise intérimaire**. Je **fais de l'intérim**. Attica m'envoie **en mission** (travailler) dans différentes entreprises **pour une durée déterminée**. En ce moment, je **suis en mission** dans l'entreprise Berthier pour une durée de six mois. Je **remplace** madame Leduc, qui **est en congé maternité** (elle vient d'avoir un bébé). »

C. FIN DU CONTRAT

Le contrat de travail peut prendre fin :
– soit à l'initiative du salarié : dans ce cas, on parle d'**une démission**. On dit que le salarié **donne sa démission** ou qu'il **démissionne**.
– soit à l'initiative de l'employeur : il s'agit alors d'**un licenciement**. On dit que le salarié **est licencié** ou que l'employeur **licencie** le salarié.

Dans les deux cas, les parties doivent **donner un préavis (= un délai de préavis)**, c'est-à-dire informer l'autre partie à l'avance.

Un **contrat à durée déterminée** prend fin à **l'expiration** (fin) de la durée fixée.

1   **Voici des extraits d'un contrat de travail. Complétez les mentions manquantes.**

Entre la société Berthier et Mme Noémie Poulain, il est c _____ ce qui suit :

Article 1. La société Berthier engage Mme Noémie Poulain à c _____ du 1er mars en q _____ d'ingénieur.

Article 2. Mme Poulain exercera ses f _____ sous l'a _____ directe du directeur général.

Article 3. Le présent contrat est conclu pour une d _____ indéterminée. Il ne deviendra définitif qu'à l'e _____ d'une p _____ d'e _____ de deux mois. Durant cette période, chacune des parties pourra r _____ le contrat sans donner de p _____ et sans indiquer de m _____.

Article 4. Le salaire a _____ brut de Mme Poulain est f _____ à 62 000 euros.

2   (25)   **Complétez les mentions manquantes. Puis écoutez pour vérifier.**

1. – Est-ce qu'il a été _____ ?

– Non, il est parti de sa propre initiative, il a donné sa _____.

2. – Vous travaillez à _____ partiel, n'est-ce pas ?

– Absolument pas. Non seulement je travaille à _____ temps, mais en plus je _____ des heures _____.

3. – Avez-vous toujours travaillé dans la même entreprise ?

– Pas du tout, comme je fais de _____, je change souvent d'entreprise. Je travaille pour une _____ de travail _____, qui s'appelle Attica. Pour l'instant, je suis en _____ dans une entreprise de transport. Je _____ quelqu'un qui est en congé maladie.

4. – Il travaille du 1er juin au 31 août. Il a un CDD.

– Un CDD, qu'est-ce que c'est ?

– C'est un _____ à durée _____.

3   **Complétez les phrases.**

1. L'obligation principale de l'employeur est d(e) _____

2. Le salarié a pour obligation principale d(e) _____

3. En principe, la partie qui veut résilier le contrat de travail doit _____

30 RÉMUNÉRATION DU TRAVAIL

A. SALAIRE DE CADRE

Audrey est **directrice du marketing** dans une grande entreprise.

> Bonjour, je suis Audrey. Je **touche un salaire annuel** de 52 000 **euros**. En plus de **ce salaire de base** (= salaire principal), je reçois **un intéressement aux bénéfices** de l'entreprise.

B. POURBOIRES ET CONGÉS PAYÉS

Émilie est **serveuse** dans un restaurant.

> Bonjour, je m'appelle Emilie. Tous les mois, je reçois un **salaire fixe**. C'est **le salaire minimum** prévu par la loi. Ce n'est pas **un gros salaire**. Heureusement, les clients me donnent des **pourboires**, et certains clients sont assez généreux. En été, je prends quatre semaines de **congés** (= vacances). Ce sont des **congés payés**, c'est-à-dire que je suis payé alors que je ne travaille pas. Mais bien sûr, pendant ces congés, je ne reçois pas de pourboires.

C. RÉMUNÉRATION DU VENDEUR

Yann travaille comme **vendeur** pour un **fabricant** de chaussures.

> Moi, c'est Yann. Je reçois chaque mois **un fixe** (= **un salaire mensuel fixe**) et **une commission** (= un pourcentage des ventes). Le fixe m'apporte un minimum de **sécurité**. Mais la commission est plus **motivante** : plus je vends, plus je gagne. Comme je suis presque toujours en déplacement, l'entreprise me prête une **voiture de fonction** et **prend en charge** (= paie) mes **frais de déplacement** (essence, péage d'autoroute, hôtels, etc.). »

D. PRIMES

Certains salariés reçoivent **une prime** (= **un bonus**). Voici les principaux types de primes :

• Prime d'ancienneté	Elle **est accordée** (donnée) en fonction des années passées dans l'entreprise.
• Prime d'assiduité	L'assiduité est l'application et la présence régulière au travail.
• Prime de rendement = prime de productivité	Son montant dépend du résultat du travail.
• Prime de nuit	Pour ceux qui travaillent la nuit.
• Treizième (13e) mois	Au mois de décembre, le salarié reçoit deux mois de salaire.

En France, les salariés reçoivent chaque mois **un bulletin de salaire** (= **une fiche de paie**) qui mentionne en détail les différents éléments du salaire.

1 🎧 26 **Lisez les déclarations suivantes et complétez les mentions manquantes. Puis écoutez pour vérifier.**

1.
> À la fin de l'année, je reçois un t _____ m _____, c'est une sorte de prime de Noël.

5.
> Ça fait presque 30 ans qu'il travaille dans l'entreprise, c'est pourquoi il reçoit une prime d'a _____ si importante.

2.
> Les ouvriers de cette usine t _____ une p _____ de r _____. Plus ils produisent, plus ils gagnent.

6.
> Comme il arrive tous les jours en retard au bureau, le patron lui a sucré (supprimé) sa p _____ d'a _____.

3.
> Je reçois un f _____ et une c _____ de 6 % sur le m _____ des ventes.

7.
> On a droit à cinq semaines de c _____ p _____ par an.

4.
> L'employeur ne peut pas nous payer en dessous du s _____ m _____ fixé par la loi.

8.
> Si le service est compris dans l'addition, je ne donne pas de p _____ au serveur.

2 **Complétez les mentions manquantes.**

1. Madame Cellier, la directrice commerciale, reçoit un intéressement sur les _____.
2. Pour ses déplacements, elle dispose d'une voiture de _____.
3. Quand elle voyage, la société lui rembourse ses _____ de _____.
4. Monsieur Lavigne, le comptable, ne reçoit rien de plus que son salaire de _____.
5. Il y a une erreur de calcul sur son bulletin de _____.
6. Léo travaille jusqu'à 5 heures du matin, et pourtant il ne touche aucune _____ de _____.

31 PERSONNEL ET ENCADREMENT

A. TYPES DE SALARIÉS

Un salarié est une personne qui travaille **pour le compte** et **sous la subordination** (= sous l'autorité) d'**un employeur**. L'ensemble des salariés forme **le personnel** de l'entreprise.

Tellier est une entreprise industrielle qui **emploie** plusieurs types de salariés :
– **les ouvriers**, qui travaillent dans les différents **ateliers** de **l'usine**, font des travaux manuels ou mécaniques sous l'autorité d'**un contremaître** (chef d'équipe) ;
– **les employés** travaillent dans **les bureaux** ;
– **les cadres**, qu'on appelle aussi les **dirigeants** ou les **managers, occupent des postes de direction**. Ils **encadrent** (= **dirigent**) le personnel. L'ensemble des cadres forme **l'encadrement = le management = la direction**.

B. TYPES DE CADRES

Tellier emploie trois catégories de cadres : des **cadres techniques**, qui sont des **ingénieurs**, des **cadres commerciaux**, des **cadres administratifs**.

Ces cadres occupent des **niveaux hiérarchiques** différents. Chez Tellier, on distingue **les cadres supérieurs** et **les cadres moyens**. Un cadre moyen occupe un poste de direction **sous la direction / sous la responsabilité** d'un cadre supérieur.

Le personnel de Tellier est réparti dans de nombreux services. Par exemple : **le service de la comptabilité, le service du personnel, le service des ventes, le service des achats, le service après-vente**, etc. Des **chefs de service sont responsables de / dirigent** un service et les directeurs **supervisent** plusieurs services. Voici un extrait de **l'organigramme** de l'entreprise Tellier :

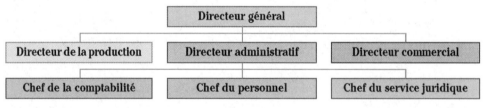

Dans les grandes entreprises le chef du personnel s'appelle souvent **le directeur des ressources humaines** (DRH).

C. DIRECTION GÉNÉRALE

Le directeur général est **responsable de la gestion** devant les propriétaires de l'entreprise.

Dans **une société anonyme**, comme Tellier, les propriétaires sont des **actionnaires**. Ils élisent **un conseil d'administration** pour les représenter. Les membres de ce conseil, les **administrateurs**, élisent leur **président**.

Le Président-directeur général (le **P-DG**) :
– **préside** le conseil d'administration, en tant que président ;
– **gère** (s'occupe de) l'entreprise, en tant que directeur général.

E X E R C I C E S

1   Complétez les phrases avec les verbes suivants :
encadre – gère – fait – occupe – préside

1. Jacques, le P-DG, _____ le conseil d'administration.

2. Fanny _____ seule sa petite entreprise.

3. Julien, contremaître, _____ une équipe de dix ouvriers.

4. Émilie _____ un poste de direction dans une grande entreprise.

5. Émilie dit que Paul, employé de bureau, _____ bien son travail.

2   Complétez les mentions manquantes.

La société Tellier e _____ près de 200 s _____. L'e _____ regroupe une vingtaine

de cadres. Comme Tellier est une entreprise industrielle, les cadres t _____ sont les plus nombreux.

Mais bien sûr il y a aussi des cadres a _____ et des cadres c _____.

Marius Guillemot est d _____ de la p _____. C'est un i _____ de formation.

Il supervise les cinq ateliers de l'u _____. Les chefs d'atelier travaillent s _____

sa r _____.

Les commerciaux sont répartis dans deux services : le service des v _____ et le service des a _____.

Les chefs de ces deux services sont placés s _____ la d _____ d'un d _____ c _____.

Le directeur administratif s'appelle Sébastien Goujon. Il contrôle le service de la c _____, le service

du p _____ et le service j _____.

3   Vrai ou faux ?

	VRAI	FAUX
1. Le directeur commercial est un cadre supérieur.	☐	☐
2. Un contremaître travaille sous la responsabilité d'un directeur commercial.	☐	☐
3. Le chef du personnel travaille généralement sous la responsabilité d'un DRH.	☐	☐
4. Le nom des actionnaires n'apparaît pas dans l'organigramme de l'entreprise.	☐	☐
5. Dans une société anonyme, un administrateur est un cadre administratif.	☐	☐
6. Les administrateurs sont choisis par les salariés de l'entreprise.	☐	☐
7. Les actionnaires sont les propriétaires de l'entreprise.	☐	☐

32

CONFLITS DU TRAVAIL

A. SYNDICALISME

« Bonjour, je m'appelle Thierry Minot et je travaille comme ouvrier mécanicien chez BMX, une entreprise qui fabrique des batteries de voitures. En entrant chez BMX, j'ai **adhéré à un syndicat**. Je suis devenu **un syndicaliste** très actif. Je pense qu'il est important de défendre les intérêts des travailleurs.

Depuis deux ans, nos salaires n'ont pas été **revalorisés** (= augmentés). Nous **réclamons** (= **revendiquons** = demandons) **une revalorisation** (= **une augmentation**), mais la direction refuse systématiquement toutes nos **revendications** (= demandes). Cette fois-ci, on se battra jusqu'à ce qu'on obtienne satisfaction. S'il le faut, **nous nous mettrons en grève.** »

B. DROIT DE GRÈVE

En France, **le droit de grève** est reconnu par **la constitution**.

Mais il y a des limites au droit de grève. Par exemple :
– Les **piquets de grève** sont des **grévistes** qui restent sur place pour s'assurer que la grève est bien **suivie**. Ils n'ont pas le droit d'empêcher **les non-grévistes** de travailler.
– La grève **avec occupation des locaux** (lieux de travail : bureaux, usine, etc.) est **tolérée** (autorisée), mais seulement pendant les **horaires de travail**.
– La grève est **un arrêt de travail** clair et net. **La grève perlée**, qui consiste à travailler mal ou au ralenti (lentement), est **illégale**.

C. TYPES DE GRÈVES

Il y a plusieurs types de grèves. Voici les principaux :

• Grève surprise	C'est une grève sans **préavis** : les travailleurs **font grève** sans prévenir l'employeur.
• Grève sauvage	Les grévistes agissent sans l'accord des syndicats.
• Grève de solidarité	Elle vise à **soutenir** (aider) les revendications d'autres salariés (de la même entreprise ou d'autres entreprises).
• Grève sur le tas	Les grévistes **occupent** les locaux de l'entreprise

D. JOURS DE GRÈVE

L'article suivant est extrait d'un journal économique.

BMX :

FIN DE LA GRÈVE...

Hier soir, après une grève de 20 jours, les ouvriers de BMX ont **repris le travail**. Ils réclamaient 6 % d'augmentation de salaire. Après qu'**un accord** a été trouvé avec la direction, les grévistes ont décidé de **mettre fin à** leur grève. *« Dans l'ensemble, nos revendications ont été satisfaites »*, a déclaré Thierry Minot, **responsable syndical**. ●

1 (27) **Complétez les mentions manquantes de cet extrait d'interview. Puis écoutez pour vérifier.**

1. – En France, les salariés ont-ils le droit de f _____

   grève ?

   – Oui, c'est même un droit reconnu par la c _____ .

2. – Les travailleurs doivent-ils prévenir l'employeur qu'ils vont

   se m _____ en grève.

   – Non, ils n'ont pas besoin de déposer un p _____ .

   En France, la grève s _____ est parfaitement légale.

3. – A-t-on le droit de faire grève pour n'importe quel motif ?

   – Non, la grève doit s'appuyer sur des r _____ d'ordre

   professionnel, et pas politique. Par exemple, on peut faire

   grève pour demander une r _____ des s _____ ,

   mais pas pour demander un changement de gouvernement.

4. – Les g _____ ont-ils le droit d'o _____ les

   locaux de travail pendant la grève ?

   – L'o _____ des locaux est tolérée pendant les

   h _____ de travail, c'est ce qu'on appelle une grève

   sur le t _____ . En tout cas, les p _____ de

   g _____ , qui empêchent les non-grévistes de travailler,

   sont interdits.

5. – En quoi consiste la liberté syndicale ?

   – C'est le droit pour chacun d'a _____ à un s _____ de son choix ou alors de ne pas

   a _____ .

Des journalistes de Radio France en grève

2 (28) **Lisez les déclarations suivantes et/ou écoutez. Puis dites de quel type de grève il s'agit.**

| Je propose qu'on se mette en grève tout de suite. | Les gars de l'atelier 1 sont prêts à soutenir leurs camarades de l'atelier 5. | Moi, je propose qu'on fasse grève sans l'accord du syndicat. |

1. *Grève surprise*   **2.** _____   **3.** _____

| On pourrait travailler plus lentement. Comme ça, on ne perdrait pas notre salaire et le patron serait bien embarrassé. |

4. _____

33

BIENS DE PRODUCTION

A. CAPITAL TECHNIQUE

Jean-Noël Bert est le fondateur de Technitec, une entreprise de 200 salariés, qui fabrique des composants électroniques. Il parle des **investissements** qu'il faut réaliser pour créer et développer une entreprise.

« Pour créer une entreprise, il faut des capitaux. Avec l'argent **investi** dans l'entreprise, on achète des **biens de production**, c'est-à-dire des biens qui sont utilisés pour créer un autre bien ou un service. Les biens de production sont aussi appelés **capitaux techniques**. »

Il existe deux types de biens de production :
– d'une part, **les biens d'équipement,** appelés aussi **le capital fixe** ;
– d'autre part, **les biens intermédiaires**, appelés aussi **le capital circulant**. »

Biens de production = capital technique	
Biens d'équipement = capital fixe	Biens intermédiaires = capital circulant

B. CAPITAL FIXE

Les biens d'équipement sont des **biens durables** car ils sont faits pour durer (pendant au moins un an). Exemples : les bâtiments, les machines, les **véhicules de transports**, etc.

Quand une entreprise acquiert (= achète) du capital fixe, on dit qu'elle **investit** (= elle **réalise un investissement**).

Jean-Noël Bert : « Chaque année, nous **consacrons** au moins 7 % de notre chiffre d'affaires à l'investissement. L'année prochaine, nous investirons dans une nouvelle usine en Pologne. Une entreprise qui veut rester **à la pointe** (= moderne) et **compétitive** doit investir. »

C. CAPITAL CIRCULANT

Les biens intermédiaires sont des **biens non durables** car ils sont consommés ou transformés dans **le processus de production**. C'est le cas des **matières premières** et de **l'énergie**.

Les matières premières sont des **produits de base**, non élaborés, utilisés pour produire un bien. Ex. : le bois utilisé pour fabriquer le papier, la farine du boulanger.

Pour produire, les entreprises peuvent utiliser différents types d'énergie. Exemples : énergies **électrique (électricité), nucléaire, fossile (charbon, gaz, pétrole,** etc.), **solaire** (soleil), **thermique (chaleur), éolienne** (vent), etc. Les **ressources énergétiques** varient d'un pays à l'autre.

Une plateforme pétrolière

1 **Capital fixe ou capital circulant ?**

Une agence de voyages achète :

	FIXE	CIRCULANT
1. un ordinateur	☐	☐
2. un fauteuil de bureau.	☐	☐
3. des feuilles de papier.	☐	☐
4. une machine à café.	☐	☐
5. quelques paquets de café.	☐	☐

2 **Vrai ou faux ?**

	VRAI	FAUX
1. Les biens intermédiaires sont des biens non durables.	☐	☐
2. Un chauffeur de taxi qui achète un nouveau taxi réalise un investissement.	☐	☐
3. Le vent et le soleil sont des matières premières.	☐	☐
4. Le plus souvent, on met du pétrole dans sa voiture.	☐	☐

3 **Associez**

1. Bien	⇒ *b*	**a.** technique.
2. Capital	⇒ ...	**b.** de production.
3. Énergie	⇒ ...	**c.** de base.
4. Véhicule	⇒ ...	**d.** de transport.
5. Ressource	⇒ ...	**e.** énergétique.
6. Produit	⇒ ...	**f.** nucléaire.

4 **Complétez les mentions manquantes avec des sources d'énergie.**

1. Cette entreprise exploite plusieurs puits de _____ en Irak.

2. Il fait une _____ étouffante dans cette région !

3. Aujourd'hui, le _____ souffle très fort.

4. Il y a eu une panne d'_____ dans toute la ville.

5. Tu ne trouves pas que ça sent le _____ ici ?

6. En France, on a fermé toutes les mines de _____ .

PRODUIRE

A. OBJECTIFS DE LA PRODUCTION

Max Jobert est **le directeur technique** (= **le directeur de production**) de Technitec.
Il parle de son métier :
« Nous **poursuivons** trois **objectifs** :
1. **Réduire les coûts de production** (= l'argent qu'il faut dépenser pour produire).
2. **Respecter les délais.**
3. Améliorer **la qualité des produits.**
Autrement dit, nous cherchons à produire **à moindre coût** (= le moins cher possible),
aussi rapidement que possible, des produits de meilleure qualité. »

B. ÉTAPES DE LA PRODUCTION

Max Jobert : « Nous commençons par **concevoir** les produits. Ensuite, nous organisons
le processus de production : nous choisissons le matériel, nous organisons **les tâches**
(le travail) des ouvriers, etc. À la fin, nous **contrôlons la qualité** des produits. »

C. MODES DE PRODUCTION

Voici différents modes de production :
- Production **à l'unité** : réalisation d'un projet
unique (ex. : une fusée).
- Production **en petite série** : en petite quantité
(ex. : des avions).
- Production **en grande série** : fabrication
de **produits standardisés**. On parle aussi
de **production de masse** ou de **production
à la chaîne**.
- Production **continue** ou **en continu** :
production réalisée sans interruption. Le travail
est réalisé par **des équipes d'ouvriers**
qui se succèdent nuit et jour. On utilise **le travail
posté** : les 24 heures d'une journée sont divisées
en périodes de travail.
- **Ateliers flexibles** :
Max Jobert, de nouveau : « Notre usine comprend
quatre ateliers flexibles. Ces ateliers sont dits
« flexibles » parce que nous pouvons à tout
moment adapter la production à **l'évolution
de la demande**. Nous réalisons ainsi
une production qui est à la fois individualisée
et en grande série. La production est **automatisée**
et **informatisée**. L'usine est **équipée de robots**
et d'**ordinateurs**. Deux **informaticiens** s'occupent
exclusivement des questions **informatiques**. »

Construction d'une fusée

E X E R C I C E S

1 (29) **Complétez les mentions manquantes. Puis écoutez pour vérifier.**

1.
Grâce à la baisse du prix du pétrole, nous avons r_____ nos c_____ de p_____ de 10 %.

2.
Il faut produire toujours plus vite, les d_____ sont de plus en plus difficiles à r_____ .

3.
Nos équipes travaillent en c_____ , 24 heures sur 24.

4.
Notre objectif : le zéro défaut. C'est pourquoi nous c_____ de très près la q_____ de nos produits.

5.
L'usine est é_____ de robots, notre production est entièrement a_____ .

6.
Grâce à notre m_____ de production très f_____ , nous pouvons nous adapter rapidement à l'é_____ de la d_____ .

7.
Dans le service i_____ travaillent une dizaine d'ingénieurs i_____ .

2 **À quel type de production correspond chacune des situations suivantes ?**

	À L'UNITÉ	EN PETITE SÉRIE	DE MASSE
1. Une entreprise fabrique des trains à grande vitesse.	☐	☐	☐
2. Des ouvriers construisent un pont.	☐	☐	☐
3. Un metteur en scène réalise un film.	☐	☐	☐
4. Michelin fabrique des pneus.	☐	☐	☐
5. Dans cette usine, on fabrique des savons.	☐	☐	☐
6. Les Chinois construisent un satellite.	☐	☐	☐
7. La Poste fabrique des timbres de collection.	☐	☐	☐
8. Un tailleur fait des vêtements sur mesure.	☐	☐	☐

3 **Vrai ou faux ?**

	VRAI	FAUX
1. Les produits standardisés sont fabriqués en grande série.	☐	☐
2. Pour produire en continu, on utilise le travail posté.	☐	☐
3. Avant de concevoir les produits, il faut contrôler leur qualité.	☐	☐

35

PRODUCTIVITÉ

A. PRODUCTIVITÉ ET RENTABILITÉ

Max Jobert, directeur de la production de la société Technitec, explique ce qu'est **la productivité** :

« C'est le rapport entre le résultat obtenu et les efforts qui ont été nécessaires pour obtenir ce résultat. Une entreprise est **productive** quand elle produit efficacement. Autrement dit, être productif, c'est être efficace. Quand nos ouvriers produisent plus efficacement – c'est-à-dire mieux et plus vite -, on dit que **la productivité du travail** augmente. Grâce à une meilleure productivité, Technitec est devenue plus **rentable** (= profitable). Nous avons augmenté notre **rentabilité** = nous gagnons plus d'argent. »

B. FACTEURS DE PRODUCTIVITÉ

Max Jobert : « Pour être productive, une entreprise, qu'elle soit grande ou petite, doit :
– disposer de bons **outils (biens) de production** ;
– être bien **organisée** ;
– employer une **main-d'œuvre** (des travailleurs) **qualifiée** et **motivée**. »

C. COÛTS DE PRODUCTION

Il existe deux types de coûts de production :
– les **coûts fixes** : ils ne dépendent pas de la quantité produite. Ex. : loyer d'un immeuble.
– les **coûts variables** : ils varient avec la quantité produite. Ex. : matières premières, énergie.

D. GAINS DE PRODUCTIVITÉ

Une entreprise **gagne en productivité** = **augmente sa productivité** quand elle produit plus sans augmenter **les coûts de production**.

Pour être **compétitives** = pour **résister à la concurrence** (= la compétition), les entreprises cherchent à augmenter leur productivité « Nous devons produire plus et moins cher des produits de meilleure qualité. », explique Max Jobert.

Dans les pays de l'Union européenne, il fallait en moyenne 500 heures de travail en 1960 pour acheter une machine à laver. En 1980, il en fallait 100. Aujourd'hui, il en faut seulement 30. Les **gains** (= l'augmentation) **de productivité** entraînent une augmentation **du niveau de vie** de la population. Ils permettent d'augmenter **le pouvoir d'achat** des **ménages (consommateurs)**, qui peuvent acheter plus en travaillant moins.

Production agroalimentaire

EXERCICES

1   Coûts fixes ou coûts variables ?

	FIXES	VARIABLES
1. Les assurances contre l'incendie des locaux.	☐	☐
2. Le salaire du directeur administratif.	☐	☐
3. Le chauffage du bureau du directeur administratif.	☐	☐
4. Les commissions versées aux vendeurs.	☐	☐
5. L'électricité consommée par les machines.	☐	☐
6. Les frais de transport.	☐	☐

2   Complétez les mentions manquantes.

1. Pour faire face à la c_____ , les entreprises doivent être p_____ .

2. Depuis qu'ils ont modernisé leur o_____ de p_____ , les g_____ de productivité
ont augmenté de 15 % et l'entreprise est devenue r_____ .

3. Le p_____ d'a_____ d'un ouvrier augmente si son salaire augmente plus vite que les prix.

4. La productivité est faible pour deux raisons : l'entreprise est mal o_____ et le personnel n'est pas
m_____ .

5. Dans un pays développé, la m_____ d'o_____ est généralement q_____
et le n_____ de v_____ des habitants est élevé.

3   Une entreprise améliore-t-elle la productivité du travail dans les cas suivants ?

	OUI	NON
1. Elle a créé trois postes supplémentaires, mais le niveau de production n'a pas varié.	☐	☐
2. Elle a réduit le coût du travail de 10 % et la production a baissé de 5 %.	☐	☐
3. Le niveau de production ne varie pas alors que plusieurs emplois ont été supprimés.	☐	☐
4. Le temps de travail et la production ont augmenté de 10 %.	☐	☐

36 RECHERCHE ET DÉVELOPPEMENT

A. DE LA RECHERCHE AU DÉVELOPPEMENT

La mise au point d'un produit passe souvent par les trois **phases** (étapes) suivantes :
– Phase 1 : **la recherche fondamentale.**
– Phase 2 : **La recherche appliquée.**
– Phase 3 : **Le développement du produit.**

Henri Tissier dirige **le laboratoire** d'une entreprise pharmaceutique. Il parle de **recherche et développement** :

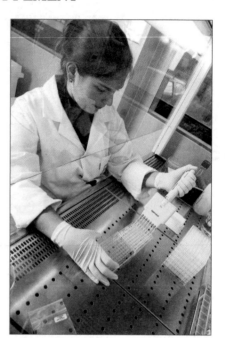

« Notre **labo** emploie 19 **chercheurs**. Nous **mettons au point** des médicaments anti-infectieux.

Nous travaillons **en partenariat** (= en association) avec **un centre de recherche** universitaire installé à Paris. Ce centre est très réputé (connu) dans **les milieux scientifiques**. Ses **découvertes** sont régulièrement **publiées** dans des **revues spécialisées**.

Dans notre laboratoire, **nous faisons** surtout **de la recherche** appliquée, c'est-à-dire que nous recherchons des **applications industrielles**. Après avoir **découvert** un nouveau médicament, nous passons à la phase de développement : nous **pratiquons** de nombreux **tests** (ou **essais**), nous contrôlons **la fiabilité** du produit, pour nous assurer qu'il peut être utilisé sans problème.

Finalement, nous devons obtenir **l'agrément** (= l'autorisation) de l'administration pour avoir le droit de vendre le nouveau médicament. »

B. VEILLE TECHNOLOGIQUE

Jean-Michel Combe dirige une société privée de veille technologique. Il explique ce qu'est **la veille technologique** :

« Elle consiste à surveiller l'environnement et principalement les concurrents. C'est une sorte d'**espionnage industriel** légal. Les Américains parlent d'« intelligence service ». Aujourd'hui, les **procédés de fabrication** et les produits eux-mêmes sont vite **obsolètes** (= vieillis). Pour survivre, l'entreprise doit continuellement s'adapter au **progrès technologique**, utiliser **une technologie de pointe** (= **high tech**), **innover** (changer, inventer). **Une obsolescence** (= un vieillissement) détectée trop tard peut être fatale (mortelle) pour l'entreprise.

L'objectif final de la veille technologique, c'est **l'innovation**, qui permet à l'entreprise de s'adapter aux **mutations** (= changements) de plus en plus rapides de son environnement. **La collecte** d'informations est parfaitement légale. Vous pouvez trouver 90 % des informations dans la presse, dans les **rapports** d'**experts**, sur Internet, dans les documentations commerciales et même dans les publicités de vos concurrents. »

1   **Complétez les mentions manquantes.**

1. Grégoire Delaporte dirige un centre de r_____ à Montréal.

2. C'est un c_____ de haut niveau.

3. Il est très connu dans les milieux s_____ .

4. Son équipe a réalisé plusieurs d_____ importantes.

5. Les résultats de ses travaux sont p_____ dans des r_____ spécialisées.

2   **Mots croisés.**

Horizontalement

1. Association d'entreprises, d'institutions en vue de mener une action commune. *Ex. : un accord de …*

2. Mouvement en avant. *Ex. : les … de la médecine.*

3. Changement, nouveauté. *Ex. : une … scientifique.*

4. Essai. *Ex. : un … de laboratoire.*

5. Spécialiste. *Ex. : un … en acoustique.*

6. Recueil d'informations. *Ex. : la … des données d'une enquête.*

7. Étape d'une évolution. *Ex. : la première … d'une maladie.*

Verticalement

a. Surveillance. *Ex. : la … technologique.*

b. Dépréciation. *Ex. : l'… d'une machine.*

c. Aptitude d'un matériel ou d'un système à fonctionner sans problème. *Ex. : un appareil de grande …*

d. Permission. *Ex. : il a besoin de l'… du directeur.*

e. Méthode employée pour parvenir à un certain résultat. *Ex. un … de fabrication.*

37

PROPRIÉTÉ INTELLECTUELLE

A. DÉPÔT DE BREVET

Un brevet est un certificat qui protège **une invention**.

Claire Flageul travaille à l'INPI (Institut National de Propriété Intellectuelle), à Paris. Elle parle du **dépôt de breve**t :

« Celui qui a **inventé** quelque chose est **l'inventeur**. Il est **propriétaire** de son invention. Pour garantir **son droit de propriété**, il a intérêt à **faire un dépôt** de brevet auprès d'un organisme public, comme l'INPI. Les brevets que nous **délivrons** protègent l'invention pendant une durée déterminée. Mais attention ! Seules les inventions **susceptibles** (capables) **d'applications industrielles** sont **brevetables**. Une simple idée n'est pas brevetable.

Le titulaire (propriétaire) d'un brevet bénéficie d'une **protection juridique** pour **l'exploitation exclusive** du brevet. Il a **un monopole d'exploitation**, c'est-à-dire qu'il est le seul à pouvoir **exploiter** l'invention **brevetée** dans le ou les pays où il a **déposé le brevet**. Parfois, l'inventeur n'exploite pas lui-même son invention. Il autorise **un tiers** (une autre personne) à utiliser son brevet. En contrepartie, il reçoit une somme d'argent, appelée **une redevance**. Cette autorisation s'appelle **une licence**. Le contrat entre l'inventeur et ce tiers s'appelle **un contrat de licence**. »

B. DESSINS, MODÈLES, MARQUES

Claire Flageul : « À l'INPI, il est également possible de déposer :
– **un modèle de fabrique : un dessin** ou un objet (par exemple : **un prototype**, c'est-à-dire le premier exemplaire pour une fabrication industrielle),
– **une marque :** un nom, **un logo**, etc.

C. PROPRIÉTÉ LITTÉRAIRE ET ARTISTIQUE

La propriété littéraire et artistique concerne les droits des écrivains et des artistes sur leurs **œuvres**.

Le droit d'auteur permet à l'auteur d'exploiter son œuvre à son profit pendant une durée déterminée. En règle générale, la protection du droit d'auteur dure pendant la vie de l'auteur et subsiste 50 ans après sa mort au profit des héritiers. Passé ces 50 ans, l'œuvre **tombe dans le domaine public**.

En résumé, voici les différents domaines de la propriété intellectuelle :

1 (30) Voici deux articles extraits de la loi sur la propriété industrielle. Complétez les mentions manquantes. Puis écoutez pour vérifier.

PROPRIÉTÉ INDUSTRIELLE

Art 2. Les br_____ d'in_____ sont dé_____ pour une du_____ de vingt ans à compter du dé_____ de la demande. Ils confèrent (donnent) à leur ti_____ un droit

ex_____ d'ex_____ . **Art. 10.** Sont br_____ les inventions nouvelles impliquant une activité inventive et su_____ d'ap_____ industrielle.

2 Mots croisés.

Horizontalement

1. Symbole graphique servant à distinguer un produit ou une entreprise.

2. Nouveauté scientifique ou technique.

3. Conjonction de coordination.

4. Mot ou groupe de mots servant à désigner un produit ou une entreprise.

5. Signe servant à distinguer un produit de celui de la concurrence.

Verticalement

a. Autorisation d'exploiter un brevet d'invention.

b. Objet servant de prototype à une fabrication industrielle.

c. Quelqu'un d'autre.

d. Ce qui est permis conformément à la loi.

e. Production littéraire ou artistique.

f. Représentation d'un objet sur une surface (papier ou informatique).

3 Vrai ou faux ?

	VRAI	FAUX
1. En principe, le titulaire d'un brevet d'invention bénéficie d'un monopole d'exploitation de son invention dans le monde entier.	☐	☐
2. Selon le contrat de licence, il doit payer une redevance à l'autre partie.	☐	☐
3. Après une certaine période, les droits d'auteur tombent dans le domaine public.	☐	☐

38 SOUS-TRAITANCE

A. LA SOUS-TRAITANCE, QU'EST-CE QUE C'EST ?

Axelle Rougier travaille comme **ingénieur de production** chez un **constructeur** automobile. Elle explique ce qu'est **la sous-traitance** :

« Dans la sous-traitance, une entreprise, appelée **le donneur d'ordre**, confie une partie de sa production à une autre entreprise, **le preneur d'ordre**, qu'on appelle aussi **le sous-traitant**.

Assemblage d'une automobile

Dans les voitures que nous fabriquons, environ 70 % de l'équipement de base est fabriqué par des sous-traitants. Nous les appelons des **équipementiers**. Ils **sont spécialisés dans** la fabrication de **pièces détachées**. Quant à nous, nous nous limitons de plus en plus à **l'assemblage**, c'est-à-dire à **assembler** ces pièces.

Nous nous recentrons (= nous nous concentrons) **sur** notre **métier de base,** c'est-à-dire sur **le cœur de notre métier** : **la conception** des voitures. Bientôt peut-être, nous n'aurons plus d'usines. Il ne nous restera plus que **le bureau d'études**. »

B. EST-CE LA MEILLEURE SOLUTION ?

Une entreprise **sous-traite** (= fait faire) sa production. On dit aussi qu'elle **externalise** sa production (elle fait faire à l'extérieur).

Axelle Rougier : « **L'externalisation** est une solution intéressante car elle permet d'être plus **flexible**. Mais elle pose aussi des problèmes. Quand il y a une multitude de sous-traitants spécialisés, comme chez nous, l'organisation de la production devient très complexe.

D'abord, nous devons rédiger en détail **le cahier des charges** (= **le contrat de sous-traitance**) entre nous et le sous-traitant. Ensuite, nous devons **assurer le suivi** de ce cahier des charges, c'est-à-dire contrôler que le produit **livré** est bien **conforme à** ce qui a été demandé.

Souvent, nous devons communiquer au sous-traitant des informations sur nos **méthodes de fabrication**. Nous pouvons même lui **révéler** des **secrets de fabrication**. Ces informations sont **confidentielles** (secrètes), et le sous-traitant ne doit pas les **divulguer** (= révéler). Mais on ne peut jamais être sûr. »

« La sous-traitance n'est pas toujours le meilleur moyen d'organiser la production », conclut Axelle Rougier.

1 🎧 **31** **Lisez les déclarations suivantes et/ou écoutez. Puis dites qui parle.**
Le donneur d'ordre (DO) ou le sous-traitant (ST) ?

> La sous-traitance nous permet de réduire nos coûts de production et d'être plus flexibles.

1. *DO*

> Nous dépendons d'un seul client.

4. _____

> Nous devons respecter les délais de livraison.

2. _____

> Nous devons faire attention à ne pas leur révéler tous nos secrets de fabrication.

5. _____

> Notre personnel a peur que l'externalisation des tâches entraîne une suppression de postes.

3. _____

> Nous sous-traitons quand nous manquons de savoir-faire pour fabriquer tel ou tel produit.

6. _____

2 **Entourez la bonne réponse.**

1. Pour rester compétitives, beaucoup de grandes entreprises | sous-traitent | assemblent | une partie de leur | production | équipement |. Elles | se recentrent | sont spécialisées | sur leur métier | de base | de cœur |.

2. Ainsi, les | constructeurs | équipementiers | automobiles sous-traitent à des | constructeurs | équipementiers | la fabrication des pièces | détachées | spécialisées |.

3. Dans les | usines | bureaux d'études |, les ouvriers s'occupent de | l'assemblage | la conception |. Dans les | usines | bureaux d'études |, les ingénieurs travaillent à | l'assemblage | la conception | des voitures.

4. Le | donneur d'ordre | sous-traitant | a de nombreuses obligations. Il doit livrer des produits | conformes | confidentiels | au cahier | des charges | de sous-traitance |.

5. Si le | donneur d'ordre | sous-traitant | lui a | externalisé | révélé | des informations | conformes | confidentielles |, voire des | secrets | ordres | de fabrication, le sous-traitant n'a pas le droit de les | externaliser | divulguer |.

39 GESTION DE STOCKS

A. INVENTAIRE

Les stocks sont des **marchandises** que
l'entreprise a **en réserve** et qu'elle veut :
– soit vendre,
– soit utiliser pour fabriquer un produit.

Dans les stocks, on trouve :
– des **produits finis** : ils sont prêts à être
vendus.
– des **produits semi-finis** : ils ne sont pas
encore tout à fait finis ;
– des **pièces détachées** ;
– des **emballages** (packaging) ;
– des **matières premières** (l'acier, le bois,
etc.)

Ces différentes marchandises sont **stockées**
(= **entreposées**) dans un bâtiment spécial,
qu'on appelle **un entrepôt** ou **un magasin**.
NOTE : **un magasin** est aussi une boutique ou un
commerce où vous pouvez faire vos achats. Ex. : un
magasin d'alimentation, un magasin de vêtements, etc.

Un entrepôt

Le stockage doit être fait dans de bonnes conditions pour conserver les marchandises
en bon état. **Gérer** (administrer) les stocks coûte cher. **Les frais de stockage** – ou **coûts
de stockage** - comprennent les frais de **manutention** et d'**entretien** (= de **maintenance**)
des marchandises, la surveillance du magasin, les assurances, etc.

Pour connaître précisément les stocks de l'entreprise, **on fait l'inventaire** des stocks.
Quand les stocks sont importants, on dit que **le niveau des stocks** est **élevé**

Quand l'entreprise n'a plus de marchandise en stock, on dit qu'elle **est en rupture
de stock**. Une rupture de stock peut avoir plusieurs causes. Par exemple :
– **le fournisseur** n'a pas livré **dans les délais** (il est en retard) ;
– l'entreprise a **écoulé** (vendu) la marchandise plus vite que prévu ;
– le responsable des achats a oublié d'**approvisionner** (= d'acheter les marchandises
pour) le magasin.

B. JUSTE À TEMPS

Axelle Rougier, ingénieur de production, explique comment les stocks sont gérés
dans son entreprise :
« Comme les stocks coûtent cher, nous travaillons **à flux tendus**, c'est-à-dire que **nous
nous approvisionnons** en pièces détachées (nous achetons des pièces détachées)
au dernier moment, une fois la production lancée. Notre objectif : **le zéro-stock**.
Les sous-traitants nous livrent **juste à temps**, c'est-à-dire juste au moment où nous avons
besoin des pièces. De cette façon, nous n'avons pas besoin de stocker la marchandise.
Mais cette organisation comporte un risque : le moindre **retard de livraison** peut
paralyser la production. »

EXERCICES

1 (32) **Complétez les mentions manquantes de cet extrait d'interview. Puis écoutez pour vérifier.**

1. – De quoi se composent vos stocks ?

– De p_____ f_____ , qui sont prêts à être vendus.

2. – Où sont-ils e_____ ?

– Dans notre e_____ central, à Senlis.

3. – Sont-ils importants ?

– Cette année, avec la crise, nous n'avons pas réussi à é_____ nos stocks. Leur n_____

est donc très é_____ et nous avons des f_____ de s_____ importants.

4. – Vous arrive-t-il d'être en r_____ de stock ?

– Rarement. Généralement, nous veillons à nous a_____ à temps.

5. – Vos fournisseurs vous livrent-ils toujours dans les d_____ ?

– Toujours, non. Mais dans l'ensemble, il y a peu de r_____ de l_____ .

2 **Complétez le texte ci-dessous avec les mots ou expressions suivants :**
fournisseurs – gestion des stocks – juste-à-temps – matières premières – zéro stock

La méthode du (1) _____ est une méthode de (2) _____ qui vise (a pour objectif)

le (3) _____ . Pour cela, les (4) _____ et les pièces détachées sont livrées juste avant qu'on en

ait besoin. Cette méthode nécessite une parfaite coordination entre l'entreprise et ses (5) _____ .

3 **Mots croisés.**

Horizontalement

1. Packaging. *Ex. : papier d'...*

2. S'occuper de (quelque chose). *Ex. : ... les stocks.*

3. Description détaillée d'un ensemble de choses.
Ex. : faire l'... d'un magasin.

Verticalement

a. Déplacement manuel ou mécanique de marchandises.
Ex. : la ... des bagages.

b. Provision, stocks. *Ex. : du bois en ...*

c. Mouvement, déplacement. *Ex. : ... tendus.*

d. Montant, prix. *Ex. : le ... d'une marchandise.*

e. Entrepôt. *Ex. : dépôt des marchandises dans le ...*

f. Temps accordé pour faire quelque chose. *Ex. : le ... de livraison.*

40 RISQUES INDUSTRIELS

A. HYGIÈNE

Alice Boisseau est responsable du personnel chez Navel, une entreprise de construction mécanique. Elle parle de **l'hygiène** dans l'usine :

« J'attache beaucoup d'importance à l'hygiène, c'est-à-dire à tout ce qui **préserve** (protège) la santé des ouvriers. Dans notre entreprise, les **maladies professionnelles** (= maladies causées par le travail) n'existent pas.

Je fais attention à la **propreté** de nos ateliers, à **l'aération**, au **chauffage**, à **l'éclairage**, **au bruit**, aux **installations sanitaires**, bref, à tout ce qui permet de travailler dans de bonnes conditions. Si vous visitez nos ateliers, vous verrez qu'ils sont **propres**, bien **aérés** (il y a de l'air), bien **chauffés**, bien **éclairés**, peu **bruyants**.

De bonnes **conditions de travail** favorisent une bonne **ambiance** (atmosphère) **de travail**. Chez nous, il y a peu d'**absentéisme** : les ouvriers ne sont pas souvent absents, ils ne prennent pas de **congé de maladie** pour un petit rhume. »

B. SÉCURITÉ

Michel Lopez est « **responsable sécurité** » chez Navel. Il parle de son travail :

« Mon travail consiste à **évaluer** (calculer) et à **gérer les risques**. En plus des **prescriptions** (ordres) de la loi, j'ai moi-même établi un certain nombre de règles, qui sont inscrites dans **le règlement intérieur** de l'usine. Il s'agit de **mesures de prévention**, car mon rôle est de **prévenir** les accidents, non pas de guérir les malades. Par exemple, tous les ouvriers de l'atelier 3 doivent **porter** des gants de protection. De même, **le port** d'un masque est **obligatoire** pour l'utilisation de certaines machines.

Mais **le risque zéro** n'existe pas. Cette année encore, malheureusement, un ouvrier a été victime d'un grave **accident du travail.** »

Risques du travail

C. ENVIRONNEMENT

Les entreprises consomment des énergies, elles produisent des **déchets** (des restes qu'il faut jeter), elles génèrent de la **pollution** et des **nuisances** (elles nuisent / sont un danger pour la qualité de la vie). Certaines **polluent** et ne **respectent** pas **l'environnement**.

Mais, chez Navel, on se préoccupe beaucoup de **la protection de l'environnement**. « Nous sommes une entreprise responsable », conclut Alice Boisseau.

1   **Trouvez la cause.**

1. Il fait un froid de canard ici !   ⇒ **e**   **a.** Le système d'aération est défectueux.

2. C'est un peu sale chez lui !   ⇒ ...   **b.** L'éclairage n'est pas très bon.

3. On ne voit rien dans cette pièce !   ⇒ ...   **c.** La propreté n'est pas son fort.

4. On étouffe, l'air est irrespirable !   ⇒ ...   **d.** Il n'y a aucun risque.

5. Il n'entend pas bien ce que vous dites.   ⇒ ...   **e.** Le chauffage ne fonctionne pas.

6. Ce n'est pas un travail dangereux.   ⇒ ...   **f.** Les machines font beaucoup de bruit.

2   **Entourez la bonne réponse.**

1. Dans cette entreprise, il y a une très bonne | ambiance | prévention | de travail.

2. C'est bien connu, mieux vaut | guérir | prévenir | que | guérir | prévenir |.

3. Certaines entreprises sont accusées de ne pas respecter | l'environnement | la pollution |.

4. Il y a des fuites d'eau, il faudrait refaire les installations | professionnelles | sanitaires |.

5. Comme le personnel n'est pas très motivé, il y a beaucoup | d'absentéisme | de risques |.

6. Il n'y pas assez de lumière dans les ateliers, c'est mal | éclairé | aéré |.

3   **Complétez les mentions manquantes.**

1. Le r_____ intérieur de l'entreprise est affiché à l'entrée de l'usine.

2. Le p_____ d'un casque est o_____ sur le chantier.

3. Les d_____ industriels p_____ les rivières.

4. Malgré les nombreuses mesures de p_____ , il y a eu un accident du travail dans l'usine.

5. La tâche du responsable sécurité consiste à é_____ et à g_____ les risques.

6. Les c_____ de t_____ concernent principalement l'h_____ et la s_____ .

4   **Complétez les phrases.**

1. Les mesures d'hygiène ont pour objectif (but) de _____

2. Une maladie professionnelle trouve son origine dans _____

3. Quand il est sérieusement malade, un salarié doit _____

4. Une nuisance, c'est quelque chose qui _____

5. Toute entreprise responsable devrait _____

41 INDICATEURS ÉCONOMIQUES

A. MESURES DE LA PRODUCTION

La valeur ajoutée	C'est la richesse créée = biens et services produits (principalement par les entreprises).
Le PIB	**Le produit intérieur brut (PIB)** d'un pays est la valeur des biens et services produits pendant une année à l'intérieur de ce pays.
La croissance	C'est l'augmentation du PIB.

B. CYCLES ÉCONOMIQUES

Les cycles économiques sont des **fluctuations** (= **variations**) plus ou moins régulières de **la conjoncture** (= situation) économique. Voici les différentes **phases** (périodes) d'un cycle économique :

Croissance du PIB | **Crise**

Expansion | **Dépression** ou **récession** | **Stagnation** | **Reprise**

L'expansion	C'est une phase de croissance : le PIB **progresse** (= augmente).
La crise	C'est le passage d'une phase d'expansion à une phase de dépression.
La dépression	C'est **une chute** (= forte et brutale diminution) de la production. Quand la production diminue **faiblement**, on parle d'**une récession**.
La stagnation	La production **stagne** (elle n'augmente pas et elle ne diminue pas). La croissance est **nulle** (= zéro).

Ces différentes phases s'accompagnent de variations plus ou moins importantes des prix. On parle d'**inflation** quand les prix **montent** (augmentent) et de **déflation** quand les prix **baissent**.

L'INFLATION REPART EN EUROPE

L'INFLATION a de nouveau **fortement** augmenté en mai dans **la zone euro**, pour **atteindre une hausse** de 3,4 % sur un an, **un chiffre record** depuis 1993. **Le taux d'inflation** annuel de la zone euro **s'établissait** à 2,9 % en avril....

C. MONDIALISATION

Autrefois, les crises étaient **localisées** (= limitées) à un secteur de **l'activité économique** ou à un pays. Mais aujourd'hui, en raison des **progrès des communications** et des **transports**, de **la libéralisation des échanges** (dans le commerce international), le monde est devenu un vaste marché. Avec **la mondialisation** de l'économie, les crises sont devenues mondiales.

1 **Complétez le texte avec les mots suivants :**
dépressions – cycles – phases – crises – récessions

Les économistes ont d'abord analysé les (1) _____ économiques comme des accidents, irréguliers et imprévisibles. Puis s'est développée la thèse des (2) _____ économiques réguliers et de durée déterminée. Ces cycles comprennent quatre (3) _____ : expansion, crise, dépression, reprise.

Aujourd'hui, les (4) _____ , caractérisées par une chute importante de la production, ont laissé place à des (5) _____ , caractérisées par une baisse légère et momentanée de la croissance.

2 **À l'aide du graphique ci-contre, complétez les phrases suivantes.**

1. En janvier et février, l'activité économique a s_____ .

2. En mars, elle a légèrement p_____ .

3. En avril, elle a f_____ b_____ .

3 **Les phrases suivantes sont extraites de la presse économique. Entourez la bonne réponse.**

1. Le groupe PPX a annoncé un chiffre d'affaires | intérieur | record | de 230 millions d'euros.

2. La BCE (Banque centrale européenne) prévoit une | activité | croissance | nulle dans la | région | zone | euro au deuxième trimestre.

3. | La déflation | l'inflation | continue : les prix ont encore baissé lors des six derniers mois.

4. L'industrie chimique est principalement | localisée | créée | dans la vallée du Rhône.

5. Le chiffre d'affaires de la société Ribox a légèrement baissé, mais son bénéfice est | en chute | en hausse | de 4 %.

4 **Dans la liste ci-dessous, retrouvez deux causes à la mondialisation de l'économie.**

■ La conjoncture économique s'est nettement améliorée.

■ Les entreprises créent plus de valeur ajoutée.

■ Il est devenu plus facile de transporter les marchandises et les personnes.

■ L'économie mondiale a échappé à la récession.

■ La libéralisation des échanges s'est considérablement développée.

■ Les fluctuations de l'activité économique sont restées limitées.

AGENTS DU MARCHÉ

A. QU'EST-CE QU'UN MARCHÉ ?

Avant de vendre un produit, l'entreprise doit savoir *quoi* vendre et *à qui*. Elle doit savoir *où* vendre, *comment* vendre, *quand* vendre, etc. Bref, avant toute chose, l'entreprise doit connaître **le marché**. « Connaître avant d'agir », c'est l'idée force du marketing.

Le marché est *un lieu de rencontre* entre des **agents économiques** qui vendent et achètent des produits divers (biens, services, etc.). L'entreprise vend ses biens ou ses services **sur** un marché où elle trouve des **concurrents**, des **distributeurs**, des **consommateurs**.

NOTE : Le mot « **marché** » a un autre sens. Il désigne également les **clients, actuels** et **potentiels** (= possibles). Dans ce sens, on peut aussi parler d'**un débouché**. Par exemple : Avec l'apparition du DVD, le marché (= le débouché = les clients) pour les cassettes vidéo a disparu.

B. CONCURRENTS

La **libre concurrence** est une caractéristique de **l'économie de marché**. Sur **un marché concurrentiel**, les entreprises **sont en concurrence** les unes avec les autres. Souvent la concurrence est très **vive**. Une petite entreprise peut difficilement **concurrencer un** grand **groupe**.

C. DISTRIBUTEURS

Les distributeurs sont **des intermédiaires** entre **le producteur** et **le consommateur final**.

Le circuit de distribution peut être direct, court ou long :
– **Circuit direct** : Producteur → Consommateur
– **Circuit court** : Producteur → **Détaillant** → Consommateur
– **Circuit long** : Producteur → **Grossiste** → Détaillant → Consommateur

Le grossiste achète **en gros** (= en grandes quantités) au producteur et revend au détaillant. Le détaillant vend **au détail** (= en petites quantités) au **consommateur final**.

D. DU CÔTÉ DES CONSOMMATEURS

Le consommateur ou l'utilisateur final	Il **consomme** ou utilise un bien ou un service pour un usage non professionnel.
Le consommateur intermédiaire	Il consomme un bien ou un service pour produire un autre bien ou un autre service. Exemple : le boulanger achète de la farine pour faire du pain.
Le prescripteur	Il conseille. Parfois, il décide. Exemple : un médecin, pour des médicaments.

Attention ! **L'acheteur** n'est pas toujours le consommateur ou l'utilisateur. Par exemple : un père achète un jouet pour son enfant. Le père est l'acheteur, l'enfant est l'utilisateur.

1 🎧 (33) **Qu'est-ce que c'est ? Complétez. Puis écoutez pour vérifier.**

1. Un client qui pourrait acheter le produit dans le futur : c'est un client _____ .

2. Une concurrence qui peut s'exercer librement, sans l'intervention de l'État : c'est une _____ .

3. Une économie où le prix des biens et des services est fixé librement par le vendeur et l'acheteur : c'est une _____ .

4. Un marché où s'exerce la concurrence : c'est un _____ .

5. Le chemin qui conduit un produit du producteur au consommateur : c'est un _____ .

6. Un commerçant qui achète en gros et qui revend au détail : c'est un _____ .

2 **Complétez les mentions manquantes.**

1. Le p_____ produit, le d_____ distribue, le p_____ conseille, l'a_____ achète, le consommateur c_____ .

2. En Chine, le m_____ des produits de confiserie atteint 5 milliards de dollars. Shanghai est considérée comme le meilleur d_____ .

3. _ Julien Rondeau, directeur de marketing : « L'objectif de l'activité marketing n'est pas de se battre contre des c_____ , mais de répondre aux besoins des c_____ . »

3 **Consommateur, utilisateur, acheteur ou prescripteur ?**

1. Un expert-comptable conseille à un client un système de gestion. *Prescripteur*

2. Un professeur demande à ses étudiants d'acheter son livre. _____

3. Un employé de bureau travaille sur un ordinateur. _____

4. Un particulier passe une commande sur Internet. _____

5. Un chien mange des croquettes de bœuf. _____

4 **Dans chacun des cas suivants, dites si le circuit de distribution est direct, court ou long.**

	DIRECT	COURT	LONG
1. Le producteur vend directement au détaillant.	☐	☐	☐
2. Il n'y a pas d'intermédiaire entre le producteur et le consommateur.	☐	☐	☐
3. Les produits sont d'abord stockés chez un grossiste.	☐	☐	☐
4. Une société de vente par correspondance achète directement au producteur.	☐	☐	☐

43

ÉTUDE DE MARCHÉ

A. SEGMENTATION

Pendant des années, Henri Ford a vendu un seul modèle de voiture, en une seule couleur, à des centaines de milliers d'Américains : c'était la Ford T noire.

Mais aujourd'hui, en général, une entreprise ne peut pas proposer un même produit à une large population. Elle est obligée de **segmenter** son marché, c'est-à-dire de diviser le marché en plusieurs groupes d'individus ayant des caractéristiques communes. Ces groupes s'appellent des **segments**.

Pour constituer ces différents segments, on utilise des **critères de segmentation** : l'âge, le sexe, le revenu, la profession, le niveau d'éducation, etc. Il faut choisir un ou des critères **pertinents** (appropriés). Par exemple, le niveau d'éducation ne serait pas un critère pertinent pour vendre un savon.

Cibler un marché consiste à choisir un segment comme **cible** (= objectif). Une entreprise peut cibler **un segment de marché** plus ou moins important. Un segment très petit, pour lequel il n'existe pas ou pratiquement pas de concurrence, s'appelle **un créneau** ou **une niche**. L'entreprise vend des produits différents à chacun de ces segments. Coca Cola, par exemple, vend du « Coca light » aux femmes, du « Coca sans caféine » aux écologistes, de grandes bouteilles aux familles, etc.

Pour bien définir ces différents segments, les entreprises **font des études de marché**. Elles **réalisent** des **marché-tests**, c'est-à-dire qu'elles **mettent** le produit **en vente** dans un magasin pendant un certain temps afin d'étudier les réactions des consommateurs. Au moyen d'**un questionnaire**, elles réalisent également des **enquêtes de marché**. **Le sondage** est un type d'enquête réalisée auprès d'**un échantillon** (petit groupe représentatif de consommateurs).

B. CYCLE DE VIE

Les produits ne sont pas éternels. Comme les êtres vivants, ils naissent et ils meurent. Il est important d'observer le marché pour savoir à quel moment de sa vie se trouve le produit. Car il ne faut pas attendre que le produit soit mort pour le remplacer.

Le cycle de vie ou **la courbe de vie** d'un produit comprend les quatre **phases** suivantes :

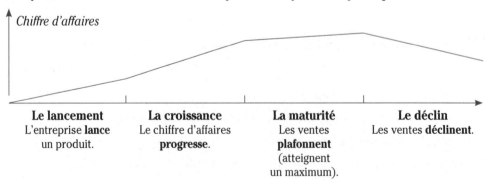

Chiffre d'affaires

| **Le lancement** | **La croissance** | **La maturité** | **Le déclin** |
| L'entreprise **lance** un produit. | Le chiffre d'affaires **progresse**. | Les ventes **plafonnent** (atteignent un maximum). | Les ventes **déclinent**. |

E X E R C I C E S

1 **Pour chaque produit, choisissez le critère de segmentation le plus pertinent.**

1. Un appareil pour les dentistes.	⇒ **b**	
2. Un parfum.	⇒ ...	
3. Un produit bon marché.	⇒ ...	
4. Une tondeuse à gazon.	⇒ ...	
5. Un jouet.	⇒ ...	
6. Un appareil de chauffage solaire.	⇒ ...	

Critères de segmentation
a. Le type d'habitat
b. La profession
c. L'âge
d. Le sexe
e. La situation géographique
f. Le revenu

2 *Lancement, croissance, maturité ou déclin ?*
Dites à quelle phase du cycle de vie correspond chaque situation.

1. Les ventes sont importantes, mais il n'existe plus aucune perspective de croissance. ⇒ _____

2. Le nouveau produit est introduit sur le marché. ⇒ _____

3. Le produit est peu à peu abandonné par les consommateurs. ⇒ _____

4. Le produit étant accepté par le marché, les ventes progressent rapidement. ⇒ _____

3 **Complétez les phrases avec les verbes suivants :**
cibler – lancer – plafonner – réaliser – segmenter

1. Pour atteindre ses cibles, toute entreprise a besoin de _____ son marché.

2. Dans certains pays, le nombre d'utilisateurs d'Internet commencent à _____ .

3. Téléfix va _____ un nouveau produit en Europe.

4. Il est important de bien connaître ses clients pour mieux les _____ .

5. Ils vont _____ une enquête de satisfaction auprès de leurs clients.

4 **Complétez.**

1. Vous voulez réaliser une enquête auprès d'un échantillon de clients. Vous réalisez un _____ .

2. Avant de lancer un produit dans tout le pays, vous souhaitez connaître les réactions des clients d'une région. Vous réalisez un _____ .

3. La société Arthur vend des congélateurs de grande taille. Les principaux clients de cette entreprise sont probablement des _____ .

IDENTIFIER LE PRODUIT

A. GAMME

Une **gamme** de produits est une série de produits similaires offerts par un producteur (ex. : une gamme de meubles). Une gamme comprend différents **articles**. (ex. : des armoires, des lits, des tables, etc.). Chaque article a **une référence** (ex. : le bureau compact 8996).

On trouve :
– des produits **haut de gamme**, qui sont des produits chers, comme les **produits de luxe**,
– des produits **bas de gamme**, qui sont des **produits courants** et bon marché.

B. POSITIONNEMENT

Le positionnement du produit est l'image que le producteur souhaite donner au produit par rapport aux produits concurrents.

Positionner un produit, c'est mettre en avant une caractéristique de ce produit, comme :
– **le prix** (ex. : « Rex Citron, le plus économique des lave-vaisselle. »),
– **la résistance** (ex. : « Duracel, la pile qui dure très longtemps. »).
Cette caractéristique doit répondre à **un besoin** des consommateurs.

C. MARQUE

La marque, ce n'est pas seulement **un nom**. C'est aussi une couleur (jaune Kodack), une image graphique, **un logo** (= un symbole graphique).

Il existe deux types de marques :
– **Les marques de producteur** (= **marques de fabrique**) : la plupart des produits sont **commercialisés** sous le **nom de marque** du producteur. On les appelle des **produits de marque**. Ex. : le yaourt Danone. Ces marques n'ont pas toutes la même **notoriété** : elles sont plus ou moins connues. La marque qui a la plus grande notoriété dans le monde est Coca Cola. Les entreprises doivent défendre leur **image de marque** (réputation).

– **Les marques de distributeur :** le distributeur vend le produit sous son nom (ex. : le Yaourt Carrefour). Parfois, il vend des **produits génériques**. Ex. : un yaourt portant le nom de « Yaourt ».

D. CONDITIONNEMENT

Le conditionnement d'un produit, qu'on appelle aussi **l'emballage** ou **le packaging,** est particulièrement important dans les **magasins en libre-service**. Dans ce type de magasin, les clients se servent eux-mêmes, sans l'aide d'un vendeur. *« C'est le conditionnement qui vend le produit »*, explique Pierre Petibon, chef de rayon dans un supermarché.

E X E R C I C E S

1 **Complétez avec *gamme* ou *marque*.**

1. Une bonne _____ doit être facilement mémorisable.

2. Une _____ courte permet à l'entreprise de concentrer ses efforts marketing sur peu de produits.

3. Une _____ longue permet de couvrir un nombre important de segments de marché.

4. Un produit de _____ réputée pour sa qualité se vend plus facilement qu'un autre.

5. Le producteur peut donner la même _____ à des produits différents.

6. La _____ de voitures Renault est très étendue.

7. Cette entreprise n'a pas une bonne image de _____ .

8. Cette _____ est connue dans le monde entier.

2 **Complétez avec *conditionnement* ou *positionnement*.**

1. Le _____ protège le produit.

2. Un bon _____ doit répondre à de véritables besoins du consommateur.

3. Par sa forme et ses couleurs, le _____ doit être facilement reconnaissable.

4. Le _____ détermine en grande partie les décisions que l'on prendra concernant le prix, la communication, la distribution, etc.

5. Dans les magasins en libre service, le _____ est la « carte de visite » du produit.

6. Le _____ facilite le transport du produit.

3 **Entourez la bonne réponse.**

1. Les │articles│références│ de ces │articles│références│ se trouvent dans le catalogue.

2. Certains consommateurs ne font confiance qu'aux produits │de marque│génériques│, d'autres préfèrent payer moins cher et acheter des produits │de marque│génériques│.

3. La question suivante est extraite d'un test de │notoriété│résistance│ : « Quelles sont les marques de lessive que vous connaissez ? »

4. Une boutique │en libre-service│de luxe│ vend principalement des produits haut de gamme.

5. Ce médicament sera bientôt │commercialisé│positionné│ dans tous les pays européens.

6. Cette entreprise fabrique des │emballages│logos│ en plastique.

45

FIXER LE PRIX

A. PRIX ET COÛTS

Une entreprise doit être **rentable** = elle doit gagner de l'argent. Pour cela, le prix du produit doit être supérieur au **coût** (ou **prix**) **de revient,** c'est-à-dire au coût nécessaire à sa production (= **coût de production**) et à sa distribution.

Le seuil (niveau) **de rentabilité** (= **le point mort**) est le montant du chiffre d'affaires à partir duquel l'entreprise fait des bénéfices.

Le prix TTC (toutes taxes comprises) peut être calculé de la façon suivante :

■ Prix TTC = **Coût de revient** + **marge** (bénéfice) + **TVA (taxe à la valeur ajoutée)**

B. COURBE DE LA DEMANDE

En général, si le prix augmente, la demande baisse et vice versa. C'est ce qu'on appelle **la courbe de la demande.**

Les consommateurs sont plus ou moins sensibles au prix. On dit que la demande est **élastique** si elle est sensible au prix. **L'élasticité de la demande** par rapport au prix (= **l'élasticité-prix**) peut être **faible** (voire presque nulle) ou **forte** selon les produits.

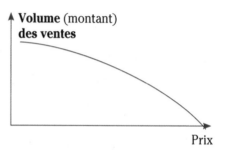

Volume (montant) **des ventes**

Prix

Le prix d'acceptabilité est le prix considéré par le consommateur comme **acceptable** par comparaison avec les prix des concurrents. Pour **déterminer** (= **fixer**) le prix d'acceptabilité d'un produit, on peut réaliser **un test de prix**.

C. TYPES DE PRIX

Un prix		
	administré	prix fixé autoritairement par l'administration.
	de marché	prix fixé par la rencontre de **l'offre** et de **la demande**.
	de lancement	prix **intéressant** au moment du lancement du produit.
	d'appel	prix **attractif** d'un produit pour amener les consommateurs à acheter aussi d'autres produits (du même magasin, de la même gamme, etc.)

D. NIVEAU DES PRIX

Un prix		
	imbattable, sacrifié, bradé	*« C'est donné »*, dit le client.
	avantageux, intéressant, attractif	*« C'est une bonne occasion ! »*
	abordable, raisonnable, modéré	*« Ça va, c'est normal ! »*
	élevé, excessif, exorbitant	*« C'est le coup de barre ! »*

1   Classez du moins cher au plus cher.

☐ Ils proposent des prix très attractifs.

☐ Leurs prix sont exorbitants.

☐ Ils ont des prix imbattables.

☐ Ils ont des prix plutôt modérés.

2   Complétez avec les chiffres suivants :

_____

40 – 236 – 36 – 160

Coût de revient   = _____

Marge   = _____

TVA (18 %)   = _____

Prix TTC   = _____

3   Complétez les mentions manquantes.

1. Pour ne pas perdre d'argent, l'entreprise doit vendre au dessus du s_____ de r_____ .

2. Pour déterminer le p_____ d'a_____ d'un produit, on peut demander à un échantillon

d'acheteurs quel est le prix qui leur paraît a_____ .

3. Pour réaliser un t_____ de p_____ , on propose le produit à la vente pendant

une période déterminée.

4. La grande distribution utilise la technique bien connue des p_____ d'a_____ en attirant

les acheteurs par des premiers prix particulièrement i_____ .

5. En général, les prix sont fixés librement par le m_____ , mais les prix de certains produits (timbres-

poste, gaz, électricité, etc.) sont a_____ .

4   Commentez le graphique ci-contre.

1. _____

_____

2. _____

_____

Prix

1. sel

2. loisirs

Quantités

COMMUNICATION COMMERCIALE 1

A. PUBLICITÉ PAR LES MÉDIAS

L'entreprise peut **faire de la publicité** (dans un langage familier : **la pub**) en utilisant **les médias de masse.**

La presse	Par exemple, l'entreprise fait **paraître** (publier) une **annonce publicitaire** dans le journal *Le Monde*.
L'affichage	Dans le métro parisien, on voit des **affiches publicitaires** à chaque station.
La radio La télévision	De nombreux **spots publicitaires** passent à la radio et à la télévision.
Le cinéma	Le **film publicitaire** est présenté au début de la séance.
Internet	La publicité **en ligne** (on line) touche des centaines de millions de personnes.

Un annonceur est une entreprise qui veut **faire la publicité d'**un produit.
Une agence de publicité crée des **messages publicitaires** et conçoit **des campagnes publicitaires** (= des **campagnes de publicité**).
Attention ! **La publicité mensongère,** qui donne des informations fausses, est interdite.

B. PUBLICITÉ DIRECTE

La publicité directe (= **le marketing direct**) atteint chaque personne individuellement.
Ex. : **le démarchage téléphonique** = **le phoning** (l'entreprise téléphone directement au consommateur).

L'entreprise peut aussi envoyer **des imprimés** présentant le produit et ses avantages.
Il y a différentes sortes d'imprimés :
– **la lettre de vente** : c'est une simple **lettre publicitaire** ;
– **le dépliant** : c'est une feuille qu'on déplie ;
– **le catalogue** ou **la brochure** : c'est un livret – un petit livre - présentant les produits en détail. Vous pouvez consulter le catalogue de certaines entreprises sur Internet.

L'entreprise peut :
– faire **distribuer** ces imprimés dans les boîtes aux lettres par des **porteurs à domicile**,
– envoyer les imprimés par la poste, en utilisant son **fichier d'adresses** : c'est **le mailing** = **le publipostage** (publicité par la poste).
– envoyer des messages publicitaires par **courrier électronique** (e-mail).

C. PLV

La PLV est **la Publicité sur le Lieu de Vente** (= sur **le point de vente** = dans le magasin).
Le commerçant peut utiliser **une enseigne** (un logo, une inscription sur un panneau), **des affichettes** (petites affiches)**, du matériel lumineux et sonore,** etc.

1 *Affichage, cinéma, presse, radio, télévision ?*
Complétez les mentions manquantes avec le nom du média qui convient.

1. En ce qui concerne l'investissement publicitaire, la _____ occupe le premier rang, devant
   les moyens de communication audiovisuels.
2. La _____ s'écoute partout, dans les foyers, dans les voitures, dans la campagne, sur les plages.
3. Une salle de _____ est fréquentée par un public actif et plutôt jeune.
4. La _____ est le média d'un public passif.
5. Une campagne d(e) _____ dans les transports publics peut être un bon moyen de lancer
   un nouveau produit.

2 **Entourez la bonne réponse.**

1. Le plus souvent, les | agences de publicité | annonceurs | confient à des | agences de publicité | annonceurs |
   la réalisation des campagnes publicitaires.
2. Les clients des | agences de publicité | annonceurs | sont les | agences de publicité | annonceurs |.
3. Les pharmacies et les parfumeries utilisent beaucoup | la PLV | le marketing direct |.
4. De grands artistes peintres ont réalisé de belles | affiches | brochures | publicitaires.
5. Certaines entreprises envoient chaque jour des milliers de | courriers | messages | publicitaires par
   | courrier | message | électronique.

3 **Complétez les mentions manquantes.**

1. Pour un vendeur, le d_____ t_____ est un bon moyen d'obtenir un rendez-vous avec un client.
2. Le f_____ d'a_____ doit être régulièrement mis à jour, car il faut intégrer les nouveaux
   noms et éliminer les adresses périmées.
3. Des p_____ à domicile distribuent des d_____ publicitaires dans les boîtes aux lettres.
4. Une entreprise peut être poursuivie en justice pour p_____ m_____ .
5. Un s_____ publicitaire à la radio ne dure généralement pas plus de 30 secondes.
6. La p_____ sur le l_____ de v_____ est un bon moyen de communiquer avec
   le consommateur sur le point de v_____ .
7. De nombreuses entreprises présentent leurs produits dans un c_____ en l_____ .

COMMUNICATION COMMERCIALE 2

A. PROMOTION DES VENTES

Pour **faire la promotion d**'un produit (= **promouvoir** un produit), c'est-à-dire pour attirer l'attention des consommateurs sur le produit, les entreprises **mettent au point** (organisent) des **campagnes de promotion** (ou **promotionnelles**).

Voici trois exemples d'**opérations promotionnelles** :

Un bon de réduction

Une offre spéciale

Une démonstration sur le lieu de vente

Il y a d'autres moyens de faire la promotion d'un produit. Par exemple, le commerçant peut :
– offrir à ses clients **un essai gratuit** du produit, **sans obligation d'achat** ;
– leur proposer **une carte de fidélité** ;
– leur remettre **un échantillon** (spécimen) du produit pour qu'ils le testent ;
– organiser **un jeu** ou **un concours** avec **un prix** à gagner.

En tout cas, pour être efficace, **la promotion des ventes** pour un produit doit avoir un caractère exceptionnel : elle doit être relativement rare et de durée limitée.

B. PARRAINAGE

Le parrainage (= **le sponsoring**) consiste à financer une publication, **une émission** (de radio, de télévision) ou une activité sportive (ex. : les jeux olympiques). L'entreprise – **le sponsor** – peut aussi **parrainer** (= **sponsoriser**) un événement culturel (ex. : un concert). En échange, la marque est citée.

C. RELATIONS PUBLIQUES

L'objectif est d'établir et de maintenir de bonnes relations :
– à l'intérieur de l'entreprise (**communication interne**) ;
– avec l'opinion publique (**communication externe**).

Dans cet objectif, l'entreprise peut diffuser des informations sur ses activités sous différentes formes : l'édition d'**un journal d'entreprise** destiné au personnel ou d'**une brochure de prestige**, **le communiqué de presse**, **la conférence de presse**, **la visite d'entreprise**, **les réceptions**, etc.

1 (34) **Voici différents moyens de promotion :**
Offre spéciale - Essai gratuit - Carte de fidélité - Échantillon - Jeu

Lisez les déclarations suivantes et/ou écoutez.

À quel moyen de promotion se réfère chacune de ces déclarations ?

> La vendeuse m'a offert un petit flacon de parfum.

1. *Échantillon*

> Je peux tester ce matelas pendant 15 jours et le retourner au magasin si je ne suis pas satisfait.

4. _____

> Je connais quelqu'un qui a gagné un voyage de dix jours en Turquie.

2. _____

> Toute la famille peut l'utiliser pour régler ses achats avec des réductions allant jusqu'à 15 %.

5. _____

> Pendant les soldes, on peut acheter des vêtements à moitié prix.

3. _____

2 **Vrai ou faux ?**

	VRAI	FAUX
1. Les visites d'entreprise sont un moyen de développer les relations publiques.	☐	☐
2. Le journal d'entreprise est un outil de communication interne.	☐	☐
3. Pour réussir, les opérations promotionnelles concernant un produit doivent être fréquentes et durer longtemps.	☐	☐
4. Comme la publicité, les relations publiques peuvent utiliser les mass média.	☐	☐
5. Le parrainage est le meilleur moyen de faire connaître une nouvelle marque.	☐	☐

3 **La société Yves Viton vend des articles de maroquinerie. Ces articles sont des produits de luxe connus dans le monde entier. Le directeur du marketing souhaite organiser une action de parrainage.**

■ **Parmi les événements suivants, lequel lui conseillez-vous de parrainer ?**

La coupe du monde de football - Un jeu télévisé - Le championnat du monde de golf

■ **Pourquoi ?**

_____

_____

48 MANIFESTATIONS COMMERCIALES

A. FOIRES, SALONS, EXPOSITIONS

Les entreprises **participent à** une foire ou à un salon dans le but de faire connaître leurs produits.

Une foire est **une manifestation commerciale** où les entreprises **présentent** leurs produits à des **acheteurs professionnels** ou au public.

Un salon est une foire limitée à un type de produit ou d'activité. Ex. : le Salon du livre, le Salon de l'automobile, le Salon de l'informatique, etc.

Une exposition universelle est une grande manifestation destinée à présenter le degré d'évolution industrielle et scientifique d'un ou de plusieurs pays.

Salon de l'automobile

B. COMMENT PARTICIPER

Françoise Le Guellec a créé Micado, une entreprise qui fabrique des jeux de société. Elle parle du Salon du jouet de Paris :

« Le Salon du jouet de Paris est le grand rendez-vous annuel des professionnels du jouet. Nous y participons tous les ans. La première année, **les organisateurs** proposaient pour la première fois **un concours** réservé aux jeunes **créateurs d'entreprise**. Nous avons concouru et avons gagné **un stand** de 6 m² (**mètres carrés**) pour le salon de l'année suivante.

Aujourd'hui, nous **louons** un stand de 9 m². C'est **une surface** suffisante pour nous. **La location** du stand coûte 4 000 euros. Il faut ajouter 5 000 euros pour **l'installation** et **l'aménagement** du stand, le transport des produits que **nous exposons**, etc.

Pendant le salon, nous rencontrons des clients prestigieux venus du monde entier. À chaque salon, nous **plaçons des commandes** (nous vendons). »

C. TROUVER SON CHEMIN

Au Salon du jouet, **une hôtesse** accueille **un visiteur** :

HÔTESSE D'ACCUEIL : Dans cette **pochette**, vous avez **un plan du salon** et la liste **des exposants** (les entreprises qui exposent).
VISITEUR : Ah très bien ! Savez-vous où se trouvent les jeux de société ?
HÔTESSE D'ACCUEIL : Dans **le hall** 2. Vous **prenez l'allée** C, vous continuez jusqu'**au bout** (= jusqu'à la fin) et vous tournez à gauche. Vous verrez, les jeux de société se trouvent un peu plus loin, sur votre droite.

1 (35) Un organisateur du Salon du jouet répond aux questions d'un chef d'entreprise. Complétez les mentions manquantes du dialogue. Puis écoutez pour vérifier.

– Qu'est-ce que je dois faire pour p_____ au salon ?

– Vous devez l_____ un stand.

– Combien coûte la l_____ ?

– Ça dépend de la s_____ . Un stand de 9 mètres c_____ , par exemple, coûte 4 000 euros. De plus, vous devez vous occuper de l'i_____ et de l'a_____ de votre stand.

– Tout cela coûte cher. Est-ce que ça vaut la peine de dépenser autant d'argent ?

– Oui, parce que notre salon est un bon moyen de p_____ vos produits au public ainsi qu'à des a_____ professionnels. Chaque année, nous réunissons près d'un millier d'e_____ et nous accueillons environ 50 000 v_____ .

2 Vrai ou faux ?

	VRAI	FAUX
1. Les foires et les salons sont tous deux des manifestations commerciales.	☐	☐
2. Dans un salon professionnel, les visiteurs ont souvent la possibilité de placer des commandes.	☐	☐
3. Un pays participe à une exposition universelle dans l'objectif de vendre ses produits à des commerçants venus du monde entier.	☐	☐
4. Les exposants remettent généralement aux visiteurs une pochette contenant un plan du salon et divers autres documents.	☐	☐
5. Dans un salon professionnel, les jeunes créateurs d'entreprise ont toujours la possibilité de participer à un concours.	☐	☐

3 Vous travaillez à l'accueil d'un salon. Un visiteur veut se rendre sur le stand Ixtel. Renseignez-le à l'aide du plan ci-contre.

VISITEUR : Pouvez-vous me dire où se trouve le stand Ixtel ?

VOUS : C'est très simple. _____

_____

_____

_____

COMMERCES

A. GRANDES SURFACES ET CENTRES COMMERCIAUX

Une grande surface dispose d'**une surface de vente** d'au moins 400 m^2.
Voici trois types de grandes surfaces :

Le grand magasin	Les produits sont regroupés par **rayons** (rayon vêtements, parfumerie, ameublement, bricolage, etc.), sous la responsabilité d'**un chef de rayon**. Ex. : Les Galeries Lafayette, à Paris.
Le supermarché	Il vend principalement des **produits alimentaires** et des **produits d'entretien** (pour la maison) sur une surface de 400 m^2 à 2 500 m^2.
L'hypermarché	Il vend des produits divers sur une surface supérieure à 2 500 m^2.

Un centre commercial regroupe, généralement autour d'une grande surface, de petites **boutiques** indépendantes vendant des produits divers.

B. PETITS COMMERCES ET PETITS COMMERÇANTS

En France, vous pouvez **faire vos courses** (= vos achats) chez **les petits commerçants**. *Chez* **un épicier** ou *dans* **une épicerie**, vous pouvez acheter toutes sortes de produits d'alimentation générale. Chez **un boulanger** ou dans **une boulangerie**, vous pouvez acheter du pain, etc.

Il est impossible de citer ici tous les petits commerçants. Voici les principaux :

■ LE PETIT COMMERCE ALIMENTAIRE : **un poissonnier/une poissonnerie** (poisson), **un boucher/une boucherie** (viande), **un marchand de fruits et légumes**, **un pâtissier/une pâtisserie** (gâteaux), **un fromager/une fromagerie** (fromage), **un charcutier/une charcuterie** (viande de porc).

■ LE PETIT COMMERCE NON ALIMENTAIRE : **un bijoutier/une bijouterie** (bijoux), **un marchand de journaux**, **un libraire/une librairie** (livres), **une boutique de vêtements**, **un fleuriste** (fleurs), **un pharmacien/une pharmacie** (médicaments), **une papeterie** (papier, stylos, enveloppes), **une parfumerie** (parfums), **un marchand de chaussures**, **un coiffeur/un salon de coiffure** (coupe de cheveux), **un teinturier/une teinturerie/ un pressing** (nettoyage des vêtements).

C. COMMERCE FRANCHISÉ

Une entreprise, appelée **le franchiseur**, vend à un commerçant indépendant, appelé le **franchisé**, le droit d'utiliser sa marque et **son savoir-faire** (= **know-how**). Le franchisé paye périodiquement **une redevance** (un pourcentage de son chiffre d'affaires) au franchiseur. Par exemple, les restaurants appartenant à **une chaîne**, comme Mac Donald, sont souvent **franchisés**.

Le contrat de franchisage entre le franchisé et le franchiseur peut aussi s'appeler **contrat de franchise** ou **contrat de franchising**. Généralement, il prévoit **une assistance** (aide) administrative, commerciale, ou technique du franchiseur au franchisé.

E X E R C I C E S

1 **Complétez les phrases avec le nom d'un petit commerce ou d'un petit commerçant.**

1. On achète des livres dans _____ .

2. Je dois récupérer ma veste chez le _____ .

3. En bas de la rue, il y a une _____ qui fait des super gâteaux.

4. J'ai acheté ces chaussures chez _____ qui se trouve à côté de la pharmacie.

5. Il se coupe les cheveux lui-même. Il refuse d'aller _____ .

6. J'ai acheté des enveloppes _____ .

2 **Vrai ou faux ?**

	VRAI	FAUX
1. Les grands magasins vendent surtout des produits alimentaires.	☐	☐
2. Dans un grand magasin, en principe, il y a un rayon parfumerie.	☐	☐
3. Un centre commercial est une grande surface.	☐	☐
4. On peut acheter des produits d'entretien dans un grand magasin.	☐	☐
5. Les deux parties au contrat de franchise sont le franchisé et le franchiseur.	☐	☐
6. Le franchiseur doit payer une redevance au franchisé.	☐	☐

3 **Mots croisés.**

Horizontalement

1. Elle est apportée par le franchiseur et elle peut être administrative, commerciale ou technique.

2. On peut les faire dans une grande surface aussi bien que chez un petit commerçant.

Verticalement

a. Elle se mesure en mètres carrés.

b. Il vend toutes sortes de produits d'alimentation.

c. Dans un centre commercial, elles se regroupent souvent autour d'une grande surface.

d. Elle rassemble sous un même nom des hôtels, des restaurants, des entreprises commerciales, etc.

e. Il est responsable d'un rayon dans un grand magasin.

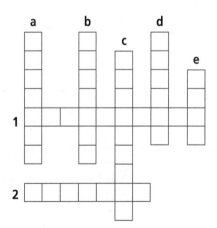

ENTRETIEN DE VENTE 1

A. ACCUEILLIR

Rémi Soulier, 52 ans, est un **vendeur expérimenté**. Durant sa longue carrière, il a tout vendu : des vêtements, des machines à laver, des séjours touristiques, des bicyclettes, etc. Il connaît bien **les techniques de vente**.

« J'**accueille** toujours le client avec le sourire, je le regarde **dans les yeux**, je suis ouvert, **détendu** (relax), **disponible** (pas occupé) pour écouter. », explique-t-il, pour parler du premier **contact** avec le client. »

B. QUESTIONNER

Rémi Soulier : « Pour découvrir les **besoins** des clients, je commence par **poser des questions**. Par exemple, voyez dans les deux extraits d'entretiens suivants le type de questions que je pose au client. »

Entretien 1	Entretien 2
– R. Soulier : **Qu'attendez-vous de** vos vacances ? – Client : Je veux rester au soleil et ne rien faire. – R. Soulier : **Vous avez certainement un budget ?** – Client : Je ne voudrais pas dépenser plus de 400 euros.	– Client : Je n'aime pas beaucoup cette couleur. – R. Soulier : **Ah bon, mais pourquoi ?** – Client : Eh bien, je trouve ça un peu triste. – R. Soulier : **C'est-à-dire ?** – Client : J'aimerais une couleur plus vive.

C. ARGUMENTER

Rémi Soulier : « Une fois que j'ai compris les besoins du client, je présente les **caractéristiques techniques** et les **avantages du produit**. »

Les phrases suivantes ont été prononcées par Rémi Soulier à certains moments de sa carrière.

Cette machine à laver est très économique.

■ **Je peux vous proposer** ce modèle.
■ Ce vêtement est **unique**.
■ C'est un tout **nouveau** modèle.
■ Regardez, la forme est tout à fait **originale**.
■ Prenez celui-là, il est **parfait**.
■ Cette machine à laver est très **économique**.
■ C'est un appareil extrêmement **fiable** (= il fonctionne très bien).
■ Le prix est très **intéressant**.
■ Vous avez là un outil **simple** et **pratique**.
■ Avec l'assurance voyage, **vous êtes tranquille**.
■ Cette robe vous **va à merveille** (très bien).

1   **Qu'est-ce qu'un bon vendeur ? Complétez les mentions manquantes avec les mots suivants :**
communicatif - curieux - attentif - débrouillard - discret - disponible - optimiste - organisé -
patient - ponctuel

1. Il sait écouter les autres : il est *attentif*.

2. Il ne parle pas de ses problèmes personnels à n'importe qui : il est _____ .

3. Il s'intéresse à tout : il est _____ .

4. Quand il se trouve dans une queue, il attend calmement, sans s'énerver : il est _____ .

5. Il sait où trouver les meilleurs produits au meilleur prix : il est _____ .

6. Il voit la vie du bon côté : il est _____ .

7. Il ne fait pas les choses à la dernière minute : il est _____ .

8. Il arrive à l'heure à ses rendez-vous : il est _____ .

9. Il a du temps à vous consacrer : il est _____ .

10. Il aime discuter, il a le contact facile : il est _____ .

2   (36)   **Mettez-vous à la place du vendeur et trouvez la bonne réponse.**
Puis écoutez pour vérifier.

■ *Le client dit :*

1. Est-il possible de recevoir ce meuble rapidement ?

   ⇒ *b*

2. Je voyage beaucoup, il faut que ce soit facile
à porter, et surtout pas trop lourd.

   ⇒ …

3. Je cherche quelque chose de résistant,
vous voyez, quelque chose qui dure.

   ⇒ …

4. J'ai un budget limité, je ne veux pas dépenser
une fortune là-dedans.

   ⇒ …

5. Je ne suis pas très doué, je ne comprends rien
à la technique.

   ⇒ …

6. Il ne faudrait pas que ce soit trop banal, est-ce
que vous avez un modèle qui sort de l'ordinaire ?

   ⇒ …

7. Je voudrais changer d'appareil, celui que j'ai est
un peu démodé.

   ⇒ …

■ *Le vendeur répond :*

a. Ce robot est très simple à utiliser. Je vous explique.

b. C'est très simple, il est à vous à partir
de maintenant.

c. Tenez, essayez celui-là, il est très léger.

d. Le prix de cet article est particulièrement
intéressant.

e. Nous venons de recevoir un tout nouveau
modèle.

f. Avec ce produit, vous êtes tranquille pendant
dix ans.

g. Je peux vous proposer quelque chose de très
original.

ENTRETIEN DE VENTE 2

A. TRAITER LES OBJECTIONS

Rémi Soulier, vendeur d'élite, explique comment il répond aux **objections** (contestations) des clients :

« Après une objection, je continue l'entretien sur un ton positif. Les objections sont normales et même utiles. Elles montrent que le client est intéressé et elles apportent des indications sur ses besoins. Il y a plusieurs manières de **traiter les objections**. »

D'après Rémi Soulier, le vendeur doit toujours accepter l'objection du client.
Par exemple :
– Client : Mais, dites-moi, est-ce qu'il y a des possibilités de crédit ?
– R. Soulier : **Vous avez raison de poser cette question.**

Le vendeur doit savoir aussi **reformuler** les objections. Par exemple :
– Client *(inquiet)* : Ça a l'air compliqué.
– R. Soulier : **Si je comprends bien,** vous avez peur que ce soit difficile à utiliser.

Le vendeur est souvent amené à demander des précisions au client. Comme dans ces quatre extraits d'entretiens :

■ *Extrait 1* – Client : Votre offre n'est pas très intéressante. – Vendeur : **Qu'entendez-vous par là ?**	■ *Extrait 3* – Client : C'est trop cher. – Vendeur : Cela vous paraît cher **par rapport à quoi ?**
■ *Extrait 2* – Client : Écoutez, je crois que je vais réfléchir. – Vendeur : Bien sûr, **à quoi voulez-vous réfléchir ?**	■ *Extrait 4* – Client : Je ne comprends pas pourquoi c'est si cher ? – Vendeur : **D'après vous ?**

B. CONCLURE

Rémi Soulier emploie fréquemment les phrases suivantes pour passer à la dernière étape de l'entretien : **la conclusion de la vente.**

■ **À part ce point, tout est clair ?**
■ Vous préférez **donc** ce modèle, **c'est bien ça ?**
■ Alors, je crois que le modèle vous plaît… **On y va ?**
■ **Comment voulez-vous payer ?**
■ **C'est madame ou monsieur qui signe en premier ?**

Si le client refuse obstinément d'acheter, Rémi Soulier essaye parfois une ultime **tactique.**

Rémi Soulier : « Écoutez, madame, je ne comprends pas : le produit vous **convient**, **nous sommes d'accord sur** le prix, voilà deux heures que nous discutons… Alors, dites-moi, franchement, est-ce que j'ai été maladroit, expliquez-moi ce que j'ai fait de mal, **rendez-moi ce service**, s'il vous plaît, quel est le problème… »

E X E R C I C E S

1 **37** Lisez les déclarations suivantes et/ou écoutez. Qui prononce ces phrases ?
Le client ou le vendeur ?

	CLIENT	VENDEUR
1. Vous allez me dire que ce modèle n'est pas très grand, mais je vous rassure tout de suite…	☐	☐
2. Votre concurrent est moins cher.	☐	☐
3. C'est très simple, je peux vous renseigner.	☐	☐
4. Laissez-moi votre documentation, je l'étudierai plus tard.	☐	☐
5. Les affaires sont dures en ce moment, je n'ai pas d'argent.	☐	☐
6. Si je comprends bien, c'est le prix qui vous préoccupe.	☐	☐
7. Pour quelles raisons n'êtes-vous pas intéressé ?	☐	☐
8. Cette marque n'a pas très bonne réputation.	☐	☐

2 **38** Voici des extraits de quatre entretiens de vente. Les répliques sont dans le désordre.
Mettez-les dans l'ordre. Puis écoutez pour vérifier.

■ *Entretien 1*

☐ Une amie l'a acheté et c'est ce qu'elle m'a dit.

1 C'est très fragile, ça casse facilement.

☐ Qu'est-ce qui vous fait dire ça ?

☐ Euh… Il n'y a pas mal de temps qu'elle l'a.

☐ Elle a acheté ce tout nouveau modèle ou un modèle plus ancien ?

■ *Entretien 2*

☐ Cette voiture n'est pas très pratique.

☐ Rassurez-vous, elle existe en quatre portes.

☐ Oui, elle n'a que deux portes.

☐ Pas pratique ?

> *Rassurez-vous, elle existe en quatre portes.*

■ *Entretien 3*

☐ Ah bon, mais pourquoi ?

☐ À part le prix, elle vous plaît ?

☐ Elle est trop chère.

☐ Cette moto ne m'intéresse pas.

■ *Entretien 4*

☐ Ce qui vous fait hésiter, c'est le rouge, n'est-ce pas ?

☐ Je n'aime pas beaucoup la couleur.

☐ Oui.

☐ Eh bien, je peux vous proposer sept couleurs différentes.

52

COMMERCE ÉLECTRONIQUE

A. INTERNET

Un internaute	C'est un utilisateur du **réseau** Internet. Certains internautes passent des heures chaque jour à **naviguer** (= **surfer**) sur Internet. Le mot « internaute » vient d'Internet et du mot grec « nautês », qui signifie navigateur.
Un fournisseur d'accès	Le fournisseur d'accès (= **le provider**) vous permet d'**accéder** (= de **vous connecter**) **au** réseau. Chaque mois vous pouvez payer **un forfait** (un prix fixe) pour une durée de **connexion** illimitée.
Un navigateur	C'est **le logiciel** (= **le software**) qui vous permet d'**explorer** le Web. Le navigateur le plus répandu est *Internet Explorer*, de Microsoft.
Un moteur de recherche	Il recherche des **sites** correspondant au **mot-clé** que vous avez **tapé**.

B. INTRANET

Intranet est un réseau fermé, interne à une organisation (une entreprise, une administration, etc.). Il possède toutes les caractéristiques de l'Internet :
– **un serveur** pour **stocker** les **données** (informations) ;
– **une messagerie** pour envoyer et recevoir le courrier électronique (e-mail) ;
– des forums, etc.
Mais, à la différence d'Internet, **son accès** est protégé.

Un fournisseur d'accès

C. B2B ET B2C

Le **commerce électronique** concerne l'achat et la vente de produits ou de services sur Internet. Les transactions peuvent s'effectuer :
– entre deux entreprises : c'est **le B2B** (*business to business*) ;
– ou entre une entreprise et un consommateur : c'est **le B2C** (*business to consumer*).

L'achat en ligne est très simple : vous allez sur **le site** qui vous intéresse. Vous consultez **le catalogue électronique**, vous choisissez les **articles**, vous les mettez dans votre **panier**, vous payez. Quelques jours plus tard, vous recevez vos articles. Pratique, n'est-ce pas ?

1 Vous pouvez voir les inscriptions suivantes sur l'écran d'un ordinateur. Dites si elles concernent *un fournisseur d'accès, un navigateur, un moteur de recherche, une messagerie, un site de commerce électronique.*

1. _____

Chercher

4. _____

JUSQU'À 40 % DE RÉDUCTION
SUR VOTRE LOCATION DE VOITURE.
NOUS VOUS REMBOURSONS
LA DIFFÉRENCE + 10 EUROS
SI VOUS TROUVEZ MOINS CHER.

2. _____

Retirer msg Nouveau msg Répondre Transférer Classer Suivant Imprimer Sécurité Supprimer Arrêter

• Lire les messages   • Écrire un message
• Messages envoyés   • Brouillons

3. _____

Pour optimiser votre forfait ou pour surfer
en toute tranquilité, découvrez nos offres
anti-virus et contrôle parental

5. _____

2 B2B ou B2C ?

	B2B	B2C
1. Une traductrice propose ses services aux entreprises financières.	☐	☐
2. Des grossistes de produits pharmaceutiques sont reliés à leurs fournisseurs sur un marché électronique.	☐	☐
3. Un hypermarché propose sur son site des ordinateurs à des « prix fous ».	☐	☐
4. Une agence de voyage propose aux jeunes mariés des séjours « lune de miel ».	☐	☐

3 🎧 39 Claire est une passionnée d'Internet. Complétez son témoignage. Puis écoutez pour vérifier.

Claire, i_____ passionnée : « Tous les jours, je s_____

des heures et des heures sur le web. Dès que je me lève le matin, je me

c_____ à Internet. Ce que je fais ? Des achats. J'adore

consulter les c_____ des grands magasins et acheter en

l_____ . C'est très facile, trop facile : il suffit de placer les

a_____ dans le p_____ , clic, clic, et de payer avec sa carte

bancaire. Je dépense beaucoup d'argent comme ça, mais heureusement,

je paye seulement un f_____ de 10 euros par mois à mon

f_____ d'accès pour une durée de c_____ illimitée. »

53 COMMANDE ET LIVRAISON

A. BON DE COMMANDE

Pour acheter un livre comme celui que vous êtes en train de lire, vous pouvez vous rendre dans une librairie traditionnelle. Vous pouvez aussi **commander** ce livre (=**passer commande de** ce livre) sur Internet, en vous connectant à une librairie **en ligne**. Pour cela, vous devez remplir **un formulaire**, qui s'appelle **un bon de commande**.

Sur ce bon de commande, vous indiquez :
– vos nom et prénom, votre adresse électronique (e-mail),
– les **références** de l'article,
– l'adresse de **livraison** : l'adresse où vous souhaitez qu'on vous **livre** l'article,
– l'adresse de **facturation** : l'adresse où vous souhaitez qu'on vous envoie **la facture**,
– le numéro et **la date d'expiration** (fin) de votre carte bancaire.

Une fois qu'il a reçu votre commande, **le fournisseur** (le vendeur) vous **expédie** (=**envoie**) l'article commandé **dans les meilleurs délais**, c'est-à-dire aussi rapidement que possible.

B. PROBLÈMES DE LIVRAISON

Un client peut **adresser une réclamation** au fournisseur dans les cas suivants :

Retard de livraison	**La marchandise** est livrée avec retard.
Marchandise non conforme	La marchandise n'est pas conforme à la commande.
Marchandise en mauvais état	Les articles sont en mauvais état.
Livraison incomplète	Il manque des articles.

Le client peut **faire une réclamation** par téléphone. Il peut aussi envoyer un e-mail ou **une lettre de réclamation**. Voici, par exemple, un e-mail de réclamation pour retard de livraison :

De :	Sophie Hamelin
A :	Livredor
Objet :	retard de livraison

Bonjour,
Le 3 mars dernier, je vous ai commandé le livre « Le choc des cultures », **référencé** sous le numéro 212980. D'après vos **conditions de vente**, les **délais de livraison** sont de trois jours. **Or**, nous sommes le 15 mars et je n'ai toujours pas **reçu** cet article. **Je vous prie donc de faire le nécessaire** pour me l'envoyer dans les meilleurs délais.
Merci par avance.
Bien cordialement.
Sophie Hamelin

1 *Marchandise non conforme, en mauvais état, livraison incomplète, retard de livraison ?*
Lisez les phrases suivantes, extraites de différents courriers de réclamation, et dites quel est le problème.

> *La quantité reçue est insuffisante*

> *En déballant la marchandise, nous avons constaté que 23 assiettes étaient cassées.*

1. _____   4. _____

> Malgré nos appels téléphoniques, les articles ne nous sont toujours pas parvenus.

> *J'ai reçu un aspirateur Tornado 430 alors que j'avais commandé un Tornado 500.*

2. _____   5. _____

> *La qualité du tissu n'est pas de même qualité que celle que nous recevons habituellement.*

> Après vérification, nous avons constaté qu'il manquait deux caisses de petits pois.

3. _____   6. _____

2 Un vendeur demande des renseignements à un client. Complétez les mentions manquantes.

> Pouvez-vous me communiquer la d_____ d'e_____ de votre carte bancaire ?

> À quelle adresse doit-on vous l_____ ?

> Peut-on vous adresser la f_____ à la même adresse ?

3 Complétez les mentions manquantes du courrier de réclamation ci-dessous. Plusieurs solutions sont possibles.

Objet : ma _____ n° 546 du 12 avril

Messieurs,

J'ai bien _____ ce jour le téléphone portable faisant l'objet de ma commande _____ ci-dessus.

_____ , en procédant au déballage, j'ai constaté que cet article n'était pas _____ à celui que j'ai _____ .

En effet, il m'a été _____ un téléphone Sony G67 au lieu d'un Sony V87.

Je vous _____ donc de m'_____ le Sony V87 dans les _____ _____ . Je vous retournerai aussitôt le Sony G67.

Je vous en remercie _____ _____ _____ .

_____ .

54 CONDITIONS DE PAIEMENT

A. MOYENS DE PAIEMENT

Au moment de payer dans un magasin, le vendeur vous demande : « Comment souhaitez-vous payer ? ». Vous pouvez répondre : **en espèces** (ou **en liquide**), **par carte**, **par chèque**. Il existe en effet différents **moyens de paiement** (= façons de payer).

Si vous **réglez** (= payez) par carte, vous pouvez utiliser :
– **une carte bancaire** (= **carte de débit**) : votre **compte bancaire** est immédiatement **débité** de la somme payée (= la somme est portée au débit du compte) ;
– **une carte de crédit** : votre compte est débité plus tard.

B. DÉLAIS DE PAIEMENT

Vous pouvez payer :
– **au comptant** : c'est-à-dire immédiatement ;
– **à terme** : c'est-à-dire après **un** certain **délai**.
Parfois, on paye une partie du prix au comptant, et **le solde** (le reste) à terme.

Dans certains magasins, vous trouvez cette inscription : $\boxed{\textit{La maison ne fait pas crédit}}$

Cela veut dire que vous devez payer au comptant. Vous ne pouvez pas **acheter à crédit**.

C. TRANSPORT

Souvent, la marchandise commandée doit être **transportée** par **un transporteur** (transporteur routier, compagnie de chemin de fer, la Poste, etc.). **Le transport** est payé soit par **l'expéditeur** (le vendeur) soit par **le destinataire** (l'acheteur).

Pour désigner le prix du transport, on parle des **frais de transport** ou des **frais de port**. On peut aussi dire simplement « **le port** ».

Il arrive que le port soit **compris** (= **inclus**) dans le prix du produit. Dans ce cas, on parle d'une marchandise expédiée (envoyée) **franco de port** = sans frais de transport pour le destinataire. Par exemple, une marchandise expédiée **franco Montréal** signifie que le vendeur **prend en charge** les frais et les risques de **l'expédition** jusqu'à Montréal.

D. RÉDUCTIONS

Lorsque le fournisseur **accorde une réduction de prix** à son client, on dit que le client **obtient** une réduction ou qu'il **bénéficie d'**une réduction. Il y a quatre types de réduction.

Le client peut obtenir :
– **un escompte** : dans le cas où il paie au comptant ;
– **un rabais** : en cas de problème dû au fournisseur : par exemple, le produit présente un défaut, ou la livraison a lieu avec retard ;
– **une remise** : parce que c'est un client particulier - par exemple, il travaille dans l'entreprise, ou parce qu'il passe une commande importante ;
– **une ristourne** : parce que c'est un client fidèle. Pour le remercier, le fournisseur lui accorde une ristourne, calculée sur le montant des factures de l'année.

1 *Escompte, rabais, remise* ou *ristourne ?*
Dans chacun des cas suivants, dites de quel type de réduction il s'agit.

1. La marchandise livrée n'est pas conforme à la commande. Toutefois, le client accepte de la conserver à condition d'obtenir un _____

2. La société Renaudin accorde un _____ de 3 % pour tout règlement au comptant.

3. Pour toute commande supérieure à 2000 euros, vous bénéficiez d'une _____ de 10 %.

4. La société Renaudin accorde une _____ à ses principaux clients sur l'ensemble de leurs achats de l'année.

2 **Vrai ou faux ?**

	VRAI	FAUX
1. Payer en espèces = payer en liquide.	☐	☐
2. La carte bancaire est un délai de paiement.	☐	☐
3. Payer au comptant = payer en espèces.	☐	☐
4. Faire crédit = acheter à crédit.	☐	☐
5. La carte de crédit est un moyen de paiement à terme.	☐	☐
6. Les frais de port = les frais de transport = le prix du transport.	☐	☐
7. La marchandise est expédiée franco Amsterdam = l'expéditeur paye le port jusqu'à Amsterdam.	☐	☐
8. Il peut arriver que l'expéditeur soit aussi le transporteur.	☐	☐
9. Il peut arriver que l'expéditeur soit le client.	☐	☐
10. Entre professionnels, le client accorde souvent une réduction au fournisseur.	☐	☐

3 **Complétez les mentions manquantes avec les mots suivants :**
charge - commande - livraison - règlement - solde - transport.

> ## Conditions de vente (extraits)
>
> _____ : 20 % à la _____
>
> le _____ à la _____
>
> _____ : par route et à notre _____ .

SE FAIRE PAYER

A. FACTURATION

Amélie Petit travaille pour un fabricant de meubles, au **service *facturation***. C'est elle qui **établit** (= fait) les factures. Voici l'extrait d'une facture qu'elle s'apprête à envoyer à un client :

FACTURE N° 907

Réf.	Désignation	PU HT	Quantité	Montant
105	Bureau micro-informatique Indy	54	8	432
098	Fauteuil de bureau Scola	66	6	396
206	Étagère d'angle hêtre	37	5	185
			Total HT	1 013
			TVA 19, 6 %	198,54
			Total TTC	1 211,54
			Net à payer	1 211,54

Amélie Petit explique certaines mentions qu'elle vient de porter (inscrire) sur la facture :

« Comme chacun de nos articles est **référencé** sous un numéro, j'inscris dans la première colonne **la référence** (ou **le numéro de référence**) des articles. Dans la deuxième colonne, je fais une brève description des articles que je dois **facturer**. Le PU HT est le **prix unitaire** (à l'unité) **hors taxe**.

Pour obtenir **le prix TTC** (toutes taxes comprises), je dois ajouter **la TVA (taxe à la valeur ajoutée)**. **Le taux de TVA** est actuellement de 19,6 % (dix-neuf virgule six pour cent). Finalement, le « **net à payer** » est **le montant** que le client doit payer. »

B. RAPPEL DE PAIEMENT

Amélie Petit parle des clients de l'entreprise :
« La plupart des clients paient à 30 ou à 60 jours à compter de **la réception** de la facture. Malheureusement, ils ne respectent pas toujours les délais de paiement. Souvent, je dois envoyer **une lettre de rappel** aux **mauvais payeurs** ».

Voici des phrases extraites de différentes lettres de rappel :

Je me réfère à notre lettre du 3 mars vous demandant de **régler la facture** n° 907 du 8 octobre.

Malgré notre lettre de rappel du 17 avril nous **constatons** que notre facture n° 878 du 2 mars **est restée impayée**.

Nous vous serions reconnaissants de nous **faire parvenir** (envoyer) votre **règlement** (paiement) **sous huitaine** (dans les huit jours).

1 Un client a commandé 3 chaises en hêtre et 4 tableaux aimantés. À l'aide de l'extrait de la liste de prix ci-dessous, établissez la facture n° 908.

FACTURE N° 908

Réf.	Désignation	PU HT	Quantité	Montant
_____	_____	_____	_____	_____
_____	_____	_____	_____	_____

Total HT	_____
TVA 10 %	_____
Total TTC	_____
Net à payer	_____

Liste de prix

Réf.	Désignation	Prix HT
015	Chaise hêtre	20
098	Fauteuil Scola	66
112	Tableau aimanté	10

2 Complétez les mentions manquantes des lettres suivantes.

LETTRE 1

Bruxelles, le 3 mars 2010

Madame, Monsieur,

Nous avons bien reçu votre f_____ n° 908 du 8 octobre, concernant notre commande du 25 septembre 2010.

Après vérification, nous c_____ que vous nous avez f_____ les chaises en hêtre r_____ sous le numéro 015 au prix u_____ de 23 euros alors que votre l_____ de prix indique un prix de 20 euros.

Vous voudrez donc bien nous faire p_____ une facture rectificative.

Veuillez recevoir, Madame, Monsieur, nos salutations distinguées.

LETTRE 2

Monsieur,

Nous vous adressons ci-joint copie de notre f_____ n° 907 du 8 octobre, d'un m_____ de 1 032,85 euros, payable dès r_____ .

Malgré nos deux lettres de r_____ du 25 octobre et du 8 novembre, cette facture est r_____ i_____ .

Vous voudrez donc bien nous r_____ cette somme sous h_____ .

Nous restons dans l'attente de votre r_____ et vous prions de recevoir, M_____ , nos salutations dévouées.

Mathilde GUILLARD
Service f_____

EXPORTER

A. SE LANCER DANS L'EXPORTATION

Politex est une entreprise textile française. Michel Jeantin, le P-DG, explique comment Politex est devenue une entreprise **exportatrice** :

« Il y a vingt ans, toute notre production était vendue sur **le marché national**.
Nous n'**exportions** rien. Aujourd'hui, 70 % de nos ventes sont réalisées **à l'étranger.**

Exporter ne s'improvise pas. À l'étranger, **les modes de vie** et **les habitudes de consommation** sont différents, et il faut être prudent. Nous avons embauché un **cadre export** qui est très **expérimenté** et qui maîtrise plusieurs langues étrangères.

En ce qui concerne la production, **nous nous sommes internationalisés** aussi. Auparavant, tous nos produits étaient fabriqués dans le nord de la France.
Mais **la main-d'œuvre** en France est trop chère et nous avons dû **délocaliser** une partie de notre production. Aujourd'hui, nous produisons en Asie. »

B. BALANCE COMMERCIALE

La balance commerciale récapitule (résume) **les exportations** (ventes)
et **les importations** (achats) de marchandises d'un pays avec les autres pays.

Quand les exportations d'un pays sont supérieures aux importations, il y a **un excédent**,
on dit que la balance est **excédentaire**. Dans le cas contraire, on parle d'**un déficit**
et d'une **balance déficitaire**.

C. PROTECTIONNISME ET LIBRE-ÉCHANGE

La douane est une administration qui contrôle les échanges aux frontières et qui perçoit
les droits de douane.

Les droits de douane sont des taxes que **l'importateur** (le vendeur) doit payer au
moment de l'entrée de la marchandise dans un pays. Quand un pays veut protéger son
industrie contre la concurrence étrangère, il **instaure** (crée) des droits de douane élevés.

Un pays dispose d'autres moyens pour se protéger. Par exemple, il peut **mettre en place** :
– des **quotas** (= **contingentements),** c'est-à-dire limiter la quantité de marchandises **importées** ;
– des **procédures** (règles, formalités) **administratives** complexes qui découragent
les exportateurs étrangers ;
– des **normes techniques** sévères supposées garantir la sécurité des consommateurs, etc.

Un pays qui se protège est un pays **protectionniste**. On parle de **protectionnisme**.
Au contraire, **le libre-échange** est un système dans lequel les **échanges commerciaux**
sont libres. De nombreux pays passent des **accords de libre-échange** dans le but
de favoriser **le commerce international**.

E X E R C I C E S

1 Les questions suivantes sont extraites d'une interview avec le dirigeant d'une entreprise exportatrice. Pour chaque question, retrouvez la réponse. Puis écoutez pour vérifier.

1. Pourquoi avez-vous embauché un cadre export ?

   ⇒ **c**

2. Pourquoi exportez-vous ? ⇒ ...

3. Pourquoi vous paraît-il plus difficile de vendre à l'étranger que chez soi ? ⇒ ...

4. Pourquoi avez-vous délocalisé votre production ?

   ⇒ ...

5. Pourquoi avez-vous réussi à vendre dans des pays si différents ? ⇒ ...

a. Parce que nous avons su nous adapter à toutes sortes de marchés.

b. Parce que le marché est différent : autre mode de vie, autres habitudes de consommation, etc.

c. Parce que l'exportation ne s'improvise pas.

d. Parce que le marché national a ses limites.

e. Parce qu'ici le coût de la main-d'œuvre est trop élevé.

2 Complétez les mentions manquantes.

1. Quand dans un pays les exportations sont inférieures aux i_____ , on dit que la b_____ c_____ est d_____ . Dans le cas contraire, on dit qu'elle est e_____ .

2. Pour protéger l'industrie nationale, un pays peut prendre des mesures p_____ . Il peut, par exemple, mettre en place des p_____ administratives complexes, de façon à décourager les entreprises e_____ d'autres pays d'e_____ sur son territoire.

3. En principe, un pays favorable au libre-é_____ supprime les c_____ , baisse les d_____ de d_____ , assouplit les n_____ techniques.

3 Protectionnisme ou libre-échange ?

	PROTECTIONNISME	LIBRE-ÉCHANGE
1. Il protège les industries naissantes.	☒	☐
2. Il stimule la concurrence.	☐	☐
3. Il favorise la baisse des prix.	☐	☐
4. Il protège du dumping social.	☐	☐
5. Il apporte une diversification de l'offre.	☐	☐
6. Il oblige les entreprises à innover.	☐	☐
7. À court terme, il réduit le déficit commercial.	☐	☐
8. Il pousse les pays à se spécialiser.	☐	☐

57

ÉTHIQUE DANS LES AFFAIRES

A. L'ÉTHIQUE, QU'EST-CE QUE C'EST ?

Technitec est une entreprise européenne, qui fabrique des composants électroniques. Ses sites de production se trouvent principalement en Asie. Depuis sa création, Technitec a toujours valorisé **l'éthique** (= la morale) dans les affaires.

Audrey Gicquel, P-DG de Technitec, s'en explique : « Une entreprise doit être **socialement responsable**, c'est-à-dire respectueuse de la société et du monde qui l'entourent. Chez Technitec, nous avons des principes, et ces principes tournent autour d'un seul mot : le respect. Respect des personnes, respect de la nature, respect de la vie et de la santé des êtres vivants… C'est cela, l'éthique dans les affaires. ».

B. GUIDE DE CONDUITE

Certaines entreprises, comme Technitec, ont **une charte d'Éthique** (= **un guide de conduite**), qui contient un certain nombre de règles. « Des règles fondamentales », précise Audrey Gicquel.

Voici des extraits de la charte de conduite de Technitec.

– **Travail des enfants :** il est interdit d'employer des enfants de moins de 16 ans.
– **Discrimination :** il est interdit de **discriminer** une personne selon le sexe, l'ethnie, la religion.
– **Conditions de travail :** la santé et la sécurité des travailleurs doivent être préservées.
– **Corruption :** il est interdit d'offrir ou d'accepter **un pot-de-vin**, que ce soit une somme d'argent ou un cadeau **en nature**.

« Il y a deux ans, *rapporte le P-DG de Technitec*, l'un de nos responsables commerciaux a voulu **corrompre** un fonctionnaire en lui versant un pot-de-vin de 50 000 euros. Quand j'ai appris cette histoire, j'ai licencié cette personne sur-le-champ (= immédiatement). »

C. FONDS ÉTHIQUE

Sandrine Guillemin, qui travaille dans une banque, explique que sa banque est également concernée par l'éthique :

« Nous proposons à certains clients de **placer** (investir) leur argent dans **un fonds éthique** qui exclut les entreprises ayant des activités dans l'alcool, le tabac, la pornographie ou les jeux. Ce fonds exclut également les entreprises qui **polluent** (qui causent des dommages à **l'environnement**).

Par ailleurs, nous finançons plusieurs projets de **développement durable.** Ces projets visent à protéger l'environnement et à garantir un « développement durable » de notre planète pour les générations futures.

Nous **soutenons** (aidons) également les entreprises de **commerce équitable** (= **commerce solidaire**), dont l'objectif est de favoriser des échanges plus justes entre les pays riches et les pays pauvres. »

EXERCICES

1 Pour sélectionner les entreprises, certains fonds éthiques examinent :

A. Le management   C. L'environnement

B. Le cadre de travail   D. Les relations avec les partenaires extérieurs

Dites à quel domaine se rattache chacune des phrases suivantes, extraites du rapport d'une banque.

> Cette entreprise respecte scrupuleusement les normes environnementales.

1. C

> Ils ont considérablement réduit leur consommation d'énergie.

4. _____

> Leurs techniques de production ne sont pas polluantes.

2. _____

> Ils entretiennent d'excellents rapports avec leurs fournisseurs.

5. _____

> Les salariés travaillent dans un environnement agréable.

3. _____

> Le pouvoir de décision est partagé entre plusieurs directeurs.

6. _____

2 **Mots croisés**

Horizontalement

1. Juste, conforme à l'équité.

2. Acheter quelqu'un. Par exemple, en lui versant un pot-de-vin.

3. Aider, apporter son soutien.

4. Se dit du commerce équitable.

Verticalement

a. Salit, endommage l'environnement.

b. Sépare, distingue selon certains critères comme l'âge, le sexe.

c. Règles fondamentales d'une organisation.

INFRACTION ÉCONOMIQUE 1

A. CONTREFAÇON

Une infraction est **une violation**
(un non-respect) de **la loi**. **La contrefaçon**
est une imitation **frauduleuse** (illégale)
et constitue une infraction.

Contrefaire, c'est imiter **frauduleusement**
(illégalement). On peut contrefaire une monnaie,
un produit, une marque, une carte de crédit,
une signature, etc. Une entreprise peut
poursuivre quelqu'un **en contrefaçon**
(de marque, par exemple) **devant le tribunal
(en justice)**. **Le contrefacteur** peut être
condamné à payer à la victime de la contrefaçon
des **dommages-intérêts** (une somme d'argent)
en réparation du **préjudice** (= **dommage**) subi.

Saisie de produits de contrefaçon

Lorenzo Chabert dirige la Police économique,
à Montréal. Il parle de son travail :
« Nous luttons contre **les activités criminelles** dans **le milieu des affaires**. Le mois
dernier, nous avons arrêté un groupe de **faux-monnayeurs**. Ils fabriquaient de **faux billets**
de 100 dollars dans une cave. Le mois dernier toujours, nous avons **saisi** (pris)
800 **fausses** montres Cartier. Elles étaient fabriquées près de Montréal, dans des ateliers
clandestins (= illégaux). »

B. TRAFIC

Lorenzo Chabert : « Il y a beaucoup de **contrebande** d'alcool et nous devons contrôler
les frontières de près. **Les contrebandiers** sont généralement de petits **trafiquants**.
Ils achètent de l'alcool aux États-Unis, où les taxes sont moins élevées, et le revendent
illégalement au Canada.

Pour **le trafic de drogue,** nous travaillons en collaboration avec la police d'autres pays.
La drogue rapporte beaucoup d'argent aux trafiquants. Comme c'est de **l'argent sale**
(de l'argent provenant d'un commerce illégal), les trafiquants doivent le **blanchir**
(le rendre légal). Pour cela, ils utilisent des salles de jeux, des casinos, etc. Nous luttons
de notre mieux contre **le blanchiment** de **l'argent de la drogue**, mais ce n'est pas facile,
car nous avons affaire à des bandes (groupes) extrêmement bien organisées. »

C. RACKET

Lorenzo Chabert, de nouveau :
« Certains petits commerçants sont **rackettés** régulièrement. **Les racketteurs** leur disent :
« Payez-nous ou nous brûlons votre magasin ». C'est **un chantage** qui fait peur. Les gens
préfèrent payer. Ils n'osent pas parler. C'est pour cette raison que nous avons du mal
à éliminer **le racket**. »

1 *Contrefaçon, contrebande, racket ou blanchiment d'argent ?*
Dans chacun des cas suivants, dites de quelle infraction il s'agit.

1. Certaines entreprises exploitent des brevets d'invention sans l'autorisation de l'inventeur. _____

2. Une bande de jeunes entre dans un petit restaurant. Ils mangent et s'en vont sans payer.
Le patron du restaurant n'ose pas protester. _____

3. On estime que dans le monde, environ un tiers des cigarettes produites disparaissent
pour être revendues sur le marché noir. _____

4. Des criminels achètent et paient en espèces des biens de grande valeur
tels que des bateaux ou des propriétés immobilières. _____

2 **Qui est l'auteur de chacun des actes suivants ?**

1. Il fabrique de faux billets. C'est un f_____ - m_____ .

2. Il fait de la contrebande de cigarettes. C'est un c_____ .

3. Il fait du trafic d'alcool. C'est un t_____ .

4. Il rackette les petits commerçants. C'est un r_____ .

3 **Complétez les mentions manquantes.**

X et Y sont deux entreprises qui fabriquent des vêtements.

1. La police a s_____ dans un entrepôt de X un lot de vêtements portant le nom de Y.

2. Y p_____ X en justice.

3. Y reproche à X d'avoir c_____ sa m_____ de vêtement.

4. Le tribunal donne raison à Y. Il estime que Y a subi un p_____ .

5. X est c_____ à payer à Y la somme de 50 000 euros à titre de d_____ -i_____ .

4 **Répondez aux questions.**

1. Comment peut-on empêcher la contrebande de cigarettes ou d'alcool ? Proposez une solution.

_____

2. Qu'est-ce qu'un chantage ? Donnez un exemple.

_____

59

INFRACTION ÉCONOMIQUE 2

A. FRAUDE FISCALE

La fraude fiscale (= **l'évasion fiscale)** consiste à utiliser des moyens illégaux pour payer moins d'**impôts** (= taxes). Certaines entreprises ont une adresse fictive (fausse) dans **un paradis fiscal**, c'est-à-dire dans un pays où les impôts sont faibles ou nuls.

Les **fraudeurs** sont aussi bien les particuliers que les petites et les grandes entreprises. Le plus souvent, **le fisc** (= **l'administration des impôts** = **l'administration fiscale**) ne peut pas retrouver les fraudeurs.

B. ESCROQUERIE

Un escroc est une personne malhonnête en affaires, qui abuse (profite) de la confiance de quelqu'un pour lui **soutirer** (prendre) de l'argent.

Jean-Luc Georges est propriétaire d'une petite entreprise de travaux publics, à Val d'Or, au Québec. Récemment, il a été victime d'**une escroquerie**. Il raconte comment il s'est fait **escroquer** :

« Nous avions une comptable en qui nous faisions entièrement confiance. Elle s'appelait Clémentine. Un jour, elle a pris un congé maternité et elle a été remplacée par un intérimaire. Après quelques jours, l'intérimaire a découvert que, depuis trois ans, Clémentine établissait des chèques **à son ordre** (à son nom), en imitant ma signature. En trois ans, elle avait réussi à **détourner** près de 100 000 dollars **à son profit**. Aujourd'hui, nous la poursuivons en justice pour **détournement de fonds** (vol d'argent). On ne peut faire confiance à personne ».

C. DÉLIT D'INITIÉ

Un dirigeant d'entreprise n'a pas le droit d'utiliser des informations confidentielles pour gagner de l'argent **à la bourse**. S'il le fait, il **commet** une infraction, qui s'appelle **un délit d'initié.**

Des patrons de grandes entreprises **cotées** (inscrites) **en bourse** sont parfois condamnés à une forte **amende** (somme d'argent) pour délit d'initié.

D. PIRATAGE INFORMATIQUE

Mathieu Rousseau, consultant en **sécurité informatique**, explique ce qu'est le **piratage informatique**. Il sait de quoi il parle. C'est lui-même un ancien **pirate**.

« Le pirate qui entre dans les **systèmes informatiques** d'une entreprise se sent comme chez lui. Il lit le courrier électronique du personnel, il copie des centaines de **fichiers** confidentiels. Avant de partir, il peut **saboter** (détruire) le réseau. Aujourd'hui, dans la guerre de **l'information économique**, le piratage informatique est devenue une arme majeure. Il n'est donc pas étonnant que **la délinquance** (criminalité) **informatique** ait doublé depuis cinq ans. »

E X E R C I C E S

1 **Complétez les phrases avec les mots suivants.**
amende - bourse - délit - évasion - fisc - fonds - fraudeurs - paradis - piratage - profit - sécurité

1. Cette entreprise a pris des mesures de _____ importantes pour lutter contre le _____
   informatique.

2. Le patron d'une grande entreprise européenne cotée en _____ a été condamné pour _____
   d'initié à une _____ de 250 000 euros.

3. De nombreuses entreprises échappent au _____ en établissant leur siège social
   dans un _____ fiscal.

4. Pendant qu'il travaillait dans cette entreprise, il a détourné des _____ importants
   à son _____ .

5. L'_____ fiscale coûte des milliards d'euros à l'État. Les _____ sont si nombreux
   qu'il est très difficile de les retrouver.

2 **Mots croisés**

Horizontalement

1. L'État prélève des... pour financer les charges
   publiques.

2. Un... contient un ensemble d'informations numériques
   et peut être enregistré sur un disque dur.

3. Un... de fonds consiste à utiliser à son profit
   de l'argent qui ne nous est pas destiné.

4. En principe, on fait un chèque à l'... d'un bénéficiaire
   désigné.

5. Un... est une personne malhonnête en affaires.

Verticalement

a. ... consiste à détériorer ou à détruire par acte de sabotage.

b. La... est la conduite d'un délinquant, c'est-à-dire d'une personne qui commet des délits.

c. Un... dispose d'informations privilégiées et les utilise pour des opérations de Bourse.

d. Le... copie des logiciels ou s'introduit frauduleusement dans les systèmes informatiques.

e. ... de l'argent de quelqu'un, c'est obtenir de lui de l'argent par des moyens malhonnêtes.

60

PRATIQUES ANTICONCURRENTIELLES

A. ABUS DE POSITION DOMINANTE

Paul Schaeffer travaille à la **Commission de la concurrence**, à Bruxelles. Il parle de son travail :

« Notre rôle consiste à **surveiller** (contrôler) le marché et à faire **respecter la concurrence** sur le marché européen. **Le droit communautaire** (= **droit européen**) **prohibe** (interdit) les situations ou pratiques qui **entravent** (= **faussent,** c'est-à-dire gênent) **la libre concurrence** à l'intérieur de l'**Union européenne**.

C'est le cas, par exemple, des situations de **monopole**. Si une entreprise **exerce** un monopole, cela signifie qu'elle est seule sur son marché. Dans ce cas, la concurrence n'existe même pas.

La concurrence est également **faussée** dans le cas où une entreprise occupant une part de marché importante abuse (profite) de sa **position dominante**. C'est ce que nous appelons **un abus de position dominante**. Par exemple, certaines entreprises, parce qu'elles sont très puissantes, ont les moyens de **pratiquer le dumping** dans le but d'**éliminer** un concurrent. Le dumping, qui consiste à **vendre à perte** (= vendre à des prix inférieurs aux coûts de revient), est interdit.

Pour maintenir une véritable concurrence, nous contrôlons donc **les opérations de concentration** d'entreprises, comme les fusions ou **acquisitions** (= achats), quand ces opérations présentent un risque de monopole ou de position dominante. »

B. ENTENTES

Paul Schaeffer, de nouveau : « La concurrence est comme un jeu. Il y a des règles à respecter. Or, il arrive que des entreprises faussent **le jeu de la concurrence** en passant un accord pour **se partager le marché** ou pour fixer les prix. Cet accord s'appelle **une entente** ou **un cartel**.

Les ententes sont **prohibées** (= interdites) car elles **restreignent** (= limitent) le commerce entre les **États membres** = elles apportent des **restrictions** au **commerce intracommunautaire** (au commerce à l'intérieur de la Communauté).

Récemment, après trois ans d'enquête, nous avons réussi à **apporter la preuve** d'une entente entre plusieurs entreprises pharmaceutiques. Chacune de ces entreprises a été condamnée à payer **une amende** de 17 millions d'euros. »

C. AIDES D'ÉTAT

Dans l'Union européenne, les **aides d'État** (= **aides publiques**) aux entreprises sont interdites si elles faussent la concurrence.

En principe, un État ne peut pas **verser une subvention** (de l'argent) **à** (= **subventionner**) une entreprise ni l'aider avec des **exonérations** (= suppressions) **d'impôt**.

1 Complétez les phrases avec les mots suivants :
Commission - droit - entente - jeu - position - preuve

1. Les pratiques qui faussent le _____ de la concurrence sont prohibées.

2. Il est interdit d'exploiter de façon abusive une _____ dominante.

3. Une _____ est un accord passé entre deux ou plusieurs entreprises.

4. Il est particulièrement difficile d'apporter la _____ d'une entente.

5. La _____ européenne contrôle l'application du _____ communautaire.

2 Les phrases suivantes sont dans le désordre. Mettez-les dans l'ordre.

☐ Elles peuvent être le fait des gouvernements lorsque ceux-ci accordent des aides publiques aux entreprises.

☐ Les restrictions de concurrence ne sont pas seulement créées par les entreprises.

☐ Le droit européen interdit donc en principe toutes les aides d'État susceptibles de fausser la concurrence intracommunautaire.

3 Complétez les mentions manquantes.

1. Le droit c_____ interdit les a_____ de position dominante.

2. Sont interdites toutes les e_____ qui empêchent ou f_____ le jeu de la concurrence
   à l'intérieur de l'U_____ européenne.

3. Les s_____ versées par les É_____ m_____ aux entreprises sont p_____
   lorsqu'elles favorisent les entreprises nationales.

4. Les c_____ d'entreprises de dimension communautaire, comme l'acquisition d'une entreprise
   par une autre, sont contrôlées par la Commission.

4 Lisez l'article suivant. Quel est le mot manquant du titre ?

Concurrence :
Bruxelles sanctionne Wanadoo pour _____

La Commission européenne a infligé une amende de 10,35 millions d'euros à Wanadoo, filiale Internet de France Télécom, pour des pratiques tarifaires anticoncurrentielles. La Commission estime que, durant les deux dernières années, Wanadoo a vendu à perte ses services ADSL (Internet à haut débit) destinés au grand public. Cette pratique a *« restreint l'entrée sur le marché et le développement des concurrents au détriment des consommateurs »* a déclaré la Commission. ■

61

SERVICES BANCAIRES

A. COMPTE COURANT

Vous avez probablement **un compte courant** dans une banque. Sur ce compte, vous pouvez **déposer** de **l'argent** (= **faire un dépôt**). Pour régler vos **dépenses courantes**, vous pouvez **retirer** de l'argent **de** ce compte (= **faire un retrait**). Vous pouvez aussi, par **prélèvements automatiques**, régler vos factures de téléphone, d'électricité, etc. Généralement, c'est sur ce compte courant que l'employeur **vire** (envoie) votre salaire.

Quand vous **ouvrez** un compte courant, le banquier vous remet **un carnet de chèques** (= **un chéquier**) et **une carte bancaire**. En cas de perte ou de vol, vous **faites opposition** : vous demandez à votre banque de ne pas payer.

La banque vous envoie régulièrement **un relevé de compte** mentionnant vos dernières **opérations bancaires** et **la position de votre compte**. En principe, vous ne devez pas **être à découvert** : votre compte doit être **approvisionné**, c'est-à-dire qu'il doit y avoir de l'argent dessus. Si vous **faites un chèque** alors que votre compte n'est pas approvisionné, vous faites **un chèque sans provision**.

B. DISTRIBUTEURS AUTOMATIQUES

François Vasseur est directeur d'**une agence bancaire** à Montréal. Il parle des services proposés par sa banque :

« Toutes nos agences sont équipées de **distributeurs automatiques de billets**, qui fonctionnent jour et nuit. Avec nos machines, les clients peuvent retirer de l'argent, mais aussi **encaisser des chèques** (= mettre l'argent du chèque sur leur compte),

faire des virements (transférer de l'argent d'un compte à un autre), etc. »

Pour retirer de l'argent à un distributeur, vous devez **insérer** votre carte et **composez** votre **code confidentiel** (= **code secret**).

La plupart des distributeurs **délivrent un reçu** (un petit papier sur lequel est inscrit le montant de la somme que vous venez de retirer).

C. AUTRES SERVICES

Que pouvez-vous encore faire dans une banque ?
- Ouvrir **un compte d'épargne** pour y placer vos économies.
- **Changer de l'argent** : par exemple, changer des dollars en euros.
- Louer **un coffre-fort.**
- Consulter **un conseiller financier.**

E X E R C I C E S

1   **Trouvez la réponse à chacune des questions.
Puis écoutez pour vérifier**

1. Je n'ai pas de travail. Puis-je ouvrir un compte en banque ? ⇒ *b*

2. Dans quels cas puis-je faire opposition à un chèque ? ⇒ ...

3. Ma banque peut-elle refuser de me délivrer une carte bancaire ? ⇒ ...

4. Que dois-je faire si je perds la clé de mon coffre-fort ? ⇒ ...

5. Comment puis-je me connecter à ma banque en ligne ? ⇒ ...

6. Le chèque que j'ai voulu encaisser a été rejeté pour absence de provision. Que puis-je faire ? ⇒ ...

a. Oui, si elle estime par exemple que vos revenus sont insuffisants.

b. Oui. Pour cela, vous devez simplement présenter une pièce d'identité et un justificatif de domicile.

c. Uniquement s'il y a eu perte ou vol.

d. Il vous suffit de saisir votre numéro de compte et votre code confidentiel.

e. Signalez-le immédiatement à votre banque par téléphone.

f. Présentez-le à nouveau, par exemple au début du mois suivant, en espérant que le compte a été approvisionné entre-temps.

2 **Mettez les opérations ci-dessous dans l'ordre chronologique.**

1. *Histoire de chèque*

☐ J'ouvre un compte courant.

☐ Lucas encaisse mon chèque.

☐ Je fais un chèque à l'ordre de Lucas.

☐ Je reçois un carnet de chèques.

2. *Devant un distributeur*

☐ Tapez le montant que vous désirez.

☐ Composez votre code secret.

☐ Insérez votre carte bancaire.

☐ Retirez vos billets.

3 **Complétez les mentions manquantes.**

1. Quand vous d _____ de l'argent, l'employé de banque vous remet un r _____ .

2. Un c _____ est valable (et peut donc être e _____) pendant un an.

3. Vous pouvez utiliser votre carte b _____ pour effectuer des r _____ d'argent et des achats.

4. Chaque mois, vous pouvez payer votre loyer par p _____ a _____ .

5. Pour connaître la p _____ de votre compte, consultez votre r _____ de compte.

6. Si votre compte courant est à d _____ , vous pouvez faire un v _____ de votre compte d'é _____ sur ce compte c _____ .

62

CRÉDIT BANCAIRE

A. PRÊT ET EMPRUNT

Il ne faut pas confondre **le prêt** (= **le crédit**) et **l'emprunt.**

La banque **prête à** ses clients.
Celui qui prête est **le prêteur.**
C'est **le créancier.**
Il **détient** (= **a**) **une créance.**

Le client **emprunte à** la banque.
Celui qui emprunte est **l'emprunteur.**
C'est **le débiteur.**
Il détient (= **a**) **une dette.**
L'emprunteur **a recours à** = **contracte** = **fait** un emprunt (bancaire).
On dit aussi qu'il **prend un crédit.**

NOTE : Attention ! **Faire crédit**, c'est accorder un délai pour payer (voir leçon 54).

B. GARANTIES

Avant d'**accorder** (= de **consentir**) **un crédit**, les banques s'assurent de **la solvabilité** de l'emprunteur. Une personne est **solvable** si elle est capable de **rembourser** un emprunt. Quand une personne ne peut plus payer ses dettes, on dit qu'elle est **insolvable.**

Murielle Lemoine travaille dans une banque. Elle parle de son travail : « J'examine **le dossier de crédit** des entreprises. Nous acceptons de consentir un crédit à condition **d'obtenir des garanties**. Si l'entreprise nous **apporte des garanties**, et si elle est peu **endettée** (= si elle a peu de dettes), elle peut **obtenir le crédit.** Dans le cas contraire, nous devons **refuser** le crédit. »

Dans le cas d'**un crédit immobilier**, c'est-à-dire dans le cas où une entreprise ou un particulier emprunte de l'argent pour acheter **un bien immobilier** (une maison, un appartement, un bureau, etc.), la banque **prend une garantie sur** le bien. Cette garantie s'appelle **une hypothèque.** On dit que la banque prend **une hypothèque** sur le bien et que l'emprunteur **hypothèque** (donne en garantie) le bien. Si le débiteur ne peut pas rembourser, **l'immeuble hypothéqué** peut être **saisi** et vendu de façon à payer la banque.

C. TAUX D'INTÉRÊT

À chaque **remboursement**, les clients emprunteurs doivent payer à leur banque une somme supplémentaire : **l'intérêt.**

Murielle Lemoine : « **Le taux d'intérêt** dépend beaucoup de **la durée du prêt**. Les taux sont plus élevés pour les prêts **à moyen terme** et **à long terme** que pour les prêts **à court terme. Le niveau des taux d'intérê**t a beaucoup baissé depuis un an. L'année dernière, les taux étaient très **élevés.** Aujourd'hui, ils sont très **bas.** C'est le moment d'emprunter. »

E X E R C I C E S

1 (42) **Entourez la bonne réponse. Puis écoutez pour vérifier.**

1. Pour acheter sa maison, Martin a emprunté de l'argent | à | d' | une amie.

2. Il a aussi | fait | pris | un crédit à long | remboursement | terme | à la banque.

3. La banque a exigé qu'il | apporte | obtienne | des garanties.

4. Pour | accorder | obtenir | le crédit, Martin a dû | acheter | hypothéquer | sa maison.

5. Plus tard, il a perdu son emploi et est devenu | insolvable | solvable |.

6. Il ne pouvait plus | contracter | rembourser | l'emprunt, ni payer les | garanties | intérêts |.

7. La maison a été | payée | saisie |, puis vendue et Martin s'est retrouvé à la rue. Pauvre Martin !

2 **Complétez avec les verbes prêter ou emprunter.**

1. Il y a trois ans, elle a _____ 3 000 euros à Martin, qui ne lui a toujours pas remboursé.

2. Elle ne veut plus rien lui _____ parce qu'elle n'a pas confiance.

3. Il a besoin d'argent. Pouvez-vous lui en _____ ?

4. Quand les taux d'intérêt sont bas, Martin n'hésite pas à _____.

5. Quand les taux sont élevés, il vaut mieux _____.

3 **Est-ce le créancier ou le débiteur ?**

	CRÉANCIER	DÉBITEUR
1. Il détient une créance.	☐	☐
2. Il fait crédit.	☐	☐
3. Il consent un crédit.	☐	☐
4. Il emprunte.	☐	☐
5. Il prend une hypothèque.	☐	☐
6. Il contracte un emprunt.	☐	☐
7. Il est endetté.	☐	☐
8. Il rembourse ses dettes.	☐	☐
9. Il reçoit des intérêts.	☐	☐
10. Il accorde le prêt.	☐	☐

63

APPORT DE CAPITAL

A. CAPITAL SOCIAL

En **constituant** (créant) **une société commerciale**, plusieurs personnes, **les associés**, mettent quelque chose en commun en vue de gagner de l'argent.

Que peuvent-ils **apporter** à la société ?
Ils peuvent **effectuer** (= **faire**) :
– **un apport en numéraire** (= apporter de l'argent),
– **un apport en nature** (= apporter un bien matériel).
Le total de ces apports constitue **le capital social** (= le capital de la société).

Attention ! Il ne faut pas confondre « **prêt** » et « **apport** ». Apporter, c'est donner.
On ne peut pas demander le remboursement d'un apport.

B. SOCIÉTÉS COMMERCIALES

Marie-Claude Dubreuil, **avocate** spécialisée en **droit des sociétés**, distingue deux types de sociétés : les sociétés de personnes et les sociétés de capitaux.

« Dans **une société de personnes**, *explique Maître Dubreuil*, les associés, peu nombreux, se connaissent bien et c'est pour cette raison qu'ils choisissent de s'unir. Une personne ne peut entrer dans la société qu'avec l'accord de tous les associés.

Dans **une société de capitaux**, en revanche, les associés se connaissent peu, voire pas du tout. Ils peuvent être très nombreux. Dans le cas d'une société **cotée en bourse**, ils sont des milliers. Ce qui compte, c'est le capital qu'ils apportent. En droit français, par exemple, **la société anonyme** est une société de capitaux.

Les associés sont les propriétaires de l'entreprise. En contrepartie de leurs apports, ils reçoivent des **titres de propriétés**. On appelle ces titres :
– des **parts sociales** si c'est une société de personnes ;
– des **actions** si c'est une société de capitaux.
On appelle les associés d'une société de capitaux des **actionnaires**. »

C. AUGMENTATION DE CAPITAL

Marie-Claude Dubreuil : « Pendant la vie de la société, les associés (ou actionnaires) peuvent faire de nouveaux apports à la société. On parle alors d'**augmentation de capital**. Cette opération se traduit par (entraîne) **une émission** (création) de nouveaux titres de propriété. La société doit **émettre** de nouvelles actions ou parts sociales.

Mais attention ! Une augmentation de capital peut modifier la répartition de **la propriété du capital**. De plus, l'apport en capital est rarement suffisant pour **financer** le développement d'une entreprise. Mieux vaut **recourir** également à (utiliser) d'autres **moyens** (ou **modes**) **de financement**, comme l'**autofinancement**, qui consiste pour la société à investir en utilisant ses bénéfices. »

1 Pour se développer, une société peut recourir aux modes de financement suivants :

| **A.** Autofinancement | | **B.** Emprunt | | **C.** Augmentation de capital |

À quel mode de financement correspond chacune des caractéristiques suivantes ?

1. Il oblige la société à rembourser un jour. ⇒ *B*

2. La société doit constituer un dossier de crédit. ⇒ ...

3. Il consiste à conserver et à réinvestir les bénéfices. ⇒ ...

4. Un actionnaire minoritaire peut devenir majoritaire. ⇒ ...

5. Il entraîne le paiement d'intérêts. ⇒ ...

6. Il réduit la part des bénéfices distribués aux actionnaires. ⇒ ...

7. Il donne lieu à l'émission de nouvelles actions. ⇒ ...

8. La société utilise ses propres ressources (revenus). ⇒ ...

2 Les caractéristiques suivantes concernent-elles la société de personnes ou la société de capitaux ?

	PERSONNES	CAPITAUX
1. Si l'un des associés souhaite céder (vendre) ses parts, il doit obtenir l'accord de tous les autres.	☐	☐
2. Elle convient bien aux grandes entreprises.	☐	☐
3. Elle peut être cotée en bourse.	☐	☐
4. La mort d'un associé entraîne la dissolution (la fin) de la société.	☐	☐

3 Complétez les mentions manquantes.

1. Le c _____ s _____ est constitué des apports faits par les associés à la société.

2. Ces apports peuvent être effectués en n _____ ou en n _____ (terrains, bâtiments, outillage, etc.).

3. Une société a _____ est une forme de société de c _____.

4. Dans le cas où une société anonyme augmente son capital, elle é_____ de nouvelles a _____.

5. Une action ou une p _____ s _____ est un t _____ de propriété.

6. Pour en savoir davantage à ce sujet, vous devez étudier le d _____ des s _____.

64 DROITS DE L'ACTIONNAIRE

A. L'ACTION, TITRE DE PROPRIÉTÉ

Une action représente une partie du capital d'une société. Acheter une action signifie devenir propriétaire d'une partie de la société. **Le détenteur** de l'action, **l'actionnaire,** bénéficie des droits du propriétaire.

L'actionnaire **a droit aux bénéfices.** Il **perçoit** (reçoit) **des dividendes** = la part des bénéfices distribués. Si la société ne fait pas de bénéfices, il n'y a pas de **distribution** de dividendes : la société ne **distribue** pas de dividendes.

L'actionnaire **a le droit de vote**. Une fois par an, les actionnaires assistent à **l'assemblée générale des actionnaires**, qui est **convoquée** par **le conseil d'administration**. Au cours de cette assemblée, ils **délibèrent** (discutent). Ils **approuvent** (acceptent) les comptes de **l'exercice** (= l'année), ils **statuent** (prennent une décision) **sur** la répartition des bénéfices, ils **élisent** les administrateurs (membres du conseil d'administration). Pour prendre ces décisions, ils **votent**.

L'actionnaire **a le droit d'**être informé sur les événements importants qui surviennent dans la vie de la société : **nomination** d'un nouveau directeur, projet d'achat d'une autre entreprise, etc.

L'actionnaire a le droit de **négocier** (= **céder**, c'est-à-dire vendre) son action et de sortir librement de la société. On dit que les actions sont **librement négociables**.

B. TYPES D'ACTIONS

Les statuts sont rédigés (écrits) au moment de la création de la société. Ils expliquent les règles de fonctionnement de la société.

Les statuts précisent si les actions sont **nominatives** ou au **porteur**.

Action nominative	L'action est inscrite dans **le registre de la société**, avec le nom du propriétaire. La société connaît l'identité de l'actionnaire.
Action au porteur	Le nom de l'actionnaire n'est pas connu de la société.

En principe, les actions donnent à l'actionnaire le droit de vote selon le principe « une action = une voix ». Ce sont des **actions ordinaires**. Il existe d'autres types d'actions : des **actions à vote double**, des **actions sans droit de vote**, etc.

C. TYPES D'ACTIONNAIRES

Le petit actionnaire (ou le petit porteur)	Il ne peut pas influencer la gestion de l'entreprise. Parfois, pour faire valoir (défendre) leurs droits, les petits actionnaires se regroupent (s'unissent) dans une association de défense des **actionnaires minoritaires**.
Le gros actionnaire	**Un actionnaire de référence** détient de 15 % à 20 % au moins du capital. **Un actionnaire majoritaire** détient plus de 50 % du capital.

1 Complétez les mentions manquantes avec les verbes suivants :
assister - approuver - convoquer - délibérer - distribuer - élire - voter

1. Le conseil d'administration doit _____ l'assemblée générale des actionnaires une fois par an.

2. Les actionnaires doivent _____ sur toutes les questions figurant à l'ordre du jour.

3. Ils doivent _____ les comptes de l'exercice

4. Ils décident de _____ ou non les bénéfices.

5. Parfois, ils sont invités à _____ de nouveaux administrateurs.

6. Ceux qui ne peuvent pas _____ à l'assemblée peuvent _____ par correspondance.

2 Les trois phrases suivantes sont dans le désordre. Mettez-les dans l'ordre.

☐ Pour ces deux raisons, les statuts de certaines sociétés conditionnent l'entrée à l'assemblée à la propriété d'un certain nombre d'actions.

☐ De plus, il ne serait pas souhaitable qu'un associé détenant une ou deux actions puisse prendre longuement la parole pendant une assemblée.

☐ Dans les sociétés qui comptent des milliers d'actionnaires, la réunion de tous les associés serait une chose impossible.

3 Complétez les phrases suivantes.

1. Ce n'est pas une action au porteur, c'est une action _____.

2. Ce n'est ni une action à vote double ni une action sans droit de vote, c'est une action _____.

3. Ce n'est pas un gros actionnaire, c'est un _____ porteur.

4. Nous ne sommes pas majoritaires, nous sommes _____.

5. Il détient 16,8 % du capital. C'est un actionnaire de _____.

4 Vrai ou faux ?

	VRAI	FAUX
1. Tous les ans, les actionnaires reçoivent obligatoirement des dividendes.	☐	☐
2. Tous les ans, ils rédigent les nouveaux statuts de la société.	☐	☐
3. Les membres du conseil d'administration sont élus par les actionnaires.	☐	☐
4. Quand les actions sont nominatives, le nom des actionnaires est inscrit dans les statuts.	☐	☐

PLACEMENTS FINANCIERS

A. PORTEFEUILLE DE VALEURS MOBILIÈRES

Une valeur mobilière est **un titre** (un certificat) qui peut être négocié (vendu) **en bourse**. Il existe deux catégories principales de valeurs mobilières : **les actions** et **les obligations**.

Un portefeuille de valeurs mobilières est un ensemble de valeurs mobilières détenues (possédées) à un certain moment par une personne. Cette personne a **placé** de l'argent **en** (ou **à la**) **bourse**.

Placer son **épargne** (= ses **économies**) signifie acheter un bien (un appartement, un tableau, des valeurs mobilières, etc.) dans l'espoir que ce bien **prendra de la valeur** (son prix augmentera). Il existe de nombreux types de **placements**.

B. PLACEMENT EN ACTIONS

Sébastien Lejeune a placé toutes ses économies en bourse. « J'ai acheté des actions Bic, *explique-t-il*. Six mois plus tard, je les ai vendues à **un cours** (= prix) supérieur de 20 % au **cours d'achat**. Résultat : j'ai **réalisé une plus-value** de 20 %. Pas mal, n'est-ce pas ? »

Tout le monde n'a pas la chance (ou l'intuition) de Sébastien Lejeune. **Spéculer** (= **jouer**) à la bourse présente certains risques. Parfois, on doit vendre à un cours inférieur au cours d'achat. Dans ce cas, on réalise **une moins-value**.

« Acheter des actions est toujours **un placement à risques**, *explique Clarisse Beck, analyste financière*. Il ne faut pas tout **miser** (parier) sur une seule action. Mieux vaut **diversifier** son portefeuille, c'est-à-dire acheter des actions de **secteurs** différents ainsi que des **obligations**. »

C. PLACEMENT EN OBLIGATIONS

Une société qui a besoin d'argent peut **lancer** (= **émettre**) **un emprunt obligataire**. Si **vous souscrivez à cette émission** d'obligations (= à cet emprunt), cela veut dire que vous prêtez de l'argent à la société. En échange, vous recevez des titres, qui s'appellent des obligations. Vous êtes **le créancier obligatair**e. La société est **l'émetteur**. NOTE : Les États peuvent également **émettre** des **obligations** : ce sont **les obligations d'État** (ou **emprunts d'État**).

La société **émettrice** vous remboursera à une date déterminée, appelée **l'échéance**. Jusqu'à cette date, elle vous versera des **intérêts** chaque année. Mais à tout moment vous avez la possibilité de vendre vos obligations sur **le marché obligataire** (= **marché des obligations**), qui est une partie du **marché boursier**. Certaines obligations peuvent être **converties** (échangées) en actions : ce sont **les obligations convertibles en actions.**

Clarisse Beck : « Par rapport aux actions, **le placement obligataire** comporte peu de risques. On dit que c'est **un placement de bon père de famille**. »

1   Placement en actions ou en obligations ? Que leur conseillez-vous ?

	ACTIONS	OBLIGATIONS
1. Lucas a peur de prendre des risques.	☐	☐
2. Théo préfère recevoir un revenu fixe chaque année.	☐	☐
3. Léa veut gagner (ou perdre ?) beaucoup d'argent très vite.	☐	☐
4. Maxime n'a pas confiance dans les entreprises.	☐	☐
5. Le portefeuille de Chloé est à 99 % composé d'actions.	☐	☐
6. Valentin est un bon père de famille.	☐	☐
7. Emma pense que les obligations ne sont pas assez rentables.	☐	☐
8. Antoine a un tempérament de spéculateur : c'est un joueur.	☐	☐

2   Complétez les mentions manquantes.

1. Vous avez s _____ à une é _____ d'obligations. Vous êtes le c _____

   o _____. Chaque année, la société é _____ (la société qui a é _____

   l'e _____ o _____) vous verse des i _____. À l'é _____, elle vous

   remboursera le montant de l'e _____.

2. Il est risqué de p _____ toutes ses é _____ dans des v _____ appartenant au même

   s _____ d'activité. Il est préférable de d _____ son p _____

3. Vous souhaitez vendre certaines actions de votre portefeuille. Si le cours auquel vous v _____

   est supérieur au c _____ d'a _____, vous réaliserez une _____. Dans le cas

   contraire, vous réaliserez une _____.

3   Qu'est-ce que c'est ?

1. Jouer à la bourse en espérant réaliser une plus-value, c'est _____

2. Une obligation qui peut être convertie en action, c'est une _____

3. Une obligation d'État peut aussi s'appeler un _____

4. La date à laquelle expire (prend fin) un délai, c'est _____

5. Une valeur mobilière, c'est _____

66 FLUCTUATIONS BOURSIÈRES

A. COURS DE LA BOURSE

Le cours	Le cours d'une action est le prix d'une action. Sur le marché boursier, ce cours **fluctue** (= varie) selon **l'offre** et **la demande**. Entre **l'ouverture** et **la clôture** (= fermeture) de **la séance** (journée) **boursière**, les **fluctuations** (= variations) du marché peuvent être importantes. En principe, la bourse **ouvre** à 9 heures et **clôture** à 18 heures.
La capitalisation boursière	C'est ce que vaut une société **cotée** (inscrite) **en bourse**. Elle s'obtient en multipliant le nombre d'actions **émises** (créées) par son cours (nombre d'actions × cours d'une action).
Un indice	Un indice indique **la hausse** ou **la baisse** d'un échantillon (une fraction représentative) d'actions. Le Dow Jones et le Nasdaq sont les indices les plus connus de la bourse de New-York.

B. KRACHS BOURSIERS

La bulle	On parle de **bulle financière** quand le cours des actions **augmente** de façon exagérée. **La valeur boursière** (= le cours de l'action en bourse) ne correspond plus à la réalité économique.
Le krach	Les prix continuent à **monter**. Une bulle **se forme**. Un jour, la bulle **éclate** et entraîne **l'effondrement** (très forte **chute**) des cours. C'est ce qu'on appelle **un krach boursier.**

Voici deux exemples célèbres de krach boursier.

OCTOBRE 1929 : la bourse de New York **s'effondre** (chute très fortement). La chute dure trois ans, et des millions de personnes se retrouvent ruinées (sans argent). La faillite des banques entraîne la faillite de milliers d'entreprises. En quelques semaines, la production industrielle **recule** (diminue) de 20 %. Le chômage **explose** (= augmente très fortement).

FIN DES ANNÉES 90 : on pense qu'avec Internet, **une nouvelle économie** est née : c'est **la net-économie.** Les cours des actions de la nouvelle économie **s'envolent** (= **flambent** = **montent en flèche** = augmentent fortement). Elles atteignent **un pic** (= **un plus haut**) en mars 2000. Puis soudain, c'est l'effondrement. La bulle éclate. On assiste à **un recul** (= **un repli** = une baisse) **spectaculaire** (important) des cours.

Année 2000:
le krach de la nouvelle économie

1 Complétez le tableau.

Verbe	Nom		Verbe	Nom
offrir	une _____		s'effondrer	un _____
demander	une _____		chuter	une _____
_____	une baisse		_____	une fluctuation
_____	une montée		_____	une explosion
se replier	un _____		_____	un éclatement
reculer	un _____		_____	une flambée

2 Éliminez les deux intrus.

le recul – la baisse – la chute – l'effondrement – la montée – la flambée – le repli

3 Placez les commentaires dans le graphique.

1. un léger repli
2. une légère hausse
3. une remontée spectaculaire
4. un effondrement
5. des fluctuations
6. un pic
7. un plus bas

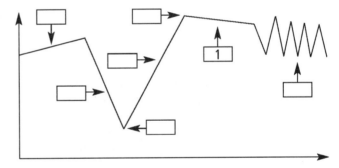

4 Complétez les mentions manquantes.

1. Le plus souvent, le cours à l'o _____ n'est pas le même que le cours de c _____ du jour précédent.

2. La s _____ d'aujourd'hui a été marquée par de fortes fluctuations. La bourse a o _____ en hausse de 1,23 %, mais elle a finalement c _____ en baisse de 1,45 %.

3. Un k _____ b _____ survient au moment où la b _____ éclate.

4. L'Euro Stoxx 50 est un i _____ composé des 50 plus fortes c _____ boursières de la zone euro.

67

ACTEURS DE LA BOURSE

A. INVESTISSEURS

Un investisseur en bourse peut être un particulier ou une entreprise. Il y a différentes sortes d'investisseurs : de **petits** investisseurs (ils investissent peu d'argent) et de **gros** investisseurs, des investisseurs **avertis** (= bien informés), etc.

Les **investisseurs institutionnels** sont de très gros investisseurs. Ils collectent l'épargne pour la placer en valeurs mobilières (actions et obligations). Familièrement, on les appelle **les zinzins.** Un « zinzin » peut être une compagnie d'assurances, **une caisse de retraite** (= **un fonds de pension**), **un OPCVM** (un organisme de placement collectif en valeurs mobilières).

B. COURTIERS EN BOURSE

Clarisse Beck est analyste financière. Elle explique comment investir à la bourse :

« Vous devez **passer un ordre de bourse** à un intermédiaire qui va acheter ou vendre des valeurs mobilières pour votre compte (pour vous). Pour acheter, vous passez **un ordre d'achat**. Pour vendre, vous passez **un ordre de vente**. Vous devez préciser la durée de **validité** de votre ordre. Un « **ordre jour** », par exemple, n'est valable que pendant une seule séance.

Si l'opération se réalise, vous devez payer à l'intermédiaire une commission, qu'on appelle **un courtage** (= **des frais de courtage**). Ces intermédiaires en Bourse sont des **courtiers** (= **maisons de courtage)**. En France, on les appelle **sociétés de bourse** ou **entreprises d'investissement**. Chez les Anglo-saxons, on parle de **brokers**. »

C. TENDANCES DU MARCHÉ

Selon les jours, le marché peut être :
– **liquide** : il est facile de trouver un acheteur ou un vendeur. On dit d'une valeur qu'elle a une bonne **liquidité** lorsque **le volume** (le nombre) de **titres échangés** (achetés et vendus) est important ;
– **actif** ou **animé :** le volume des **transactions** (échanges) est important.
– **calme** : le volume des transactions est faible ;
– **haussier, porteur** : le marché est orienté **à la hausse** (les cours augmentent) ;
– **baissier, déprimé** : le marché est orienté **à la baisse** ;
– **stable** : les indices **restent inchangés** (= ils ne changent pas) ;
– **volatile** : c'est-à-dire instable (il y a de fortes fluctuations). On parle de **la volatilité** d'un marché ou d'un titre ;
– **indécis, hésitant** : le marché ne présente pas de **tendance** claire (ni hausse ni baisse).

1   **Complétez avec les mots suivants :**
achat - bourse - offre - société - titre - validité - vente
Puis écoutez pour vérifier.

Si vous passez un ordre de _____, celui-ci doit comporter un certain nombre de précisions :

– le sens de l'opération : achat ou _____ ;

– le nombre et le nom du _____ : nombre d'actions ou d'obligations de telle ou telle _____ ;

– la limite de _____ de l'_____ : jusqu'à quel moment l'ordre est valable ;

– les conditions de prix : prix maximal à l'_____ et prix minimal à la vente.

2 **Faites correspondre.**

1. Investisseur ⇒ ...   **a.** d'investissement

2. Caisse ⇒ ...   **b.** institutionnel

3. Entreprise ⇒ ...   **c.** de retraite

4. Placement ⇒ ...   **d.** de courtage

5. Frais ⇒ ...   **e.** collectif

3 **Complétez les extraits de presse ci-dessous avec les mots suivants :**
actif - baissier - haussier - inchangé - indécis - volatile

1.

ALTRAN : LE TITRE TOUJOURS AUSSI _____

Malgré une ouverture à 12 euros, le titre Altran recule de 3,3 % à 11,10 euros à la clôture. Hier, il avait perdu plus de 6 % alors que vendredi dernier il avait flambé de 14,8 %.

3.

Le marché est resté stable toute la journée pour clôturer pratiquement _____ (– 0,03 %).

2.

On utilise l'expression « bull market » (marché de taureaux) pour désigner un marché _____,

parce que le taureau attaque avec ses cornes, en frappant de bas en haut.

4.

LA BOURSE DE TOKYO A TERMINÉ SUR UNE PETITE HAUSSE DE 0,28 % SUR UN MARCHÉ _____

QUI ATTEND L'OUVERTURE DE WALL STREET POUR AVOIR UNE DIRECTION PLUS CLAIRE.

5.

Dans un marché _____, Renault fait exception avec une hausse de plus de 4 % en une semaine.

6.

La Bourse de Paris a clôturé sur une hausse de 3,20 % dans un marché très _____, avec un record de 2,4 milliards d'euros négociés.

68

ASSURANCES

A. MÉCANISME DE L'ASSURANCE

On peut **contracter une assurance** (= **s'assurer**) **contre** différents types de **risques** :
incendie, vol, accident, etc.

Le principe est simple : **l'assuré** verse **une prime** = **une cotisation** (une somme d'argent)
à **l'assureur** (**la compagnie d'assurances**). En contrepartie, l'assureur garantit le risque.

Si le risque se réalise - par exemple, si l'usine prend feu -, on parle de **sinistre**. Dans
ce cas, l'assureur **indemnise** l'assuré = il lui verse **une indemnité** (une somme d'argent).
Cette indemnité permet de **réparer le dommage** = **le préjudice** (par exemple,
la destruction de l'usine).

B. TYPES D'ASSURANCES

Il existe trois grands types d'assurances.

L'assurance de biens	Elle **couvre** (= **garantit contre**) la destruction, la détérioration ou la disparition matérielle des **biens assurés**.
L'assurance de personnes	Assurance contre les **accidents corporels**, **assurance maladie**, **assurance vie**.
L'assurance de responsabilité	L'assuré peut être responsable d'un dommage (**matériel** ou **corporel**) causé à **un tiers** (une autre personne). Par exemple, il est responsable d'un accident automobile. Dans ce cas, son assureur **indemnise la victime**, qui est alors **le bénéficiaire**.

C. CONTRAT D'ASSURANCE

Le contrat d'assurances doit être écrit. Le document écrit s'appelle **une police
d'assurance**.

Pauline Grimaud travaille dans une compagnie d'assurances. Avant que vous signiez
la police, elle vous recommande de prendre les précautions suivantes :

« Lisez la police avec attention. Examinez **les garanties** dont vous bénéficiez, quels sont
les risques **couverts** (= assurés). Attention ! Souvent, une partie du coût du sinistre reste
à la charge de l'assuré. On appelle cette partie **la franchise**.

Pour **résilier** votre contrat (= y **mettre fin**), n'oubliez pas de respecter **le délai de préavis**
(d'en informer l'assureur à l'avance). »

D. DÉCLARATION DE SINISTRE

Pauline Grimaud : « En cas de sinistre, envoyez tout de suite **une lettre de déclaration
de sinistre** à l'assureur. Indiquez **le type de sinistre** (incendie, vol, accident, etc.), faites
une description et une première **évaluation** des dommages. Plus tard, **un expert** évaluera
plus précisément le dommage. »

1   À quel type d'assurance se rapporte chacun de cas suivants ?

	BIENS	PERSONNES	RESPONSABILITÉ
1. Vous vous blessez en faisant du ski.	☐	☐	☐
2. Votre machine à laver est en marche. Il y a une fuite d'eau. Vous n'êtes pas chez vous. L'eau se répand dans votre appartement et détériore votre moquette.	☐	☐	☐
3. Cette même fuite d'eau provoque des dégâts (dommages) importants chez vos voisins du dessous.	☐	☐	☐
4. On vous a volé votre bicyclette.	☐	☐	☐

2   Qu'est-ce que c'est ?

1. Pour l'assureur - et pour l'assuré – c'est une preuve.   P __ __ __ __ __

2. Ne sera pas remboursée   F __ __ __ __ __ __ __ __

3. Celui qui souhaite moins dépendre du hasard.   A __ __ __ __ __ __

4. Ce que recevra la victime après un accident.   I __ __ __ __ __ __ __ __

5. Ce contre quoi on s'assure.   R __ __ __ __ __

6. Mettre fin au contrat.   R __ __ __ __ __ __ __

7. Il faut la payer pour être assuré.   P __ __ __ __

8. Le vol en est un.   S __ __ __ __ __ __ __

9. Ni l'assureur ni l'assuré : une autre personne.   T __ __ __ __ __

10. Synonyme de préjudice.   D __ __ __ __ __ __

3   Vrai ou faux ?

	VRAI	FAUX
1. La prime est une somme d'argent versée à l'assuré.	☐	☐
2. L'assuré est toujours le bénéficiaire de l'indemnité.	☐	☐
3. Dans l'assurance maladie, le risque est la maladie.	☐	☐
4. Dans certains cas, la vie est un risque.	☐	☐
5. Un sinistre peut causer des dommages à la fois matériels et corporels.	☐	☐
6. L'expert en assurance est chargé d'indemniser l'assuré.	☐	☐

69

FAIRE LES COMPTES

A. PLAN COMPTABLE

Dimitri Lacour travaille comme **comptable** dans une agence de publicité. Il parle de son travail :

« Mon travail consiste à **tenir la comptabilité** de l'agence. Tous les jours j'enregistre des chiffres dans des **livres de comptabilité** et bien sûr, comme tous mes collègues comptables, j'utilise **le plan comptable**. »

Le plan comptable est obligatoire dans toutes les entreprises. Il est divisé en un certain nombre de **comptes** : compte caisse, compte banque, compte client, etc. Chacun de ces comptes comprend deux colonnes : une colonne pour les entrées de valeurs (de l'argent, le prix d'un bien) et une colonne pour les sorties de valeurs.

Dimitri Lacour : « Les comptables ont un langage particulier. Au lieu d'entrées, nous parlons de **débit**. Au lieu de sorties, nous parlons de **crédit**. Par exemple, si je mets 100 euros dans la caisse, je dis que **je débite le compte caisse de** 100 euros. Si je sors 100 euros, **je crédite** le compte caisse **de** 100 euros. La différence entre le débit et le crédit s'appelle **le solde**. Si les débits sont supérieurs aux crédits, le solde est **débiteur**. Dans le cas contraire, on parle de solde **créditeur**. »

Compte caisse

Débit	Crédit
Ce qui entre dans la caisse	Ce qui sort de la caisse
Solde	

B. COMPTE DE RÉSULTAT

Dimitri Lacour : « À chaque **exercice**, c'est-à-dire chaque année, je dois établir **le compte de résultat.** Ce compte décrit ce que l'entreprise a dépensé et ce qu'elle a gagné pendant l'exercice. Nous parlons de **charges** et de **produits**.

Les charges correspondent à ce que l'entreprise a dépensé : les achats de marchandises, le loyer, les salaires du personnel, etc.

Les produits correspondent à ce que l'entreprise a gagné, c'est-à-dire principalement le chiffre d'affaires (ce qu'elle a vendu).

Compte de résultat

Charges	Produits
Ce que l'entreprise a dépensé pendant l'exercice	Ce que l'entreprise a gagné pendant l'exercice
Résultat	

Finalement, nous calculons **le résultat**, c'est-à-dire la différence entre les produits et les charges. Si le résultat est positif, c'est que l'entreprise a **réalisé un bénéfice (un profit)**. En revanche, si le résultat est négatif, c'est que nous avons réalisé **une perte**, et ce n'est évidemment pas une bonne chose. »

1   **Entourez la bonne réponse.**

Vous travaillez comme comptable dans une librairie.

1. Un client achète un livre au prix de 23,50 euros. Il règle en espèces. Vous ⟨débitez⟩ ⟨créditez⟩ le compte ⟨banque⟩ ⟨caisse⟩ de 23,50 euros.

2. Vous réglez par chèque une facture de 1 325 euros. Vous ⟨débitez⟩ ⟨créditez⟩ de 1 325 euros le compte ⟨banque⟩ ⟨caisse⟩ de la librairie.

2   **Complétez les mentions manquantes.**

1. Le compte de résultat décrit les produits et les charges de l'entreprise au cours de l' _____.

2. Les _____ sont en majeure partie les revenus que l'entreprise a retirés de son activité productive.

3. Les _____ recensent les dépenses.

4. La différence entre les produits et les charges donne le _____.

5. Si le résultat est positif, c'est un _____.

6. S'il est négatif, c'est une _____.

3   **Éliminez les deux intrus.**

Règlement des factures de téléphone – Frais de réparation – Amende payée au fisc

Salaires versés – Frais de transport – Paiement des loyers – Charges sociales

Achats de matières premières – Primes versées aux assurances – Production vendue

Plus-value réalisée sur la vente d'un bien immobilier – Intérêts d'emprunts versés à la banque

4   **Lisez les déclarations suivantes de Dimitri Lacour.**

> Les entreprises doivent obligatoirement l'appliquer. Il est subdivisé en un certain nombre de comptes et de sous-comptes.

> Le solde d'un compte caisse n'est jamais créditeur.

1. De quoi parle-t-il ?

_____

2. Expliquez pourquoi.

_____

_____

_____

70

FAIRE LE BILAN

A. ACTIF

L'actif répond à une question fort importante :
« Où est l'argent ? ». Il décrit tout ce que l'entreprise possède à un moment donné.

L'actif immobilisé comprend les biens durables (utilisés pendant au moins un an).
■ **Immobilisations incorporelles** : **frais** engagés au moment de la création de l'entreprise, brevets, marques, etc.
■ **Immobilisations corporelles** : tous les **biens matériels** que l'entreprise utilise durablement (terrains, immeubles, machines, etc.)
■ **Immobilisations financières** : parts sociales ou actions détenues par la société en vue de participer à la gestion ou au contrôle d'autres entreprises, prêts consentis (accordés) par la société à des tiers (autres personnes).

L'actif circulant comprend les **biens non durables**.
■ **Stocks et en cours** : matières premières, produits **en cours de** production, produits finis (prêts à être vendus) que l'entreprise a en stock.
■ **Créances** : principalement ce que les clients n'ont pas encore réglé.
■ **Valeurs mobilières de placement** : actions et obligations détenues par la société en vue de réaliser une plus-value.
■ **Disponibilités** : l'argent disponible, c'est-à-dire ce que l'entreprise a **en caisse** et sur des comptes bancaires.

Actifs
Où est l'argent ?
Actif immobilisé
• Immobilisations incorporelles
• Immobilisations corporelles
• Immobilisations financières
Actif circulant
• Stocks et en-cours
• Créances
• Valeurs mobilières de placement
• Disponibilités

B. PASSIF

Le passif répond à une autre grande question :
« D'où vient l'argent ? ».

Les capitaux propres comprennent toutes les ressources non empruntées.
■ **Capital (social)** : ce que les associés ont apporté à la société, principalement à la création de l'entreprise.
■ **Réserves** : part des bénéfices qui est réinvestie dans l'entreprise.
■ **Résultat de l'exercice** : ce résultat peut être positif (bénéfice) ou négatif (perte). Le bénéfice sera ensuite **réparti** entre les réserves et la distribution de dividendes aux associés.

Les dettes
■ **Dettes financières** : émission d'emprunt obligataire, emprunt bancaire, etc.
■ **Dettes d'exploitation** : dettes envers les fournisseurs, **avances** versées par des clients, dettes vis-à-vis du **fisc** (administration des impôts), etc.

Passif
D'où vient l'argent ?
Capitaux propres
• Capital
• Réserves
• Résultat de l'exercice
Dettes
• Dettes financières
• Dettes d'exploitation

1   Les bilans suivants appartiennent à trois entreprises différentes.

Dites lequel appartient à :

– un hypermarché.

⇒ Bilan ...

– un équipementier automobile.

⇒ Bilan ...

– une société financière (une holding).

⇒ Bilan ...

Vous ne voyez que l'actif.

	BILAN A (actif)	BILAN B (actif)	BILAN C (actif)
Actif immobilisé			
• Immobilisations incorporelles	115	163	108
• Immobilisations corporelles	1 652	378	280
• Immobilisations financières	74	43	898
Actif circulant			
• Stocks	717	854	8
• Créances	301	118	176
• Valeurs mobilières de placement	10	44	264
• Disponibilités	2	1	5
Total	2 871	1 601	1 739

2   À l'aide des informations ci-dessous, faites le bilan de la société Cibox.

BILAN CIBOX

ACTIF		PASSIF	
Actif immobilisé		**Capitaux propres**	
• Immobilisations incorporelles	*38*	• _____	...
• _____	...	• _____	...
Actif circulant		**Dettes**	
• _____	...	• _____	...
• _____	...	• _____	...
• _____	...		
Total	200	**Total**	200

1. Les brevets d'invention de Cibox sont estimés à **38**.

2. Les biens d'équipement (machines, matériel) valent **103**.

3. Les matières premières et les produits finis, d'une valeur de **32**, sont entreposés dans le magasin.

4. Les clients de Cibox doivent au total **21**.

5. Le montant des liquidités (compte courant et caisse) s'élève à **6**.

6. À la création de la société, il y a 5 ans, les associés ont apporté **85**. Il n'y a pas eu de nouveaux apports.

7. Depuis la création de la société, **26** de bénéfices n'ont pas été distribués aux actionnaires.

8. Il reste **69** à rembourser à la banque.

9. Cibox doit encore **20** à divers fournisseurs.

SAVOIR-FAIRE

A. FAIRE LE BON CHOIX

1. Vous devez annoncer une mauvaise nouvelle à un client. Comment commencez-vous votre courrier ?

❑ **a.** Nous sommes désolés de…
❑ **b.** Nous avons le regret de…
❑ **c.** Nous sommes tristes de…

2. Vous envoyez un devis. Quelle formule employez-vous ?

❑ **a.** Vous trouverez ci-joint le devis.
❑ **b.** Je vous prie de m'envoyer le devis.
❑ **c.** J'attache le devis au-dessus.

3. Comment terminez-vous un courrier envoyé à un client ?

❑ **a.** Cordialement
❑ **b.** Sincèrement
❑ **c.** Salutations

4. Vous souhaitez connaître les différents points qui seront traités à la prochaine réunion. Quel document consultez-vous ?

❑ **a.** L'ordre du jour
❑ **b.** L'exposé
❑ **c.** L'agenda

5. Vous souhaitez qu'on reporte la réunion de demain. Que dites-vous pour justifier ce report ?

❑ **a.** La salle de réunion est spacieuse.
❑ **b.** Ma présence n'est pas nécessaire.
❑ **c.** J'ai un empêchement à cette heure-là.

6. Vous animez une réunion. Les participants parlent de leurs vacances et du beau temps. Que dites-vous ?

❑ **a.** En résumé, vous dites que…
❑ **b.** Revenons à notre sujet, s'il vous plaît.
❑ **c.** Que voulez-vous dire par là ?

7. Vous arrivez en retard à une réunion. Le directeur est en train de parler. « *Pour terminer, je présenterai le projet Pic. Mais voyons d'abord le premier point…* », dit-il.

❑ **a.** Nous sommes au milieu de la réunion.
❑ **b.** C'est bientôt la fin.
❑ **c.** La réunion vient de commencer.

8. Vous êtes en train de parler. Anne, une collègue, vous coupe la parole. Vous n'êtes pas content. Que dites-vous ?

❑ **a.** Je suis de ton avis.
❑ **b.** Anne, c'est à toi de parler.
❑ **c.** Tu permets que je termine ?

9. Vous voulez ajouter un dernier point à votre explication. Que dites-vous ?

❑ **a.** En fait…
❑ **b.** En définitive…
❑ **c.** En outre…

10. Votre collègue Michel participera à la prochaine négociation salariale. Qui sont les participants à cette négociation ?

❑ **a.** Un vendeur et un acheteur
❑ **b.** La direction et les syndicats
❑ **c.** Des diplomates

11. Votre collègue parle de la négociation en cours. « *On est dans l'impasse* », explique-t-il. Que veut-il dire ?

❑ **a.** Les participants sont sur la bonne voie.
❑ **b.** Ils cherchent un compromis.
❑ **c.** Il y a un blocage.

12. « *On a finalement trouvé un terrain d'entente* », vous explique votre collègue. Que veut-il dire ?

❑ **a.** Les participants sont tombés d'accord.
❑ **b.** Ils ont rompu les discussions.
❑ **c.** La négociation a échoué.

B. ÉCOUTER ET PARLER

 Nathalie Weber, de l'agence Bontour, téléphone à Télétel. Écoutez et/ou lisez ci-dessous l'entretien.

a. Quel est l'objet de l'appel ? Quel est le problème ?
Que demande Nathalie Weber à la fin de l'entretien ?

b. Jouez à deux un entretien similaire.

– Télétel, Céline Fort, bonjour.
– Bonjour, je voudrais parler à monsieur Bertin, s'il vous plaît ?
– C'est de la part de qui ?
– Je suis Nathalie Weber, de l'agence Bontour.
– C'est à quel sujet ?
– J'appelle au sujet de la réunion de jeudi.
– Un instant, s'il vous plaît, je vous passe monsieur Bertin.
(Quelques instants plus tard)
– Je regrette, mais le poste ne répond pas. Voulez-vous laisser un message ?
– Oui, s'il vous plaît. Pouvez-vous demander à monsieur Bertin de me rappeler ? Il a mon numéro.
– Entendu, je n'y manquerai pas.
– Merci. Au revoir.

C. LIRE ET RÉAGIR

**Le texte suivant est extrait d'un article sur la communication interne dans l'entreprise.
Lisez-le. Quelle question soulève-t-il ? Donnez votre point de vue.**

D'après une note de l'Institut Picard, les managers passent de cinq à vingt heures par semaine à lire et à écrire des emails. Pour l'Institut, les réseaux sociaux seraient des outils de communication bien plus efficaces que l'email. Postés sur une plateforme, les documents sont soumis aux modifications des collaborateurs. Toutes ces modifications sont archivées : il est donc possible de voir qui a fait quoi à quelle heure et de revenir à la version antérieure.

Marc Lanvin, directeur général de Datacom, un cabinet de conseil spécialisé dans la communication en entreprise, n'est pas du même avis. *« Utiliser un "mur" plutôt que des emails pour commenter un document présente plusieurs inconvénients*, explique-t-il. *D'abord, il faut le consulter régulièrement pour voir les modifications. Ensuite, ce qu'on écrit est tracé et stocké, ce qui empêche les échanges informels, voire les discussions entre collègues. »*

À côté des emails, Marc Lanvin défend aussi l'utilité des réunions. *« À condition qu'elles soient bien organisées »*, précise-t-il. *« Se parler en face à face est aussi un excellent moyen de communication »*, ajoute-t-il.

ENTREPRISES

A. FAIRE LE BON CHOIX

1. Vous discutez avec votre directeur.
« *Nous allons privilégier la croissance interne* »,
vous annonce-t-il. Que souhaite-t-il faire ?
❏ **a.** Racheter d'autres entreprises
❏ **b.** Développer l'entreprise localement
❏ **c.** Accroître l'activité propre de l'entreprise

2. Depuis un an, l'entreprise de monsieur Bernardin est insolvable. Que lui conseillez-vous de faire ?
❏ **a.** Déposer le bilan
❏ **b.** Moderniser les installations
❏ **c.** Rembourser les dettes

3. Jean-Luc est plombier et il travaille à son propre compte. À quelle catégorie d'actifs appartient-il ?
❏ **a.** Commerçant
❏ **b.** Artisan
❏ **c.** Profession libérale

4. Monsieur De Villeroy dirige Semico, une entreprise de nettoyage. « *Je suis très accessible, la porte de mon bureau est toujours ouverte* », **affirme-t-il. Que veut-il dire ?**
❏ **a.** Chez Semico, on ne perd pas de temps.
❏ **b.** La distance hiérarchique est courte.
❏ **c.** Le statut social n'a pas d'importance.

5. « *Coca-Cola est une entreprise industrielle* », **vous dit votre collègue et ami Max.**
❏ **a.** Max a raison.
❏ **b.** Il a tort.

6. Max dit : « *La Croix rouge est une entreprise publique.* »
❏ **a.** Il a raison.
❏ **b.** Il a tort.

7. Question de Max : « *Un ouvrier peut-il travailler dans le secteur tertiaire ?* »
Votre réponse :
❏ **a.** Oui
❏ **b.** Non

8. Max, encore : « *Une société est une personne juridique.* »
❏ **a.** Il a raison.
❏ **b.** Il a tort.

9. Max : « *À quoi est due la faillite de la société Ixtel ?* » **Votre réponse :**
❏ **a.** Il faut restructurer l'entreprise.
❏ **b.** L'entreprise était mal gérée.
❏ **c.** Elle cessera bientôt ses activités.

B. ÉCOUTER ET PARLER

Clara Gautier travaille comme assistante de direction dans une entreprise de transport. Nous lui avons posé des questions sur son entreprise et sur son travail.

a. Écoutez l'interview et notez les questions
Il y a six questions.
1. Dans quelle entreprise travaillez-vous ?
2. Combien…

b. Écoutez une seconde fois l'interview et notez des éléments de réponse.
Puis comparez avec votre voisin.

2 Lisez ci-dessous la transcription de l'interview et vérifiez vos réponses à l'exercice 1.
Puis pratiquez à deux une interview similaire. Quand vous répondez, donnez de véritables
informations sur vous-même.

– Dans quelle entreprise travaillez-vous ?

– Je travaille pour les Transports Boulard. Nous louons des véhicules industriels avec chauffeurs. L'entreprise existe depuis vingt ans. C'est une entreprise de taille moyenne. Il y a deux ans, nous avons acheté un concurrent et maintenant, au total, nous sommes une soixantaine de salariés.

– Combien d'heures travaillez-vous par semaine ?

– Je fais mes 35 heures. En France, la durée légale de travail est de 35 heures. Au-delà ce sont des heures supplémentaires et je ne fais pas d'heures supplémentaires.

– Quels sont vos horaires de travail ?

– Moi, j'arrive toujours à 9 heures et je pars à 17 heures. À midi, je fais une pause d'une heure pour déjeuner. Nous avons un système d'horaires variables, certains arrivent et partent plus ou moins tard. Ce qui ne nous empêche pas de commencer les réunions à l'heure. Ici, il faut être ponctuel.

– Quels vêtements portez-vous au travail ?

– Je m'habille comme tout le monde, plutôt décontracté. Même le patron est souvent en jean.

– Est-ce que vous tutoyez le patron ?

– Non, je le vouvoie. Mais je tutoie la plupart de mes collègues.

– Que diriez-vous de l'ambiance de travail ?

– Elle est plutôt bonne. Je m'entends bien avec mes collègues. La direction est ouverte et très accessible. Je n'ai pas à me plaindre.

C. LIRE ET ÉCRIRE

 Lisez les brèves ci-dessous sur la vie des entreprises. Puis répondez aux questions.

La vie des entreprises

SECTEURS D'ACTIVITÉ

Situations contrastées

Le secteur de l'automobile subit un nouveau ralentissement. Depuis le début de l'année, les ventes de voitures neuves ont reculé de 6 %. De même, depuis l'été, le secteur des transports et de la logistique ainsi que la construction montrent des signes de ralentissement. En revanche, l'informatique et les télécommunications poursuivent leur progression sur des marchés très concurrentiels, mais en forte croissance.

ÉLECTRONIQUE

Lens : Pas de repreneur pour Framont

À Lens, l'usine du fabricant canadien de semi-conducteurs Framont et ses 600 salariés n'ont pas trouvé de repreneur. Au début de l'année, la direction avait annoncé son projet d'arrêter la production de tranches de silicium, jugées obsolètes. L'usine fermera définitivement ses portes dans deux mois.

1. Quels sont les secteurs d'activité qui se portent le mieux ? le plus mal ?

2. À qui appartient l'usine de Lens ?

3. Pourquoi a-t-il été décidé de fermer l'usine ?

4. Quelles seront les conséquences de la fermeture de l'usine sur l'emploi ?

2 Écrivez une brève de 300-350 mots concernant une ou plusieurs entreprises de votre pays.

RESSOURCES HUMAINES

A. FAIRE LE BON CHOIX

1. Un nouveau système informatique vient d'être installé dans votre entreprise. « *Je n'arrive pas à utiliser le nouveau logiciel* », vous dit un collègue. Quel conseil lui donnez-vous ?

❑ **a.** Tu devrais écrire une thèse.
❑ **b.** Tu devrais demander une formation.
❑ **c.** Tu devrais t'inscrire à l'université.

2. Vous souhaitez payer moins d'impôts. À qui demandez-vous conseil ?

❑ **a.** À un conseiller fiscal.
❑ **b.** À un contrôleur de gestion.
❑ **c.** À un analyste financier.

3. « *La situation de l'emploi se dégrade* », lisez-vous dans votre journal. Est-ce une bonne nouvelle ?

❑ **a.** Oui.
❑ **b.** Non.
❑ **c.** Ni oui ni non.

4. Vous avez trouvé un nouvel emploi et vous souhaitez quitter votre entreprise. Quel type de lettre écrivez-vous ?

❑ **a.** Une lettre de licenciement.
❑ **b.** Une lettre d'engagement.
❑ **c.** Une lettre de démission.

5. Chez Mobica, un fabricant de meubles, certains vendeurs manquent de motivation. Pour les motiver, quelle partie de leur rémunération faudrait-il augmenter ?

❑ **a.** Le salaire fixe.
❑ **b.** Les commissions.
❑ **c.** La prime d'ancienneté.

6. Jacques est contremaître dans l'entreprise Induca. À votre avis, quelle est l'activité d'Induca ?

❑ **a.** C'est un cabinet de consultants.
❑ **b.** Une agence de voyages.
❑ **c.** Un fabricant de matériel électrique.

7. Chez Peugeot, les ouvriers d'une usine sont en grève. Que demandent-ils ?

❑ **a.** Une voiture de fonction.
❑ **b.** Une revalorisation de leur salaire.
❑ **c.** Un bureau paysager.

8. Un ami vous suggère de postuler à un poste à pourvoir dans son entreprise. « *Tu as toutes les qualités requises* », précise-t-il.

❑ **a.** Il a confiance en vos qualités extraprofessionnelles.
❑ **b.** Il pense que vous avez le profil.
❑ **c.** Il veut dire que c'est un bon boulot.

B. ÉCOUTER ET PARLER

  Écoutez l'extrait d'un entretien d'embauche entre une recruteuse et Jacky Dubois, consultant informatique. Puis répondez aux questions.

1. Quelle est la formation de Jacky Dubois ?

2. Dans quel pays est-il parti après ses études ? Pour quelle raison ? Où a-t-il travaillé ?

3. En quoi consiste son travail actuel ?

2 Lisez ci-dessous la transcription de l'entretien et vérifiez vos réponses à l'exercice 1.
Puis répondez pour vous-même à la question du recruteur.

– Pouvez-vous me parler de vous ?
– J'ai fait des études d'informatique à l'Université de Liège, en Belgique. Après mes études, je suis parti à Madrid, en Espagne. Je voulais absolument avoir une expérience professionnelle à l'étranger et puis, comme ma mère est espagnole, je parle la langue et je voulais aussi un peu retrouver mes origines. À Madrid, j'ai trouvé un emploi chez Décathlon, comme responsable du rayon tennis. Je suis un bon joueur de tennis, j'étais dans mon élément. Je suis resté un an et puis je suis revenu en Belgique. J'ai été embauché par le cabinet Paul Delattre, comme ingénieur commercial en nouvelles technologies. Ça fait cinq ans que je suis chez Paul Delattre. Nos clients sont de grands groupes comme GDF ou Saint-Gobain. Mon travail consiste à comprendre les besoins des clients en systèmes d'information et à leur apporter la réponse la mieux adaptée. Dans la pratique, je les rencontre, je comprends les technologies qu'ils utilisent, quelles sont leurs problématiques et puis je constitue une équipe pour la mission.

C. LIRE ET RÉAGIR

1 L'article suivant porte sur le travail dans des bureaux collectifs, qu'on appelle des *open spaces*.
Lisez-le et relevez les avantages et les inconvénients de cet aménagement de l'espace.

2 Et vous, travaillez-vous ou avez-vous travaillé en *open space* ? Qu'en pensez-vous ?
Quelles sont vos « astuces » pour bien travailler dans ce type de bureau ?

L'*open space* est-il la solution ?

Avec l'explosion des prix des loyers dans les grandes villes, les entreprises ont abattu les cloisons pour installer leurs salariés dans des bureaux collectifs, plus connus sous le nom d'*open space*. Cette organisation de l'espace ne fait pourtant pas l'unanimité.

Le bruit, d'abord, nuirait à la productivité. Avec les allées et venues, les appels téléphoniques, certains salariés ont du mal à se concentrer. Aux problèmes de concentration s'ajoute le sentiment d'être épié. « *Les collègues regardent en permanence ce qu'on est en train de faire* », se plaint Romain. Enfin, la proximité peut créer des tensions. C'est ainsi que Romain se plaint aussi de ne plus supporter le parfum de sa collègue.

Mais l'*open space* n'a pas que des détracteurs. Les jeunes notamment y sont favorables. « *Dans un* open space*, on ne s'embête pas*, explique Marine, *on voit tout ce qui se passe, ce n'est pas comme si on était dans un bureau individuel. Et puis, c'est super pour le relationnel, on communique beaucoup.* »

Selon Odile Duchenne, auteur de *La Vie au bureau*, l'*open space* présente de nombreux avantages. Mais à certaines conditions. « *Si on prévoit entre 12 et 15 m² par personne, une bonne insonorisation, de la lumière et de la climatisation, de petits caissons pour ranger ses affaires, l'open space peut être très agréable*, assure Odile Duchenne. *Mais le problème, c'est que les entreprises cherchent à réduire les coûts en économisant sur tout ce qui pourrait apporter du confort à cet espace de travail.* »

PRODUCTION

A. FAIRE LE BON CHOIX

1. Votre collègue Michel compose des chansons. Quel type de revenus pourrait-il recevoir grâce à ses chansons ?

❏ **a.** Des droits d'auteur
❏ **b.** Des redevances

2. Michel a inventé un instrument de musique intelligent. Il a peur qu'on lui vole son invention. Que doit-il faire ?

❏ **a.** Déposer un brevet
❏ **b.** Déposer la marque
❏ **c.** Exploiter son invention

3. Votre entreprise va confier une partie de sa production à un sous-traitant. Quel document faut-il rédiger ?

❏ **a.** Un contrat de licence
❏ **b.** Un contrat de vente
❏ **c.** Un cahier des charges

4. Françoise de la Courneuve se présente aux élections présidentielles. Que promet-elle aux 40 millions d'électeurs et de consommateurs potentiels ?

❏ **a.** Des gains de productivité
❏ **b.** Une baisse des coûts de production
❏ **c.** Plus de pouvoir d'achat

5. Lucie est une chercheuse universitaire. « *Mes recherches sur le génome humain restent très théoriques* », explique-t-elle. Que fait Lucie ?

❏ **a.** Du développement de produit
❏ **b.** De la recherche appliquée
❏ **c.** De la recherche fondamentale

6. Catherine est accusée d'espionnage industriel. Elle a collecté de précieuses informations chez un concurrent. Que peut-elle dire pour se défendre ?

❏ **a.** J'ai contrôlé la fiabilité des informations.
❏ **b.** J'ai fait de la veille technologique.
❏ **c.** C'est de la recherche et développement.

7. Vous souhaitez connaître le montant des stocks de l'entrepôt. Que faites-vous ?

❏ **a.** Le stockage
❏ **b.** L'inventaire
❏ **c.** L'approvisionnement

8. Michel s'y connaît en économie. « *Le PIB d'un pays, c'est ce que ce pays possède* », vous explique-t-il.

❏ **a.** Il a raison.
❏ **b.** Il a tort.

B. ÉCOUTER ET RÉAGIR

  Barna Wozniak, expert en technologie, est convaincu que l'énergie solaire est notre avenir. Nous l'avons interviewé. Écoutez et répondez aux questions suivantes.

D'après Barna Wozniak :

1. Quels sont les avantages de l'énergie solaire ?

2. Quel est l'inconvénient principal du nucléaire ?

2 Lisez ci-dessous la déclaration de Barna Wozniak et vérifiez vos réponses à l'exercice 1.
Puis donnez votre avis.

– Pourquoi êtes-vous si sûr du succès de l'énergie solaire ?
– Il y a 20 ans, on n'imaginait pas que les technologies de l'information se développeraient ainsi, de façon exponentielle. C'est pareil pour l'énergie solaire. Nous assistons au même processus d'accélération. L'énergie solaire va devenir plus puissante et moins chère et les entreprises l'utiliseront parce que c'est dans leur intérêt.

On se désintéresse toujours des technologies quand elles démarrent. Mais l'énergie solaire présente de tels avantages que son succès est évident : elle est abondante, gratuite, propre, nous savons la convertir. Au contraire, l'énergie nucléaire est ultra centralisée, obsolète et surtout très dangereuse. Je déconseillerais à quiconque d'investir dans le nucléaire. D'ici 20 ans, l'énergie solaire satisfera pratiquement 100 % de nos besoins.

C. PARLER ET LIRE

1 Aujourd'hui, on constate que le nombre d'accidents du travail recule, mais que les maladies professionnelles sont de plus en plus nombreuses. Comment expliquez-vous ce constat ?

2 Lisez l'article suivant et vérifiez votre réponse à la question de l'exercice 1.

Forte hausse des maladies professionnelles

Le nombre d'accidents du travail a reculé de 7,5 % par rapport à l'année précédente, avec 651 000 accidents déclarés. La fréquence des accidents est tombée à 36 accidents pour 1 000 salariés, son plus bas niveau historique. Le chômage et la réduction de l'activité dans des secteurs comme la construction ou la métallurgie – 20 % des effectifs salariés aujourd'hui contre 36 % dans les années 1950 – ainsi que les actions de prévention expliquent cette amélioration.

Les maladies professionnelles, quant à elles, ont fait un bond de 9 % en un an. Les tâches de plus en plus répétitives et le stress sont les principaux responsables de l'augmentation des troubles musculo-squelettiques (TMS : douleurs cervicales, tendinites de l'épaule, arthrose du coude, etc.), lesquels représentent 80 % des affections. Les salariés de la construction, de l'industrie ou de la distribution demeurent les plus touchés, car plus que les autres, ils sont susceptibles d'effectuer des gestes répétitifs ou de prendre des postures inconfortables.

MARKETING

A. FAIRE LE BON CHOIX

1. Avant de lancer un nouveau produit, vous souhaitez étudier concrètement les réactions des consommateurs. Que réalisez-vous ?

❑ **a.** Un sondage
❑ **b.** Un marché test
❑ **c.** Une opération de promotion

2. Votre produit ne peut intéresser qu'un groupe très restreint de consommateurs. Que choisissez-vous de cibler ?

❑ **a.** Une niche
❑ **b.** Un échantillon
❑ **c.** Un marché de masse

3. « *Mido, c'est la garantie de bien dormir* », dit le slogan. Quel est le positionnement des matelas Mido ?

❑ **a.** Le prix
❑ **b.** La résistance
❑ **c.** Le confort

4. Les ventes de matelas Mido sont importantes, mais elles ne progressent plus. À quelle phase du cycle de vie se trouve le produit ?

❑ **a.** La croissance
❑ **b.** La maturité
❑ **c.** Le déclin

5. Le responsable marketing cherche à augmenter la notoriété de la marque Mido. Pourquoi ?

❑ **a.** La marque n'est pas assez connue.
❑ **b.** L'image de la marque n'est pas bonne.
❑ **c.** Les consommateurs n'ont pas confiance.

6. « *Au-delà de 1,30 €, nos petits pains se vendent difficilement* », explique le boulanger. À quel prix se réfère-t-il ?

❑ **a.** Au prix d'appel
❑ **b.** Au prix de lancement
❑ **c.** Au prix d'acceptabilité

7. Vous vendez du matériel de cuisine pour les restaurateurs. Par quel moyen de communication faites-vous connaître vos produits ?

❑ **a.** Affichage dans le métro
❑ **b.** Participation à des salons professionnels
❑ **c.** Parrainage d'un tournoi de tennis

8. Pierre est vendeur dans un magasin de vêtements. « *C'est trop cher* », lui dit un client. Que doit répondre Pierre ?

❑ **a.** Au contraire, c'est très avantageux.
❑ **b.** Nous n'avons pas moins cher.
❑ **c.** Cher par rapport à quoi ?

B. ÉCOUTER

  Léo Bazin est conseiller en communication. Écoutez-le parler de la publicité à la radio.

1. D'après lui, quel est l'objectif principal du message publicitaire à la radio ?

2. Combien de temps dure le message ? Quelles en sont les trois parties ?

  Écoutez un message publicitaire concernant le restaurant *Chez Loïc*.

Vous rappelez-vous la petite histoire ? l'information commerciale ? le slogan ?

3 Lisez ci-dessous la déclaration de Léo Bazin ainsi que le message publicitaire et vérifiez vos réponses aux exercices 1 et 2.

1.

Pour les annonceurs, la radio est faite pour annoncer une promotion ou une information commerciale spécifique. C'est le média privilégié pour déclencher l'acte d'achat. Vous écoutez la radio dans votre voiture, en route pour le supermarché, et on vous donne le prix du kilo de tomates. Le message est rapide, il dure 20 secondes ou 30 maximum.

D'abord, on vous raconte une petite histoire et puis on vous donne le prix du kilo de tomates et pour terminer on vous met un petit slogan dans la tête.

2.

– Dis-moi, c'est drôlement bon ici.
– François, tu sais quoi ? Je t'adore quand tu manges chez Loïc.
– Ah bon !
– Tu as l'air si heureux, ça fait trois fois que tu reprends du buffet.
– Ben oui, c'est buffet à volonté.
– Et quand tu payes, tu as l'air si heureux.
– Ça ne coûte que 14,90 euros, tu sais.
– 14,90 euros ! Oh, François, c'est que du bonheur !
Pendant tout le mois de mars, tous les soirs, tous les jours, chez Loïc, c'est buffet à volonté, pour 14,90 euros seulement. Chez Loïc, c'est que du bonheur !

C. LIRE

Lisez cet article sur les yaourts Danone, puis répondez aux questions.

Quand Danone révolutionne ses yaourts

En 2012, les pots de yaourt de Danone changent de look : ils deviennent plus élancés, plus modernes, avec un fond arrondi. « *L'emballage est un outil essentiel pour se distinguer des autres* », explique Olivier Delaméa, le directeur général de Danone Produits Frais France. Parallèlement, Danone repense l'ensemble du rayon ultra frais, qui représente 3 % de l'activité d'un hypermarché. Les étagères sont repeintes en noir, des diodes électroluminescentes remplacent les néons, les pots de yaourt deviennent ainsi plus visibles. Ceux de Danone comme ceux des concurrents. Les distributeurs acceptent facilement ces modifications. Tout d'abord, parce qu'elles sont financées en partie par Danone et ensuite parce que le rayon frais est déterminant pour le consommateur français dans le choix d'un hyper. 70 % des clients font leurs courses quand il n'y a plus de yaourts au réfrigérateur.

1. En quoi a consisté la révolution de Danone ?

2. Quels changements Danone a-t-il apporté chez les distributeurs ?

3. Pourquoi les distributeurs ont-ils facilement accepté ces changements ?

ACHAT ET VENTE

A. FAIRE LE BON CHOIX

1. Vous êtes le client. « *La maison ne fait pas crédit* **», vous dit le vendeur. Comment devez-vous payer ?**
❑ **a.** Au comptant
❑ **b.** À terme

2. « *Nous livrons franco de port* **», vous dit le vendeur. Devez-vous payer le transport ?**
❑ **a.** Oui
❑ **b.** Non

3. Vous commandez un lot de chaises référencées CH98PY. Quel est le moyen le plus rapide de passer commande ?
❑ **a.** Écrire une lettre de commande
❑ **b.** Remplir un bon de commande

4. Vous avez commandé des chaises rouges. Vous recevez des chaises roses. Que pouvez-vous demander ?
❑ **a.** Un escompte
❑ **b.** Un rabais
❑ **c.** Une remise

5. Vous recevez une facture. Quel montant devez-vous payer ?
❑ **a.** Le total HT
❑ **b.** Le total TTC

6. Il y a une erreur sur la facture. Vous faites une réclamation. Comment *commencez-vous* votre courrier ?
❑ **a.** J'ai bien reçu la facture n°…
❑ **b.** Il y a une erreur dans la facture n°…
❑ **c.** Nous vous prions de nous faire parvenir une facture rectificative.

7. Vous écrivez un courrier de réclamation concernant l'erreur de facturation. Dans quel ordre utiliserez-vous les mots suivants ?
❑ **a.** Donc… Or…
❑ **b.** Or… Donc

8. Vous travaillez au service facturation. Un client a du retard dans le paiement de sa facture. Que faites-vous ?
❑ **a.** Je lui accorde une ristourne.
❑ **b.** Je lui envoie une lettre de rappel.
❑ **c.** Je règle la facture.

9. Au cours d'une campagne électorale, un candidat propose de relever les taxes sur certains produits importés. Que veut-il augmenter ?
❑ **a.** Les contingentements
❑ **b.** Les normes techniques
❑ **c.** Les droits de douane

B. ÉCOUTER

  Mireille Leblanc travaille dans un magasin de décoration pour la maison. Elle téléphone à un fournisseur au sujet d'un retard de livraison. Écoutez le début de cet entretien.

1. Quelles sont les références de la commande ? Sur quoi porte-t-elle ?

2. Au moment de l'appel, de combien de jours est le retard et où se trouve la marchandise ?

Lisez ci-dessous la transcription de l'entretien téléphonique et vérifiez vos réponses à l'exercice 1.

– Magasin Borido, bonjour.
– Bonjour, Mireille Blanc à l'appareil, de Gattaz. J'appelle au sujet d'une commande.
– Pouvez-vous me rappeler les références de la commande, madame ?
– Oui, alors, c'est... une commande du 19 mars... GJ 9877.
– GJ 9877. Un instant, s'il vous plaît... Une commande de 30 rideaux fenêtre ?

– C'est ça, nous devions recevoir la marchandise le 25 mars, il y a trois jours, il n'y a toujours rien.
– En effet, excusez-nous, nous avons eu un petit problème avec le fournisseur, mais la marchandise est partie ce matin, vous devriez être livrée demain. Vous n'avez par reçu de message ?
– Non, rien.

C. ÉCRIRE

Mettez-vous à la place de Mireille Blanc. Au lieu de téléphoner, écrivez un courrier de réclamation au magasin Borido. Écrivez environ 250 mots. Commencez ainsi :

> *Bonjour,*
> *Je me réfère à notre commande du...*

D. LIRE

La société Tom Joule vend des vêtements pour hommes, femmes et enfants. Vous avez commandé en ligne une veste Belmont en solde. Vous venez de recevoir une veste Harriet. Vous souhaitez demander l'échange.

Lisez l'article 7 des conditions de vente et répondez aux questions.

Article 7 – Échange des produits

TOM JOULE accepte l'échange de tout article acheté sur www.tom-joule.fr si celui-ci est retourné à TOM JOULE dans un délai de 4 (quatre) semaines à compter de la date de réception de sa commande par l'Acheteur. Cependant, les produits achetés en solde ne pourront être retournés au-delà d'un délai de 14 (quatorze) jours.

Les frais liés à une nouvelle livraison de produits sont à la charge de l'Acheteur, excepté en cas de défaut de conformité des produits livrés par rapport à la commande.

Vous devez retourner le produit avec le Bon de retour à détacher du Bon de Livraison

---

1. Dans quel délai devez-vous retourner la veste *Harriet* ?

❑ 2 semaines   ❑ 4 semaines

2. Devez-vous payer l'envoi de la veste *Belmont* ?

❑ Oui   ❑ Non

3. Quel document devez-vous joindre à l'envoi de la veste *Belmont* ?

❑ Un bon de retour   ❑ Un bon de livraison

RÈGLES DU JEU

A. FAIRE LE BON CHOIX

1. Vous assistez au procès d'un faux-monnayeur. De quoi est-il accusé ?
❏ **a.** De contrefaçon
❏ **b.** De racket
❏ **c.** D'escroquerie

2. Une personne de votre entreprise est soupçonnée de délit d'initié. Qui est-ce ?
❏ **a.** Michel Delarue, le patron
❏ **b.** Barbara, la réceptionniste
❏ **c.** Pauline Fortin, l'assistante de communication

3. Pour remporter un contrat, Paul a payé un pot-de-vin. « *C'est illégal* », lui reproche son patron. Pourquoi serait-ce illégal ?
❏ **a.** C'est une contrefaçon.
❏ **b.** C'est une escroquerie.
❏ **c.** C'est un acte de corruption.

4. Votre ami Max veut placer son épargne dans des « entreprises socialement responsables ». Que lui suggérez-vous ?
❏ **a.** Un fonds éthique
❏ **b.** Un détournement de fonds
❏ **c.** Un blanchiment d'argent

5. Vous travaillez à la Commission de la concurrence. Vous soupçonnez trois entreprises du bâtiment de s'être mises d'accord pour se partager le marché. Que devez-vous prouver ?
❏ **a.** L'entente
❏ **b.** Le monopole
❏ **c.** Le dumping

6. Vous avez été victime d'une escroquerie. L'escroc est arrêté et poursuivi en justice. Que demandez-vous en réparation du préjudice que vous avez subi ?
❏ **a.** Des dommages et intérêts
❏ **b.** Une amende
❏ **c.** Une aide d'État

7. L'association *Artisans du monde* se bat pour que les petits producteurs des pays pauvres soient correctement rémunérés. Que défend l'association ?
❏ **a.** La libre concurrence
❏ **b.** Le développement durable
❏ **c.** Le commerce équitable

B. ÉCOUTER

1 🎧 **51** **Les affirmations suivantes concernent la contrebande de cigarettes en France. Lisez-les, puis écoutez un reportage sur le sujet et dites si elles sont vraies ou fausses.**

	VRAI	FAUX
1. En France, le tabac contrefait se vend à un tiers du prix légal.	❏	❏
2. On peut trouver facilement des cigarettes de contrefaçon.	❏	❏
3. Les fumeurs avouent facilement qu'ils achètent du tabac contrefait.	❏	❏
4. Les cigarettes contrefaites proviennent surtout d'Amérique latine.	❏	❏
5. Les trafics de tabac sont en constante diminution.	❏	❏
6. Le tabac contrefait est de qualité égale au tabac original.	❏	❏

Lisez ci-dessous la transcription du reportage et vérifiez vos réponses à l'exercice 1.

A : D'après une étude publiée par un cabinet spécialisé, 16 % des cigarettes fumées par les Français viendraient de la contrebande. À Lille, notre correspondante, Marion Pêcheur.

B : Une cigarette sur six que l'on fume en France est issue de la contrebande ou de la contrefaçon. Les Français ont ainsi grillé plus de 10 milliards de cigarettes clandestines. Ce genre de tabac se vend à moitié prix et il n'est pas difficile à trouver. Parmi les fumeurs, comme Julien, on n'a plus honte de dire qu'on achète des cigarettes contrefaites.

C : Comme c'est moins cher, quand on n'a pas trop d'argent, si on est au chômage, on peut acheter un paquet pour deux fois moins cher, même si on sait que c'est dangereux, on est obligé en fait.

B : Majoritairement fabriquées en Asie, les cigarettes de contrefaçon inondent le marché français, et notamment les grandes villes comme Lille, Marseille ou Paris. Mais d'après Françoise Monnier, experte au Laboratoire national de métrologie, le tabac de contrefaçon est truffé de substances encore plus nocives pour la santé.

D : Nos analyses ont trouvé toutes sortes de substances, comme du bois, du plastique fondu, de l'antigel et même des déjections d'insectes. Ce tabac est beaucoup plus dangereux que le tabac original.

B : Avec la hausse du prix du tabac, ces trafics se sont multipliés d'année en année. Cette année, les douanes ont détruit 460 tonnes de tabac illégal, c'est 30 % de plus que l'année passée.

C. LIRE

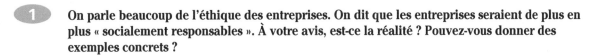 **On parle beaucoup de l'éthique des entreprises. On dit que les entreprises seraient de plus en plus « socialement responsables ». À votre avis, est-ce la réalité ? Pouvez-vous donner des exemples concrets ?**

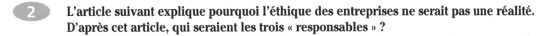 **L'article suivant explique pourquoi l'éthique des entreprises ne serait pas une réalité. D'après cet article, qui seraient les trois « responsables » ?**

Entreprises responsables : les limites de la vertu

La responsabilité sociale des entreprises (RSE) suscite un intérêt croissant. L'éthique est au programme des écoles de commerce. De nombreuses entreprises adhèrent à des chartes de bonne conduite dans le domaine du respect des droits de l'homme, des pratiques salariales et du respect de l'environnement. Mais dans la pratique, les choses changent peu.

Les travailleurs des pays pauvres continuent à travailler de longues heures pour des salaires de misère. Les entreprises dites « socialement responsables » obligent leurs petits fournisseurs du tiers-monde à maintenir des prix toujours plus bas. Avec une telle pression, ces petits fournisseurs ne peuvent pas payer décemment les travailleurs. De leur côté, les consommateurs regardent le prix et la qualité du produit. Ils ne veulent pas payer plus pour un produit étiqueté « socialement responsable ». Les marchés boursiers, quant à eux, demeurent indifférents à la RSE. Le cours d'une action ne dépend pas de la responsabilité sociale des entreprises et une entreprise n'est pas plus rentable parce qu'elle est socialement responsable.

ARGENT, FINANCE

A. FAIRE LE BON CHOIX

1. Vous voulez savoir combien il reste sur votre compte courant. Quel document consultez-vous ?
❑ **a.** Le relevé de compte
❑ **b.** Le compte d'épargne
❑ **c.** Le compte de résultat

2. Vous devez envoyer de l'argent à un fournisseur chinois. Que faites-vous ?
❑ **a.** Un chèque
❑ **b.** Un dépôt
❑ **c.** Un virement

3. En ce moment, les taux d'intérêt sont très bas. Qui en profite ?
❑ **a.** Les emprunteurs
❑ **b.** Les prêteurs

4. Votre ami Max envisage de prêter 2 000 euros à sa collègue Catherine. Que lui conseillez-vous de vérifier ?
❑ **a.** Le coût de l'hypothèque
❑ **b.** La solvabilité de Catherine

5. L'entreprise de William est située à Bruxelles, mais il souhaite transférer le siège social à Louvain. Quel document doit-il modifier ?
❑ **a.** La police
❑ **b.** Le bilan
❑ **c.** Les statuts

6. La société KM3, dont vous êtes actionnaire, vient de procéder à une augmentation de capital. Qu'est-ce que cette opération entraîne ?
❑ **a.** Une augmentation de la dette
❑ **b.** Une émission de nouvelles actions
❑ **c.** Le paiement d'intérêts

7. Bien que vous ne déteniez que 15 % du capital de KM3, aucune décision importante ne peut être prise sans votre accord. Qui êtes-vous ?
❑ **a.** Un actionnaire majoritaire
❑ **b.** U actionnaire minoritaire
❑ **c.** Un actionnaire de référence

8. Vous vendez en bourse des actions à un prix supérieur à leur prix d'achat. Que réalisez-vous ?
❑ **a.** Un bénéfice
❑ **b.** Un excédent
❑ **c.** Une plus-value

9. Votre conseiller financier vous déconseille de placer votre épargne en bourse. « *En ce moment*, explique-t-il, *le marché est trop volatile* ». Que veut-il dire ?
❑ **a.** Il y a trop de fluctuations
❑ **b.** Il n'y a pas de tendance claire
❑ **c.** Le marché est orienté à la baisse

B. ÉCOUTER

1 Vous souhaitez rembourser un crédit bancaire de manière anticipée. À votre avis, est-ce possible ? Est-ce gratuit ? Dans quelles conditions ?

2 52 Écoutez Pauline Imbert, conseillère financière à la Banque du Nord. Que répond-elle aux questions de l'exercice 1 ?

3 Lisez ci-dessous la déclaration de Pauline Imbert et vérifiez vos réponses à l'exercice 2.

– Peut-on rembourser un crédit bancaire de manière anticipée ?
– C'est possible, mais à condition que ce soit expressément prévu par le contrat, ce qui est souvent le cas. Généralement, il est prévu dans le contrat de prêt que l'emprunteur a la faculté de rembourser de manière anticipée. Il faut donc voir le contrat, c'est lui qui définit les conditions. Le plus souvent, ce n'est pas gratuit. Une clause prévoit des frais en cas de remboursement anticipé. Ce qu'il faut faire, c'est négocier la possibilité et les conditions contractuelles d'un remboursement anticipé au moment de passer le contrat.

C. LIRE

1 Lisez l'article suivant sur les résultats des entreprises du CAC 40. Les paragraphes sont dans le désordre. Mettez-les dans l'ordre.

Les entreprises du CAC 40 publient des résultats rassurants

❑ Ces résultats s'expliquent aussi par les efforts de restructuration de certaines sociétés, comme Lafarge ou Saint-Gobain. Ces sociétés ont su faire face à la crise et à la volatilité des commandes. Elles ont réduit leurs coûts, notamment en réduisant leurs effectifs et en faisant pression sur leurs sous-traitants, lesquels, au final, sont ceux qui souffrent le plus.

❑ Sans surprise, les groupes les plus internationalisés ont bien résisté à la baisse de leur activité en Europe. Ils continuent de tirer profit de la croissance des pays émergents. C'est le cas, par exemple, de PPR et de LVMH dans le secteur du luxe, d'EADS, de Safran dans l'aéronautique, du pharmacien Sanofi ou encore d'Essilor, leader mondial des verres ophtalmiques.

1️⃣ Les trois quarts des entreprises du CAC40 (indice constitué des 40 plus grosses capitalisations boursières françaises cotées à Paris) viennent de publier leurs résultats du premier semestre. Ils sont plutôt rassurants. Certes les profits sont un peu décevants, mais les volumes d'activités sont globalement au-dessus des pronostics.

❑ En revanche, certains groupes, comme Carrefour ou Peugeot, qui n'ont pas su s'adapter ou réagir assez vite, affichent des résultats médiocres. On constate ainsi que sur un marché de plus en plus concurrentiel, la stratégie choisie par les dirigeants demeure primordiale.

2 D'après l'article ci-dessus, les affirmations suivantes sont-elles vraies ou fausses ?

	VRAI	FAUX
1. Les chiffres d'affaires des entreprises du CAC 40 sont globalement meilleurs que prévu.	❑	❑
2. Les bénéfices sont globalement meilleurs qu'attendu.	❑	❑
3. Des entreprises comme LVMH ou Essilor ont réussi à accroître leur chiffre d'affaires sur les marchés européens.	❑	❑
4. Lafarge, Saint-Gobain et leurs sous-traitants ont dû licencier.	❑	❑
5. Les résultats des entreprises dépendent uniquement de la situation économique.	❑	❑

INDEX

La catégorie grammaticale du mot
est indiquée entre parenthèses ainsi que le genre des noms.
Les chiffres renvoient aux numéros des leçons.

n. = nom   adv. = adverbe
m. = masculin   f. = féminin
loc. = locution   adj. = adjectif
v. = verbe

N° d'éditeur : 10184338
Achevé d'imprimer en Janvier 2013 par Bona S.p.A.
Dépôt légal : Janvier 2013

Practical
Reliability
Engineering
3rd Edition

'The concept of chance enters into the very first steps of scientific activity, by virtue of the fact that no observation is absolutely correct. I think chance is a more fundamental concept than causality, for whether in a concrete case a cause–effect relationship exists can only be judged by applying the laws of chance to the observations.'

Max Born,
Natural Philosophy of Cause and Chance

'A statistical relationship, however strong and however suggestive, can never establish a causal connection. Our ideas on causation must come from outside statistics, ultimately from some theory.'

Kendall & Stuart,
The Advanced Theory of Statistics

'Reliability is, after all, engineering in its most practical form.'

James R. Schlesinger
Former US Secretary of State for Defense

Practical
Reliability
Engineering

Third Edition

PATRICK D. T. O'CONNOR

British Aerospace (Dynamics) plc, Stevenage

JOHN WILEY & SONS
Chichester · New York · Brisbane · Toronto · Singapore

Other Wiley Editorial Offices

John Wiley & Sons, Inc., 605 Third Avenue,
New York, NY 10158-0012, USA

Jacaranda Wiley Ltd, G.P.O. Box 859, Brisbane,
Queensland 4001, Australia

John Wiley & Sons (Canada) Ltd, 22 Worcester Road,
Rexdale, Ontario M9W 1L1, Canada

John Wiley & Sons (SEA) Pte Ltd, 37 Jalan Pemimpin 05-04,
Block B, Union Industrial Building, Singapore 2057

Library of Congress Cataloging-in-Publication Data:
O'Connor, Patrick D. T.
    Practical reliability engineering / Patrick D. T. O'Connor.—3rd
ed.
        p.   cm.
    Includes bibliographical references and index.
    ISBN 0 471 92696 5—ISBN 0 471 92902 6 (pbk.)
    1. Reliability (Engineering) I. Title.
TS173.029 1991   90-13082
620'.00452—dc20   CIP

British Library Cataloguing in Publication Data:
O'Connor, Patrick D. T.
    Practical reliability engineering.–3rd ed.
    1. Reliability engineering
    I. Title
    620.0452
    ISBN 0 471 92696 5
    ISBN 0 471 92902 6 pbk

Typeset by Dobbie Typesetting Service, Tavistock, Devon
Printed in Great Britain by Courier International Ltd, Tiptree, Essex

To Ina

Contents

vii

Preface to the First Edition

This book is designed to provide an introduction to reliability engineering and management, both for students and for practising engineers and managers. The emphasis throughout is on practical applications, and the mathematical concepts described are accordingly limited to those necessary for solution of the types of problems covered. Practical approaches to problem-solving, such as the use of probability plotting techniques and computer programs, are stressed throughout. More advanced texts are cited for further reading on the mathematical and statistical aspects. The references given in the Bibliographies are limited to those considered to provide a direct continuation of the chapter material, with the emphasis on practical applications. Tables and charts are provided to complement the analytical methods described, and numerous worked examples are included.

The book describes and comments on the usage of the major national and government standards and specifications covering reliability engineering and management in the USA and the UK. It is considered that this is an important aspect of the practical approach, since so much engineering development work is now governed by such documents. The effects of current engineering, commercial and legislative developments, such as microelectronics, software-based systems, consumerism and product liability, are covered in some detail.

The requirements of the examination syllabi of the American Society for Quality Control, and the Institute of Quality Assurance (UK) in reliability engineering are covered, so the book will be suitable for use in courses leading to these qualifications. The emphasis on practical approaches to engineering and management, the comprehensive coverage of standards and specifications, and the overall layout of the book should make it equally as suitable as a general up to date reference for use in industry and in government agencies.

Preface to the Second Edition

I have received much helpful criticism of the first edition of my book since it appeared in 1981. Whilst the reviews have generally not been unfavourable, critics have pointed out that, despite the title, the book was not quite practical enough in some areas. I have also come to realize this through my own work, particularly on the application of mathematical modelling and statistics to reliability problems. Consequently, much of the revision for the second edition has been to add to what I consider to be the practical aspects of management and engineering for reliability.

I have added to the sections on reliability prediction, demonstration and measurement, to explain and to stress the fundamental and considerable uncertainty associated with attempts to quantify and forecast a property of engineered products which is inherently non-deterministic. I believe that when people involved in reliability work manage to unshackle themselves from the tyranny of the 'numbers game' the way is cleared for the practical engineering and management approaches that are the only ways to achieve the highly reliable products demanded by the markets of today. I have not removed the descriptions of the methods for quantifying reliability, since I believe that, when these are applied with commonsense and understanding of their inherent limitations, they can help us to solve reliability problems and to design and make better products.

I have added three new chapters, all related to the practical aspects.

The first edition described how to analyse test data, but included little on how to test. I have therefore written a new chapter on reliability testing, covering environmental and stress testing and the integration of reliability and other development testing. I am indebted to Wayne Tustin for suggesting this and for his help and advice on this subject.

The quality of manufacture is obviously fundamental to achieving high reliability. This point was made in the first edition, but was not developed. I have added a complete chapter on quality assurance (QA), as well as new material on integrated management of reliability and QA programmes.

Maintenance also affects reliability, so I have added a new chapter on maintenance and maintainability, with the emphasis on how they affect reliability, how reliability affects maintenance planning and how both affect availability.

I have also added new material on the important topic of reliability analysis for repairable systems. Harry Ascher, of the US Naval Research Laboratory, has pointed out that the reliability literature, including the first edition of my book, has almost totally ignored this aspect, leading to confusion and analytical errors. How many reliability engineers and teachers know that Weibull analysis of repairable system reliability data can be quite misleading except under special, unrealistic conditions? Thanks to Harry Ascher, I know now, and I have tried to explain this in the new edition.

I have also brought other parts of the book up to date, particularly the sections on electronic and software reliability.

The third reprint of the first edition included many corrections, and more corrections are made in this edition.

I am extremely grateful to all those who have pointed out errors and have helped me to correct them. Paul Baird of Hewlett Packard, Palo Alto, was particularly generous. Colleagues at British Aerospace, particularly Brian Collett, Norman Harris, Chris Gilders and Gene Morgan, as well as many others, also provided help, advice and inspiration.

Finally, my thanks go to my wife Ina for much patience, support and typing.

Preface to the Third Edition

The new industrial revolution has been driven mainly by the continuing improvements in quality and productivity in nearly all industrial sectors. The key to success in every case has been the complete integration of the processes that influence quality and reliability, in product specification, design, test, manufacture, and support. The other essential has been the understanding and control of variation, in the many ways in which it can affect product performance, cost and reliability. Teachers such as W. E. Deming and G. Taguchi have continued to grow in stature and following as these imperatives become increasingly the survival kit of modern industry.

I tried to stress these factors in the second edition, but I have now given them greater prominence. I have emphasized the use of statistical experimentation for preventing problems, not just for solving them, and the topic is now described as a design and development activity. I have added to the chapter on production quality assurance, to include process improvement methods and more information on process control techniques. These chapters, and the chapter on management, have all been enlarged to emphasize the integration of engineering effort to identify, minimize and reduce variation and its effects. The important work of Taguchi and Shainin is described, for the first time in this book. Chris Gray gave me much valuable help in describing the Taguchi method.

I have updated several chapters, particularly those on electronic systems reliability. I have also added a new chapter on reliability of mechanical components and systems. I would like to thank Professor Dennis Carter for his advice on this chapter.

I have taken the opportunity to restructure the book, to reflect better the main sequence of engineering development, whilst stressing the importance of an integrated, iterative approach.

I have once more been helped by many people who have contributed kind criticisms of the earlier edition, and I have tried to take these into account. I also would like to record with thanks my continuing debt to Norman Harris for his contributions to bridging the gap between engineering and statistics, and for helping me to express his ideas.

Finally, my heartfelt thanks go to my wife and boys for their forebearance, patience, and support. Having an author at home must place severe demands on love and tolerance.

PATRICK O'CONNOR
1990

Acknowledgements

I am deeply indebted to many people for their help and constructive criticism. In particular, Dr R. A. Evans provided invaluable comments, corrections and suggestions for improvement. My colleague Mr Norman Harris provided much valuable assistance and several new insights on the material of Chapters 2 and 3. Professor A. D. S. Carter of the Royal Military College of Science gave very helpful advice on the analysis methods in Chapter 4, and I am grateful for his permission to reproduce material from his published papers on load–strength interference which appear in the Bibliography at the end of that chapter. Dr Bev Littlewood of the City University, London, was very generous with suggestions and criticisms on Chapter 10 on software reliability. Mr Kenneth Blemel also provided many suggestions for improvement and corrections. I am also indebted to the many others who encouraged and helped me, either in discussions, with comments on the text, or whose published work provided me with insights and guidance.

I acknowledge with thanks the permission I have been given to reproduce the following copyright material: Fig. 1.6, from British Standard, BS 5760, Part 1, British Standards Institution, London (1979); Table 2.4, from W. Volk, *Applied Statistics for Engineers*, McGraw-Hill, New York (1958); Fig. 2.7, from *Industrial Quality Control* (December 1965); Fig. 2.8, from H. F. Dodge and H. G. Romig, *Sampling Inspection Tables*, Bell Telephone Laboratories (1944); Figs 4.4 to 4.7, from A. D. S. Carter, 'Reliability reviewed', *Proc. Inst. Mech. Eng.*, **193** (4) (1979); Table 5.1, adapted from R. H. Myers, K. L. Wong and H. M. Gordy, *Reliability Engineering for Electronic Systems*, Wiley, New York (1964); Figs 9.3 and 9.4, and Table 9.6, from R. I. Anderson, RDH 376: *Reliability Design Handbook*, Reliability Analysis Center, IIT Research Institute (1976); Appendix 4 from A. Hald, *Statistical Tables and Formulas*, Wiley, New York (1952); probability and hazard plotting papers from Technical and Engineering Aids to Management Inc. and H. W. Peel and Co. Ltd.

Finally, I would like to thank Miss Linda Rendle for her speedy and efficient typing of the manuscript, and the management of British Aerospace Dynamics Group, Stevenage Division, for encouragement and assistance in writing the book.

Notation and Definitions

LIST OF SYMBOLS

α	Producer's risk (in sample or sequential testing, s-probability that good lot or item will be rejected). Also Duane slope, also s-significance, s-confidence.
β	Consumer's risk (in sample or sequential testing, s-probability that bad lot or item will be accepted). Also shape parameter (slope) of Weibull distribution.
γ	Location parameter (minimum life) of Weibull distribution.
μ	Location parameter for a continuous distribution. Equal to mean value for s-normal distribution.
η	Characteristic life for Weibull distribution.
σ	Standard deviation (scale parameter) of s-normal distribution.
ν	Degrees of freedom.
θ	Mean time between failures (MTBF) for constant failure rate.
λ	Failure rate.
$\Phi(z)$	Cumulative value of standard s-normal variate, z.
$B(\cdot)$	B-life of Weibull distribution, e.g. B_{10} life.
C	s-confidence.
C_p, C_{p_k}	Process capability.
d	Design ratio = design MTBF/low limit MTBF.
$E(\cdot)$	s-expected value. The s-expected value of x is denoted $\hat{x}$.
$f(\cdot)$	Function of. For a distribution, the probability density function (p.d.f.).
$F(\cdot)$	Cumulative distribution function (c.d.f.).
F	Variance ratio.
$h(\cdot)$	Hazard function.
$H(\cdot)$	Cumulative hazard function.
L	Load.
n	Sample size.
N	Population size.
$P(\cdot)$	s-probability.
$P(\cdot|\cdot)$	Conditional s-probability.
r	s-correlation coefficient. Also rank value for median ranks.
$R(\cdot)$	Reliability function.
S	Standard error. Also strength.

t	Time.
Var($\cdot$)	Variance (σ^2).
$\bar{x}$	Mean value of distributed variable, x.
z	Standard s-normal variate.

SELECTED DEFINITIONS

Reliability

Reliability. The ability of an item to perform a required function under stated conditions for a stated period of time (BS 4778).

(Note: the term reliability can also be denoted as a probability or as a success ratio.)

Redundancy. The existence of more than one means for accomplishing a given function. Each means of accomplishing the function need not necessarily be identical (MIL-STD-721B).

Redundancy, active. That redundancy wherein all redundant items are operating simultaneously rather than being switched on when needed (MIL-STD-721B).

Redundancy, standby. That redundancy wherein the alternative means of performing the function is inoperative until needed and is switched on upon failure of the primary means of performing the function (MIL-STD-721B).

Failure

Failure. The termination of the ability of an item to perform a required function (BS 4778).

Observed failure rate. For a stated period in the life of an item, the ratio of the total number of failures in a sample to the cumulative observed time on that sample. The observed failure rate is to be associated with particular and stated time intervals (or summation of intervals) in the life of the item, and under stated conditions (BS 4778).

Observed mean time between failures (MTBF). For a stated period in the life of an item, the mean value of the length of time between consecutive failures computed as the ratio of the cumulative observed time to the number of failures under stated conditions (BS 4778).

Observed mean time to failure (MTTF) (for non-repairable items). For a stated period in the life of an item, the ratio of the cumulative time for a sample to the total number of failures in the sample during the period under stated conditions (BS 4778).

Observed B-Percentile life. The length of observed time at which stated proportion ($B\%$) of a sample of items has failed (BS 4778).

Maintainability

Maintainability. The ability of an item, under stated conditions of use, to be retained in, or restored to, a state in which it can perform its required functions, when maintenance is performed under stated conditions and using prescribed procedures and resources (BS 4778).

Mean time to repair (MTTR). The total corrective maintenance time divided by the total number of corrective maintenance actions during a given period of time (MIL-STD-721B).

Maintenance, corrective. The actions performed, as a result of failure, to restore an item to a specified condition (MIL-STD-721B).

Maintenance, preventive. The actions performed in an attempt to retain an item in a specified condition by providing systematic inspection, detection and prevention of incipient failure (MIL-STD-721B).

Availability

Availability. The ability of an item (under combined aspects of its reliability, maintainability and maintenance support) to perform its required function at a stated instant of time or over a stated period of time (BS 4778).

1

Introduction to Reliability Engineering

WHY TEACH RELIABILITY?

Engineering education is traditionally concerned with teaching how manufactured products work. The ways in which products fail, the effects of failure and aspects of design, manufacture, maintenance and use which affect the likelihood of failure are not usually taught, mainly because it is necessary to understand how a product works before considering ways in which it might fail. For many products the tendency to approach the failed state is analogous to entropy. The engineer's tasks are to design and maintain the product so that the failed state is deferred. In these tasks he faces the problems inherent in the variability of engineering materials, processes and applications. Engineering education is basically deterministic, and does not usually pay sufficient attention to variability. Yet variability and chance play a vital role in determining the reliability of most products. Basic parameters like mass, dimensions, friction coefficients, strengths and stresses are never absolute, but are in practice subject to variability due to process and materials variations, human factors and applications. Some parameters also vary with time. Understanding the laws of chance and the causes and effects of variability is therefore necessary for the creation of reliable products and for the solution of problems of unreliability.

However, there are practical problems in applying statistical knowledge to engineering problems. These problems have probably deterred engineers in the past from using statistical methods, and texts on reliability engineering and mathematics have generally stressed the theoretical aspects without providing guidance on their practical application. To be helpful a theoretical basis must be credible, and statistical methods which work well for insurance actuaries, market researchers or agricultural experimenters may not work as well for engineers. This is not because the theory is wrong, but because engineers usually have to cope with much greater degrees of uncertainty, mainly due to human factors in production and use.

Some highly reliable products are produced by design and manufacturing teams who practise the traditional virtues of reliance on experience and maintenance of high quality. They do not see reliability engineering as a subject requiring specialist consideration, and a book such as this would teach them little that they did not

1

already practise in creating their reliable products. Engineers and managers might therefore regard a specialist reliability discipline with scepticism. However, many pressures now challenge the effectiveness of the traditional approaches. Competition, the pressure of schedules and deadlines, the cost of failures, the rapid evolution of new materials, methods and complex systems, the need to reduce product costs and safety considerations all increase the risks of product development. Figure 1.1 shows the pressures that lead to the overall perception of risk. Reliability engineering has developed in response to the need to control these risks. Engineers and managers involved in high risk developments generally accept the need for interdisciplinary liaison and control. However, these controls must not stifle progress and flair, and the control must not become an end in itself.

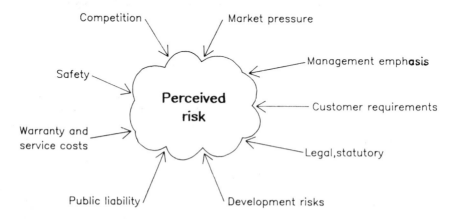

Figure 1.1 Perception of risk

   Later chapters will show how reliability engineering methods can be applied to design, development and management to control the level of risk. The extent to which the methods are applicable must be decided for each project and for each design area. They must not replace normal good practice, such as safe design for components subject to cyclic loading, or application guidelines for electronic components. They should be used to supplement good practice. However, there are times when new risks are being taken, and the normal rules and guidelines are inadequate or do not apply. Sometimes we take risks unwittingly, when we assume that we can extrapolate safely from our present knowledge. Designers and managers are often overoptimistic or are reluctant to point out risks about which they are unsure.

   It is for these reasons that an understanding of reliability principles and methods is now an essential ingredient of modern engineering.

WHAT IS RELIABILITY?

No one disputes the need for articles to be reliable. The average consumer is acutely aware of the problem of less than perfect reliability in domestic products such as TV sets and automobiles. Organizations such as airlines, the military and public utilities are aware of the costs of unreliability. Manufacturers often suffer high costs of failure under warranty. Argument and misunderstanding begin when we try to quantify reliability values, or try to put financial or other benefit values to levels of reliability.

The simplest, purely producer-oriented or inspectors' view of reliability is that in which a product is assessed against a specification or set of attributes, and when passed is delivered to the customer. The customer, having accepted the product, accepts that it might fail at some future time. This simple approach is often coupled with a warranty, or the customer may have some protection in law, so that he may claim redress for failures occurring within a stated or reasonable time. However, this approach provides no measure of quality over a period of time, particularly outside a warranty period. Even within a warranty period, the customer usually has no grounds for further action if the product fails once, twice or several times, provided that the manufacturer repairs the product as promised each time. If it fails often, the manufacturer will suffer high warranty costs, and the customers will suffer inconvenience. Outside the warranty period, only the customer suffers. In any case, the manufacturer will also probably incur a loss of reputation, possibly affecting future business.

We therefore come to the need for a time-based concept of quality. The inspectors' concept is not time-dependent. The product either passes a given test or it fails. On the other hand, reliability is usually concerned with failures in the time domain. This distinction marks the difference between traditional quality control and the modern approach to reliability.

Quality control (QC) of manufacturing processes obviously makes an essential contribution to the reliability of a product. In the chapters on manufacturing (Chapter 13) and reliability management (Chapter 15), the need to consider QC as an integral part of an overall reliability programme will be emphasized.

Reliability is, then, generally concerned with failures during the life of a product. (The reliability, or success ratio, of 'one-shot' items will be covered separately.) We therefore need to understand why items fail. A stressed item will fail only when the applied load exceeds the strength at the time of application. (The reader will think of failures which are not caused by the application of loads; this is an aspect of reliability which we will cover later.) This is easy to appreciate for most mechanical items, but it can be taken as an axiom for all engineered products. For example, a transistor will fail if the current through it exceeds its ability to conduct without overheating to the point of failure of the substrate or of a wire bond. A bearing may seize if it has degraded to the point that the load causes local break-down of the lubricating film.

Reliability is therefore an aspect of engineering uncertainty. Whether an item works for a particular period is a question which can be answered as a probability. This results in the usual engineering definition of reliability (for a non-repaired item) as:

The probability that an item will perform a required function without failure under stated conditions for a stated period of time.

PROBABILISTIC RELIABILITY

The concept of reliability as a probability means that any attempt to quantify it must involve the use of statistical methods. An understanding of statistics as applicable to reliability engineering is therefore a necessary basis for progress, except for the special cases when reliability is perfect (we know the item will never fail) or it is zero (the item will never work). For practical purposes a hammer might be 100 per cent reliable if used for driving tacks, but would have a zero reliability if used to stop a train. If used to break rocks, its reliability for a given period might have some value between 0 and 100 per cent. In engineering we try to ensure 100 per cent reliability, but our experience tells us that we do not always succeed. Therefore reliability statistics are usually concerned with probability values which are very high (or very low: the probability that a failure does occur, which is $1 -$ reliability). Quantifying such numbers brings increased uncertainty, since we need correspondingly more information. Other sources of uncertainty are introduced because reliability is often about people who make and people who use the product, and because of the widely varying environments in which typical products might operate.

Further uncertainty, often of a subjective nature, is introduced when engineers begin to discuss failures. Should a failure be counted if it was due to an error that is hoped will not be repeated? If design action is taken to reduce the risk of one type of failure, how can we quantify our trust in the designer's success? Was the machine under test typical of the population of machines?

Reliability is quantified in other ways. We can specify a reliability as the mean number of failures in a given time (failure rate), or as the *mean time between failures* (MTBF) for items which are repaired and returned to use, or as the *mean time to failure* (MTTF) for items which are not repaired. For repaired items, it is often assumed that failures occur at a constant rate, in which case the failure rate $\lambda = (\text{MTBF})^{-1}$. However, this is only a special case, valuable because it is often true and because it is easy to understand.

The application and interpretation of statistics in reliability are less straightforward than in, say, public opinion polls or measurement of human variations such as IQ or height. In these applications, most interest is centred around the behaviour of the larger part of the population or sample, variation is not very large and data are plentiful. In reliability we are concerned with the behaviour of unlikely combinations of load and strength, variability is often hard to quantify and data are expensive.

Further difficulties arise in application of statistical theory to reliability engineering, owing to the fact that variation is often a function of time or of time-related factors such as operating cycles, diurnal or seasonal cycles, maintenance periods, etc. Engineering, unlike most fields of knowledge, is primarily concerned with change, hopefully, but not always, for the better. Therefore the reliability data from any past situation cannot be used to make credible forecasts of the future behaviour, without taking into account non-statistical factors such as design changes, maintainer training, and even imponderables such as unforeseeable production or service problems. The statistician working in reliability engineering needs to be aware of these realities.

Chapter 2 provides the statistical basis of reliability engineering, but it must always be remembered that quality and reliability data contain many sources of uncertainty and variability which cannot be rigorously quantified. Nevertheless, it is necessary to derive values for decision-making so the mathematics are essential. The important point is that the reliability engineer or manager is not, like an insurance actuary, a powerless observer of his statistics. Statistical derivations of reliability are not a guarantee of results, and these results can be significantly affected by actions taken by quality and reliability engineers and managers.

LOAD AND STRENGTH

Obviously the relationship between load and strength is important in reliability engineering. Generally, failure will occur if load exceeds strength. The probability of failure due to the load exceeding the strength can be modelled by the rules of statistics, since the loads and strengths are themselves often variable.

Figure 1.2 shows a simple situation, in which an item has a constant strength and is subjected to a fixed load which is less than the strength. Such an item, under such an application, will not fail. Figure 1.3 shows a more typical case, in which both load and strength are variable, distributed about a mean value, i.e. there is a finite probability that either value exceeds or is less than the mean value. If there is no overlap of the distributed values, again failures cannot occur. Figure 1.4, however, shows an overlap of the load and strength distributions. In such a population of items, any item in the left-hand 'tail' of the strength distribution which is subjected to a load in the overlapping right-hand 'tail' of the load distribution

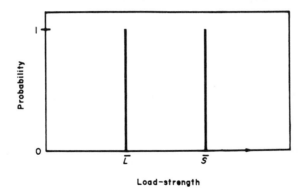

Figure 1.2 Load–strength—discrete values

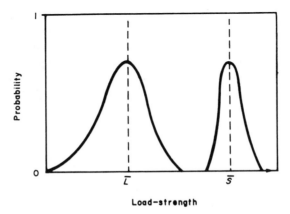

Figure 1.3 Load–strength—distributed values

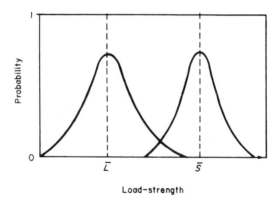

Figure 1.4 Load–strength—interfering distributions

will fail at that time. This is a situation in which there is *interference* between the load and strength distributions. Strength does not always have a constant average value, e.g. when material fatigue or corrosion occurs, and the strength distribution then varies with time or with repeated load applications. Load–strength interference is a very important aspect of reliability engineering, and the ways in which the load and strength are distributed affect the pattern of failures as well as the probability of failure. Because of its importance, load–strength interference is covered in detail in Chapter 4.

REPAIRABLE AND NON-REPAIRABLE ITEMS

It is important to distinguish between repairable and non-repairable items when predicting or measuring reliability.

For a non-repairable item such as a light bulb, a transistor, a rocket motor or an unmanned spacecraft, reliability is the survival probability over the item's expected life, or for a period during its life, *when only one failure can occur*. During the item's life the instantaneous probability of the first and only failure is called the *hazard rate*. Life values such as the mean life or *mean time to failure* (MTTF), or the expected life by which a certain percentage might have failed (say 10 per cent.), are other reliability characteristics that can be used. Note that non-repairable items may be individual parts (light bulbs, transistors) or systems comprised of many parts (spacecraft, microprocessors). When a part fails in a non-repairable system, the system fails (usually) and system reliability is, therefore, a function of the time to the first part failure.

For items which are repaired when they fail, reliability is the probability that failure will not occur in the period of interest, when *more than one failure can occur*. It can also be expressed as the *failure rate* or the *rate of occurrence of failures* (ROCOF). However, the failure rate expresses the instantaneous probability of failure per unit time, when several failures can occur in a time continuum. It is unfortunate that the expression *failure rate* has been applied loosely in the past to non-repairable items. What is really meant is that, in a repairable system which contains a part type, the part will contribute by that amount to the system failure rate. The part, being non-repairable, cannot have a failure rate. This distinction does not always have practical significance, but it can, as will be shown later. The expression ROCOF is sometimes used to stress this point.

Repairable system reliability can also be characterized by the *mean time between failures* (MTBF), but only under the particular condition of a constant failure rate. We are also concerned with the *availability* of repairable items, since repair takes time. Availability is affected by the rate of occurrence of failures (failure rate) and by maintenance time. Maintenance can be corrective (i.e. repair) or preventive (to reduce the likelihood of failure, e.g. lubrication). We therefore need to understand the relationship between reliability and maintenance, and how both reliability and maintainability can affect availability.

Sometimes an item may be considered as both repairable and non-repairable. For example, a missile is a repairable system whilst it is in store and subjected to scheduled tests, but it becomes a non-repairable system when it is launched. Reliability analysis of such systems must take account of these separate states. Repairability might also be determined by other considerations. For example, whether a TV electronics board is treated as a repairable item or not will depend upon the cost of repair. An engine or vehicle will be treated as repairable only up to a certain age.

Repairable system reliability data analysis is covered in Chapter 12 and availability and maintainability in Chapter 14.

THE PATTERN OF FAILURES WITH TIME
(NON-REPAIRABLE ITEMS)

There are three basic ways in which the pattern of failures can change with time. The hazard rate may be decreasing, increasing or constant. We can tell much about the causes of failure and about the reliability of the item by appreciating the way the hazard rate behaves in time.

A constant hazard rate is characteristic of failures which are caused by the application of loads in excess of the design strength, at a constant average rate. For example, overstress failures due to accidental or transient circuit overload, or maintenance-induced failures of mechanical equipment, typically occur randomly and at a generally constant rate.

Material fatigue brought about by strength deterioration due to cyclic loading is a failure mode which does not occur for a finite time, and then exhibits an increasing probability of occurrence.

Decreasing hazard rates are observed in items which become less likely to fail as their survival time increases. This is often observed in electronic equipment and parts. 'Burn-in' of electronic parts is a good example of the way in which knowledge of a decreasing hazard rate is used to generate an improvement in reliability. The parts are operated under failure-provoking stress conditions for a time before delivery. As substandard parts fail and are rejected the hazard rate decreases and the surviving population is more reliable.

The combined effect generates the so-called *bathtub curve* (Figure 1.5). This shows an initial decreasing hazard rate or infant mortality period, an intermediate useful

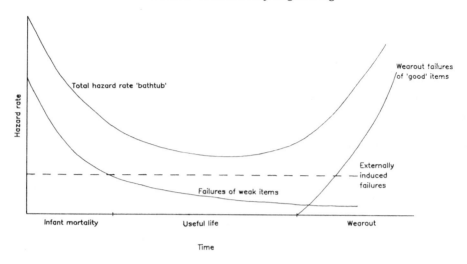

Figure 1.5 The 'bathtub' curve

life period and a final wearout period. Death is a good analogy to failure of a non-repairable system, and the bathtub curve model is similar to actuarial statistical models.

THE PATTERN OF FAILURES WITH TIME (REPAIRABLE ITEMS)

The failure rates (or ROCOF) of repairable items can also vary with time, and important implications can be derived from these trends.

A constant failure rate (CFR) is indicative of externally induced failures, as in the constant hazard rate situation for non-repairable items. A CFR is also typical of complex systems subject to repair and overhaul, where different parts exhibit different patterns of failure with time and parts have different ages since repair or replacement. Repairable systems can show a decreasing failure rate (DFR) when reliability is improved by progressive repair, as defective parts which fail relatively early are replaced by good parts. 'Burn in' is applied to electronic systems, as well as to parts, for this purpose.

An increasing failure rate (IFR) occurs in repairable systems when wearout failure modes of parts begin to predominate.

The pattern of failures with time of repairable systems can also be illustrated by use of the bathtub curve (Fig. 1.5), but with the failure rate (ROCOF) plotted against age instead of the hazard rate.

The statistical treatment of failure data is covered in Chapters 2 and 3.

THE DEVELOPMENT OF RELIABILITY ENGINEERING

Reliability engineering, as a separate engineering discipline, originated in the United States during the 1950s. The increasing complexity of military electronic systems was generating failure rates which resulted in greatly reduced availability and increased costs. Solid state electronics technology offered long term hope, but conversely miniaturization was to lead to proportionately greater complexity, which offset the reliability improvements expected. The gathering pace of electronic device technology meant that the developers of new military systems were making increasing use of large numbers of new component types, involving new manufacturing processes, with the inevitable consequences of low reliability. The users of such equipment were also finding that the problems of diagnosing and repairing the new complex equipment were seriously affecting its availability for use, and the costs of spares, training and other logistics support were becoming excessive. Against this background the US Department of Defense and the electronics industry jointly set up the Advisory Group on Reliability of Electronic Equipment (AGREE) in 1952. The AGREE report concluded that, to break out of the spiral of increasing development and ownership costs due to low reliability, disciplines must be laid down as integral activities in the development cycle for electronic equipment. The report laid particular stress on the need for new equipments to be tested for several thousand hours in high stress cyclical environments including high and low temperatures, vibration and switching, in order to discover the majority of weak areas in a design at an early enough stage to enable them to be corrected before production commenced. Until that time, environmental tests of tens of hours duration had been considered adequate to prove the suitability of a design. The report also recommended that formal demonstrations of reliability, in terms of statistical confidence that a specified MTBF had been exceeded, be instituted as a condition for acceptance of equipment by the procuring agency. A large part of the report was devoted to providing detailed test plans for various levels of statistical confidence and environmental conditions.

The AGREE report was accepted by the Department of Defense, and AGREE testing quickly became a standard procedure. Companies which invested in the expensive environmental test equipment necessary soon found that they could attain levels of reliability far higher than by traditional methods. It was evident that designers, particularly those working at the fringes of advanced technology, could not be expected to produce highly reliable equipment without it being subjected to a test regime which would show up weaknesses. Complex systems and the components used in them included too many variables and interactions for the human designer to cope with infallibly, and even the most careful design reviews and disciplines could not provide sufficient protection. Consequently it was necessary to make the product speak for itself, by causing it to fail, and then to eliminate the weaknesses that caused the failures. The Department of Defense (DOD) reissued the AGREE report on testing as US Military Standard (MIL-STD) 781, *Reliability Qualification and Production Approval Tests*.

Meanwhile the revolution in electronic device technology continued, led by integrated microcircuitry. Increased emphasis was now placed on improving the quality of devices fitted to production equipments. Screening techniques, in which devices are temperature cycled, vibrated, centrifuged, operated at electrical overstress and otherwise abused, were introduced in place of the traditional sampling techniques. With component populations on even single printed circuit boards becoming so large, sampling no longer provided sufficient protection against the production of defective equipment. These techniques were formalized in military standards covering the full range of electronic components. Components produced to these standards were called 'Hi-rel' components.

Engineering reliability effort in the United States developed quickly, and the AGREE and reliability programme concepts were adopted by NASA and many other major suppliers and purchasers of high technology equipment. In 1965 the DOD issued MIL-STD-785—*Reliability Programs for Systems and Equipment*. This document made mandatory the integration of a programme of reliability engineering activities with the traditional engineering activities of design, development and production, as it was by then realized that such an integrated programme was the only way to ensure that potential reliability problems would be detected and eliminated at the earliest, and therefore the cheapest, stage in the development cycle. Much written work appeared on the cost-benefit of higher reliability, to show that effort and resources expended during early development and during production testing, plus the imposition of demonstrations of specified levels of reliability to MIL-STD-781, led to reductions in in-service costs which more than repaid the reliability programme expenditure. The concept of life cycle costs (LCC), or whole life costs, was introduced.

In the United Kingdom, Defence Standard 00–40, *The Management of Reliability and Maintainability* was issued in 1981. The British Standards Institution has issued BS 5760—*Guide on Reliability of Systems, Equipments and Components*.

Specifications and test systems for electronic components, based upon the US Military Standards, have been developed in the United Kingdom and in continental Europe. Electronic component standards including test and quality aspects are being harmonized internationally through the International Electrotechnical Commission (IEC).

COURSES, CONFERENCES AND LITERATURE

Reliability engineering and management are now taught in engineering courses at a large number of universities, colleges and polytechnics, and at many specialist short courses.

Conferences on general and specific reliability engineering and management topics have been held regularly in the United States since the 1960s and in Europe and elsewhere since the 1970s. The best known is the annual US Reliability and Maintainability Symposium (RAMS), sponsored by most of the important engineering associations and institutions in the United States. These conference proceedings contain much useful information and are often cited.

Journals on reliability have also appeared; some are referenced at the end of this chapter. Several books have been published on the subjects of reliability engineering and management; some of these are referenced at the end of other chapters.

Much of the reliability literature has tended to emphasize the mathematical and analytical aspects of the subject, with the result that reliability engineering is often considered by designers and others to be a rather esoteric subject. This is unfortunate, since it creates barriers to communication. More recently there has been a trend to emphasize the more practical aspects and to integrate reliability work into the overall management and engineering process. These aspects are covered in later chapters.

ORGANIZATIONS INVOLVED IN RELIABILITY WORK

Several organizations have been created to develop policies and methods in reliability engineering and to undertake research and training. A summary of these is given in Appendix 8.

RELIABILITY AS AN EFFECTIVENESS PARAMETER

With the increasing cost and complexity of many modern systems, the importance of reliability as an effectiveness parameter, which should be specified and paid for, has become apparent. For example, a radar station, a process plant or an airliner must be available when required, and the cost of non-availability, particularly if it is unscheduled, can be very high. In the weapons field, if an anti-aircraft missile has a less than 100 per cent probability of functioning correctly throughout its engagement sequence, operational planners must consider deploying the appropriate extra quantity to provide the required level of defence. The Apollo project second stage rocket was powered by six rocket motors; any five would have provided sufficient impulse, but an additional motor was specified to cater for a possible failure of one. As it happened there were no failures, and every launch utilized an 'unnecessary' motor. These considerations apply equally to less complex systems, e.g. vending and copying machines, even if the failure costs are less dramatic in absolute terms.

As an effectiveness parameter, reliability can be 'traded off' against other parameters. Reliability generally affects availability, and in this context maintainability is also relevant. Reliability and maintainability are often related to availability by the formula:

$$\text{Availability} = \frac{\text{MTBF}}{\text{MTBF} + \text{MTTR}}$$

where MTTR is the mean time to repair. This is the simplest steady-state situation. It is clear that availability improvements can be achieved by improving either MTBF or MTTR. For example, automatic built-in test equipment can greatly reduce diagnostic times for electronic equipment, at a cost of a slight reduction in overall reliability and an increase in unit costs. Many other parameters can be considered in trade-offs, such as weight, redundancy, cost of materials, parts and processes, or reduction in performance.

The greatest difficulty in estimating relationships for reliability trade-offs derives from the fact that, whereas it is possible to estimate quite accurately such factors as the cost and weight penalties of built-in test equipment, the cost of materials and components, or the worth of a measurable performance parameter, the effect on reliability cannot generally be forecast accurately, and reliability measurements can at best be made only within statistical limits imposed by the amount of data available. Even for quite simple systems, quantifying the separate contributions to a measured change in reliability due to different causes is a very uncertain exercise. Consequently, while there is considerable literature on the effectiveness of various reliability methods, few generally applicable estimating relationships are available. Selection of trade-offs must therefore be very much a matter of experience of similar projects in the knowledge that wide margins of error can exist.

RELIABILITY PROGRAMME ACTIVITIES

What, then, are the actions that managers and engineers can take to influence reliability? One obvious activity already mentioned is quality control, the whole range of functions designed to ensure that delivered products are compliant with the design. For many products, QC is sufficient to ensure high reliability, and we would not expect a match factory or a company mass-producing simple diecastings to employ reliability staff. In such cases the designs are simple and well proven, the environments in which the products will operate are well understood and the very occasional failure has no significant financial or operational effect. QC, together with craftsmanship, can provide adequate assurance for simple products or when the risks are known to be very low. Risks are low when safety margins can be made very large, as in most structural engineering. Reliability engineering disciplines may justifiably be absent in many types of product development and manufacture. QC disciplines are, however, essential elements of any integrated reliability programme.

A formal reliability programme is necessary whenever the risks or costs of failure are not low. We have already seen how reliability engineering developed as a result of the high costs of unreliability of military equipment. In many respects reliability engineering has achieved the highest status, and the most dramatic results, in the space programmes, particularly in the United States. However, the same disciplines are used to great effect when unreliability affects business, and the high reliability, often taken for granted, of many everyday products owes much to the reliability engineering methods developed in these programmes. Good examples are provided by domestic electronic equipment, automobiles and office copying machines, where competition and new technology force an awareness of the need for a disciplined approach to reliability. Risks of failure usually increase in proportion to the number of components in a system, so reliability programmes are required for any product whose complexity leads to an appreciable risk.

An effective reliability programme should be based on the conventional wisdom of responsibility and authority being vested in one person. Let us call him or her the reliability programme manager. The responsibility must relate to a defined objective, which may be a maximum warranty cost figure, an MTBF to be demonstrated or a requirement that failure will not occur. Having an objective and the authority, how does the reliability programme manager set about his or her task, faced as he or she is with a responsibility based on statistical uncertainties? This question will be answered in detail in subsequent chapters, but a brief outline is given below.

The reliability programme must begin at the earliest, conceptual phase of the project. It is at this stage that fundamental decisions are made, which can significantly affect reliability. These are decisions related to the risks involved in the specification (design, complexity, producibility, etc.), development time-scale, resources applied to evaluation and test, skills available, and other factors.

The shorter the development time-scale, the more important is this need, particularly if there will be few opportunities for an iterative approach. The activities appropriate to this phase are an involvement in the assessment of these trade-offs and the generation of reliability objectives. The reliability staff can perform these functions effectively only if they are competent to contribute to the give-and-take inherent in the trade-off negotiations, which may be conducted between designers, production staff, marketing staff, customer representatives and finance staff.

As development proceeds from initial study to detail design, the reliability risks are controlled by a formal, documented, approach to the review of design and to the imposition of design rules relating to components, materials and process selection, de-rating policy, tolerancing, etc. The objectives at this stage are to ensure that known good practices are applied, that deviations are detected and corrected, and that areas of uncertainty are highlighted for further action. The programme continues through the initial hardware manufacturing and test stages, by planning and executing tests to generate confidence in the design and by collecting, analysing and acting upon test data. During production, QC activities ensure that the proven design is repeated, and further testing may be applied to eliminate weak items and to maintain confidence. The data collection, analysis and action process continues through the production and in-use phases. Throughout the product life cycle, therefore, the reliability is assessed, first by initial predictions based upon past experience in order to determine feasibility and set objectives, then by refining the predictions as detail design proceeds and subsequently by recording performance during the test, production and in-use phases. This performance is fed back to generate corrective action, and to provide data and guidelines for future products.

The elements of a reliability programme are outlined in documents such as US MIL-STD-785, UK Defence Standard 00–40 and British Standard 5760 (References 1–3). Figure 1.6 (from BS 5760) indicates the cyclical nature of an effective programme and shows the range of activities involved. The activities are described fully in subsequent chapters.

RELIABILITY ECONOMICS AND MANAGEMENT

Obviously the reliability programme activities described can be expensive. Figure 1.7 is a commonly-described representation of the theoretical cost–benefit relationship of effort expended on reliability (or production quality) activities. However, despite its intuitive appeal and frequent presentation in textbooks and teaching on quality and reliability, this picture is misleading. Closer thought easily uncovers the error in the picture. Since less than perfect reliability is the result of failures, all of which have causes, we should ask 'what is the cost of preventing or correcting the cause, compared with the cost of doing nothing?' When each potential or actual cause is analysed in this way, it is nearly always apparent that total costs continue to reduce indefinitely as reliability is improved. In other words, all effort on an effective reliability programme represents an investment, usually with a large payback over a short period. The only problem is that it is not easy to quantify the effects of given reliability programme activities, such as a certain amount of testing, on achieved reliability. However, experience shows clearly that the more realistic picture is as

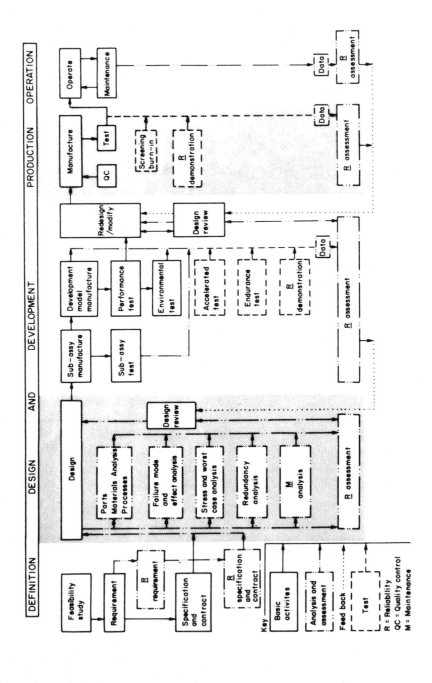

Figure 1.6 Reliability programme (Extracts from BS 5760: Part 1 are reproduced by permission of the British Standards Institution. Complete copies of the document can be obtained from BSI at Linford Wood, Milton Keynes MK14 6LE)

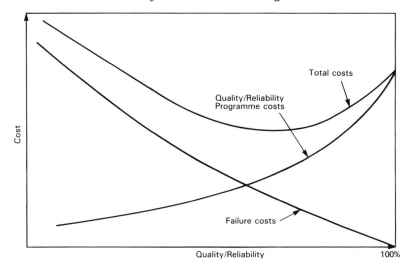

Figure 1.7 Reliability and life cycle costs (traditional view)

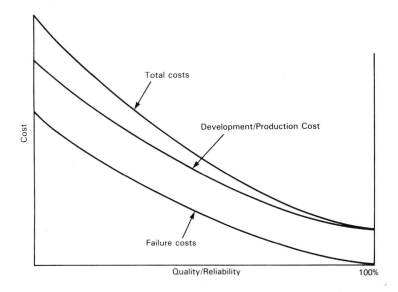

Figure 1.8 Reliability and life cycle costs (modern view)

shown in Fig. 1.8. It was W. E. Deming (Reference 9) who first explained this relationship in his teaching on production quality. The truth has been clearly demonstrated by the success of the companies that have wholeheartedly adopted this teaching.

Achieving reliable designs and products requires a totally integrated approach, including design, training, test, production, as well as the reliability programme activities. In such an approach it is difficult to separately identify and cost those activities that are specifically devoted to reliability, as opposed to say performance or cost. The integrated engineering approach places high requirements for judgement and engineering knowledge on project managers and team members. Reliability specialists must play their parts as members of the team.

Guidance on reliability programme management and costs is covered in Chapter 15.

BIBLIOGRAPHY

1. US MIL-STD-785: *Reliability Programs for Systems and Equipment.* National Technical Information Service, Springfield, Virginia.
2. UK Defence Standard 00–40: *The Management of Reliability and Maintainability.* HMSO.
3. British Standard, BS 5760: *Reliability of Systems, Equipments and Components.* British Standards Institution, London.
4. US MIL-STD-721: *Definitions of Effectiveness Terms for Reliability, Maintainability, Human Factors and Safety.* Available from the National Technical Information Service, Springfield, Virginia.
5. British Standard, BS 4778: *Glossary of Terms Used in Quality Assurance* (including reliability and maintainability). British Standards Institution, London.
6. *Quality and Reliability Engineering International.* Wiley (published quarterly).
7. *IEEE Trans. Reliab.* IEEE (published quarterly).
8. *Proceedings of the US Reliability and Maintainability Symposia.* American Society for Quality Control and IEEE (published annually).
9. W. E. Deming, *Out of the Crisis.* MIT University Press, 1986 (originally published under the title *Quality, Productivity and Competitive Position*).

2

Reliability Mathematics

INTRODUCTION

The methods used to quantify reliability are the mathematics of probability and statistics. In reliability work we are dealing with uncertainty. In fact this is the case in much of modern engineering, and the probabilistic as opposed to the deterministic approach to engineering problems is becoming more widely applied. As an example, data may show that a certain type of transistor fails at a constant average rate of once per 10^7 h. If an equipment contains 1 000 such transistors, and we operate it for 100 h, we cannot say with certainty whether it will fail in that time or not. We can, however, make a statement about the *probability* of failure. We can go further and state that, within specified statistical *confidence limits*, the probability of failure lies between certain values above and below this probability. If a sample of such equipments is tested, we obtain data which are called *statistics*.

Reliability statistics can be broadly divided into the treatment of *discrete functions*, *continuous functions* and *point processes*. For example, a switch may either work or not work when selected or a pressure vessel may pass or fail a test—these situations are described by discrete functions. In reliability we are often concerned with two-state discrete systems, since equipment is in either an operational or a failed state. Continuous functions describe those reliability situations which are governed by a continuous variable, such as time or distance travelled. The electronic equipment mentioned above would have a reliability function in this class. The distinction between discrete and continuous functions is one of how the problem is treated, and not necessarily of the physics or mechanics of the situation. For example, whether or not a pressure vessel fails a test may be a function of its age, and its reliability could therefore be treated as a continuous function. The statistics of point processes are used in relation to repairable systems, when more than one failure can occur in a time continuum. The choice of method will depend upon the problem and on the type of data available.

Concepts such as statistical confidence are often written as s-confidence to distinguish them from the non-statistical meanings of the terms. This convention is adopted in the remainder of this book.

VARIATION

Reliability is influenced by variability, in parameter values such as resistance of resistors, material properties, or dimensions of parts. Variation is inherent in all manufacturing processes, and designers must understand the nature and extent of possible variation in parts and processes used. They must know how to measure and control this variation, so that the effects on performance and reliability are minimized.

Variation also exists in the environments that engineered products must withstand. Temperature, mechanical stress, vibration spectra, and many other varying factors must be considered.

Statistical methods provide the means for analysing, understanding and controlling variation. They enable us to create designs and develop processes which are intrinsically reliable in the anticipated environments over their expected useful lives.

Of course, it is not necessary to apply statistical methods to understand every engineering problem, since many are purely deterministic or easily solved using past experience or information available in sources such as databooks, specifications, design guides, and in known physical relationships such as Ohm's law. However, there are also many situations in which appropriate use of statistical techniques can be very effective in optimizing designs and processes, and for solving quality and reliability problems.

A cautionary note

Whilst statistical methods can be very powerful, economic and effective in reliability engineering applications, they must be used in the knowledge that variation in engineering is in important ways different from variation in most natural processes, or in repetitive engineering processes such as repeated, in-control machining or diffusion processes. Such processes are usually:

—Constant in time, in terms of the nature (average, spread, etc.) of the variation.
—Distributed in a particular way, describable by a mathematical function known as the s-normal distribution (which will be described later in this chapter).

In fact, these conditions often do not apply in engineering. For example:

—A component supplier might make a small change in a process, which results in a large change (better or worse) in reliability. Therefore past data cannot be used to forecast future reliability, using purely statistical methods. The change might be deliberate or accidental, known or unknown.
—Components might be selected according to criteria such as dimension or other measured parameter. This can invalidate the s-normal distribution assumption on which much of the statistical method is based. This might or might not be important in assessing the results.
—A process or parameter might vary in time, continuously or cyclically, so that statistics derived at one time might not be relevant at others.
—Variation is often deterministic by nature, for example spring deflection as a function of force, and it would not always be appropriate to apply statistical techniques to this sort of situation.
—Variation in engineering can arise from factors that defy mathematical treatment. For example, a thermostat might fail, causing a process to vary in a different way

to that determined by earlier measurements, or an operator or test technician might make a mistake.

—Variation can be catastrophic, not only continuous. For example, a parameter such as a voltage level may vary over a range, but could also go to zero.

These points highlight the fact that variation in engineering is caused to a large extent by people, as designers, makers, operators and maintainers. The behaviour and performance of people is not as amenable to mathematical analysis and forecasting as is, say, the response of a plant to fertilizer or even weather patterns to ocean temperatures. Therefore the human element must always be considered, and statistical analysis must not be relied on without appropriate allowance being made for the effects of factors such as motivation, training, management, and the many other factors that can influence reliability.

Finally, it is most important to bear in mind, in any application of statistical methods to problems in science and engineering, that ultimately all cause and effect relationships have explanations, in scientific theory, engineering design, process or human behaviour, etc. Statistical techniques can be very useful in helping us to understand and control engineering situations. However, they do not by themselves provide explanations. We must always seek to understand causes of variation, since only then can we really be in control. *See the quotations on the flyleaf, and think about them.*

PROBABILITY CONCEPTS

Any event has a probability of occurrence, which can be in the range 0–1. A zero probability means that the event will not occur; a probability of 1 means that it will occur. A coin has a 0.5 (even) probability of landing heads, and a die has a 1/6 probability of giving any one of the six numbers. Such events are *s-independent*, i.e. the coin and the die logically have no memory, so whatever has been thrown in the past cannot affect the probability of the next throw. No 'system' can beat the statistics of these situations; waiting for a run of blacks at roulette and then betting on reds only appears to work because the gamblers who won this way talk about it, whilst those who lost do not.

With coins, dice and roulette wheels we can predict the probability of the outcome from the nominal nature of the system. A coin has two sides, a die six faces, a roulette wheel equal numbers of reds and blacks. Assuming that the coin, die and wheel are fair, these outcomes are also *unbiased*, i.e. they are all equally probable. In other words, they occur *randomly*.

With many systems, such as the sampling of items from a production batch, the probabilities can only be determined from the statistics of previous experience.

We can define probability in two ways:

1. If an event can occur in N equally likely ways, and if the event with attribute A can happen in n of these ways, then the probability of A occurring is

$$P(A) = \frac{n}{N}$$

2. If, in an experiment, an event with attribute A occurs *n* times out of *N* experiments, then as *N* becomes large, the probability of event A approaches *n/N*, i.e.

$$P(A) = \lim_{n \to \infty} \left(\frac{n}{N} \right)$$

The first definition covers the cases described earlier, i.e. equally likely *s*-independent events such as rolling dice. The second definition covers typical cases in quality control and reliability. If we test 100 items and find that 30 are defective, we may feel justified in saying that the probability of finding a defective item in our next test is 0.30, or 30 per cent.

However, we must be careful in making this type of assertion. The probability of 0.30 of finding a defective item in our next test may be considered as our *degree of belief*, limited by the size of the sample, in this outcome. This leads to a third, subjective, definition of probability. If, in our tests of 100 items, seven of the defectives had occurred in a particular batch of ten and we had taken corrective action to improve the process so that such a problem batch was less likely to occur in future, we might assign some lower probability to the next item being defective. This subjective approach is quite valid, and is very often necessary in quality control and reliability work. Whilst it is important to have an understanding of the rules of probability, there are usually so many variables which can affect the properties of manufactured items that we must always keep an open mind about statistically derived values. We must ensure that the sample from which statistics have been derived represents the new sample, or the overall population, about which we plan to make an assertion based upon our sample statistics.

A sample represents a population if all the members of the population have an equal chance of being sampled. This can be achieved if the sample is selected so that this condition is fulfilled. Of course in engineering this is not always practicable; e.g. in reliability engineering we often need to make an assertion about items that have not yet been produced, based upon statistics from prototypes.

To the extent that the sample is not representative, we will alter our assertions. Of course, subjective assertions can lead to argument, and it might be necessary to perform additional tests to obtain more data to use in support of our assertions. If we do perform more tests, we need to have a method of interpreting the new data in relation to the previous data: we will cover this aspect later.

The assertions we can make based on sample statistics can be made with a degree of *s*-confidence which depends upon the size of the sample. If we had decided to test ten items after introducing a change to the process, and found one defective, we might be tempted to assert that we have improved the process, from 30 per cent defectives being produced to only 10 per cent. However, since the sample is now much smaller, we cannot make this assertion with as high *s*-confidence as when we used a sample of 100. In fact, the true probability of any item being defective might still be 30 per cent, i.e. the population might still contain 30 per cent defectives.

Figure 2.1 shows the situation as it might have occurred, over the first 100 tests. The black squares indicate defectives, of which there are 30 in our batch of 100. If these are randomly distributed, it is possible to pick a sample batch of ten which contains fewer (or more) than three defectives. In fact, the smaller the sample, the greater will be the sample-to-sample variation about the population average, and

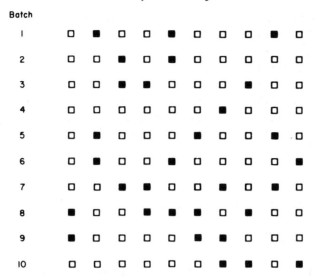

Figure 2.1 Samples with defectives (black squares)

the s-confidence associated with any estimate of the population average will be accordingly lower. The derivation of s-confidence limits is covered later in this chapter.

RULES OF PROBABILITY

In order to utilize the statistical methods used in reliability engineering, it is necessary to understand the basic notation and rules of probability. These are:

1. The probability of obtaining an outcome A is denoted by $P(A)$, and so on for other outcomes.
2. The *joint* probability that A *and* B occur is denoted by $P(AB)$.
3. The probability that A *or* B occurs is denoted by $P(A+B)$.
4. The *conditional* probability of obtaining outcome A, *given that B has occurred*, is denoted by $P(A|B)$.
5. The probability of the complement, i.e. of A *not* occurring, is $P(\bar{A})=1-P(A)$.
6. If (and only if) events A and B are *s-independent*, then

$$P(A|B)=P(A|\bar{B})=P(A)$$

and

$$P(B|A)=P(B|\bar{A})=P(B) \tag{2.1}$$

i.e. $P(A)$ is unrelated to whether or not B occurs, and vice versa.

7. The joint probability of the occurrence of two s-independent events A and B is the product of the individual probabilities:

$$P(AB) = P(A)P(B) \tag{2.2}$$

This is also called the *product rule* or *series rule*. It can be extended to cover any number of s-independent events. For example, in rolling a die, the probability of obtaining any given sequence of numbers in three throws is

$$\tfrac{1}{6} \times \tfrac{1}{6} \times \tfrac{1}{6} = \tfrac{1}{216}$$

8. If events A and B are *s-dependent*, then

$$P(AB) = P(A)P(B \mid A) = P(B)P(A \mid B) \tag{2.3}$$

i.e. the probability of A occurring times the probability of B occurring given that A has already occurred, or vice versa.
   If $P(A) \neq 0$, Eqn (2.3) can be rearranged to

$$P(B \mid A) = \frac{P(AB)}{P(A)} \tag{2.4}$$

9. The probability of any one of two events A or B occurring is

$$P(A+B) = P(A) + P(B) - P(AB) \tag{2.5}$$

10. The probability of A or B occurring, if A and B are s-independent, is

$$P(A+B) = P(A) + P(B) - P(A)P(B) \tag{2.6}$$

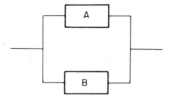

Figure 2.2 Dual redundant system

The derivation of this equation can be shown by considering the system shown in Fig. 2.2, in which either A or B, or A and B, must work for the system to work. If we denote the system success probability as P_s, then the failure probability, $P_f = 1 - P_s$. The system failure probability is the joint probability of A and B failing, i.e.

$$P_f = [1 - P(A)] \ [1 - P(B)]$$

$$= 1 - P(A) - P(B) + P(A)P(B)$$

$$P_s = 1 - P_f = P(A+B) = P(A) + P(B) - P(A)P(B)$$

11. If events A and B are *mutually exclusive*, i.e. A and B cannot occur simultaneously, then

$$P(AB) = 0$$

and

$$P(A+B) = P(A) + P(B) \tag{2.7}$$

12. If multiple, mutually exclusive probabilities of outcomes B_i jointly give a probability of outcome A, then

$$P(A) = \sum_i P(AB_i) = \sum_i P(A|B_i)P(B_i) \tag{2.8}$$

13. Rearranging Eqn (2.3)

$$P(AB) = P(A)P(B|A) = P(B)P(A|B)$$

we obtain

$$P(A|B) = \frac{P(A)P(B|A)}{P(B)} \tag{2.9}$$

This is a simple form of *Bayes' theorem*. A more general expression is

$$P(A|B) = \frac{P(A)P(B|A)}{\sum_i P(B|E_i)P(E_i)} \tag{2.10}$$

where E_i is the *i*th event.

Example 2.1

The reliability of a missile is 0.85. If a salvo of two missiles is fired, what is the probability of at least one hit? (Assume *s*-independence of missile hits.)

Let A be the event 'first missile hits' and B the event 'second missile hits'. Then

$$P(A) = P(B) = 0.85$$

$$P(\overline{A}) = P(\overline{B}) = 0.15$$

There are four possible, mutually exclusive outcomes, AB, $\bar{A}B$, A$\bar{B}$, $\bar{A}\bar{B}$. The probability of both missing, from Eqn (2.2), is

$$P(\bar{A})P(\bar{B}) = P(\bar{A}\bar{B})$$

$$= 0.15^2 = 0.0225$$

Therefore the probability of at least one hit is

$$P_s = 1 - 0.0225 = 0.9775$$

We can derive the same result by using Eqn (2.6):

$$P(A+B) = P(A) + P(B) - P(A)P(B)$$

$$= 0.85 + 0.85 - 0.85^2 = 0.9775$$

Another way of deriving this result is by using the *sequence tree diagram*:

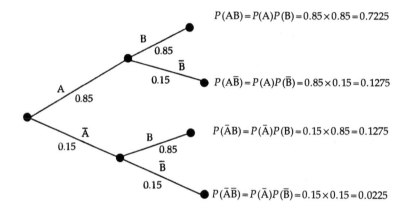

The probability of a hit is then derived by summing the products of each path which leads to at least one hit. We can do this since the events defined by each path are mutually exclusive.

$$P(AB) + P(A\bar{B}) + P(\bar{A}B) = 0.9775$$

(Note that the sum of all the probabilities is unity.)

Example 2.2

In Example 2.1 the missile hits are not s-independent, but are s-dependent, so that if the first missile fails the probability that the second will also fail is 0.2. However, if the first missile hits, the hit probability of the second missile is unchanged at 0.85. What is the probability of at least one hit?

$$P(A)=0.85$$

$$P(B|A)=0.85$$

$$P(\bar{B}|A)=0.15$$

$$P(\bar{B}|\bar{A})=0.2$$

$$P(B|\bar{A})=0.8$$

The probability of at least one hit is

$$P(AB)+P(\bar{A}B)+P(\bar{B}A)$$

Since A, B and A$\bar{B}$ are s-independent,

$$P(AB)=P(A)P(B)$$

$$=0.85\times0.85=0.7225$$

and

$$P(A\bar{B})=P(A)P(\bar{B})$$

$$=0.85\times0.15=0.1275$$

Since $\bar{A}$ and B are s-dependent, from Eqn (2.3),

$$P(\bar{A}B)=P(\bar{A})P(B|\bar{A})$$

$$=0.15\times0.8=0.12$$

and the sum of these probabilities is 0.97.
    This result can also be derived by using a sequence tree diagram:

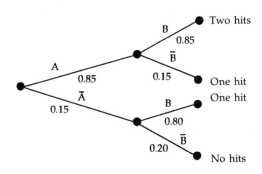

As in Example 2.1, the probability of at least one hit is calculated by adding the products of each path leading to at least one hit, i.e.

$$P(A)P(B)+P(A)P(\bar{B})+P(\bar{A})P(B)$$

$$=(0.85\times0.85)+(0.85\times0.15)+(0.15\times0.80)=0.97$$

Example 2.3

In the circuit shown, the probability of any switch being closed is 0.8 and all events are s-independent. (a) What is the probability that a circuit will exist? (b) Given that a circuit exists, what is the probability that switches a and b are closed?

Let the events that a, b, c and d are closed be A, B, C and D. Let X denote the event that the circuit exists.

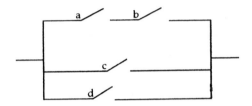

(a) $X=AB+(C+D)$

$$P(X)=P(AB)+P(C+D)-P(AB)P(C+D)$$

$$P(AB)=P(A)P(B)$$

$$=0.8\times0.8=0.64$$

$$P(C+D)=P(C)+P(D)-P(C)P(D)$$

$$=0.8+0.8-0.64=0.96$$

Therefore

$$P(X)=0.64+0.96-(0.96\times0.64)=0.9856$$

(b) From Eqn (2.4),

$$P(AB|X)=\frac{P(ABX)}{P(X)}$$

A and B jointly give X. Therefore, from Eqn (2.8),

$$P(ABX)=P(AB)$$

So

$$P(AB|X) = \frac{P(AB)}{P(X)} = \frac{P(A)P(B)}{P(X)}$$

$$= \frac{0.8 \times 0.8}{0.9856} = 0.6494$$

Example 2.4

A test set has a 98 per cent probability of correctly classifying a faulty item as defective and a 4 per cent probability of classifying a good item as defective. If in a batch of items tested 3 per cent are actually defective, what is the probability that when an item is classified as defective, it is truly defective?

Let D represent the event that an item is defective and C represent the event that an item is classified defective. Then

$$P(D) = 0.03$$

$$P(C|D) = 0.98$$

$$P(C|\overline{D}) = 0.04$$

We need to determine $P(D|C)$. Using Eqn (2.10),

$$P(D|C) = \frac{P(D)P(C|D)}{P(C|D)P(D) + P(C|\overline{D})P(\overline{D})}$$

$$= \frac{(0.03)(0.98)}{(0.98)(0.03) + (0.04)(0.97)} = 0.43$$

This indicates the importance of a test equipment having a high probability of correctly classifying good items as well as bad items.

PROBABILITY DISTRIBUTIONS

If we plot measured values which can vary about an average (e.g. the diameter of machined parts or the gain of a transistor) as a histogram, for a given sample we may obtain a representation such as Fig. 2.3(a).

In this case 30 items have been measured and the frequencies of occurrence of the measured values are as shown. The values range from 2 to 9, with most items having values between 5 and 7. Another random sample of 30 from the same population will usually generate a different histogram, but the general shape is likely to be similar, e.g. Fig. 2.3(b). If we plot a single histogram showing the combined data of many such samples, but this time show the values in measurement intervals

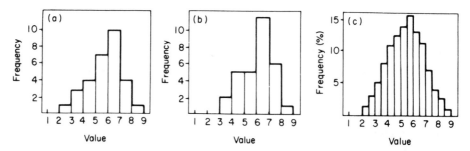

Figure 2.3   (a) Frequency histogram of a random sample, (b) frequency histogram of another random sample from the same population, (c) data of many samples shown with measurement intervals of 0.5

of 0.5, we get Fig. 2.3(c). Note that now we have used a percentage frequency scale. We now have a rather better picture of the distribution of values, as we have more information from the larger sample. If we proceed to measure a large number and we further reduce the measurement interval, the histogram tends to a curve which describes the population *probability density function* (p.d.f.) or simply the *distribution* of values. Figure 2.4 shows a general *unimodal* probability distribution, f(x) being the probability density of occurrence, related to the variable *x*. The value of *x* at which the distribution peaks is called the *mode*. Multimodal distributions are encountered in reliability work as well as unimodal distributions. However, we will deal only with the statistics of unimodal distributions in this book, since multimodal distributions are usually generated by the combined effects of separate unimodal distributions.

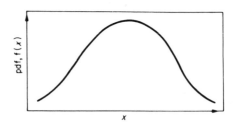

Figure 2.4   Continuous probability distribution

The area under the curve is equal to unity, since it describes the total probability of all possible values of *x*, as we have defined a probability which is a certainty as being a probability of one. Therefore

$$\int_{-\infty}^{\infty} f(x) \, dx = 1 \tag{2.11}$$

The probability of a value falling between any two values x_1 and x_2 is the area bounded by this interval, i.e.

$$P(x_1 < x < x_2) = \int_{x_1}^{x_2} f(x) \, dx \tag{2.12}$$

To describe a p.d.f. we normally consider four aspects:
1. The *central tendency*, about which the distribution is grouped.
2. The *spread*, indicating the extent of variation about the central tendency.
3. The *skewness*, indicating the lack of symmetry about the central tendency.
4. The *kurtosis*, indicating the 'peakedness' of the p.d.f.

Measures of central tendency

For a sample containing n items the sample *mean* is denoted by $\bar{x}$:

$$\bar{x} = \sum_{i=1}^{n} \frac{x_i}{n} \tag{2.13}$$

The sample mean can be used to *estimate* the population mean, which is the average of all possible outcomes. For a continuous distribution, the mean is derived by extending this idea to cover the range $-\infty$ to $+\infty$.

The mean of a distribution is usually denoted by μ. The mean is also referred to as the *location parameter, average value* or *s-expected value*, $E(x)$. In reliability work θ is used to denote the mean in certain special cases (see page 39).

$$\mu = \int_{-\infty}^{\infty} xf(x) \, dx \tag{2.14}$$

This is analogous to the centre of gravity of the p.d.f. The *estimate* of a population mean from sample data is denoted by $\hat{\mu}$.

Other measures of central tendency are the *median*, which is the mid-point of the distribution, i.e. the point at which half the measured values fall to either side, and the *mode*, which is the value (or values) at which the distribution peaks. The relationship between the mean, median and mode for a right-skewed distribution is shown in Fig. 2.5. For a symmetrical distribution, the three values are the same, whilst for a left-skewed distribution the order of values is reversed.

Spread of a distribution

The spread, or dispersion, i.e. the extent to which the values which make up the distribution vary, is measured by its *variance*. For a sample size n the variance, $Var(x)$ or $E(x-\bar{x})^2$, is given by

$$Var(x) = E(x-\bar{x})^2 = \frac{\sum_{i=1}^{n} (x_i - \bar{x})^2}{n} \tag{2.15}$$

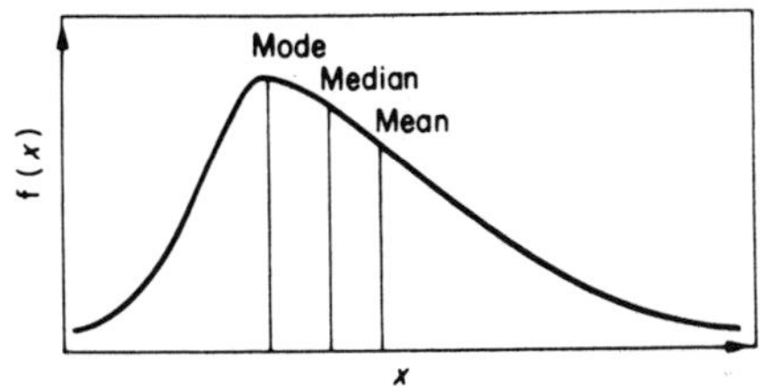

Figure 2.5 Measures of central tendency

Where sample variance is used to estimate the population variance, we use $(n-1)$ in the denominator of Eqn (2.15) instead of n, as it can be shown to provide a better estimate. The *estimate of population variance* from a sample is denoted $\hat{\sigma}^2$ where

$$\hat{\sigma}^2 = \sum_{i=1}^{n} \frac{(x-\bar{x})^2}{n-1} \qquad (2.16)$$

The *population* variance σ^2, for a finite population N, is given by

$$\sigma^2 = \frac{\sum_{i=1}^{N} (x_i - \mu)^2}{N} \qquad (2.17)$$

For a continuous distribution.

$$\sigma^2 = \int_{-\infty}^{\infty} (x - \mu)^2 \, f(x) \, dx \qquad (2.18)$$

σ is called the *standard deviation* (SD) and is frequently used in practice instead of the variance. It is also referred to as the *scale parameter*. σ^2 is the second moment about the mean and is analogous to a radius of gyration.

Skewness and kurtosis

The third and fourth moments about the mean give the skewness and kurtosis of the distribution. Since we will not make use of these parameters in this book, the reader is referred to more advanced statistical texts for their derivation (e.g. Reference 8). A positively skewed distribution is skewed to the right, and vice versa. A symmetrical distribution has zero skew.

The cumulative distribution function

The cumulative distribution function (c.d.f.), $F(x)$, gives the probability that a measured value will fall between $-\infty$ and x:

$$F(x) = \int_{-\infty}^{x} f(x) \, dx \qquad (2.19)$$

Figure 2.6 shows the typical ogive form of the c.d.f. with $F(x) \to 1$ as $x \to \infty$.

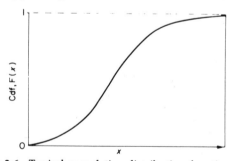

Figure 2.6 Typical cumulative distribution function (c.d.f.)

Reliability and hazard functions

In reliability engineering we are concerned with the probability that an item will survive for a stated interval (e.g. time, cycles, distance, etc.), i.e. that there is no failure in the interval (0 to x). This is the *s-reliability*, and it is given by the reliability function $R(x)$. From this definition, it follows that

$$R(x) = 1 - f(x) = \int_x^\infty f(x)\,dx = 1 - \int_{-\infty}^x f(x)\,dx \tag{2.20}$$

The *hazard function* or *hazard rate* $h(x)$ is the conditional probability of failure in the interval x to $(x+dx)$, given that there was no failure by x:

$$h(x) = \frac{f(x)}{R(x)} = \frac{f(x)}{1 - F(x)} \tag{2.21}$$

The *cumulative hazard function* $H(x)$ is given by

$$H(x) = \int_{-\infty}^x h(x)\,dx = \int_{-\infty}^x \frac{f(x)}{1 - F(x)}\,dx \tag{2.22}$$

Range of definite integrals

In engineering we do not usually encounter measured values below zero and the lower limit of the definite integral is then 0.

DISCRETE DISTRIBUTIONS

The binomial distribution

The binomial distribution describes a situation in which there are only two outcomes, such as pass or fail, and the probability remains the same for all trials. (Trials which give such results are called *Bernoulli trials*.) Therefore, it is obviously very useful in QA and reliability work. The p.d.f. for the binomial distribution is

$$f(x) = \frac{n!}{x!(n-x)!}\, p^x q^{(n-x)} \tag{2.23}$$

$$\frac{n!}{x!(n-x)!} \quad \text{may be written} \quad \binom{n}{x}$$

This is the probability of obtaining x good items and $(n-x)$ bad items, in a sample of n items, when the probability of selecting a good item is p and of selecting a bad item is q. The mean of the binomial distribution (from Eqn 2.13) is given by

$$\mu = np \tag{2.24}$$

and the SD from (Eqn 2.17)

$$\sigma = (npq)^{1/2} \tag{2.25}$$

The binomial distribution can only have values at points where x is an integer. The c.d.f. of the binomial distribution (i.e. the probability of obtaining r or fewer successes in n trials) is given by

$$F(r) = \sum_{x=0}^{r} \binom{n}{x} p^x q^{(n-x)} \tag{2.26}$$

Example 2.5

A frequent application of the cumulative binomial distribution is in QC acceptance sampling. For example, if the acceptance criterion for a production line is that not more than 4 defectives may be found in a sample of 20, we can determine the probability of acceptance of a lot if the production process yields 10 per cent defectives.

For Eqn (2.26),

$$F(4) = \sum_{x=0}^{4} \binom{20}{x} 0.1^x 0.9^{(20-x)}$$

$$= 0.957$$

When approximate values will suffice the nomogram in Fig. 2.7 can be used.

Example 2.6

An aircraft landing gear has 4 tyres. Experience shows that tyre bursts occur on average on 1 landing in 1200. Assuming that tyre bursts occur s-independently of one another, and that a safe landing can be made if not more than 2 tyres burst, what is the probability of an unsafe landing?

If n is the number of tyres and p is the probability of a tyre bursting,

$$n = 4$$

$$p = \frac{1}{1200} = 0.000\ 83$$

$$q = (1-p) = 0.999\ 17$$

The probability of a safe landing is the probability that not more than 2 tyres burst.

$$F(2)=\binom{4}{2}(0.000\ 83)^2(0.999\ 17)^2+\binom{4}{1}(0.000\ 83)^1(0.999\ 17)^3$$

$$+\binom{4}{0}(0.000\ 83)^0(0.999\ 17)^4$$

$$=0.000\ 004\ 159\ 7+0.003\ 325\ 006\ 9+0.996\ 670\ 831$$

$$=0.999\ 999\ 997\ 7$$

Therefore the probability of an unsafe landing is

$$1-0.999\ 999\ 997\ 7=2.3\times10^{-9}$$

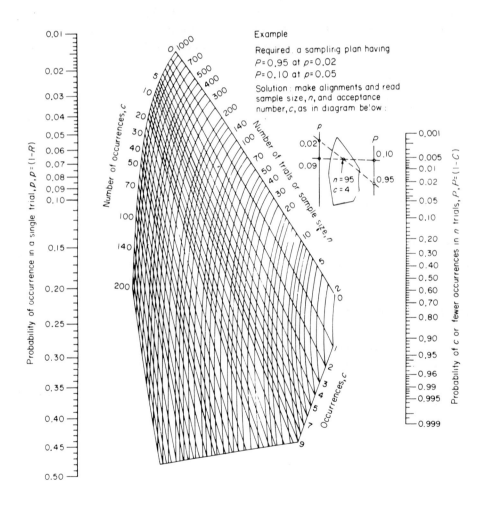

Figure 2.7 Nomogram of the cumulative binomial distribution

The Poisson distribution

If events are Poisson-distributed they occur at a *constant average rate*, with only one of the two outcomes countable, e.g. the number of failures in a given time or defects in a length of wire:

$$f(x) = \frac{\mu^x}{x!} \exp(-\mu) \qquad (x=0, 1, 2, \ldots) \tag{2.27}$$

where μ is the mean rate of occurrence. The Poisson distribution can also be considered as an extension of the binomial distribution, in which n is considered infinite.

Figure 2.8 provides a chart for the cumulative Poisson distribution. For example, if we need to know the probability of not more than three failures occurring in 1000 h of operation of a system, when the mean rate of failures is 1 per 1000 h, we can read the answer from Fig. 2.8 as 0.98 ($\mu = 1/1000$, $x = 3$).

Since the Poisson distribution can represent the limiting case of the binomial distribution it gives a good approximation to the binomial distribution, when p or q are small and n is large. This is useful in sampling work where the proportion of defectives is low (i.e. $p < 0.1$).

The Poisson approximation is

$$f(x) = \frac{(np)^x}{x!} \exp(-np) \tag{2.28}$$

$$[\mu = np; \ \sigma = (np)^{1/2} = \mu^{1/2}]$$

This approximation allows us to use Poisson tables or charts in appropriate cases and also simplifies calculations.

Example 2.7

If the probability of an item failing is 0.001, what is the probability of 3 failing out of a population of 2000?

The binomial solution is

$$\binom{2000}{3} 0.999^{1997} \, 0.001^3 = 0.1805$$

This is rather more tedious to evaluate than the Poisson approximation. The Poisson approximation is evaluated as follows:

$$\mu = np$$

$$= 2000 \times 0.001 = 2$$

$$P(x=3) = \frac{2^3}{3!} \exp(-2) = 0.1804$$

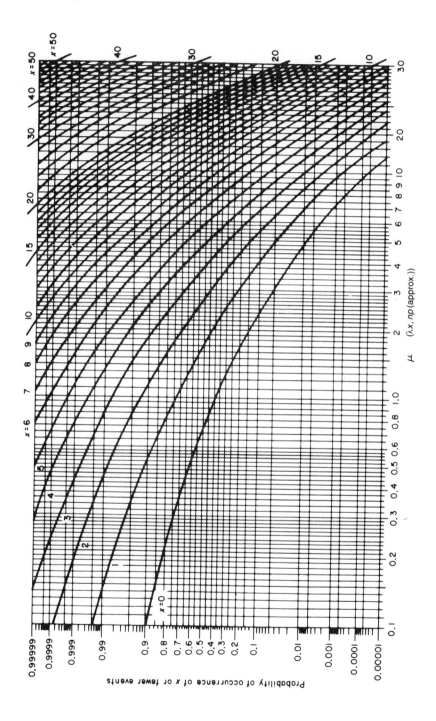

Figure 2.8 Curves showing cumulative probabilities of Poisson distribution

CONTINUOUS DISTRIBUTIONS

The normal (or Gaussian) distribution

The s-normal p.d.f. is given by

$$f(x) = \frac{1}{\sigma(2\pi)^{1/2}} \exp\left[-\frac{1}{2}\left(\frac{x-\mu}{\sigma}\right)^2 \right] \tag{2.29}$$

where μ is the location parameter, equal to the mean. The mode and the median are coincident with the mean, as the p.d.f. is symmetrical. σ is the scale parameter, equal to the SD.

A population which conforms to the normal distribution has variations which are symmetrically disposed about the mean (i.e. the skewness is zero). Since the tails of the normal distribution are symmetrical, a given spread includes equal values in the left-hand and right-hand tails.

An important reason for the wide applicability of the normal distribution is the fact that, when a value is subject to many additive sources of variation, irrespective of how these variations are distributed, the resulting composite distribution can be shown to approach the normal distribution. This is known as the *central limit theorem*. It justifies the use of the normal distribution in many applications, including engineering, particularly in quality control. The normal distribution is a close fit to most QC and some reliability observations, such as the sizes of machined parts and the lives of items subject to wearout failures, as well as to natural phenomena such as the heights of adults and strengths of materials.

Appendix 1 gives values for $\Phi(z)$, the *standardized normal* c.d.f., i.e. $\mu=0$ and $\sigma=1$. z represents the number of SDs displacement from the mean. Any normal distribution can be evaluated from the standardized normal distribution by calculating the standardized normal variate z, where

$$z = \frac{x-\mu}{\sigma}$$

and finding the appropriate value of $\Phi(z)$.

Example 2.8

The life of an incandescent lamp is normally distributed, with mean 1200 h and SD 200 h. What is the probability that a lamp will last (a) at least 800 h? (b) at least 1600 h?

(a) $z = (x-\mu)/\sigma$, i.e. the distance of x from μ expressed as a number of SDs. Then

$$z = \frac{800-1200}{200} = -2 \text{ SD}$$

Appendix 1 shows that the probability of a value not exceeding 2 SD is 0.977. Figure 2.9(a) shows this graphically, on the p.d.f. (the shaded area).

(b) The probability of a lamp surviving more than 1600 h is derived similarly:

$$z = \frac{1600 - 1200}{200} = 2 \text{ SD}$$

This represents the area under the p.d.f. curve beyond the $+2$ SD point (Fig. 2.9(a)) or $1-$(area under the curve to the left of $+2$ SD) on the c.d.f. (Fig. 2.9(b)). Therefore the probability of surviving beyond 1600 h is $(1 - 0.977) = 0.023$.

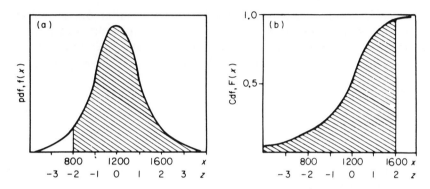

Figure 2.9 (a) The p.d.f. $f(x)$ versus x; (b) the c.d.f. $F(x)$ versus x (see Example 2.8)

As the normal distribution represents a limiting case of the binomial and Poisson distributions, it can be used to provide a good approximation to these distributions. For example, it can be used when $0.1 > p > 0.9$ and n is large.

Then

$$\mu = np$$

$$\sigma = (npq)^{1/2}$$

Example 2.9

What is the probability of having not more than 20 failures if $n = 100$, $p = 0.14$?

Using the binomial distribution,

$$P_{20} = 0.9640$$

Using the normal approximation

$$\mu = np = 14$$

$$\sigma = (npq)^{1/2} = 3.470$$

$$z = \frac{20-14}{3.47} = 1.73$$

Referring to Appendix 1, $P_{20} = 0.9582$.

As $p \to 0.5$, the approximation improves, and we can then use it with smaller values of n. Typically, if $p = 0.4$, we can use the approximation with $n = 50$.

The lognormal distribution

The lognormal distribution is a more versatile distribution than the normal as it has a range of shapes, and therefore is often a better fit to reliability data, such as for populations with wearout characteristics. Also, it does not have the normal distribution's disadvantage of extending below zero to $-\infty$. The lognormal p.d.f. is

$$f(x) = \begin{cases} \dfrac{1}{\sigma x (2\pi)^{1/2}} \exp\left[-\dfrac{1}{2}\left(\dfrac{\ln x - \mu}{\sigma} \right)^2 \right] & \text{(for } x \geqslant 0) \\ 0 & \text{(for } x < 0) \end{cases} \tag{2.30}$$

In other words, it is the normal distribution with $\ln x$ as the variate. The mean and SD of the lognormal distribution are given by

$$\text{Mean} = \exp\left(\mu + \frac{\sigma^2}{2} \right)$$

$$\text{SD} = [\exp(2\mu + 2\sigma^2) - \exp(2\mu + \sigma^2)]^{1/2}$$

where μ and σ are the mean and SD of the ln data.

When $\mu \gg \sigma$, the lognormal distribution approximates to the normal distribution. The normal and lognormal distributions describe reliability situations in which the hazard rate increases from $x = 0$ to a maximum and then decreases.

The exponential distribution

The exponential distribution describes the situation wherein the hazard rate is constant. A Poisson process generates a constant hazard rate. The p.d.f. is

$$f(x) = \begin{cases} a \exp(-ax) & \text{(for } x \geqslant 0) \\ 0 & \text{(for } x < 0) \end{cases} \tag{2.31}$$

This is an important distribution in reliability work, as it has the same central limiting relationship to life statistics as the normal distribution has to non-life statistics. It describes the constant hazard rate situation. As the hazard rate is often a function of time, we will denote the independent variable by t instead of x. The constant hazard rate is denoted by λ. The mean life, or mean time to failure (MTTF), is $1/\lambda$. The p.d.f. is then written as

$$f(t) = \lambda \exp(-\lambda t) \tag{2.32}$$

The probability of no failures occurring before time t is obtained by integrating Eqn (2.32) between 0 and t and subtracting from 1:

$$R(t) = 1 - \int_0^t f(t)\ dt = \exp(-\lambda t) \tag{2.33}$$

$R(t)$ is the *reliability function* (or survival probability). For example, the reliability of an item with an MTTF of 500 h over a 24 h period is

$$R(24) = \exp\left(\frac{-24}{500}\right) = 0.953$$

Values of $\exp(-x)$ are tabulated in Appendix 2. Note that for small values of $\lambda t (<0.1)$, the first two terms of the negative exponential series $(1 - \lambda t + \ldots)$ can be used to give a good approximation for $R(t)$.

$R(t)$ can also be derived as follows. If there are N items surviving at time t, then in a small period of time δt the number failing is δN. Then

$$\frac{\delta N}{\delta t} = -\lambda N$$

i.e. constant proportion to number surviving

$$\frac{\delta N}{N} = -\lambda \delta t$$

$$\ln N = -\lambda t - \ln C$$

$$N = C \exp(-\lambda t)$$

If N_0 is the number of items at $t=0$ then $C=N_0$:

$$N = N_0 \exp(-\lambda t)$$

$$R(t) = \frac{N}{N_0} = \exp(-\lambda t)$$

For items which are repaired, λ is called the *failure rate*, and $1/\lambda$ is called the *mean time between failures* (MTBF) (θ). Note that 63.2 per cent of items will have failed by $t=\theta$.

If times to failure are exponentially distributed, the probability of x failures is Poisson-distributed. For example, if the MTBF is 100 h, the probability of having more than 15 failures in 1000 h is derived as:

$$\text{Expected number of failures} = \frac{1000}{100} = 10$$

Referring to Fig. 2.8, for $\lambda(\mu) = 10$, $x = 15$:

$P = 0.965$

This is the probability of having up to 15 failures. Therefore the probability of more than 15 failures is

$1 - 0.965 = 0.035$

The gamma distribution

The gamma distribution describes, in reliability terms, the situation when partial failures can exist, i.e. when a given number of partial failure events must occur before an item fails, or the time to the ath failure when time to failure is exponentially distributed. The p.d.f. is

$$f(x) = \begin{cases} \dfrac{\lambda}{\Gamma(a)} (\lambda x)^{a-1} \exp(-\lambda x) & \text{(for } x \geqslant 0) \\ 0 & \text{(for } x < 0) \end{cases}$$

(2.34)

$$\mu = \frac{a}{\lambda}$$

$$\sigma = \frac{a^{1/2}}{\lambda}$$

where λ is the failure rate (complete failures) and a the number of partial failures per complete failure, or events to generate a failure. $\Gamma(a)$ is the *gamma function*:

$$\Gamma(a) = \int_0^\infty x^{a-1} \exp(-x) \, dx$$

(2.35)

When $(a - 1)$ is a positive integer, $\Gamma(a) = (a - 1)!$ This is the case in the partial failure situation. The exponential distribution is a special case of the gamma distribution, when $a = 1$, i.e.

$$f(x) = \lambda \exp(-\lambda x)$$

The gamma distribution can also be used to describe a decreasing or increasing hazard rate. When $a < 1$, $h(x)$ will decrease whilst for $a > 1$, $h(x)$ increases.

The χ^2 distribution

The χ^2 (chi-square) distribution is a special case of the gamma distribution, where $\lambda = \frac{1}{2}$, and $\nu = a/2$, where ν is called the number of *degrees of freedom* and must be a positive integer. This permits the use of the χ^2 distribution for evaluating reliability situations, since the number of failures, or events to failure, will always be positive integers. The χ^2 distribution is really a family of distributions, which range in shape from that of the exponential to that of the normal distribution. Each distribution is identified by the degrees of freedom.

In statistical theory, the χ^2 distribution is very important, as it is the distribution of the sums of squares of n, s-independent, s-normal variates. This allows it to be used for statistical testing, goodness-of-fit tests and evaluating s-confidence. These applications are covered later. The c.d.f. for the χ^2 distribution is tabulated for a range of degrees of freedom in Appendix 3.

The Weibull distribution

The Weibull distribution has the great advantage in reliability work that by adjusting the distribution parameters it can be made to fit many life distributions. The Weibull p.d.f. is (in terms of time t)

$$f(t) = \begin{cases} \dfrac{\beta}{\eta^\beta} t^{\beta-1} \exp\left[-\left(\dfrac{t}{\eta}\right)^\beta \right] & \text{(for } t \geqslant 0) \\ 0 & \text{(for } t < 0) \end{cases} \qquad (2.36)$$

The corresponding reliability function is

$$R(t) = \exp\left[-\left(\frac{t}{\eta}\right)^\beta \right] \qquad (2.37)$$

The hazard rate is

$$\frac{\beta}{\eta^\beta} t^{\beta-1}$$

β is the *shape parameter* and η is the *scale parameter*, or *characteristic life*—it is the life at which 63.2 per cent of the population will have failed.

When $\beta = 1$, the exponential reliability function (constant hazard rate) results, with

$\eta =$ mean life $(1/\lambda)$.

When $\beta < 1$, we get a *decreasing* hazard rate reliability function.
When $\beta > 1$, we get an *increasing* hazard rate reliability function.

When $\beta = 3.5$, for example, the distribution approximates to the normal distribution. Thus the Weibull distribution can be used to model a wide range of life distributions characteristic of engineered products.

So far we have dealt with the two-parameter Weibull distribution. If, however, failures do not start at $t = 0$, but only after a finite time γ, then the Weibull reliability function takes the form

$$R(t) = \exp\left[-\left(\frac{t-\gamma}{\eta}\right)^{\beta} \right] \tag{2.38}$$

i.e. a three-parameter distribution. γ is called the *failure free time, location parameter* or *minimum life*. It is sometimes denoted as t_0.

The extreme value distributions

In reliability work we are often concerned not with the distribution of variables which describe the bulk of the population but only with the extreme values which can lead to failure. For example, the mechanical properties of a semiconductor wire bond are such that under normal operating conditions good wire bonds will not fracture or overheat. However, extreme high values of electrical load or extreme low values of bond strength can result in failure. In other words, we are concerned with the implications of the tails of the distributions in load–strength interactions. However, we often cannot assume that, because a measured value appears to be, say, normally distributed, that this distribution necessarily is a good model for the extremes. Also, few measurements are likely to have been made at these extremes. Extreme value statistics are capable of describing these situations asymptotically.

Extreme value statistics are derived by considering the lowest or highest values in each of a series of equal samples. For example, consider the sample data in Table 2.1, taken randomly from a common population. The overall data can be plotted as shown in Fig. 2.10 as f(x). However, if we plot separately the lowest values and the highest values in each sample, they will appear as $g_L(x)$ and $g_H(x)$. $g_L(x)$ is the extreme value distribution of the lowest extreme whilst $g_H(x)$ is the extreme value distribution of the highest extreme in each sample. For many distributions the distribution of the extremes will be one of three types:

Type I —also known as the *extreme value* or *Gumbel distribution*.
Type II —also known as the *log extreme value distribution*.
Type III—for the lowest extreme values. This is the Weibull distribution.

Table 2.1 Sample data taken randomly from a common population

Sample	Data							
1	30	31	41	29	39	36	38	30
2	31	34	23	27	29	32	35	35
3	26	33	35	32	34	29	30	34
4	27	33	30	31	31	36	28	40
5	18	39	25	32	31	34	27	37
6	22	36	42	27	33	27	31	31
7	39	35	32	39	32	27	28	32
8	33	34	32	30	34	35	33	28
9	32	32	37	25	33	35	35	19
10	28	32	36	37	17	31	42	32
11	26	22	32	23	33	36	36	31
12	36	31	45	24	30	27	24	27

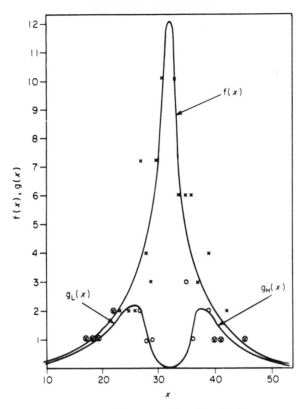

Figure 2.10 Extreme value distributions

Extreme value type I

The type I extreme value distributions for maximum and minimum values are the limiting models for the right and left tails of the exponential types of distribution, where this is defined as any distribution whose cumulative probability approaches unity at a rate which is equal to or greater than that for the exponential distribution. This includes most reliability distributions, such as the normal, lognormal and exponential distributions.

The probability density functions for maximum and minimum values, respectively, are

$$f(x) = \frac{1}{\sigma} \exp\left\{ -\frac{1}{\sigma}(x-\mu) - \exp\left[-\frac{1}{\sigma}(x-\mu) \right] \right\} \tag{2.39}$$

$$f(x) = \frac{1}{\sigma} \exp\left\{ \frac{1}{\sigma}(x-\mu) - \exp\left[\frac{1}{\sigma}(x-\mu) \right] \right\} \tag{2.40}$$

The *reduced variate* is given by

$$y = \frac{x-\mu}{\sigma}$$

Substituting in Eqns (2.39) and (2.40), we can derive the c.d.f. in terms of the reduced variate y.

For maximum values:

$$F(y)= \int_{-\infty}^{y} \exp\{-[x+\exp(-x)]\} \, dx = \exp[-\exp(-y)] \tag{2.41}$$

For minimum values:

$$F(y)=1-\exp[-\exp(-y)] \tag{2.42}$$

The distribution of maximum values is right-skewed and the distribution of minimum values is left-skewed. The hazard function of maximum values approaches unity with increasing x, whilst that for minimum values increases exponentially.

σ and μ are scale and location parameters, respectively, but they do not represent the mean and standard deviation. In fact μ is the mode of the distribution, and it can be shown that the means are:

Maximum value:

$\mu+0.577\sigma$

Minimum value:

$\mu-0.577\sigma$

The standard deviation is 1.283σ in both cases.

Extreme value type II

The extreme type II distribution does not play an important role in reliability work. If the logarithms of the variables are extreme value distributed, then the variable is described by the extreme value type II distribution. Thus its relationship to the type I extreme value distribution is analogous to that of the lognormal to the normal distribution.

Type III extreme value distribution

The type III extreme value distribution for minimum values is the limiting model for the left-hand tail for distributions which are bounded at the left. In fact, the Weibull distribution is the type III extreme value distribution for minimum values, and although it was initially derived empirically, its use for describing the strength distribution of materials has been justified using extreme value theory.

The extreme value distributions related to load and strength

The type I extreme value distribution for maximum values is often an appropriate model for the occurrence of load events, when these are not bounded to the right, i.e. when there is no limiting value.

It is well known that engineering materials possess strengths well below their theoretical capacity, mainly due to the existence of imperfections which give rise to non-uniform stresses under load. In fact, the strength will be related to the effect of the imperfection which creates the greatest reduction in strength, and hence the extreme value distribution for minimum values suggests itself as an appropriate model for strength.

The strength, and hence the time to failure, of many types of product can be considered to be dependent upon imperfections whose extent is bounded, since only very small imperfections will escape detection by inspection or process control, justifying use of a type III (Weibull) model. On the other hand, a type I model might be more representative of the strength of an item which is mass-produced and not 100 per cent inspected, or in which defects can exist whose extent is not bounded, but which are not detected, e.g. a long wire, whose strength will then be a function of length.

For a system consisting of many components in series, where the system hazard rate is decreasing from $t = 0$ (i.e. bounded) a type III (Weibull) distribution will be a good model for the system time to failure.

SUMMARY OF CONTINUOUS STATISTICAL DISTRIBUTIONS

Figure 2.11 is a summary of the continuous distributions described above.

STATISTICAL CONFIDENCE

Earlier in this chapter we mentioned the problem of statistical confidence. s-confidence is the exact fraction of times the *confidence interval* will include the true value, if the experiment is repeated many times. The confidence interval is the interval between the *upper* and *lower s-confidence limits*. s-confidence intervals are used in making an assertion about a population given data from a sample. Clearly, the larger the sample the greater will be our intuitive confidence that the estimate of the population parameter will be close to the true value. s-confidence and engineering confidence must not be confused; s-confidence takes no account of engineering or process changes which might make sample data unrepresentative. Derived s-confidence values must always be interpreted in the light of engineering knowledge, which might serve to increase or decrease our engineering confidence.

s-confidence limits on continuous variables

If the population value x follows a normal distribution, it can be shown that the means, $\bar{x}$, of samples drawn from it are also normally distributed, with variance σ^2/n (SD $= \sigma/n^{1/2}$). The SD of the sample means is also called the *standard error of the estimate*, and is denoted S_x.

If x is not normally distributed, provided that n is large (>30), $\bar{x}$ will tend to a normal distribution. If the distribution of x is not excessively skewed (and is unimodal) the normal approximation for $\bar{x}$ at values of n as small as 6 or 7 may be acceptable.

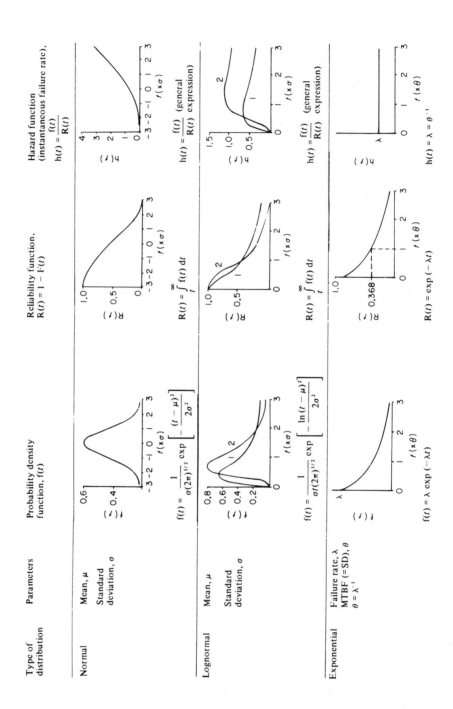

Type of distribution	Parameters	Probability density function, $f(t)$	Reliability function, $R(t) = 1 - F(t)$	Hazard function (instantaneous failure rate), $h(t) = \dfrac{f(t)}{R(t)}$
Normal	Mean, μ Standard deviation, σ	$f(t) = \dfrac{1}{\sigma(2\pi)^{1/2}} \exp\left[-\dfrac{(t-\mu)^2}{2\sigma^2}\right]$	$R(t) = \int_t^\infty f(t)\,dt$	$h(t) = \dfrac{f(t)}{R(t)}$ (general expression)
Lognormal	Mean, μ Standard deviation, σ	$f(t) = \dfrac{1}{\sigma t(2\pi)^{1/2}} \exp\left[-\dfrac{\ln(t-\mu)^2}{2\sigma^2}\right]$	$R(t) = \int_t^\infty f(t)\,dt$	$h(t) = \dfrac{f(t)}{R(t)}$ (general expression)
Exponential	Failure rate, λ MTBF (=SD), θ $\theta = \lambda^{-1}$	$f(t) = \lambda \exp(-\lambda t)$	$R(t) = \exp(-\lambda t)$	$h(t) = \lambda = \theta^{-1}$

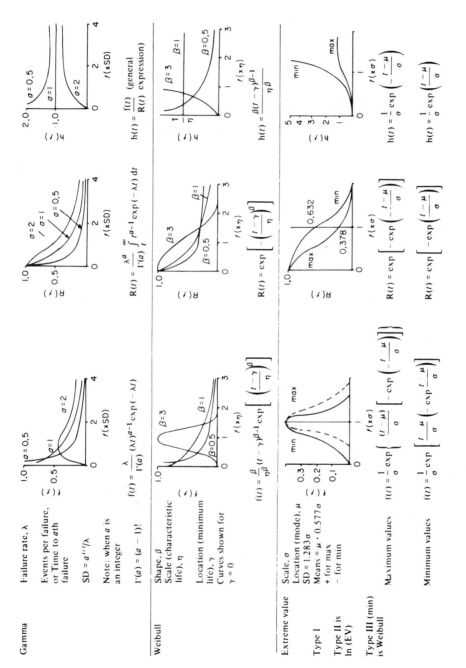

Figure 2.11 Shapes of common failure distributions, reliability and hazard rate functions (shown in relation to t)

These results are derived from the central limit theorem, mentioned on page 36. They are of great value in deriving s-confidence limits on population parameters, based on sample data. In reliability work it is not usually necessary to derive exact s-confidence limits and therefore the approximate methods described are quite adequate.

Example 2.10

A sample of 100 values has a mean of 27.56, with a standard deviation of 1.10. Derive 95 per cent s-confidence limits for the population mean. (Assume that the sample means are normally distributed.)

In this case, the SD of the sample means, or standard error of the estimate, is

$$\frac{\sigma}{n^{1/2}} = \frac{1.1}{(100)^{1/2}} = 0.11$$

We can refer to the table of the normal c.d.f. (Appendix 1) to obtain the 95 per cent single-sided s-confidence limits. The closest tabulated value of z is 1.65. Therefore, approximately ± 1.65 SDs are enclosed within the 95 per cent single-sided s-confidence limits. Since the normal distribution is symmetrical, the 90 per cent *double-sided* s-confidence interval will exclude 5 per cent of values at either limit.

In the example, 1.65 SDs = 0.18. Therefore the 95 per cent s-confidence limits on the population mean are 27.56 ± 0.18, and the 90 per cent s-confidence interval is $(27.56 - 0.18)$ to $(27.56 + 0.18)$.

As a guide in s-confidence calculations, assuming a normal distribution:

± 1.65 SDs enclose approximately 90 per cent s-confidence limits (i.e. 5 per cent lie in each tail).
± 2.0 SDs enclose approximately 95 per cent s-confidence limits (i.e. 2.5 per cent lie in each tail).
± 2.5 SDs enclose approximately 99 per cent s-confidence limits (i.e. 0.5 per cent lie in each tail).

In many reliability situations we assume a CFR, in which case the failure data will be exponentially distributed and thus highly skewed. Therefore, the normal approximation for s-confidence limit estimation is inappropriate (unless n is large). We use the χ^2 distribution for estimating the confidence limits in these circumstances.

It can be shown that the lower and upper (one-sided) s-confidence limits for data which are generated by a Poisson process, such as failure data when the failure rate is constant, are given by respectively

$$\theta_1 = \frac{2T}{\chi^2_\alpha \, (\nu = 2n)}$$

$$\theta_u = \frac{2T}{\chi^2_{1-\alpha} \, (\nu = 2n)}$$

(2.43)

where θ_1 and θ_u are the lower and upper confidence limits on MTBF, T the total test time, α the confidence level and n the number of failures. Equation (2.43) is correct when the test is stopped at the nth failure, i.e. a *failure truncated test*. For *time truncated tests*, use $\nu = 2n + 2$ degrees of freedom for evaluating the lower confidence limit. Values of χ^2 for different values of ν are given in Appendix 3.

Example 2.11

Ten units were tested for a total of 1000 h and 3 failures occurred. The test was then failure-truncated. Assuming a CFR, what is the 90 per cent lower confidence limit (LCL) on MTBF?

$$\hat{\theta} = \frac{1000}{3} = 333\,\text{h}$$

From Appendix 3, for $\nu = 6$ and $\alpha = 0.9$, $\chi^2 = 10.6$. Therefore,

$$\theta_1 = \frac{2 \times 1000}{10.6} = 189\,\text{h}$$

Figure 2.12 may also be used for this estimation (for time-truncated tests).

s-confidence limits for discrete data

The normal and Poisson approximations to the binomial distribution may not be acceptable for evaluating s-confidence limits with sample sizes below 100. In these situations we can conveniently use the nomogram in Fig. 2.7 to derive the lower confidence limit. For example, if four failures occur in 100 tests, the 95 per cent LCL on reliability of the population is given by drawing the line from the 0.05 point on the P scale through the 100/4 point and reading the value on the p scale. In this case $p = 0.09$, i.e. the 95 per cent LCL on reliability is 0.91.

STATISTICAL HYPOTHESIS TESTING

It is often necessary to determine whether observed differences between the statistics of a sample and prior knowledge of a population, or between two sets of sample statistics, are s-significant or due merely to chance. The variation inherent in sampling makes this distinction itself subject to chance. We need, therefore, to have methods for carrying out such tests. Statistical hypothesis testing is similar to s-confidence estimation, but instead of asking the question *How s-confident are we that the population parameter value is within the given limits?* (on the assumption that the sample and the population come from the same distribution), we ask *How s-significant is the deviation of the sample?*

In statistical hypothesis testing, we set up a *null hypothesis*, i.e. that the two sets of information are derived from the same distribution. We then derive the *s-significance* to which this inference is tenable. As in s-confidence estimation, the

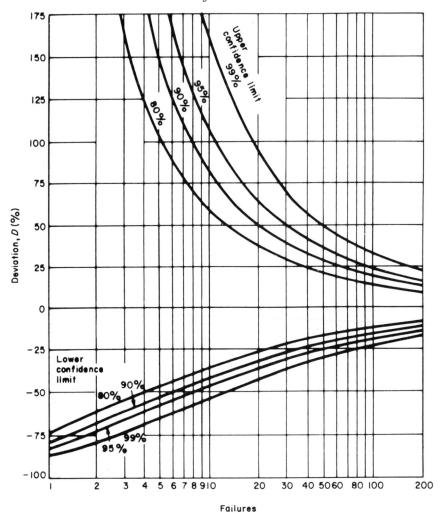

Figure 2.12 Confidence limits for measurement of MTBF for time truncated tests (see Example 2.11). Key: compute confidence limits as $\hat{\theta}(1+D/100)$, where $\hat{\theta}$ is MTBF estimate

s-significance we can attach to the inference will depend upon the size of the sample. Many s-significance test techniques have been developed for dealing with the many types of situation which can be encountered.

In this section we will cover a few of the simpler methods commonly used in reliability work. However, the reader should be aware that the methods described and the more advanced techniques are readily accessible on modern calculators and as computer programs. The texts listed in the Bibliography should be used to identify appropriate tests and tables for special cases.

Tests for differences in means (z test)

A very common s-significance test is for the hypothesis that the mean of a set of data is the same as that of an assumed s-normal population, with known μ and σ. This is the *z test*. The *z-statistic* is given by

$$z = \frac{|\mu - \bar{x}|}{S_{\bar{x}}} = \frac{|\mu - \bar{x}|}{\sigma n^{-1/2}} \tag{2.44}$$

where n is the sample size, μ the population mean, $\bar{x}$ the sample mean and σ the population SD. We then derive the s-significance level from the normal c.d.f. table.

Example 2.12

A type of roller bearing has a time to failure which is normally distributed, with a mean of 6000 h and an SD of 450 h. A sample of 9, using a changed lubricant, gave a mean life of 6400 h. Has the new lubricant resulted in an s-significant change in mean life?

$$z = \frac{|6000 - 6400|}{450 \times 9^{-1/2}} = 2.67$$

From Appendix 1, $z = 2.67$ indicates a cumulative probability of 0.996. This indicates that there is only 0.004 probability of observing this change purely by chance, i.e. the change is s-significant at the 0.4 per cent level. Thus we reject the null hypothesis that the sample data are derived from the same normal distribution as the population, and infer that the new lubricant does provide an increased life.

s-significance is denoted by α. In engineering, an s-significance level of less than 5 per cent can usually be considered to be sufficient evidence upon which to reject a null hypothesis. An s-significance of greater than 10 per cent would not normally constitute sufficient evidence, and we might either reject the null hypothesis or perform further trials to obtain more data. The s-significance level considered sufficient will depend upon the importance of the decision to be made based on the evidence. As with s-confidence, s-significance should also be assessed in the light of engineering knowledge.

Instead of testing a sample against a population, we may need to determine whether there is an s-significant difference between the means of two samples. The SD of the distribution of the difference in the means of the samples is

$$S_{(\bar{x}_1 - \bar{x}_2)} \frac{\sigma_1}{n_1^{1/2}} + \frac{\sigma_2}{n_2^{1/2}} \tag{2.45}$$

The SD of the distribution of the difference of the sampling means is called the *standard error of the difference*. This test assumes that the SDs are the population SDs. Then

$$z = \frac{\text{difference in sample means}}{\text{standard error of the difference}}$$

Example 2.13

In Example 2.12, if the mean value of 6000 and SD of 450 were in fact derived from a sample of 60, does the mean of 6400, with an SD of 380 from a sample of 9 represent an s-significant difference?

The difference in the means is

$$6400 - 6000 = 400$$

The standard error of the difference is

$$S_d = \frac{\sigma_1}{n_1^{1/2}} + \frac{\sigma_2}{n_2^{1/2}}$$

$$= \frac{450}{60^{1/2}} + \frac{380}{9^{1/2}} = 185$$

$$z = \frac{400}{185} = 2.16$$

$$a = 1 - \Phi(z) = 0.015 \ (1.5 \text{ per cent})$$

We can therefore say that the difference is highly s-significant, a similar result to that of Example 2.12.

Use of the z test for binomial trials

We can also use the z test for testing the s-significance of binomial data. Since in such cases we are concerned with both extremes of the distribution, we use a two-sided test, i.e. we use 2α instead of α.

Example 2.14

Two sets of tests give the results in Table 2.2. We need to know if the differences in test results are s-significant.

Table 2.2　Results for tests in Example 2.14

Test	Number tested, n	Number failed
1	217	16
2	310	14

The null hypothesis that the tests are without difference is examined by combining the test results:

$$P = \frac{\text{total failed}}{\text{total tested}} = \frac{30}{527} = 0.057$$

The standard error of the difference in proportions is

$$S_d = \left[pq \left(\frac{1}{n_1} + \frac{1}{n_2} \right) \right]^{1/2}$$

$$= \left[0.057 \times 0.943 \left(\frac{1}{217} + \frac{1}{310} \right) \right]^{1/2}$$

$$= 0.02$$

The proportion failed in test 1 is $16/217 = 0.074$. The proportion failed in test 2 is $14/310 = 0.045$. The difference in proportions is $0.074 - 0.045 = 0.029$. Therefore $z = 0.029/0.020 = 1.45$, giving

$$\alpha = 1 - \Phi(z) = 7.35 \text{ per cent}$$
$$2\alpha = 14.7 \text{ per cent}$$

With such a result, we might accept the null hypothesis and infer that the difference between the tests is not very s-significant.

χ^2 test for significance

The χ^2 test for the s-significance of differences is used when we can make no assumptions about the underlying distributions. The value of the χ^2 statistic is calculated by summing the terms

$$\frac{(x_i - E_i)^2}{E_i}$$

where x_i and E_i are the ith observed and expected values, respectively. This value is compared with the χ^2 value appropriate to the required s-significance level.

Example 2.15

Using the data of Example 2.14, the χ^2 test is set up as follows:

Test	Failure		Success		Totals
1	16	12.35	201	204.65	217
2	14	17.65	296	292.35	310
Totals	30		497		527

The first number in each column is the observed value and the second number is the expected value based upon the totals of the observations (e.g. expected failures in test $1 = 30/527 \times 217 = 12.35$).

$$\chi^2 = \frac{(16-12.35)^2}{12.35} + \frac{(201-204.65)^2}{204.65} + \frac{(14-17.65)^2}{17.65} + \frac{(296-292.35)^2}{292.35} = 1.94$$

The number of DF is one less than the number of different possibilities which could exist. In this case there is only one DF, since there are two possibilities — pass and fail. The value of χ^2 of 1.94 for 1 DF (from Appendix 3) occurs with a cumulative probability of between 80 and 90 per cent. Therefore α (two-sided) is between 10 and 20 per cent. The difference between the observed data sets is therefore not s-significant. This inference is the same as that derived in Example 2.14.

Tests for differences in variances

Variance ratio test (F test)

The s-significance tests for differences in means described above have been based on the assumption in the null hypothesis that the samples came from the same s-normal distribution, and therefore should have a common mean. We can also perform s-significance tests on the differences of variances. The *variance ratio, F,* is defined as

$$F = \frac{\text{greater estimate of population variance}}{\text{lesser estimate of population variance}}$$

Values of the F distribution are tabulated in Appendix 4 against the number of degrees of freedom in the two variance estimates (for a sample size n, $DF = n-1$). The use of the F test is illustrated by Example 2.16.

Example 2.16

Life test data on two items give the results in Table 2.3.

Table 2.3 Life test data on two items

	Sample size, n	Sample standard deviation, σ	Sample variance, σ^2
Item 1	20	37	1369
Item 2	10	31	961

$$F = \frac{1369}{961} = 1.42$$

Entering the tables of F values at 19 DF for the greater variance estimate and 9 DF for the lesser variance estimate, we see that at the 5 per cent level our value for F is less than the tabulated value. Therefore the difference in the variances is not s-significant at the 5 per cent level.

NON-PARAMETRIC INFERENTIAL METHODS

Methods have been developed for measuring and comparing statistical variables when no assumption is made as to the form of the underlying distributions. These are called non-parametric (or distribution-free) statistical methods. They are only slightly less powerful than parametric methods in terms of the accuracy of the inferences derived for assumed s-normal distributions. However, they are more powerful when the distributions are not s-normal. They are also simple to use. Therefore they can be very useful in reliability work provided that the data being analysed are independently and identically distributed (IID). The implications of data not independently and identically distributed are covered on page 62 and in the next chapter.

Comparison of median values

The sign test

If a null hypothesis states that the median values of two samples are the same, then about half the values of each sample should lie on either side of the median. Therefore about half the values of $(x_i - \bar{x})$ should be positive and half negative. If the null hypothesis is true and r is the number of differences with one sign, then r has a binomial distribution with parameters n and $p = \frac{1}{2}$. We can therefore use the binomial distribution to determine critical values of r to test whether there is an s-significant difference between the median values. Table 2.4 gives critical values for r for the sign test where r is the number of less frequent signs. If the value of r is equal to or less than the tabulated value the null hypothesis is rejected.

Example 2.17

Ten items are tested to failure, with lives

     98, 125, 141, 72, 119, 88, 64, 187, 92, 114

Do these results indicate an s-significant change from the previous median life of 125? The sign test result is

     $- \, 0 + - - - - + - -$

i.e. $r = 2$, $n = 9$ (since one difference $= 0$, we discard this item).

Table 2.4 Critical values of r for the sign test

	Significance level per cent		
n	10	5	1
8	1	0	0
10	1	1	0
12	2	2	1
14	3	2	1
16	4	3	2
18	5	4	3
20	5	5	3
25	7	7	5
30	10	9	7
35	12	11	9
40	14	13	11
45	16	15	13
50	18	17	15
55	20	19	17
60	23	21	19
75	29	28	25
100	41	39	36

Table 2.4 shows that r is greater than the critical value for $n=9$ at the 10 per cent s-significance level, and therefore the difference in median values is not significant at this level.

The weighted sign test

We can use the sign test to determine the likely magnitude of differences between samples when differences in medians are significant. The amount by which the samples are believed to differ are added to (or subtracted from) the values of one of the samples, and the sign test is then performed as described above. The test then indicates whether the two samples differ s-significantly by the weighted value.

Tests for variance

Non-parametric tests for analysis of variance are given in Chapter 7.

Reliability estimates

Non-parametric methods for estimating reliability values are given in Chapter 12.

GOODNESS OF FIT

In analysing statistical data we need to determine how well the data fit an assumed distribution. The goodness of fit can be tested statistically, to provide a level of s-significance that the null hypothesis (i.e. that the data do fit the assumed distribution) is rejected. Goodness-of-fit testing is an extension of s-significance testing in which the sample c.d.f. is compared with the assumed true c.d.f.

A number of methods are available to test how closely a set of data fits an assumed distribution. As with s-significance testing, the power of these tests in rejecting incorrect hypotheses varies with the number and type of data available, and with the assumption being tested.

The χ^2 goodness-of-fit test

A commonly used and versatile test is the χ^2 goodness-of-fit test, since it is equally applicable to any assumed distribution, provided that a reasonably large number of data points is available. For accuracy, it is desirable to have at least three data classes, or *cells*, with at least five data points in each cell.

The justification for the χ^2 goodness-of-fit test is the assumption that, if a sample is divided into n cells (i.e. we have ν degrees of freedom where $\nu = n-1$), then the values within each cell would be normally distributed about the expected value, if the assumed distribution is correct, i.e. if x_i and E_i are the observed and expected values for cell i:

$$\sum_{i}^{n} \frac{(x_i - E_i)^2}{E_i} = \chi^2 \qquad \text{(with } n-1 \text{ degrees of freedom)}$$

High values of χ^2 cast doubt on the null hypothesis. The null hypothesis is usually rejected when the value of χ^2 falls outside the 90th percentile. If χ^2 falls inside the 10th percentile the null hypothesis can be accepted. Intermediate values indicate statistical uncertainty.

The application can be described by use of an example.

Example 2.18

Failure data of transistors are given in Table 2.5. What is the likelihood that failures occur at a constant average rate of 12 failures/1000 hours?

$$\chi^2 = \frac{(18-12)^2}{12} + \frac{(14-12)^2}{12} + \frac{(10-12)^2}{12} + \frac{(12-12)^2}{12} + \frac{(6-12)^2}{12} = 6.67$$

Referring to Appendix 3 for values of χ^2 with $(n-1)=4$ degrees of freedom, 6.67 lies between the 80th and 90th percentiles of the χ^2 distribution. Therefore the null hypothesis that the data are derived from a constant hazard rate process cannot be rejected at the 90 per cent level.

If an assumed distribution gave expected values of 20, 15, 12, 10, 9 (i.e. a decreasing hazard rate), then

$$\chi^2 = \frac{(18-20)^2}{20} + \frac{(14-15)^2}{15} + \frac{(10-12)^2}{12} + \frac{(12-10)^2}{10} + \frac{(8-9)^2}{9} = 1.11$$

Table 2.5 Data from an overstress life test of transistors

Cell (h)	Number in cell	Cell (h)	Number in cell
0–999	18	3000–3999	12
1000–1999	14	4000–4999	6
2000–2999	10		

$\chi^2 = 1.11$ lies close to the 10th percentile. Therefore we accept the null hypothesis of the decreasing hazard rate distribution at the 90 per cent level.

The Kolmogorov–Smirnov test

Another goodness-of-fit test commonly used in reliability work is the Kolmogorov–Smirnov (K–S) test. It is rather simpler to use than the χ^2 test and can give better results with small numbers of data points. It is also convenient to use in conjunction with probability plots (see Chapter 3), since it is based upon cumulative ranked data, i.e. the sample c.d.f. The procedure is:

1. Tabulate the ranked failure data. Calculate the values of $|x_i - E_i|$ where x_i is the ith cumulative rank value and E_i the expected cumulative rank value for the assumed distribution.
2. Determine the highest single value.
3. Compare this value with the appropriate K–S value.

Example 2.19

Table 2.6 shows failure data with the ranked values of x_i. We wish to test the null hypothesis that the data do not fit a normal distribution with parameters which give the tabulated cumulative values of E_i. Therefore, in the E_i column we list the expected value of proportion failed at each failure time.

Table 2.6 Failure data with ranked values of x_i

Event	Time to failure (h)	x_i	E_i	$|x_i - E_i|$
1	12.2	0.056	0.035	0.021
2	13.1	0.136	0.115	0.021
3	14.0	0.217	0.29	0.073
4	14.1	0.298	0.32	0.022
5	14.6	0.379	0.44	0.061
6	14.7	0.459	0.46	0.001
7	14.7	0.54	0.46	0.08*
8	15.1	0.621	0.58	0.041
9	15.7	0.702	0.73	0.028
10	15.8	0.783	0.75	0.033
11	16.3	0.864	0.85	0.014
12	16.9	0.94	0.95	0.006

The largest value of $|x_i - E_i|$ is 0.08 (shown by *). The Kolmogorov–Smirnov table (Appendix 5) shows that, for $n = 12$, the critical value of $|x_i - E_i|$ is 0.338 at the 10 per cent s-significance level. Therefore the null hypothesis is not rejected at this level, and we can accept the data as coming from the hypothesized normal distribution.

Example 2.19 shows quite a large difference between the critical K–S value and the largest value of $|x_i - E_i|$. When the parameters of the assumed c.d.f. are being estimated from the sample data, as in this example, the critical K–S values are too large and give lower s-significance levels than are appropriate in the circumstances. In order to correct for this, the critical values should be multiplied by the factors:

0.70 $(\beta > 3.0)$

0.75 $(3.0 > \beta > 1.5)$

0.80 $(\beta < 1.5)$

where β is the Weibull shape parameter. Therefore, in Example 2.19, since the Weibull β value appropriate to the normal distribution is >3, the corrected K–S critical value is $0.17 \times 0.70 = 0.119$.

Least squares test

The least squares goodness-of-fit test is used to measure the *linear correlation* of data with the equation of the straight line which best fits the plotted data. The line which most nearly fits a set of plotted data is called the *regression line*, and the goodness of fit as derived by the least squares method is called the *correlation coefficient*.

The correlation coefficient is

$$r = \frac{S_{xy}}{S_x S_y}$$

where

$$S_x^2 = \frac{1}{n} \sum_{i=1}^{n} (x_i - \bar{x})^2$$

$$S_y^2 = \frac{1}{n} \sum_{i=1}^{n} (y_i - \bar{y})^2$$

(i.e. the sample variances) $\qquad$ (2.46)

$$S_{xy} = \frac{1}{n} \sum_{i=1}^{n} (x_i - \bar{x})(y_i - \bar{y}) \qquad \text{(the } covariance) \qquad (2.47)$$

x_i, y_i are the coordinates of the plotted data. The regression line of the plotted data is given by

$$y - \bar{y} = \frac{S_{xy}}{S_x^2}(x - \bar{x}) \qquad (2.48)$$

If r is positive, it indicates that the data are positively correlated, i.e. the regression line slope is positive, and vice versa; if $|r|=1$ we have perfect correlation, with all plotted points lying on the regression line; if $r=0$ the variates are not linearly correlated.

r^2 is often used instead of r to indicate correlation, since it provides a more sensitive indication, particularly with probability plots (see Chapter 3). It is called the *sample coefficient of determination*.

Linear regression analysis can be used for data that are not linearly correlated if the axes are transformed to linearize the equation. Therefore, the method can be used for evaluating the goodness of fit of data plotted on probability papers (Chapter 3).

SERIES OF EVENTS (POINT PROCESSES)

Situations in which discrete events occur randomly in a continuum (e.g. time) cannot be truly represented by a single continuous distribution function. Failures occurring in repairable systems, aircraft accidents and vehicle traffic flow past a point are examples of series of discrete events. These situations are called *stochastic point processes*. They can be analysed using the statistics of *event series*.

The Poisson distribution function (Eqn 2.27) describes the situation in which events occur randomly and at a constant average rate. This situation is described by a *homogeneous Poisson process* (HPP). An HPP is a *stationary* point process, since the distribution of the number of events in an interval of fixed length does not vary, regardless of when (where) the interval is sampled.

The Poisson distribution function is (from Eqn 2.27)

$$f(x) = \frac{(\lambda x)^n}{n!} \exp(-\lambda x) \quad \text{(for } n=0, 1, 2, \ldots\text{)} \tag{2.49}$$

where λ is the mean rate of occurrence, so that λx is the expected number of events in $(0, x)$. Figure 2.8 can be used for estimating the probability of a given number of events in a given interval (see page 34).

In a *non-homogeneous* Poisson process (NHPP) the point process is non-stationary, so that the distribution of the number of events in an interval of fixed length changes as x increases. Typically, the discrete events (e.g. failures) might occur at an increasing or decreasing rate.

Note that an essential condition of any homogeneous Poisson process is that the probabilities of events occurring in any period are independent of what has occurred in preceding periods. An HPP describes a sequence of independently and identically exponentially distributed (IIED) random variables. A NHPP describes a sequence of random variables which is neither independently nor identically distributed.

Trend analysis

When analysing data from a stochastic point process it is important to determine whether the process has a trend, i.e. to know whether a failure rate is increasing, decreasing or constant. We can test for trends by analysing the *arrival values* of the event series. The arrival values $x_1, x_2, \ldots, x_n$ are the values of the independent variables (e.g. time) from $x=0$ at which each event occurs. The *interarrival values* $X_1, X_2, \ldots, X_n$ are the intervals between successive events 1, 2, $\ldots$, n, from $x=0$. Figure 2.13 shows the distinction between arrival and interarrival values.

If x_0 is the period of observation, then the test statistic for trend is

$$U = \frac{\sum x_i/n - x_0/2}{x_0\sqrt{1/(12n)}} \tag{2.50}$$

This is called the *centroid test* or the *Laplace test*. It compares the centroid of the observed arrival values with the mid-point of the period of observation. If $U=0$ there is no trend, i.e. the process is stationary. If $U<0$ the trend is decreasing, i.e. the interarrival values are tending to become larger. Conversely, when $U>0$ the trend is increasing, i.e. interarrival values are tending to become progressively smaller.

If the period of observation ends at an event, use $(n-1)$ instead of n and exclude the time to the last event from the summation $\sum x_i$.

We can test the null hypothesis that there is no trend in the chronologically ordered data by testing the value of U against the values of the standard normal variate, z. For example, using Appendix 1, if $U=1.65$, for $z=1.65$, $\Phi(z)=0.95$. Therefore we can reject the null hypothesis at the 5 per cent s-significance level.

The centroid test is theoretically adequate if $n \geqslant 4$, when the observation interval ends with an event, and if $n \geqslant 3$, when the interval is terminated at a predetermined time.

Example 2.20

Arrival values (x_i) and interarrival values (X_i) between 12 successive failures of a component are as follows (observation ends at the last failure):

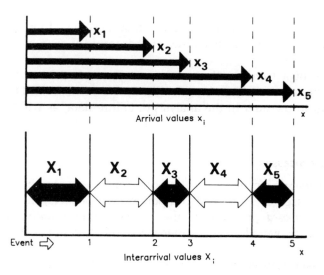

Figure 2.13 Arrival and interarrival values

x_i	X_i
175	175
196	21
304	108
415	111
504	89
516	12
618	102
641	23
679	38
726	47
740	14
791	51

$\Sigma x_i = 5514$ (excluding 791)

$n - 1 = 11$

$$\frac{\Sigma x_i}{n-1} = 501.3$$

$$\frac{x_0}{2} = 395.5$$

$$U = \frac{501.3 - 395.5}{791\sqrt{1/(12 \times 11)}} = 1.54$$ Referring to Appendix 1, for $z = 1.54$, $\Phi(z) = 0.94$

Therefore we can reject the null hypothesis that there is no trend at the 6 per cent s-significance level. The interarrival times are becoming shorter, i.e. the failure rate is increasing.

The existence of a trend in the data, as in Example 2.20, indicates that the interarrival values *are not independently and identically distributed* (IID). This is a very important point to consider in the analysis of failure data, as will be explained in Chapter 12.

Superimposed processes

If a number of separate stochastic point process combine to form an overall process, e.g. failure processes of individual components (or sockets) in a system, these are called *superimposed processes*. If the individual random variables are IID exponential then the overall process variable is also IID exponential and the process is HPP.

If the individual variables are IID non-exponential, the overall process will tend to an HPP. Such a process is called a *renewal process*. Figure 2.14 shows these processes.

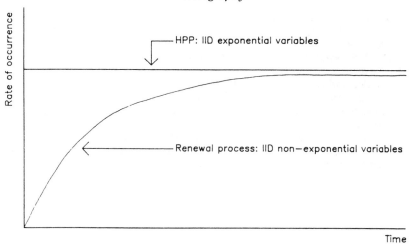

Figure 2.14 Rate of occurrence for superimposed processes

COMPUTER SOFTWARE FOR STATISTICS

Computer software is available which can be used to carry out the analytical techniques described in this chapter, and in later chapters which describe particular applications. Reference 21 is an excellent example of a good program for basic statistics training and application.

BIBLIOGRAPHY

Helpful introductory sources

1. M. J. Moroney, *Facts from Figures*. Penuin (1965).
2. R. Langley, *Practical Statistics Simply Explained*, 2nd Edn. Pan (1979).
3. W. W. Hines and D. C. Montgomery, *Probability and Statistics in Engineering and Management Science* (2nd Edn). Wiley (1980).
4. L. Mann, *Applied Engineering Statistics*. Barnes & Noble (1970).
5. C. Chatfield, *Statistics for Technology*, 2nd Edn. Chapman & Hall (1978).
6. D. R. Cox and P. A. W. Lewis, *The Statistical Analysis of Series of Events*. Chapman & Hall (1966).
7. W. J. Conover, *Practical Non-parametric Statistics*. Wiley (1971).

More advanced works

8. A. J. Duncan, *Quality Control and Industrial Statistics*, 5th Edn. Irwin, Homewood, Illinois (1986).
9. A. H. Bowker and G. J. Lieberman, *Engineering Statistics*, 2nd Edn. Prentice-Hall (1972).
10. G. J. Hahn and S. S. Shapiro, *Statistical Models in Engineering*. Wiley (1967).
11. N. L. Johnson and S. Kotz, *Distributions in Statistics*, 4 Vols. Wiley (1970).
12. M. L. Shooman, *Probabilistic Reliability—An Engineering Approach*. McGraw-Hill (1968).
13. E. S. Pearson and H. O. Hartley, *Biometrika Tables for Statisticians*. Biometrika Trust, London.

14. R. E. Barlow and F. Proschan, *Mathematical Theory of Reliability*. Wiley (1965).
15. R. E. Barlow and F. Proschan, *Statistical Theory of Reliabilty and Life Testing*, Holt, Rinehart & Winston (1975).
16. N. Mann, R. E. Schafer and N. D. Singpurwalla, *Methods for Statistical Analysis of Reliability and Life Data*. Wiley (1974).
17. M. Hollander and D. A. Wolfe, *Non-parametric Statistical Methods*. Wiley (1973).
18. H. Goldberg, *Extending the Limits of Reliability Theory*. Wiley (1981).
19. H. F. Martz and R. A. Waller, *Bayesian Reliability Analysis*. Wiley (1982).
20. W. Nelson, *Applied Life Data Analysis*. Wiley (1982).
21. MINITAB (General purpose statistics training and application software). Minitab Inc. 3081 Enterprise Drive, PA 16801, USA. (*The MINITAB Handbook* (Duxbury Press, Boston) is an excellent introduction to basic statistics).

3

Probability Plotting

INTRODUCTION

It is frequently useful in reliability engineering to determine which distribution best fits a set of data and to derive interval estimates of the distribution parameters. The mathematical basis for the approaches to these problems was covered in Chapter 2. Graphical estimation methods can greatly ease this task, and probability plotting papers have been developed for this purpose. These are based upon the cumulative distribution function (c.d.f.) $F(x)$ of the distribution concerned. The axes of probability plotting papers are transformed in such a way that the true c.d.f. plots as a straight line. Therefore if the plotted data can be fitted by a straight line, the data fit the appropriate distribution. Further constructions permit the distribution parameters to be estimated. Thus data can be evaluated quickly, without a detailed knowledge of the statistical mathematics being necessary. This facilitates analysis and presentation of data.

The methods described in this chapter can be used to analyse any appropriate data, such as dimensional or parameter measurements. However, their use for analysing reliability time-to-failure data will be emphasized.

Note that probability plotting methods to derive time-to-failure distribution parameters are only applicable when the data are independently and identically distributed (IID). This is usually the case for non-repairable components and systems but may *not* be the case with failure data from repairable systems. Reliability data analysis for repairable systems will be covered in Chapter 12.

RANKING OF DATA

Mean ranking (normal probability plots)

Probability graph papers are based upon plots of the variable of interest against the cumulative percentage probability. The data therefore need to be ordered and the cumulative probability calculated. For example, consider the data on times to failure of 12 items (Table 3.1). For the first failure, the cumulative proportion is 1/12 or 8.3 per cent. For the second, the cumulative proportion is 2/12 or 16.7 per cent, and so on to 12/12 or 100 per cent for the twelfth failure. However, for probability plotting, it is better to make an adjustment to allow for the fact that each failure represents

Table 3.1 Data on times to failure of 12 items

Order no.	Time to failure (h)	Cumulative per cent (c.d.f.)	Mean rank per cent (c.d.f.)	Median rank per cent (c.d.f.)
1	12.2	8.3 (1/12)	7.7	5.6
2	13.1	16.7 (2/12)	15.4	13.6
3	14.0	25.0 (3/12)	23.1	21.7
4	14.1	33.3 (4/12)	30.8	29.8
5	14.6	41.7 (5/12)	38.5	37.9
6	14.7	50.0 (6/12)	46.2	45.9
7	14.7	58.3 (7/12)	53.8	54.0
8	15.1	66.7 (8/12)	61.5	62.1
9	15.7	75.0 (9/12)	69.2	70.2
10	15.8	83.3 (10/12)	76.9	78.3
11	16.3	91.7 (11/12)	84.6	86.4
12	16.9	100.0 (12/12)	92.3	94.4

a point on a distribution. Thus considering the whole population of which the 12 items represent a sample, the times by which 8.3, 16.7, ..., 100 per cent will have failed in several samples of 12 will all be randomly distributed. However, the data in Table 3.1 show a bias, in that the first failure is shown much further from the zero cumulative percentage point than is the last from 100 per cent (in fact it coincides). To overcome this, and thus to improve the accuracy of the estimation, *mean* or *median* ranking of cumulative percentages is used for probability plotting.

The usual method for mean ranking is to use $(n+1)$ in the denominator, instead of n, when calculating the cumulative percentage position. Thus in Table 3.1 the cumulative percentages (mean ranks) would be

$$\frac{100}{12+1} = 7.7 \text{ per cent}$$

$$\frac{200}{12+1} = 15.4 \text{ per cent}$$

.
.
.

$$\frac{1200}{12+1} = 92.3 \text{ per cent}$$

These data are shown plotted on normal probability paper in Figure 3.1 (circles). The plotted points show a reasonably close fit to the straight line drawn 'by eye'. Therefore, we can say that the data appear to fit the cumulative normal distribution represented by the line.

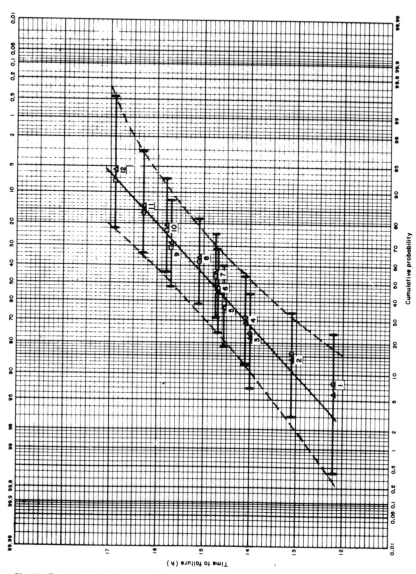

Figure 3.1 Normal probability plot

Median ranking

Mean ranking is the appropriate method for a symmetrical distribution, such as the normal. However, for skewed distributions median ranking provides a better correction. The most common approximation used for median ranking is that due to Bénard. The ith rank value is given by

$$r_i = \frac{i - 0.3}{n + 0.4}$$

where i is the ith order value and n is the sample size.

Median ranking is the method most frequently used in probability plotting, particularly if the data are known not to be normally distributed. Appendix 6 gives tables of median ranks for samples up to 50. Figure 3.1 shows the data of Table 3.1 plotted using median ranks (triangles). The effect is to alter the slope slightly, but the linearity is not affected.

PROBABILITY PLOTTING TECHNIQUES

Fitting the line

Having ranked and plotted the data, the question that often arises is *What is the best straight line fit to the data?* (assuming, of course, that there is a reasonable straight line fit). There can be a certain amount of subjectivity or even a temptation to adjust the line a little to fit a preconception. Two basic considerations apply:

1. Since the plotted data are cumulative, the points at the high cumulative proportion end of the plot are more important than the early points.
2. If the conclusions to be derived can be influenced by subjective differences in drawing the line through the data, then either there are insufficient data or there is not a good enough fit to the assumed distribution. (The same argument applies to choices of which ranking method should be used.)

Normally, a line which gives a good 'eyeball fit' to the plotted data is satisfactory, and more refined methods will give results which differ by amounts well within the 5 per cent s-significance level. However, a simple and accurate procedure to use, if rather more objectivity is desired, is to place a transparent rule on the last point and draw a line through this point such that an equal number of points lie to either side of the line.

Statistical goodness-of-fit tests can be applied, as described in Chapter 2. It is important to realize that cumulative probability plots are to a large extent self-aligning, since succeeding points can only continue upwards and to the right. Goodness-of-fit tests will nearly always indicate good correlation with any straight line drawn through such points. Therefore it is sometimes prudent to test the data against the assumed distribution using the methods described. Engineering knowledge can also be of value in determining the likely best distribution.

s-confidence limits on plotted data

s-confidence limits can be evaluated for the rank values of sample data, as shown in Chapter 2. Appendix 6 includes 5 per cent and 95 per cent median ranks, which can be used to plot the upper and lower 95 per cent s-confidence limits on the c.d.f. These are shown plotted for the data of Table 3.1 in Fig. 3.1.

Censored data

When analysing field or test failure data, we may have to consider samples in which not all items have failed. A proportion of items may have survived to the end of the test, or some may have been withdrawn prior to the end of the test. Data on such a sample are called *censored* data. Items which have survived or which have been removed are called *suspended items*. The derivation of median ranks for censored data is carried out as follows:

1. List order number (i) of failed items.
2. List increasing ordered sequence of life values (t_i) of failed items.
3. Against each failed item, list the number of items which have survived to a time between that of the previous failure and this failure (or between $t=0$ and the first failure).
4. For each failed item, calculate the *mean order number* i_{t_i} using the formula

$$i_{t_i} = i_{t_{i-1}} + N_{t_i} \tag{3.1}$$

where

$$N_{t_i} = \frac{(n+1) - i_{t_{i-1}}}{1 + (n - \text{number of preceding items})} \tag{3.2}$$

in which n is sample size.

5. Calculate median rank for each failed item, using the formula

$$r_{t_i} = \frac{i_{t_i} - 0.3}{n + 0.4} \text{ per cent} \tag{3.3}$$

Example 3.1

Of a sample of 50 items, the running times (h) for the failed and surviving items are as shown in Table 3.2 (12 failures, 38 survivors).

From Eqns (3.1) to (3.3),

$$N_1 = \frac{50 + 1 - 0}{1 + (50 - 2)} = 1.04$$

$$i_1 = i_0 + N_1 = 0 + 1.04 = 1.04$$

Table 3.2 Running times for failed and surviving items for a sample of 50 items

Item[a]	Running time (h)	Item[a]	Running time (h)	Item[a]	Running time (h)
S1	40	S10	141	S25	165
S2	51	S11	147	S26	165
F1	54	S12	147	S27	166
F2	70	S13	150	S28	166
S3	73	F9	153	S29	166
S4	73	S14	153	S30	168
S5	80	S15	153	S31	168
F3	85	S16	154	S32	171
S6	90	S17	156	F11	173
F4	96	S18	156	S33	177
S7	102	S19	156	S34	181
F5	108	S20	158	S35	185
F6	118	S21	158	S36	188
S8	128	S22	158	F12	200
S9	128	F10	161	S37	202
F7	132	S23	162	S38	205
F8	141	S24	162		

[a]S is survivor, F is failure.

$$N_2 = \frac{50 + 1 - 1.04}{1 + (50 - 3)} = 1.04$$

.

.

.

$$i_2 = i_1 + N_2 = 1.04 + 1.04 = 2.08$$

.

.

.

$$r_1 = \frac{i_1 - 0.3}{n + 0.4} = \frac{1.04 - 0.3}{50 + 0.4} = 1.46 \text{ per cent}$$

$$r_2 = \frac{i_2 - 0.3}{n + 0.4} = \frac{2.08 - 0.3}{50 + 0.4} = 3.53 \text{ per cent}$$

.

.

.

These data (Table 3.3) are shown plotted on Weibull probability paper in Fig. 3.4.

'Sudden death' testing

'Sudden death' testing is a useful technique for obtaining test data quickly on a relatively large sample. The sample is divided into a number of equal groups (n groups, each of k items) by random selection. All items are then tested until one fails in each group. These failures are then used as the data points on the life plot.

Table 3.3 Derivation of median ranks for Example 3.1

Failure order no.	Ordered life values, t_i (h)	No. of intervening survivors, $S(t_i)$	Mean order, i_{t_i}	Median rank, r_{t_i} per cent
1	54	2	1.04	1.46
2	70	0	2.08	3.53
3	85	3	3.19	5.74
4	96	1	4.33	7.99
5	108	1	5.50	10.31
6	118	0	6.66	12.62
7	132	2	7.89	15.07
8	141	0	8.71	16.69
9	153	4	10.12	19.47
10	161	9	12.15	23.51
11	173	10	16.47	32.08
12	200	4	25.10	49.21

However, the line obtained represents the distribution of times to the first failure, in a sample in which all the non-failed items are suspended. The times to failure of the failed items are ranked and plotted, giving a sudden death line. For example, Fig. 3.2 shows a plot of the times to first failure of ten samples of six each, with the rank values based on *n* (10). The first failure in a sample of six has a median rank of 10.91 per cent (Appendix 6). To derive the population median line, it is necessary to drop a vertical from the point where the sudden death line intersects the 50 per cent failed ordinate. A line drawn through the point where this intersects the 10.91 per cent ordinate, parallel to the sudden death line, will represent the population life distribution.

Mixed distributions

A plot of failure data may relate to one failure mode or to multiple failure modes within an item. If a straight line does not fit the failure data, particularly if an obvious change of slope is apparent, the causes of failure should be investigated to ensure that not more than one failure mode is included. For example, after a certain length of time on test, a second failure mode may become apparent, or an item may have two superimposed failure modes. In such cases each failure mode must be isolated and analysed separately, after the data on each have been appropriately censored (i.e. each A-type failure is a survival as far as B-type failures are concerned, and vice versa). However, such separation is appropriate only if the failure processes are *s*-independent, i.e. there is no interaction.

Screened samples

In QC and reliability work we often deal with samples which have been screened in some way. For example, machined parts will have been inspected, oversize and undersize parts removed, and electronic parts may have been screened so that no

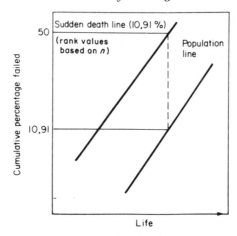

Figure 3.2 Sudden death testing

zero-life ('dead-on-arrival') parts exist. Screening can show up on probability plots, as a curvature in the tails. For example, a plot of time to failure of a fatigue specimen will normally be curved since quality control will have removed items of very low strength. In other words, there will be a positive minimum life. We will cover this aspect in more detail in the section on Weibull plotting of life data.

Estimation of parameters

We can also estimate the distribution parameters from the plot. In the example of the normal probability plot given above (Fig. 3.1) the mean life can be seen to be 14.8 h. The standard deviation can be derived by measuring the life interval covered by 34 per cent either side of the 50 per cent point on the probability scale. In this case it is 1.55 h. The 95 per cent s-confidence limits on the mean are 14 h and 15.7 h. The estimation of the parameters of other distributions will be covered in later sections of this chapter, dealing with the Weibull and extreme value distributions.

LOGNORMAL PROBABILITY PLOTS

Lognormal probability paper is used in exactly the same way as normal probability paper, except that the ordinate scale is constructed logarithmically.

WEIBULL PROBABILITY PLOTS

In reliability engineering Weibull probability analysis is the most widely used of the techniques described, due to the flexibility of the Weibull distribution in describing a number of failure patterns.

Weibull transformation

The axes of Weibull probability paper are derived by performing the transformation

$$R(t) = 1 - F(t) = \exp\left[-\left(\frac{t}{\eta}\right)^{\beta}\right]$$

assuming γ (failure-free time) is 0 (i.e. we use the two-parameter Weibull distribution). Therefore

$$\frac{1}{1-F(t)} = \exp\left(\frac{t}{\eta}\right)^{\beta}$$

taking double logarithms,

$$\ln \ln \frac{1}{1-F(t)} = \beta \ln t - \beta \ln \eta$$

This is a straight line of the form $y = ax + b$.

Thus the Weibull paper is constructed by having a log log reciprocal ordinate (y) scale, representing cumulative probability of failure (or failure percentage), and the abscissa (x) scale is a log scale representing the life value. The slope of a straight line plotted on this paper will be β, the shape parameter.

Examples of Weibull probability paper are shown in Figures 3.3 and 3.4, as produced by Technical and Engineering Aids to Management — TEAM (USA) and Chartwell (UK). On the TEAM paper the slope β is measured by constructing a line parallel to the line of plotted data, through the estimation point, and reading the value of β at the intersection with the β scale (1.6 in the example shown). The value of β is estimated on the Chartwell paper on the β scale by the intersection of the perpendicular from the estimation point to the line of the plotted data. η is given by the life value at the intersection with the η estimator line (63.2 per cent cumulative failure). The Chartwell paper also includes a scale for estimating the mean life μ. This is derived by reading the survival probability from the P scale, where the β estimator line intersects, and then reading the life value relative to the probability on the cumulative percentage failure scale.

Another Weibull parameter often used is the B life. This is the life by which a given percentage of the population will have failed. For example, the B_{10} life is the life at which 10 per cent of the population will have failed. It is estimated by reading the appropriate life value against the intersection of the line of the plotted data with the 10 per cent cumulative failure line. For example, the B_{10} life in Fig. 3.4 is 110 h. ($\hat{B}_{10}$ indicates that this is an estimate from the sample data.)

Probability papers are available covering various decade ranges. For example, the two papers shown in Figs 3.3 and 3.4 cover 3 and 2 decades, respectively. If the correct decade range is not available, the data may still be plotted by allowing the plot to reappear on the left-hand side of the paper or by attaching more decade ranges to the right-hand side.

Failure-free life

The examples given so far all relate to cases where γ is 0, i.e. there is no failure-free time. Of course this is not necessarily the case in reliability work. If an item has

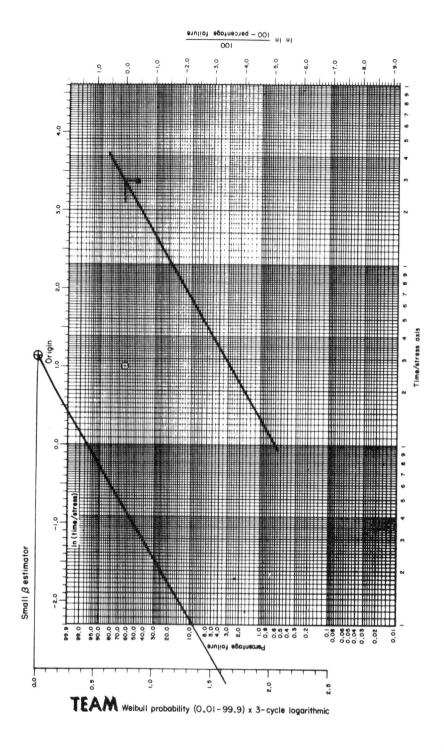

Figure 3.3 TEAM Weibull probability paper

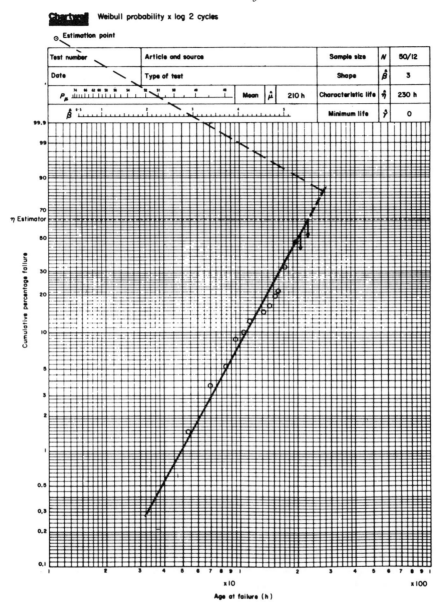

Figure 3.4 Chartwell Weibull probability paper (censored data—Example 3.1)

a finite (positive) failure-free time under test, e.g. a fatigue test specimen, the failure data will plot as a curve, seen convex from above, since the transformation to achieve the Weibull scales assumes that the data fit a two-parameter distribution. The effect of a finite life is to shift the age-at-failure scale to the left. It is possible to have an apparent negative value for γ, for example, if the items under test had accumulated unrecorded operating time before the start of the test. In this case the curve will appear concave from above.

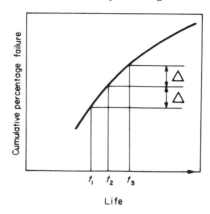

Figure 3.5 Life plot: failure-free time

In order to transform such data into a straight line for analysis of the Weibull parameters it is necessary to transform the three-parameter distribution into a two-parameter one. To achieve this, equally spaced horizontals are drawn as shown in Fig. 3.5 with the middle line intersecting the mid-point of the plotted data. The corresponding values of t_1, t_2 and t_3 are then read off the life scale. Then

$$\hat{\gamma} = t_2 - \frac{(t_3 - t_2)(t_2 - t_1)}{(t_3 - t_2) - (t_2 - t_1)}$$

The data are then replotted, with the value of $\hat{\gamma}$ so derived subtracted from each life value. The life parameters estimated from the plot must then have the value of $\hat{\gamma}$ added to give the true life values.

Discretion must be used in interpreting data that do not plot as a straight line, since the cause of the non-linearity may be due to the existence of mixed distributions or because the data do not fit the Weibull distribution. It is quite likely to be due simply to the randomness in the sample. The failure mechanisms must be studied, and engineering judgement used, to ensure that the correct interpretations are made. It is a common error to assume that, because a straight line provides a reasonably good fit to the data, that there is no failure-free life. However, in most cases wearout failure modes do exhibit a finite failure-free life. Therefore a value for γ can sometimes be estimated from knowledge of the product and its application. Alternatively, the time to first failure is often a satisfactory estimate of γ. In these cases the procedure described above is not necessary. Generally, data on several failure modes in a system are likely to fit a two-parameter distribution ($\gamma = 0$), but single wearout failure modes are more likely to have positive values of γ.

Example 3.2

Failure data on 15 electrical relays tested to failure, where the criterion for failure is a predetermined level of contact resistance, are shown in Table 3.4.

The cycles to failure are plotted in Fig. 3.6. The best fit appears to be the curve shown indicating a finite minimum life. This conclusion is accepted as being valid from knowledge of the relay contact behaviour.

Table 3.4 Failure data on 15 electrical relays tested to failure

Order no.	Median rank per cent	Cycles to failure $(\times 10^5)$	Cycles to failure, adjusted $(\times 10^5)$
1	4.5	6.2	2.1
2	10.9	9.0	4.9
3	17.4	10.2	6.1
4	23.9	12.1	8.0
5	30.5	12.6	8.5
6	37.0	14.4	10.3
7	43.5	14.7	10.6
8	50.0	16.1	12.0
9	56.5	18.6	14.5
10	63.0	20.5	16.4
11	69.5	20.6	16.5
12	76.1	23.0	18.9
13	82.6	26.7	22.6
14	89.1	27.6	23.5
15	95.5	34.4	30.3

The geometrical mid-point on the percentage failure scale gives $t_2 = 13 \times 10^5$. t_1 and t_3 are 6.2×10^5 and 34.4×10^5, respectively.

$$\hat{\gamma} = t_2 - \frac{(t_3 - t_2)(t_2 - t_1)}{(t_3 - t_2) - (t_2 - t_1)}$$

$$= \left[13 - \frac{(34.4 - 13)(13 - 6.7)}{(34.4 - 13) - (13 - 6.7)} \right] \times 10^5 = 4.07 \times 10^5$$

Subtracting 4.1 from each of the values in the third column gives the results in the fourth column. When these are plotted in Figure 3.6 the adjusted data can be fitted by the straight line shown. From this we can read the other Weibull distribution parameters: $\hat{\beta} = 1.7$, $\hat{\eta} = 16 \times 10^5$ cycles.

s-confidence limits on the shape parameter

It is important to derive s-confidence limits on the shape parameter β, since decisions may be based upon this value. Figure 3.7 gives factors F_β against sample size for different s-confidence levels (99, 95, 90 per cent) on β. The upper and lower s-confidence limits are then

$$\beta_u = \hat{\beta} F_\beta$$

$$\beta_1 = \hat{\beta} \frac{1}{F_\beta}$$

Example 3.3

Derive the upper and lower confidence limits if $n = 10$, $\beta = 1.6$ for $C = 90$ per cent (double-sided).

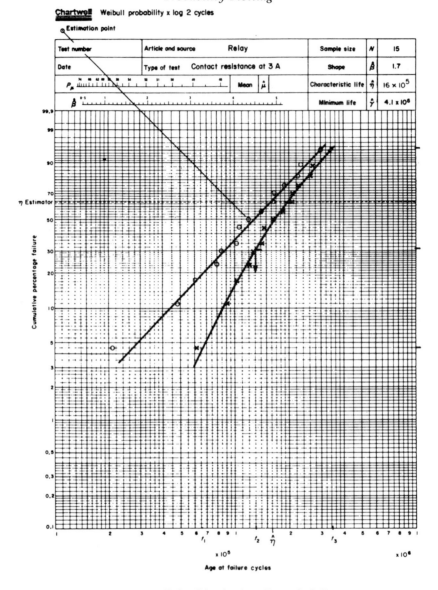

Figure 3.6   Relay life plot (see Example 3.2)

From Fig. 3.7, $F_\beta = 1.37$; therefore,

$$\beta_u = 1.6 \times 1.37 = 2.19$$

$$\beta_1 = \frac{1.6}{1.37} = 1.17$$

i.e. we have a 90 per cent s-confidence that $2.19 \geqslant \beta \geqslant 1.17$.

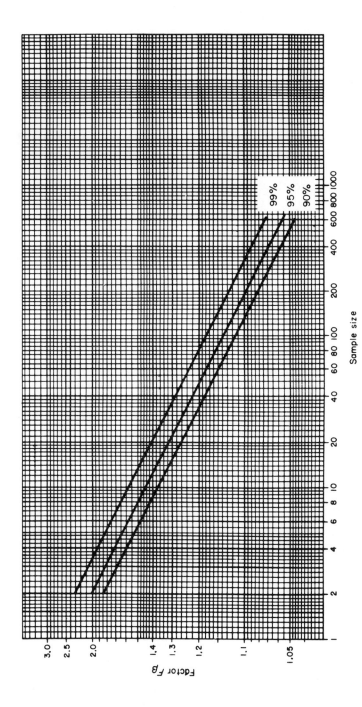

Figure 3.7 Confidence limits for shape parameter β for different confidence values

EXTREME VALUE PROBABILITY PLOTTING

Extreme value statistics are described in Chapter 2. TEAM extreme value probability paper is shown in Fig. 3.8. It uses a linear scale for the random variable and a cumulative probability scale. Two auxiliary scales give the *reduced variate, y,* and the *return period*. The return period is

$$\frac{1}{(1-p)}$$

where p is the cumulative probability that a future observed value will not exceed the previous value. Thus the return period represents the period over which there is a 50 per cent probability of the event occurring. Both scales are read by drawing the vertical through the point of intersection of the value of the variable with the line of the plotted data.

Example 3.4

The breaking strength of a long wire was tested, using a sample of 15 equal lengths. Since the strength of a wire can be considered to depend upon the existence of imperfections, the extreme value distribution of minimum values might be an appropriate fit. The results are shown in Table 3.5 and plotted in Fig. 3.8.

Since this would be a distribution of minimum value it will be left-skewed, and the data are therefore arranged in descending order of magnitude. Plotting the data the other way around would generate a convex curve, viewed from above. A plot of an extreme value distribution of maximum values would be made with the data in ascending order. In this case the probability scale represents the cumulative probability that the breaking strength will be greater than the value indicated, so that there is a 95 per cent probability that the strength of a wire *of this length* will be greater than 46 N. If the wire is longer it will be likely to be weaker, since the probability of its containing extreme value imperfections will be higher.

The mode $\hat{\mu}$ is estimated directly from the plot. In this case $\hat{\mu} = 69.5$ N. $\hat{\sigma}$, the measure of variability, can be derived from the expression (see page 44):

$$\text{Mean} = \hat{\mu} - 0.577\hat{\sigma}$$

$$\hat{\sigma} = \frac{\hat{\mu} - \text{mean}}{0.577}$$

$$= \frac{69.5 - 65}{0.577} = 7.8 \text{ N}$$

The value of $1/\sigma$ is sometimes referred to as the *Gumbel slope*. The return period $1/(1-p)$ represents the average value of x (e.g. number of times, or time) between recurrences of a greater (or lesser) value than represented by the return period. In Example 3.4 there is a 50–50 chance that a length of wire of breaking strength less than 45 N will occur in a batch of 26 lengths. The return period is used in forecasting the likelihood of extreme events such as floods and high winds, but it is not often referred to in reliability work.

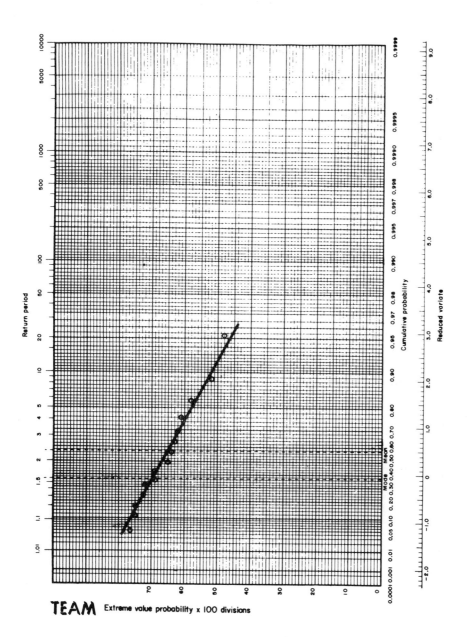

Figure 3.8 TEAM extreme value probability paper (see also Example 3.4)

Table 3.5 Breaking strengths of 15 samples of wire of equal length.

Rank order	Cumulative probability per cent (median ranks, c.d.f)	Breaking strength (N)
1	4.5	76
2	10.9	75
3	17.4	75
4	23.9	72.5
5	30.4	72
6	36.9	69
7	43.4	69
8	50.0	65
9	56.5	64
10	63.0	63
11	69.5	62
12	76.0	61
13	82.5	58
14	89.0	52
15	95.4	48

HAZARD PLOTTING

Instead of plotting the cumulative proportion of items failed, we can plot the cumulative hazard function, using hazard papers. This technique has particular advantages when dealing with censored data, as will be shown.

The theory underlying hazard plotting is as follows. From Chapter 2, we remember that the hazard rate $h(x)$ is given by

$$h(x) = \frac{f(x)}{1 - F(x)} \tag{2.21}$$

$$F(x) = \int_0^x f(x) \, dx \tag{2.19}$$

The cumulative hazard function

$$H(x) = \int_o^x h(x) \, dx$$

$$= \int_0^x \frac{f(x)}{1 - F(x)} \, dx \tag{2.22}$$

$$= -\ln[1 - F(x)]$$

This relationship allows the derivation of cumulative hazard plotting paper. For example, for the Weibull distribution,

$$h(x) = \frac{\beta}{\eta^{\beta}} x^{\beta-1}$$

Therefore,

$$H(x) = \left(\frac{x}{\eta}\right)^{\beta}$$

If H is the cumulative hazard value,

$$\log x = \frac{1}{\beta} \log H + \log \eta$$

Thus, Weibull hazard paper is a log–log paper. The nominal slope of the plotted data would be $1/\beta$. When $H = 1$, $x = \eta$. Figure 3.9 is an example of Weibull hazard paper. Hazard papers for normal, lognormal, exponential and type I extreme value distributions are also available.

The hazard plotting procedure is:

1. Tabulate the times to failure in order.

2. For each failure, calculate the hazard interval

$$\Delta H_i = \frac{1}{\text{number of items remaining after previous failures/censoring}}$$

3. For each failure, calculate the cumulative hazard function

$$H = \Delta H_1 + \Delta H_2 + \cdots + \Delta H_n$$

4. Plot the cumulative hazard against life value on the chosen hazard paper.

As with Weibull probability paper, Weibull hazard paper is based upon the two-parameter Weibull distribution, and a non-zero value of failure-free life will result in a curved cumulative hazard line. A value for $\hat{\gamma}$ can be derived as described on page 76, except that equal length divisions are measured off on the abscissa instead of on the ordinate if the geometrical construction method is being used.

Hazard plotting should be used in preference to cumulative probability plotting when dealing with censored data, or when the data include multiple failure modes and we wish to analyse the overall failure distribution, as well as individual failure modes. (This is, of course, a type of censoring.) One tabulation may then be used, rather than a separate tabulation for each failure mode (see Example 3.5). However, since statistical software with plotting capabilities can automatically deal with censoring, probability plotting using such software is no more difficult with censored data.

Example 3.5

Table 3.6 gives distance to failure on a vehicle shock absorber, taken from fleet records. The data are tabulated and treated as described above. F1 is the failure mode

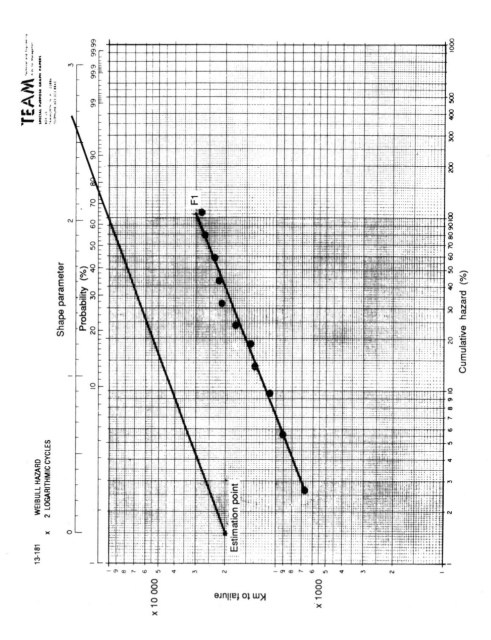

Figure 3.9 TEAM Weibull hazard paper (see also Example 3.5)

Table 3.6 Distance to failure on a vehicle shock absorber

No.	Distance (km)	F1 Δ Hazard per cent	F1 Cumulative hazard per cent
1 (38)	6 700 (F1)	2.63 (1/38)	2.63
2 (37)	6 950		
3 (36)	7 820		
4 (35)	8 790		
5 (34)	9 120 (F1)	2.94 (1/34)	5.57
6 (33)	9 660		
7 (32)	9 820		
8 (31)	11 310		
9 (30)	11 690		
10 (29)	11 850		
11 (28)	11 880		
12 (27)	12 140		
13 (26)	12 200 (F1)	3.85	9.42
14 (25)	12 870		
15 (24)	13 150 (F1)	4.17	13.59
16 (23)	13 330		
17 (22)	13 470		
18 (21)	14 040		
19 (20)	14 300 (F1)	5.00	18.59
20 (19)	17 520 (F1)	5.26	23.85
21 (18)	17 540		
22 (17)	17 890		
23 (16)	18 450		
24 (15)	18 960		
25 (14)	18 980		
26 (13)	19 410		
27 (12)	20 100 (F1)	8.33	32.18
28 (11)	20 100		
29 (10)	20 150		
30 (9)	20 320		
31 (8)	20 900 (F1)	12.50	44.68
32 (7)	22 700 (F1)	14.29	58.96
33 (6)	23 490		
34 (5)	26 510 (F1)	20.0	78.96
35 (4)	27 410		
36 (3)	27 490 (F1)	33.3	112.29
37 (2)	27 890		
38 (1)	28 100		

considered. Note that, compared with the method of dealing with censored data described earlier (page 76), the calculation of plotting positions is much easier. The data are shown plotted in Fig. 3.9.

In this example, for the failure mode F1, $\hat{\beta} = 2.6$, $\hat{\eta} = 29\,000$ km (the life equivalent to 100 per cent cumulative hazard). (This is the 63.2 per cent c.d.f. on the probability scale.)

CHOOSING THE DISTRIBUTION
AND ASSESSING THE RESULTS

The types of failure pattern and modes of failure which can be described by the continuous statistical distributions covered in Chapter 2 and in this chapter have been mentioned in the relevant sections. The distribution which is likely to provide the best fit to a set of data is not always readily apparent, and it can be useful to follow guidelines which should lead to the most revealing presentation.

The steps to be taken are:

1. Consider the situation. What do we expect the failure pattern to be? For example, do we expect an increasing or decreasing hazard rate, or a failure-free life?
2. Plot the ranked data on the appropriate chart (probability or hazard).
3. Draw the line of best fit after estimating the failure-free life if appropriate.
4. If there is a good fit to a reasonably large sample ($\geqslant 10$ data points), estimate the parameters and determine the 5 per cent and 95 per cent confidence limits.
5. If the estimated value of β is near 3.5, try normal paper. If β is between 2.5 and 3.5, try lognormal paper, but only if the sample size is large (>20).
6. If a good Weibull fit cannot be obtained, and the conditions make a fit to an extreme value type I or type II distribution likely, try extreme value paper. If extreme value is unlikely, look for multiple failure modes.

Statistical goodness-of-fit tests should be applied to test the fit to the assumed underlying distributions, when finer judgements are to be made and when there is a large database. The refinement inherent in such tests is not of much value for sample sizes less than about 20.

If a constant hazard rate ($\beta = 1$) is apparent, this can be an indication that multiple failure modes exist or that the time-to-failure data are suspect. This is often the case with systems in which different parts have different ages and individual part operating times are not available. A constant hazard rate can also indicate that failures are due to external events, such as faulty use or maintenance.

Whilst wearout failure modes are characterized by $\beta > 1$, situations can arise in which wearout failures occur after a finite failure-free time, and a β value of $\leqslant 1$ is obtained. This can happen when only a proportion of the sample is defective, the defect leading to failures after a finite time. The Weibull parameters of the wearout failure mode can be derived if it is possible to identify the defective items and analyse their life and failure data separately from that of the non-defective items.

It is very important that the physical nature of failures be investigated as part of any evaluation of failure data, if the results are to be used as a basis for engineering action, as opposed to logistic action. For example, if an assembly has several failure modes, but the failure data are being used to determine requirements for spares and repairs, then we do not need to investigate each mode and the parameters applicable to the mixed distributions are sufficient. If, however, we wish to understand the failure modes in order to make improvements, we must investigate all failures and analyse the distributions separately, since two or more failure modes may have markedly different parameters, yet generate overall failure data which are fitted by a distribution which is different to that of any of the underlying ones.

It is also important to ensure that the time axis chosen is relevant to the problem, or misleading results can be generated. For example, if a number of items are tested, and the running times recorded, the failure data could show different trends depending upon whether all times to failure are taken as cumulative times from when the test on the first item is started, or if individual times to failure are analysed. If the items start their tests at different elapsed or calendar times the results can also be misleading if not carefully handled. For example, a trend might be caused by exposure to changing weather conditions, in which case an analysis based solely on running time could conceal this information. The methods of exploratory data analysis, described in Chapter 12, can be applied when appropriate.

PROBABILITY PLOTTING FOR BINOMIAL DATA

Items such as alarm systems, standby power supply systems and missile components can often be most conveniently considered as either functioning or not when needed, and the reliability data will then be binomially distributed. In these cases we are not concerned with time (or cycles, etc.) to failure, but only with the probability of failure at the instant considered. Examples in reliability using the binomial distribution were covered in Chapter 2.

Binomial probability plotting paper can be used for quickly comparing sets of data or for evaluating data against a standard. Figure 3.10 shows an example of binomial probability paper. It is constructed by having square root scales for the ordinate and the abscissa, so that points lying on a straight line through the origin have the same standard deviation.

To represent a binomial proportion on the paper, the *binomial split* is calculated and plotted, and this is connected to the origin. The binomial split is $p/(n-p)$, [or $c/(n-c)$ in the notation used on the TEAM paper], where $p(c)$ is the quantity with one attribute (e.g. defectives) and n is the sample size. For example, a proportion of 10 per cent would be plotted at 10 on the c scale and 90 on the n scale (not 100). This line then represents all samples with this proportion. s-confidence limits can be drawn parallel to the datum line through the appropriate points on the s-confidence scale.

Binomial papers with different scale ranges are available. Since the scales are square root, they may both be multiplied by multiples of 100 to provide factors of 10 in the variables.

Example 3.6

An item is required to be 90 per cent reliable. Four samples are tested and give results as shown in Table 3.7. Comment on the results.

Since not more than 10 per cent must be defective, the datum point is derived from the binomial split $10/(100-10)=10/90$. The results are then plotted as shown in Fig. 3.10.

Table 3.7 Results of tests on four samples

Trial	Sample size, n	Failures, c	$n-c$
1	32	5	27
2	20	2	18
3	20	5	15
4	55	10	45

We can now use the s-confidence limit scale to interpret these results, by drawing lines parallel to the requirement line through the s-confidence value required. In this case we can see that trial 2 gives the required proportion. However, the result of trial 1 indicates with higher than 90 per cent s-confidence that it is not compliant with the

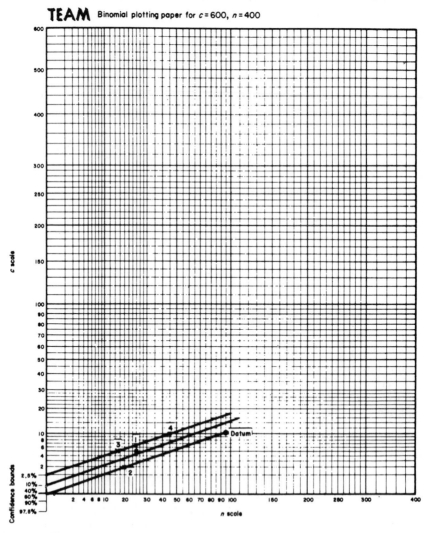

Figure 3.10 TEAM binomial plotting paper (see also Example 3.6)

requirement and trials 3 and 4 are non-compliant at the 97.5 per cent confidence level.

Binomial probability paper with an extended n scale can be used as a convenient method of monitoring test data for items with a low proportion failing, such as electronic components, as shown in Example 3.7.

Example 3.7

Two types of custom hybrid integrated circuit are used in an instrument. It is required that not more than 0.02 per cent of either type fail during production testing. Test data are shown in Table 3.8. 1 is added to the cumulative number of failures, because when plotting binomial data with a small value of p, this gives a better estimate of the population proportion $\hat{p}$. The failure data are shown plotted in Fig. 3.11. The plot shows that, at the 97.5 per cent confidence level, the type 1 circuit is outside the specification. The trend shows a statistically significant problem in lots 16 to 18. The type 2 circuit also has a higher failure ratio than specified, at the 90 per cent confidence level.

Binomial probability paper as produced by Chartwell is shown in Fig. 3.12. Sample data are plotted in the same way as on the TEAM paper. The circular scale gives the percentage defective, as $(1 - \sin^2 \alpha)$, where α is the value on the degrees scale. This value is read on the vertical scale as shown. For example, Fig. 3.12 shows a plotted binomial split of 10:150. This intersects at 75.7°, giving the percentage defective as $(1 - \sin^2 75.7°) = 6.1$ per cent. The arcsine transform is used to determine s-confidence limits, in conjunction with the standard error scale at the top of the chart. For example,

Table 3.8 Test data on two types of custom hybrid integrated circuit (see Example 3.7)

Lot no.	No. tested	Cum no. tested	No. failed type 1, c_1	Cum. c_1+1	No. failed type 2, c_2	Cum. c_2+1
1	1184	1184	1	2	0	1
2	1152	2336	0	2	1	2
3	1328	3664	1	3	0	2
4	1287	4951	0	3	0	2
5	1463	6414	0	3	1	3
6	1510	7924	1	4	0	3
7	1291	9215	1	5	2	5
8	1384	10 599	0	5	0	5
9	1570	12 169	0	5	0	5
10	1648	13 817	0	5	0	5
11	1586	15 403	2	7	1	6
12	1353	16 756	1	8	0	6
13	1422	18 178	0	8	0	6
14	1338	19 516	0	8	2	8
15	1546	21 062	1	9	0	8
16	1284	22 346	2	11	0	8
17	1172	23 518	2	13	0	8
18	1390	24 908	3	16	0	8
19	1521	26 429	0	16	1	9
20	1441	27 870	0	16	0	9

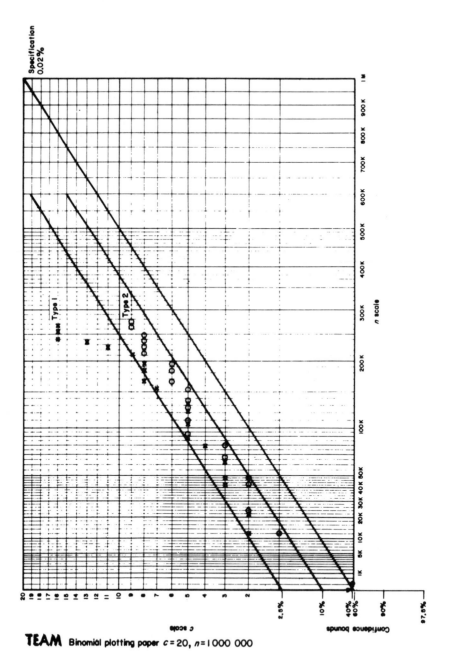

Figure 3.11　Failure plot—hybrid circuits (see Example 3.8)

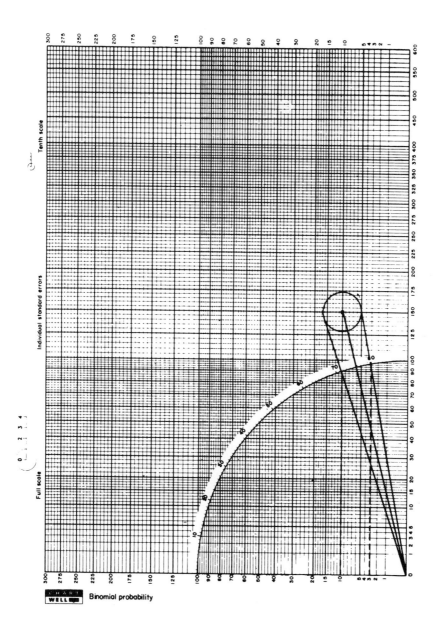

Figure 3.12 Chartwell binomial probability paper

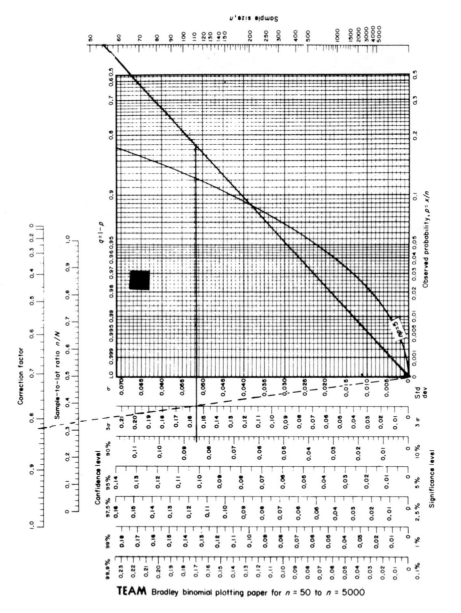

Figure 3.13 TEAM Bradley binomial paper

the approximate 2.5 per cent (single-sided) s-confidence limits are derived by constructing a circle about the binomial split point with a radius of two standard errors. The arcsine transform is then used in the same way to determine the s-confidence limits, in this case 10 per cent and 3 per cent. s-confidence limit lines can be drawn as on the TEAM paper by constructing lines parallel to the process line, tangential to the circle.

Bradley binomial paper

Bradley binomial plotting paper allows binomial data to be analysed and s-confidence limits to be derived graphically. Figure 3.13 shows TEAM Bradley binomial plotting paper. The data are plotted by drawing a straight line from the sample size scale to the origin, and the value of the observed probability is marked on this line. Figure 3.13 shows the plotted data for a sample of 55, of which 10 are defective, i.e. 0.18. The s-confidence limits for the population are derived by drawing a horizontal line to intersect the appropriate s-confidence level (or standard deviation) scale. In this case, the 90 per cent s-confidence limits for the defective proportion of the population would be 0.18 ± 0.086.

Bradley binomial paper allows a correction to be made to take account of finite population (lot) sizes, using the sample-to-lot ratio scale at the top of the graph. If in this case the lot size is 165, $n/N = \frac{1}{3} = 0.33$. The correction factor for the s-confidence limits is derived by connecting this point on the n/N scale to the origin and reading the value on the correction factor scale (0.82). The corrected 90 per cent s-confidence limits for the proportion defective for this lot size are therefore $0.18 \pm (0.086 \times 0.82)$. The np line on the Bradley paper indicates the boundary for points to the left of which the accuracy of s-confidence limit estimation is reduced.

If necessary, the appropriate Bradley plotting paper should be selected in relation to the sample size and the observed probability, to ensure that the plotted data fall to the right of the np line.

CONCLUSIONS

Probability plotting methods can be very useful for analysing reliability data, in the particular circumstances of items which can only fail once. This distinction is important, since the method, and the underlying statistical theory, assumes that the individual times to failure are independently and identically distributed (IID). That is, that failure of one item cannot affect the likelihood of, or time to, failure of any other item in the population, and that the distribution of times to failure is the same for all the failures considered. If these conditions do not hold, then the method can give misleading results. Techniques for analysing reliability data, when these conditions do not apply, are described in Chapter 12.

Probability plotting can also be used for analysing other IID data, such as sample measurements in quality control.

The software for statistical analysis, described in Chapter 2, includes probability plotting capabilities.

BIBLIOGRAPHY

1. J. R. King, *Probability Charts for Decision Making*. Industrial Press, New York (1971).
2. Notes on plotting techniques: TEAM, *Easy Analysis Methods*. Technical and Engineering Aids to Management, Tamworth, New Hampshire.
3. K. A. Dey, *Practical Statistical Analysis for the Reliability Engineer*. Reliability Analysis Center Report SOAR 2 (Rome Air Development Center). Available from National Technical Information Service (NTIS), Springfield, Virginia.
4. W. Nelson, *Applied Life Data Analysis*. Wiley (1982).

4

Load–strength Interference

INTRODUCTION

In Chapter 1 we set out the premise that a common cause of failure results from the situation when the applied load exceeds the strength. Load and strength are considered in the widest sense. 'Load' might refer to a mechanical stress, a voltage or internally generated stresses such as temperature. 'Strength' might refer to any resisting physical property, such as hardness, strength, melting point or adhesion. Examples are:

1. A bearing fails when the internally generated loads (due perhaps to roughness, loss of lubricity, etc.) exceed the local strength, causing fracture, overheating or seizure.
2. A transistor gate in an integrated circuit fails when the voltage applied causes a local current density, and hence temperature rise, above the melting point of the conductor or semiconductor material.
3. A hydraulic valve fails when the seal cannot withstand the applied pressure without leaking excessively.
4. A shaft fractures when torque exceeds strength.

Therefore, if we design so that strength exceeds load, we should not have failures. This is the normal approach to design, in which the designer considers the likely extreme values of load and strength, and ensures that an adequate safety factor is provided.

Additional factors of safety may be applied, e.g. as defined in pressure vessel design codes or electronic component derating rules. This approach is usually effective. Nevertheless, some failures do occur which can be represented by the load–strength model. By our definition, either the load was then too high or the strength too low. Since load and strength were considered in the design, what went wrong?

DISTRIBUTED LOAD AND STRENGTH

For most products neither load nor strength are fixed, but are distributed statistically. This is shown in Fig. 4.1(a). Each distribution has a mean value, denoted by

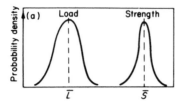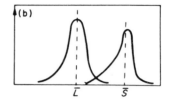

Figure 4.1 Distributed load and strength: (a) non-overlapping distributions, (b) overlapping distributions

$\bar{L}$ or $\bar{S}$, and a standard deviation, denoted by σ_L or σ_S. If an event occurs in which the two distributions overlap, i.e. an item at the extreme weak end of the strength distribution is subjected to a load at the extreme high end of the load distribution, such that the 'tails' of the distributions overlap, failure will occur. This situation is shown in Fig. 4.1(b).

For distributed load and strength, we define two factors, the *safety margin* (SM),

$$SM = \frac{\bar{S} - \bar{L}}{(\sigma_S^2 + \sigma_L^2)^{1/2}} \tag{4.1}$$

and the *loading roughness* (LR),

$$LR = \frac{\sigma_L}{(\sigma_S^2 + \sigma_L^2)^{1/2}} \tag{4.2}$$

The safety margin is the relative separation of the mean values of load and strength and the loading roughness is the standard deviation of the load; both are relative to the combined standard deviation of the load and strength distributions.

The safety margin and loading roughness allow us, in theory, to analyse the way in which load and strength distributions interfere, and so generate a probability of failure. By contrast, a traditional deterministic safety factor, based upon mean or maximum/minimum values, does not allow a reliability estimate to be made. On the other hand, good data on load and strength properties are very often not available. Other practical difficulties arise in applying the theory, and engineers must always be alert to the fact that people, materials and the environment will not necessarily be constrained to the statistical models being used. The rest of this chapter will describe the theoretical basis of load-strength interference analysis. The theory must be applied with care and with full awareness of the practical limitations. These are discussed later.

Some examples of different safety margin/loading roughness situations are shown in Fig. 4.2. Figure 4.2(a) shows a highly reliable situation: narrow distributions of load and stress, low loading roughness and a large safety margin. If we can control the spread of strength and load, and provide such a high safety margin, the design should be intrinsically failure-free. (Note that we are considering situations where the mean strength remains constant, i.e. there is no strength degradation with time. We will cover strength degradation later.) This is the concept applied in most designs, particularly of critical components such as civil engineering structures and pressure

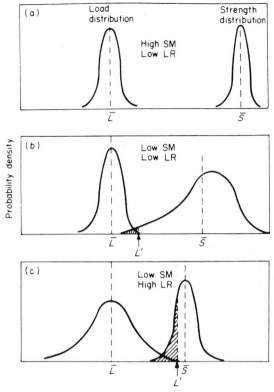

Figure 4.2 Effect of safety margin and loading roughness. Load L' causes failure of a proportion of items indicated by the shaded area

vessels. We apply a safety margin which experience shows to be adequate; we control quality, dimensions, etc., to limit the strength variations, and the load variation is either naturally or artificially constrained.

Figure 4.2(b) shows a situation where loading roughness is low, but due to a large standard deviation of the strength distribution the safety margin is low. Extreme load events will cause failure of weak items. However, only a small proportion of items will fail when subjected to extreme loads. This is typical of a situation where quality control methods cannot conveniently reduce the standard deviation of the strength distribution (e.g. in electronic device manufacture, where 100 per cent visual and mechanical inspection is not always feasible). In this case deliberate overstress can be applied to cause weak items to fail, thus leaving a population with a strength distribution which is truncated to the left (Fig. 4.3). The overlap is thus eliminated and the reliability of the surviving population is increased. This is the justification for high stress burn-in of electronic devices, proof-testing of pressure vessels, etc. Note that the overstress test only destroys weak items. It must not cause weakening (strength degradation) of good items. A decreasing hazard or failure rate (DFR) is characteristic of this situation, since as weak items fail ('infant mortality'), the population strength increases and the failure rate decreases.

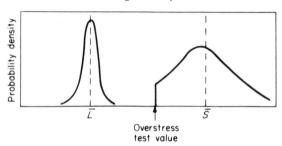

Figure 4.3 Truncation of strength distribution by screening

Figure 4.2(c) shows a low safety margin and high loading roughness due to a wide spread of the load distribution. This is a difficult situation from the reliability point of view, since an extreme stress event will cause a large proportion of the population to fail. Therefore, it is not economical to improve population reliability by screening out items likely to fail at these stresses. The options left are to increase the safety margin by increasing the mean strength, which might be expensive, or to devise means to curtail the load distribution. This is achieved in practice by devices such as current limiters in electronic circuits or pressure relief valves and dampers in pneumatic and hydraulic systems.

ANALYSIS OF LOAD–STRENGTH INTERFERENCE

The reliability of a part, for a discrete load application, is the probability that the strength exceeds the load:

$$R = P(S > L)$$

$$= \int_0^\infty f_L(L) \left[\int_L^\infty f_S(S) \, dS \right] dL$$

$$= \int_0^\infty f_S(S) \left[\int_0^S f_L(L) \, dL \right] dS$$

where $f_S(S)$ is the p.d.f. of strength and $f_L(L)$ is the p.d.f. of load.

Also, if we define y as $S - L$, y is a random variable such that

$$R = P(y > 0)$$

$$= \int_0^\infty \int_0^\infty f_S(y + L) \, f(L) \, dL \, dy \tag{4.3}$$

Normally distributed strength and load

If we consider normally distributed strength and load, so that the c.d.f.s are

$$F_L(L) = \Phi \left(\frac{L - \bar{L}}{\sigma_L} \right)$$

$$F_S(S) = \Phi\left(\frac{S-\bar{S}}{\sigma_S}\right)$$

if $y = S - L$, then $\bar{y} = \bar{S} - \bar{L}$ and $\sigma_y = (\sigma_S^2 + \sigma_L^2)^{1/2}$. So

$$R = P(y > 0)$$

$$= \Phi\left(\frac{S-\bar{L}}{\sigma_y}\right) \tag{4.4}$$

Therefore, the reliability can be determined by finding the value of the standard cumulative normal variate from the normal distribution tables. The reliability can be expressed as

$$R = \Phi\left[\frac{\bar{S}-\bar{L}}{(\sigma_S^2 + \sigma_L^2)^{1/2}}\right]$$

$$= \Phi(SM) \text{ (from Eqn 4.1)} \tag{4.5}$$

Example 4.1

A component has a strength which is normally distributed, with a mean value of 5000 N and a standard deviation of 400 N. The load it has to withstand is also normally distributed, with a mean value of 3500 N and a standard deviation of 400 N. What is the reliability per load application?

The safety margin is

$$\frac{5000 - 3500}{(400^2 + 400^2)^{1/2}} = 2.65$$

From Appendix 1,

$$\Phi(2.65) = 0.996$$

Other distributions of load and strength

The integrals for other distributions of load and strength can be derived in a similar way. For example, we may need to evaluate the reliability of an item whose strength is Weibull-distributed, when subjected to loads that are extreme-value-distributed. These integrals are somewhat complex and the reader is referred to References 1 and 2 in the Bibliography for details and for tables of the evaluated integrals.

EFFECT OF SAFETY MARGIN AND LOADING ROUGHNESS ON RELIABILITY (MULTIPLE LOAD APPLICATIONS)

For multiple load applications:

$$R = \int_0^\infty f_S(S) \left[\int_0^S f_L(L)\, dL \right]^n dS$$

where n is the number of load applications.

Reliability now becomes a function of safety margin and loading roughness, and not just of safety margin. This complex integral cannot be reduced to a formula as Eqn (4.5), but can be evaluated using computerized numerical methods.

Figure 4.4 shows the effects of different values of safety margin and loading roughness on the failure probability per load application for large values of n, when both load and strength are normally distributed. The dotted line shows the single load application case (from Eqn 4.5). Note that the single load case is less reliable per load application than is the multiple load case.

Since the load applications are s-independent, reliability over n load applications is given by

$$R = (1-p)^n \qquad \text{(from Eqn 2.2)}$$

where p is the probability of failure per load application.

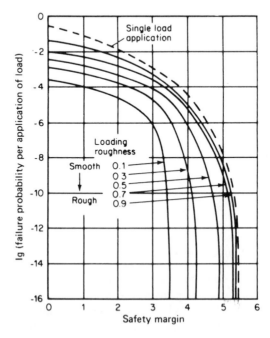

Figure 4.4 Failure probability–safety margin curves when both load and strength are normally distributed (for large n and $n=1$)

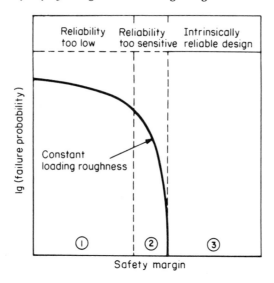

Figure 4.5 Characteristic regions of a typical failure probability–safety margin curve

For small values of p the binomial approximation allows us to simplify this to

$$R \approx 1 - np \tag{4.6}$$

The reliability for multiple load applications can then be derived, if we know the number of applications, having used Fig. 4.4 to derive the value of p. Once the safety margin exceeds a value of 3 to 5, depending upon the value of loading roughness, the failure probability becomes infinitesimal. The item can then be said to be *intrinsically reliable*. There is an intermediate region in which failure probability is very sensitive to changes in loading roughness or safety margin, whilst at low safety margins the failure probability is high. Figure 4.5 shows these characteristic regions. Similar curves can be derived for other distributions of load and strength. Figures 4.6 and 4.7 shows the failure probability—safety margin curves for smooth and rough loading situations for Weibull-distributed load and strength. These show that if the distributions are skewed so that there is considerable interference, high safety margins are necessary for high reliability. For example, Fig. 4.6 shows that, even for a low loading roughness of 0.3, a safety margin of at least 5.5 is required to ensure intrinsic reliability, when we have a right-skewed load distribution and a left-skewed strength distribution. If the loading roughness is high (Fig. 4.7), the safety margin required is 8. These curves illustrate the sensitivity of reliability to safety margin, loading roughness and the load and strength distributions.

Approximate equivalent safety margin and loading roughness values for Weibull-distributed load and strength situations can be derived by using the following approximations for the standard deviation and the mean of the 'equivalent' normal distribution (i.e. a normal distribution, the cumulative values of which coincide with the cumulative asymmetric Weibull distribution at two points in the tails: 0.9 and

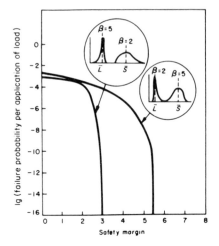

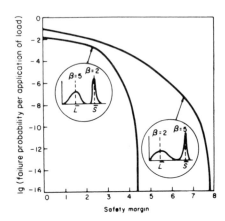

Figure 4.6 Failure probability–safety margin curves for asymmetric distributions (loading roughness=0.3)

Figure 4.7 Failure probability–safety margin curves for asymmetric distributions (loading roughness=0.9)

0.99 in the load distribution and 0.01 and 0.10 in the strength distribution), related to the characteristic life of the Weibull distributions. The approximations are

$$\sigma' = 0.3\,\eta \tag{4.7}$$

$$\mu' = 0.9\,\eta \tag{4.8}$$

(See Reference 3 in the Bibliography.)

When there is a finite minimum strength γ_S, then the mean strength

$$\bar{S} = \gamma_S + \mu'$$

Two examples of this approach to design are given to illustrate the application to electronic and mechanical engineering.

Example 4.2 (electronic)

A design of a power amplifier uses a single transistor in the output. It is required to provide an intrinsically reliable design, but in order to reduce the number of component types in the system the choice of transistor types is limited. The amplifier must operate reliably at 50 °C.

An analysis of the load demand on the amplifier gives the results in Fig. 4.8. The mean ranking of the load test data is given in Table 4.1. A type 2N2904 transistor is selected. For this device the maximum rated power dissipation is 0.6 W at 25 °C.

The load test data are shown plotted on normal probability paper (Fig. 4.9). A very good fit to the normal distribution is apparent, within the range of the data. The parameters for the load distribution are

$$\bar{L} = 0.25\,\text{W}$$

$$\sigma_L = 0.065\,\text{W}$$

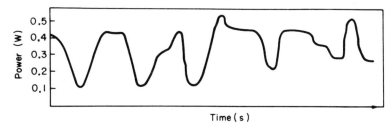

Figure 4.8 Load data (sampled at 10 s intervals)

Table 4.1 Mean ranking of load test data

Power (W)	Cumulative percentage time (c.d.f.)
0.1	5
0.2	25
0.3	80
0.4	98.5
0.5	99.95

However, in this case we must consider the combined effects of power dissipation and elevated temperature. The temperature derating guidelines for the 2N2904 transistor advise 3.43 mW K^{-1} linear derating. Since we require the amplifier to operate at 50 °C, the equivalent combined load distribution is s-normal, with the same SD, but with a mean which is $(25 \times 3.43) \text{ mW} = 0.086 \text{ W}$ higher (line 1a in Fig. 4.9). The mean load $\bar{L}$ is now 0.33 W, with an unchanged standard deviation of 0.065 W.

To derive the strength distribution, 100 transistors were tested at 25 °C ambient, for 10 s at each power level (step stress), giving failure data as shown in Table 4.2. These data plot as a straight line (line 2 in Fig. 4.9), indicating a normal distribution with mean power at failure (strength) of 0.97 W and SD of 0.14 W. The data are plotted against the reciprocal (top) probability scale, as we are concerned with the tail of the distribution which intersects the load distribution.

Combining the load–strength data gives

$$\text{LR} = \frac{\sigma_L}{(\sigma_S^2 + \sigma_L^2)^{1/2}} = 0.42$$

$$\text{SM} = \frac{\bar{S} - \bar{L}}{(\sigma_S^2 + \sigma_L^2)^{1/2}} = 4.15$$

Therefore

$$R = \Phi(\text{SM})$$

$$= 0.999\,983$$

This is the reliability per application of load for a single load application. Figure 4.4 shows that for multiple load applications (large n), the failure probability per load application (p) is about 10^{-11} (zone 2 of Fig. 4.5). Over 10^6 load applications the reliability would be about 0.999 99 (from Eqn 4.6).

On the data given, therefore, this would be an unreliable design. (The analysis has been performed on the basis of best estimates. It could have been based upon a lower s-confidence limit for the strength distribution—line 2a in Fig. 4.9.)

In practice, in a case of this type the temperature and load derating guidelines described in Chapter 9 would normally be used. In fact, to use a transistor at very nearly its maximum temperature and load rating (in this case the measured highest load is 0.5 W at 25 °C, equivalent to nearly 0.6 W at 50 °C) is not good design practice, and derating factors of 0.5 to 0.8 are typical for transistor applications. The example illustrates the importance of adequate derating for a typical electronic component. The approach to this problem can also be criticized on the grounds that:

1. The failure (strength) data are sparse at the 'weak' end of the distribution. It is likely that batch-to-batch differences would be more important than the test data shown, and screening could be applied to eliminate weak devices from the population.
2. The extrapolation of the load distribution beyond the 0.5 W recorded peak level is dangerous, and this extrapolation would need to be tempered by engineering judgement and knowledge of the application.

Table 4.2 Failure data for 100 transistors

Power (W)	Number failed	Cumulative percentage failure (c.d.f.) (mean ranking)
0.1	0	0
0.2	0	0
0.3	0	0
0.4	0	0
0.5	0	0
0.6	0	0
0.7	2	2
0.8	8	10
0.9	17	25
1.0	35	59
1.2	30	89
1.3	10	99

Example 4.3 (mechanical)

A connecting rod must transmit a tension load which trials show to be Weibull distributed, with the following parameters: $\beta_L = 2.0$, characteristic load, $\eta_L = 4000$ N, minimum load, $\gamma_L = 0$. Tests on the material to be used show a Weibull strength distribution as follows: $\beta_S = 5.0$, characteristic strength, $\eta_S = 6.8 \times 10^8$ N m^{-2}, minimum strength, $\gamma_S = 1.9 \times 10^8$ N m^{-2}. A large number of components are to be manufactured, so it is not feasible to test each one. What cross-section would ensure

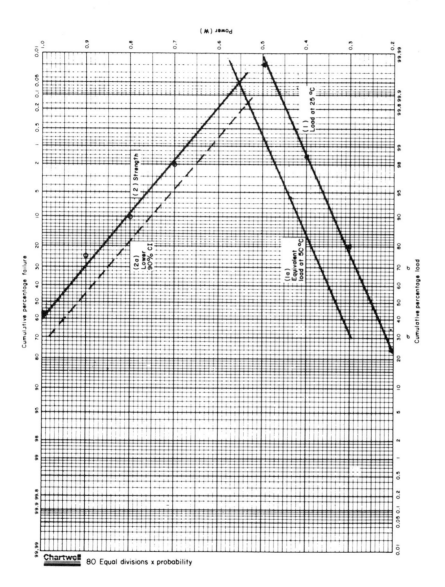

Figure 4.9 Transistor load–strength plots (see Example 4.2)

intrinsic reliability, assuming that manufacturing quality control will be able to ensure that the material strength is maintained and that the connecting rods are required to operate only for a period well within the fatigue life?

The loading roughness can be derived by using Eqns (4.7) and (4.8). That is:

$$\sigma' = 0.3\eta$$

$$\mu' = 0.9\eta$$

$$\text{Mean strength} = \gamma_S + \mu_S$$

Therefore,

$$\sigma_S = 0.3 \times 6.8 \times 10^8 = 2.04 \times 10^8 \, \text{N m}^{-2}$$

$$\mu_S = 0.9 \times 6.8 \times 10^8 = 6.12 \times 10^8 \, \text{N m}^{-2}$$

$$\text{Mean material strength} = (1.9 + 6.12) \times 10^8 = 8.02 \times 10^8 \, \text{N m}^{-2}$$

$$\sigma_L = 0.3 \times 4000 = 1200 \, \text{N}$$

$$\mu_L = \bar{L} = 0.9 \times 4000 = 3600 \, \text{N}$$

The mean value of the strength of the rod

$$\bar{S} = \frac{\pi d^2}{4} \times \text{mean material strength}$$

where d is the diameter. The standard deviation of the strength distribution is

$$\frac{\pi d^2}{4} \sigma_S$$

Therefore, the loading roughness (LR) is given by

$$\frac{\sigma_L}{(\sigma_S^2 + \sigma_L^2)^{1/2}} = \frac{1200}{\{[2.04 \times (\pi d^2/4) \times 10^8]^2 + 1200^2\}^{1/2}}$$

and the safety margin (SM) by

$$\frac{\bar{S} - \bar{L}}{(\sigma_S^2 + \sigma_L^2)^{1/2}} = \frac{[8.02 \times (\pi d^2/4) \times 10^8] - 3600}{\{[2.04 \times (\pi d^2/4) \times 10^8]^2 + 1200^2\}^{1/2}}$$

Figures 4.6 and 4.7 show that for $\beta_L = 2.0$ and $\beta_S = 5.0$, we need a safety margin of at least 5, depending upon the loading roughness, for intrinsic reliability. We can derive a suitable strength value, and hence the correct diameter, by iteration.

First, select a mean strength, $\bar{S}=6\times\bar{L}$, say. Then

$$\bar{S}=6\times3600=21\,600\,\text{N}$$

Therefore,

$$21\,600=\frac{\pi d^2}{4}\times8.02\times10^8$$

Thus, $d=5.35\times10^{-3}\,\text{m}$

Substituting values for d in the equations for SM and LR, we can produce Table 4.3.

Table 4.3 Results of substituting values of d in the equations for SM and LR

$d(\times10^{-3}\text{m})$	5	6	7	8
SM	2.90	3.24	3.43	3.56
LR	0.29	0.20	0.15	0.12

Since these results are derived by considering the equivalent normal distributions of load and strength, we can use Fig. 4.4 to ascertain the appropriate safety margin/loading roughness combination for intrinsic reliability. An LR of 0.3 requires an SM > 4.5 for intrinsic reliability, and therefore the 5 mm diameter would be too small. On the other hand, the 7 mm diameter gives an SM of 3.43 at an LR of 0.15, which is just about within the intrinsically reliable zone. Therefore a diameter of at least 7 mm should be chosen.

The load and strength distributions are shown plotted in Fig. 4.10, with the strength calculated for a 7 mm diameter. The plot shows the margin available between the cumulative 99.9 per cent load probability (10 000 N) and the 0.1 per cent cumulative strength probability (15 000 N). Also, the cumulative probability of the load exceeding the minimum strength of 7300 N is about 96.5 per cent which is the reliability per load application for minimum strength items.

PRACTICAL ASPECTS

The examples illustrate some of the limitations of the statistical engineering approach to design. The main difficulty is that, in attempting to take account of variability, we are introducing assumptions that might not be tenable, e.g. by extrapolating the load and strength data to the very low probability tails of the assumed population distributions. We must therefore use engineering knowledge to support the analysis, and use the statistical approach to cater for engineering uncertainty, or when we have good statistical data. For example, in many mechanical engineering applications good data exist or can be obtained on load distributions, such as wind loads on structures, gust loads on aircraft or the loads on automotive suspension components. We will call such loading situations 'predictable'.

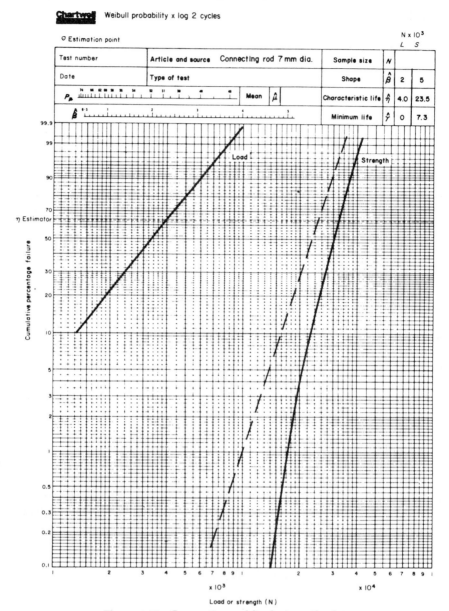

Figure 4.10 Connecting rod load–strength plots

On the other hand, some loading situations are much more uncertain, particularly when they can vary markedly between applications. Electronic circuits subject to transient overload due to the use of faulty procedures or because of the failure of a protective system, or a motor bearing used in a hand power drill, represent cases in which the high extremes of the load distribution can be very uncertain. The distribution may be multimodal, with high loads showing peaks, for instance when there is resonance. We will call this loading situation 'unpredictable'.

Obviously it will not always be easy to make a definite classification; for example, we can make an unpredictable load distribution predictable if we can collect sufficient data. The methods described above are meaningful if applied in predictable loading situations. (Strength distributions are more often predictable, unless there is progressive strength reduction, which we will cover later.) However, if the loading is very unpredictable the probability estimates will be very uncertain. When loading is unpredictable we must revert to traditional methods. This does not mean that we cannot achieve high reliability in this way. However, evolving a reliable design is likely to be more expensive, since it is necessary either to deliberately overdesign or to improve the design in the light of experience. The traditional safety factors derived as a result of this experience ensure that a new design will be reliable, provided that the new application does not represent too far an extrapolation.

Instead of considering the distributions of load and strength, we can use discrete maximum/minimum values in appropriate cases. For example, we can use a simple lowest strength value if this can be assured by quality control. In the case of Example 4.3, we could have decided that in practice the strength would not be less than 20 000 N, which would have given a safety factor of 2 above the 99.9 per cent load c.d.f. In other cases we might also assume that for practical purposes the load is curtailed, as in situations where the load is applied by a system with an upper limit of power, such as a hydraulic ram or a human operator. If the load and strength distributions are both curtailed, the traditional safety factor approach is adequate, provided that other constraints such as weight or cost do not make a higher risk design necessary.

The statistical engineering approach can lead to overdesign if it is applied without regard to real curtailment of the distributions. Conversely, traditional deterministic safety factor approaches can result in overdesign when weight or cost reduction must take priority.

In many cases, other design requirements (such as for stiffness) provide intrinsic reliability. The techniques described above should therefore be used when it is necessary to assess the risk of failure in marginal or critical applications.

In this chapter we have taken no account of the possibility of strength reduction with time or with cyclic loading. The methods described above are only relevant when we can ignore strength reduction, for instance if the item is to be operated well within the safe fatigue life or if no weakening is expected to occur. Reliability and life analysis in the presence of strength degradation is covered in Chapter 8.

BIBLIOGRAPHY

1. K. C. Kapur and L. R. Lamberson, *Reliability in Engineering Design*. Wiley (1977).
2. C. Lipson and N. J. Sheth, *Statistical Design and Analysis of Engineering Experiments*. McGraw-Hill Kogakusha (1973).
3. A. D. S. Carter, *Mechanical Reliability*, 2nd Edn. Macmillan (1986).

5

Reliability Prediction and Modelling

INTRODUCTION

An accurate prediction of the reliability of a new product, before it is manufactured or marketed, is obviously highly desirable. Depending upon the product and its market, advance knowledge of reliability would allow accurate forecasts to be made of support costs, spares requirements, warranty costs, marketability, etc. It is arguable, on the other hand, that an accurate prediction of reliability implies such knowledge of the causes of failure that they could be eliminated. In fact, a reliability prediction can rarely be made with high accuracy or confidence. Nevertheless, it can often provide an adequate basis for forecasting of dependent factors such as life cycle costs. Reliability prediction can also be valuable as part of the study and design processes, for comparing options and for highlighting critical reliability features of designs.

If a type of fighter aircraft has on average 2.5 flying hours between failures, and a new aircraft of similar complexity and performance is being planned, 2.5 flying hours between failures might be a reasonable basis for forecasting. If the existing aircraft is twin-engined, with electronic systems based mainly on an earlier technology, whereas the new aircraft is to have one engine and more modern electronics, judgements have to be made on how these changes might affect the failure rate. Instead of comparing only the complete aircraft, we must compare components. What difference will one engine make compared with two? (In this case, trade-off decisions will have been made. For example, two engines might be safer, but a single engine might lead to lower support costs.) What will be the difference in failure rate between the old electronic systems and the new ones? The comparisons begin at the level of the overall system and as the system becomes more closely defined extend to more detailed levels.

Eventually, in principle, it is necessary to consider the reliability contributions of individual parts.

However, the lower the level of analysis, the greater is the uncertainty inherent in predicting reliability. The great majority of modern engineering components are sufficiently reliable that, for practical purposes, they generate no inherent quantifiable failure rate contribution. Also, many system failures are not caused by failures of parts, and not all part failures cause system failures.

Since reliability is affected strongly by human-related factors such as training and motivation of design and test engineers, quality of production, and maintenance skills, these factors must also be taken into account. In many cases they can be much more significant than past data. Therefore reliability 'databases' must always be treated with caution as a basis for predicting the reliability of new systems. There is no intrinsic limit to the reliability that can be achieved, but the database approach to prediction can imply that there is.

FUNDAMENTAL LIMITATIONS OF RELIABILITY PREDICTION

Predictions in physics and engineering

In engineering and science we use mathematical models for prediction. For example, the power consumption of a new electronic system can be predicted using Ohm's law and the model power = current × e.m.f. Likewise, we can predict future planetary positions using Newton's laws and our knowledge of the present positions, velocities and masses. These laws are valid within the appropriate domain (e.g. Ohm's law does not hold at temperatures near absolute zero; Newton's laws are not valid at the subatomic level). However, for practical, everyday purposes such deterministic laws serve our purposes well, and we use them to make predictions, taking due account of such practical aspects as measurement errors in initial conditions.

Whilst most laws in physics, for practical predictive purposes, can be considered to be deterministic, the underlying mechanisms can be stochastic. For example, the pressure exerted by a gas in an enclosure is a function of the random motions of very large numbers of molecules. The statistical central limiting theorem, applied to such a vast number of separate random events and interactions, enables us to use the average effect of the molecular kinetic energy to predict the value we call pressure. Thus Boyle's law is really empirical, as are other 'deterministic' physical laws such as Ohm's law. It is only at the level of individual or very few actions and interactions, such as in nuclear physics experiments, that physicists find it necessary to take account of uncertainty due to the stochastic nature of the underlying processes. However, for practical purposes we ignore the infinitesimal variations, particularly as they are often not even measurable, in the same way as we accept the Newtonian view.

Of course some physical systems are comprised of very few components, actions and interactions, with no underlying stochastic mechanism. Thus laws relating to planetary motion or the momentum exchange between two billiard balls can be considered deterministic because of the small numbers involved. If, however, we attempt to use these deterministic laws to predict the behaviour of a planetary system comprised of 100 planets, or the instantaneous positions of a large number of billiard balls at some time after the first impact, the computational problems become significant and begin to degrade the credibility of the predictions. Also, the effects of small errors and variations progressively accumulate, quickly leading to increased uncertainty and to divergent behaviour.

Physical laws are, therefore, useful predictors of system behaviour either when small numbers of actions and interactions are involved or when very large numbers are involved. For systems involving moderately large numbers the predictive power of empirical and deterministic laws diminishes. This effect is observable in fields such as aerodynamics, meteorology and the study of explosions, for example. Whilst the individual physical and chemical processes are understood and predictable, the large numbers of simultaneous interacting processes swamp our capability to compute predicted values using these simple, known relationships. Very fast computing is applied, and new empirical relationships derived, in our attempts to predict the behaviour of these systems, with results that often fall short of our requirements. Prediction power is increased if we can simplify the problem to a few variables or if we complicate it to a very large number. Thus, we can apply the laws of heat transfer to predict the local atmospheric effect of a rise in sea temperature, and we can use past data to predict the average rainfall on a continent. However, short-term local rainfall cannot be predicted accurately.

Prediction power is greater in time-invariant or cyclical systems, e.g. Ohm's law in electrical circuits, or our understanding of tidal motion as a result of gravity. The systems mentioned in the last paragraph (weather, aerodynamics, explosives) are time-variant, and this leads to divergent behaviour. Thus predictions of the instantaneous state become progressively less credible as time proceeds (unless a steady state is ultimately achieved, e.g. with an explosion).

It follows from the arguments presented that one or a few measurements of a physical quantity can usually provide us with sufficient information on which to make a prediction of the future state of a physical time-invariant or cyclical system. In other words, very few data are required in order to make confident predictions. We measure the flow of electricity in wire and we assume that the current will remain at that value under the same general conditions. When the quantity is time-variant more measurements might need to be taken before we can predict confidently from the data. It is only when the system is moderately complex that one or a few measurements do not enable us to predict the future state.

For a mathematical model to be accepted as a basis for scientific prediction, it must be based upon a theory which explains the relationship. It is also necessary for the model to be based upon unambiguous definitions of the parameters used. Finally, scientists, and therefore engineers, expect the predictions made using the models to be always repeatable. If a model used in science is found not to predict correctly an outcome under certain circumstances this is taken as evidence that the model, and the underlying theory, needs to be revised, and a new theory is postulated.

Predictions in reliability

The concept of deriving mathematical models which could be used to predict reliability, in the same way as models are developed and used in other scientific and engineering fields, is intuitively appealing, and has attracted much attention. For example, failure rate models have been derived for electronic components, based upon parameters such as operating temperature and other stresses. These are described in Chapter 9. Similar models have been derived for non-electronic components, and even for computer software. Sometimes these models are as simple as a single fixed value for failure rate or reliability, or a fixed value with simple modifying factors. However, some of the models derived are quite complex, taking account of many factors considered likely to affect reliability.

Like other predictive models in science and engineering, these have been based upon considerations of what might affect the parameter of interest, in this case reliability, or, in other words, cause failure. Thus there have been attempts to create theories. However, this approach is of severely limited validity for predicting reliability.

A model such as Ohm's law is credible because there is no question as to whether or not an electric current flows when an e.m.f. is applied across a conductor. However, whilst an engineering component might have properties such as conductance, mass, etc., all unambiguously defined and measurable, it is very unlikely to have an intrinsic reliability that meets such criteria. For example, a good transistor or hydraulic actuator, if correctly applied, should not fail in use, during the expected life of the system in which it is used. Whether a particular one, or a proportion, fail, and the modes of failure and distribution of times to failure are likely to be due to factors other than those explainable in purely physical terms. Some transistors might fail because of accidental overstress, some because of processing defects, or there may be no failures at all. If the hydraulic actuators are operated for a long time in a harsh environment, some might develop leaks which some operators might classify as failures. Whilst the good transistors will never degrade in a typical operating lifetime, since no progressive physical or chemical changes occur in such devices, we can expect progressive deterioration in the hydraulic actuator due to wear.

Failure, or the absence of failure, is therefore heavily dependent upon human actions and perceptions. This is never true of laws of nature. This represents a fundamental limitation of the concept of reliability prediction using mathematical models.

The onset of failure is nearly always a discontinuous function, subject to the predictive difficulties described for physical models of the behaviour of systems which contain moderately large numbers of factors and interactions, and whose progression to a failed state is time-variant. The failure mechanisms of even relatively simple components such as electronic parts or gear-wheels exhibit this level of complexity and uncertainty, defying the validity of mathematical models based on analysis of past data. If, however, the 'part' being considered is itself a complex assembly, such as a jet engine or an electronic control system, then past data can be a more credible guide to future reliability.

We saw in Chapter 4 how reliability can vary by orders of magnitude with small changes in load and strength distributions, and the large amount of uncertainty inherent in estimating reliability from the load-strength model. These real uncertainties must be borne in mind when synthesizing the reliability of a system by considering the likely failure rates of its parts.

Another severe limitation arises from the fact that reliability models are usually based upon statistical analysis of past data. Much more data is required to derive a statistical relationship than to confirm a deterministic (theory-based) one, and even then there will be uncertainty because the sample can seldom be taken to be wholly representative of the whole population. For example, the true value of a life parameter is never known, only its distribution about an expected value, so we cannot say when failure will occur. Sometimes we can say that the likelihood increases, e.g. in fatigue testing or if we detect wear in a bearing, but we can very rarely predict the time of failure. A statistically-derived relationship can never by itself be proof of a causal connection or even establish a theory. It must be supported by theory based upon an understanding of the cause-and-effect relationship.

It is never sensible to make a prediction based on past data unless we are sure that the underlying conditions which can affect future behaviour will not change. In most fields in which statisticians work, such as actuarial, agricultural, or social studies, it is usually safe to make such an assumption. However, since engineering is very much concerned with deliberate change, in design, processes, and applications, predictions of reliability based solely on past data ignore the fact that changes might be made with the objective of improving reliability. In most modern engineering applications there is continuous effort to improve quality and reliability, so the use of past data to predict the future can be very misleading and unduly pessimistic.

Of course there are situations in which we can assume that change will not be significant, or in which we can extrapolate taking account of the likely effectiveness of planned changes. For example, in a system containing many parts which are subject to progressive deterioration, e.g. an office lighting system containing many fluorescent lighting units, we can predict the frequency and pattern of failures fairly accurately, but these are special cases.

A reliability prediction for a system containing many parts is likely to be more accurate than for small system. However, it is common for the erroneous implication to be drawn that, because the individual parts failure data can be combined to provide a reasonably accurate prediction for the reliability of the system, the parts failure data can be used with as much confidence for spare parts provisioning or decisions related to the safety of individual parts. It is important to remember that variances in reliability at the part level can be orders of magnitude greater than the variance at the system level.

Therefore, any reliability prediction based upon the use of mathematical models or standard data such as in MIL-HDBK-217 for electronics (Reference 2), or in reliability growth models (Chapter 12) must be treated with some scepticism. See also the comments on reliability analysis methods for repairable systems on pages 274 and 276.

A designer can design an electronic system to a power budget. The power dissipation of the new system can be predicted with credible precision, so that all systems made to the design will dissipate, within reasonable tolerance, the predicted power. However, a designer cannot design for an MTBF, unless he places as much faith in the reliability mathematical model as he does in, say, Ohm's law. The MTBF of each unit cannot be measured as can its power consumption, and there is no reason in logic to believe that they will all show the same MTBFs or patterns of failure over a period of operation, or even that the overall average MTBF or failure pattern will conform to that predicted.

Unfortunately the mathematical modelling approach to reliability prediction (including extrapolation from test data) has been given undue and insufficiently critical attention in the literature and in reliability standards. It is not uncommon to see MTBF predictions such as 5761 hours. No power dissipation prediction would attempt such precision; 6 kW is an equivalent figure more likely to be stated. The naive presentation of reliability predictions has done much to undermine the credibility of reliability engineering, particularly since so often systems do not achieve the predicted values.

RELIABILITY DATABASES

There are several published databases which give reliability information on engineering components and sub-systems. The most common approach is to give failure rates, expressed as failures per million hours. For non-repairable items this may be interpreted as the failure rate contribution to the system. These data are then used to synthesize system failure rate, by summation and by taking account of system configuration, as described later. Summation of part failure rates is called 'parts count' reliability prediction.

Probably the best known source of failure rate data is US MIL-HDBK-217 (Reference 2), which is described in Chapter 9.

Other data sources for electronic components have been produced and published by organizations such as telecommunication companies. Databases have also been produced for non-electronic components, e.g. Reference 3. These purport to show the failure rates of generic parts types such as hydraulic valves, electric motors, gaskets and springs. The variety of types and applications of such parts is so diverse that such data cannot be relied upon as being generally applicable. There is no general unit of operating time for a gasket or a spring, as there might be for a transistor. Also, for most non-electronic parts, the assumption of a constant hazard rate can be grossly misleading.

These databases are subject to all of the criticisms made above about the limitations of reliability prediction techniques at the part level. There is considerable controversy about their validity, and they should not be used. In fact they tend to be used mainly in connection with systems for which the customer specifies the reliability methods to be applied, e.g. in defence contracts. They are not used by most design organizations involved in more commercial engineering, such as computing, automotive, and domestic electronic systems. Some purchasing organizations, for example NASA, specifically discourage their use.

Reliability data can be useful in specific prediction applications, such as aircraft, petrochemical plant, photocopying machines or automobiles, when the data are derived from the area of application. However, such data should not be transferred from one application area to another without careful assessment. Even within the application area they should be used with care, since even then conditions can vary widely. An electric motor used to perform the same function, under the same loading conditions as previously in a new design of photocopier, might be expected to show the same failure pattern. However, if the motor is to be used for a different function, with different operating cycles, or even if it is bought from a different supplier, the old failure data will not be appropriate.

THE PRACTICAL APPROACH

Having identified the fundamental limitations of reliability prediction models and data, we are still left with the problem that it is often necessary to predict the likely reliability of a new system. We also know that it is possible to make reasonably credible reliability predictions for systems under certain circumstances. These are:

1. The system is similar to systems developed, built and used previously, so that we can apply our experience of what happened before.
2. The new system does not involve significant technological risk (this follows from 1).
3. The system will be manufactured in large quantities, or is very complex (i.e. contains many parts, or the parts are complex) or will be used over a long time, or a combination of these conditions applies, i.e. there is an asymptotic property.
4. There is a strong commitment to the achievement of the reliability predicted, as an overriding priority.

Thus, we can make credible reliability predictions for a new TV receiver or automobile engine. No great changes from past practice are involved, technological risks are low, they will be built in large quantities and they are quite complex, and in present markets the system must compete with established, reliable products. Likewise, we can make a credible reliability prediction for a complete new aircraft or an oil production platform, since the 'parts' (engines, pumps, sub-systems) are themselves complex, and their reliabilities are probably quite accurately known. However, for a new, high technology, weapon system these conditions may not apply, though nowadays the commitment to reliability is generally stronger than in the past.

Note that reliability predictions (in the sense of a reasonable expectation) for the TV receiver, the automobile engine, the aircraft and the production platform could be made without recourse to statistical or empirical mathematical models. Rather, they could be based upon knowledge of past performance and present conditions, and on management targets and priorities. The reliability prediction does not ensure that the reliability values will be achieved; it is not a demonstration in the way that a mass or power consumption prediction, being based on physical laws, would be. Rather, it should be used as the basis for setting the objective—one which is likely to be attained only if there is a human commitment to it. This is well illustrated by the notable reliability achievement of the US space programme and the Japanese consumer products industry.

Reliability prediction for new, high technology products must, therefore, be based upon identification of objectives and assessment of risks, in that order. This must be an iterative procedure, since objectives and risks must be balanced; the reliability engineer plays an important part in this process, since he must assess whether objectives are realistic in relation to the risks. This assessment can be aided by the educated use of appropriate models and data, which help to quantify the risks. Once the risks are assessed and the objective quantified, development must be continuously monitored in relation to the reduction of risks through analysis and tests, and to the measured reliability during tests. This is necessary to provide assurance that the objective will be met, if need be by additional management action such as provision of extra resources to solve particular problems.

Reliability predictions for systems should therefore be made 'top down', not synthesized from the parts level. Exceptions can be made in the case of large systems which are themselves made up of complex sub-systems, whose reliabilities are known.

The predictions should always take account of objectives and related management aspects, such as commitment and risk. As overriding considerations, it must be remembered that there is no theoretical limit to the reliability that can be attained, and that the achievement of very high reliability does not necessarily entail higher costs.

SYSTEMS RELIABILITY MODELS

The basic series reliability model

Consider a system composed of two independent components, each exhibiting a constant hazard rate. If the failure of either component will result in failure of the system, the system can be represented by a *reliability block diagram* (Fig. 5.1). (A reliability block diagram does not necessarily represent the system's operational logic or functional partitioning.)

Figure 5.1 Series system

If λ_1 and λ_2 are the hazard rates of the two components, the system hazard rate will be $\lambda_1 + \lambda_2$. Because the hazard rates are constant, the component reliabilities R_1 and R_2, over a time of operation t, are $\exp(-\lambda_1 t)$ and $\exp(-\lambda_2 t)$. The reliability of the system is the combined probability of no failure of either component, i.e. $R_1 R_2 = \exp[-(\lambda_1 + \lambda_2)t]$. In general, for a series of n, s-independent components:

$$R = \prod_{i=1}^{n} R_i \tag{5.1}$$

where R_i is the reliability of the ith component. This is known as the product rule or series rule (see Eqn 2.2):

$$\lambda = \sum_{i=1}^{n} \lambda_i \quad \text{and} \quad R = \exp(-\lambda t) \tag{5.2}$$

This is the simplest basic model on which *parts count* reliability prediction is based.

The failure logic model of the overall system will be more complex if there are redundant subsystems or components. Also, if system failure can be caused by events other than component failures, such as interface problems, the model should specifically include these, for example as extra blocks.

Active redundancy

The reliability block diagram for the simplest redundant system is shown in Fig. 5.2. In this system, composed of two s-independent parts with reliabilities R_1 and R_2, satisfactory operation occurs if *either* one or *both* parts function. Therefore, the reliability of the system, R, is equal to the probability of part 1 *or* part 2 surviving.

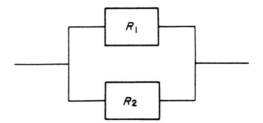

Figure 5.2 Dual redundant system

From Eqn (2.6), the probability

$$(R_1 + R_2) = R_1 + R_2 - R_1 R_2$$

This is often written

$$1 - (1 - R_1)(1 - R_2)$$

For the constant hazard rate case,

$$R = \exp(-\lambda_1 t) + \exp(-\lambda_2 t) - \exp[-(\lambda_1 + \lambda_2)t] \qquad (5.3)$$

The general expression for active parallel redundancy is

$$R = 1 - \prod_{i=1}^{n} (1 - R_i) \qquad (5.4)$$

where R_i is the reliability of the ith unit and n the number of units in parallel. If in the two-unit active redundant system $\lambda_1 = \lambda_2 = 0.1$ failures per 1000 h, the system reliability over 1000 h is 0.9909. This is a significant increase over the reliability of a simple non-redundant unit, which is 0.9048. Such a large reliability gain often justifies the extra expense of designing redundancy into systems. The gain usually exceeds the range of prediction uncertainty. The example quoted is for a *non-maintained* system, i.e. the system is not repaired when one equipment fails. In practice, most active redundant systems include an indication of failure of one equipment, which can then be repaired. A maintained active redundant system is, of course, theoretically more reliable than a non-maintained one. Examples of non-maintained active redundancy can be found in spacecraft systems (e.g. dual thrust motors for orbital station-keeping) and maintained active redundancy is a feature of systems such as power generating systems and railway signals.

m-out-of-n redundancy

In some active parallel redundant configurations, m out of the n units may be required to be working for the system to function. This is called m-out-of-n (or m/n) parallel redundancy. The reliability of an m/n system, with n, s-independent components in which all the unit reliabilities are equal, is the binomial reliability function (Eqn 2.23):

$$R = 1 - \sum_{i=0}^{m-1} \binom{n}{i} R^i (1-R)^{n-i} \tag{5.5}$$

or, for the constant hazard rate case:

$$R = 1 - \frac{1}{(\lambda t + 1)^n} \sum_{i=0}^{m-1} \binom{n}{i} (\lambda t)^{n-i} \tag{5.6}$$

Standby redundancy

Standby redundancy is achieved when one unit does not operate continuously but is only switched on when the primary unit fails. A standby electrical generating system is an example. The block diagram in Fig. 5.3 shows another. The standby unit and the sensing and switching system may be considered to have a 'one-shot' reliability R_s of starting and maintaining system function until the primary equipment is repaired, or R_s may be time-dependent. The switch and the redundant unit may have dormant hazard rates, particularly if they are not maintained or monitored.

Taking the case where the system is non-maintained, the units have equal constant operating hazard rates λ, there are no dormant failures and $R_s = 1$, then

$$R = \exp(-\lambda t) + \lambda t \exp(-\lambda t) \tag{5.7}$$

The general reliability formula for n equal units in a standby redundant configuration (perfect switching) is

$$R = \sum_{i=0}^{n-1} \frac{(\lambda t)^i}{i!} \exp(-\lambda t) \tag{5.8}$$

If in a standby redundant system $\lambda_1 = \lambda_2 = 0.1$ failure per 1000 h, then the system reliability is 0.9953. This is higher than for the active redundant system $[R(1000) = 0.9909]$, since the standby system is at risk for a shorter time. If we take into account less than perfect reliability for the sensing and switching system and possibly a dormant hazard rate for the standby equipment, then standby system reliability would be reduced.

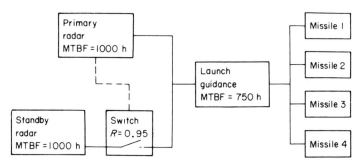

Figure 5.3 Reliability block diagram for a missile system

Further redundancy considerations

The redundant systems described represent the tip of an iceberg as far as the variety and complexity of system reliability models are concerned. For systems where very high safety or reliability is required, more complex redundancy is frequently applied. Some examples of these are:

1. In aircraft, dual or triple active redundant hydraulic power systems are used, with a further emergency (standby) back-up system in case of a failure of all the primary circuits.
2. Aircraft electronic flying controls typically utilize triple voting active redundancy. A sensing system automatically switches off one system if it transmits signals which do not match those transmitted by the other two, and there is a manual back-up system. The reliability evaluation must include the reliability of all three primary systems, the sensing system and the manual system.
3. Fire detection and suppression systems consist of detectors, which may be in parallel active redundant configuration, and a suppression system which is triggered by the detectors.

We must be careful to ensure that single-point failures which can partly eliminate the effect of redundancy are considered in assessing redundant systems. For example, if redundant electronic circuits are included within one integrated circuit package, a single failure such as a leaking hermetic seal could cause both circuits to fail. Such s-dependent failures are sometimes referred to as *common mode* (or *common cause*) failures, particularly in relation to systems.

AVAILABILITY OF REPAIRABLE SYSTEMS

Availability is defined as the probability that an item will be available when required, or as the proportion of total time that the item is available for use. Therefore the availability of a repairable item is a function of its failure rate, λ, and of its repair or replacement rate. The proportion of total time that the item is available is the *steady-state availability*. For a simple unit, with a constant failure rate λ and a constant mean repair rate μ, where $\mu = (\text{MTTR})^{-1}$, the steady-state availability is equal to

$$A = \frac{\mu}{\lambda + \mu} = \frac{\text{MTBF}}{\text{MTBF} + \text{MTTR}} \tag{5.9}$$

The instantaneous availability, or probability that the item will be available at time t is equal to

$$A = \frac{\mu}{\lambda + \mu} + \frac{\lambda}{\lambda + \mu} \exp\left[-(\lambda + \mu)t\right] \tag{5.10}$$

which approaches the steady-state availability as t becomes large.

It is often more revealing, particularly when comparing design options, to consider system *unavailability*:

Steady-state unavailability $= 1 - A$

$$= \frac{\lambda}{\lambda + \mu} \qquad (5.11)$$

and

$$\text{Instantaneous unavailability} = \frac{\lambda}{\lambda + \mu} - \frac{\lambda}{\lambda + \mu} \exp\left[-(\lambda + \mu)t\right] \qquad (5.12)$$

If scheduled maintenance is necessary and involves taking the system out of action, this must be included in the availability formula. The availability of spare units for repair by replacement is often a further consideration, dependent upon the previous spares usage and the repair rate of replacement units.

Availability is an important consideration in relatively complex systems, such as power stations, satellites, chemical plant and radar stations. In such systems, high reliability by itself is not sufficient to ensure that the system will be available when needed. It is also necessary to ensure that it can be repaired quickly and that essential scheduled maintenance tasks can be performed quickly, if possible without shutting down the system. Therefore maintainability is an important aspect of design for maximum availability, and trade-offs are often necessary between reliability and maintainability features. For example, built-in test equipment (BITE) is incorporated into many electronic systems. This added complexity can degrade reliability and can also result in spurious failure indications. However, BITE can greatly reduce maintenance times, by providing an instantaneous indication of fault location, and therefore availability can be increased. (This is not the only reason for the use of BITE. It can also reduce the need for external test equipment and for training requirements for trouble-shooting, etc.)

Availability is also affected by redundancy. If standby systems can be repaired or overhauled while the primary system provides the required service, overall availability can be greatly increased.

Table 5.1 shows the reliability and steady-state availability functions for some system configurations. It shows clearly the large gains in reliability and steady-state availability which can be provided by redundancy. However, these are relatively simple situations, particularly as a constant failure rate is assumed. Also, for the standby redundant case, it is assumed that:

1. The reliability of the changeover system is unity.
2. No common-cause failures occur.
3. Failures are detected and repaired as soon as they occur.

Of course, these conditions do not necessarily apply, particularly in the case of standby equipment, which must be tested at intervals to determine whether it is serviceable. The availability then depends upon the test interval. Monitoring systems

Table 5.1 Reliability and availability for some systems configurations. (R. H. Myers, K. L. Wong, and H. M. Gordy, *Reliability Engineering for Electronic Systems*, Copyright ©1964 John Wiley & Sons,

Reliability configuration		Reliability (no repair) for CFR λ	General system reliability for n blocks
R (single block)		$\exp(-\lambda t)$	
R_1 — R_2 (series)		$\exp\left[-(\lambda_1+\lambda_2)t\right]$	$\prod_{i=1}^{n} R_i$
R_1, R_2 (parallel)	Active	$\exp(-\lambda_1 t)+\exp(-\lambda_2 t)$ $-\exp\left[-(\lambda_1+\lambda_2)t\right]$	$1-\prod_{i=1}^{n}(1-R_i)$
	Standby	$\dfrac{\lambda_2\,\exp(-\lambda_1 t)-\lambda_1\,\exp(-\lambda_2 t)^{\mathrm{b}}}{\lambda_2-\lambda_1}$	$\exp(-\lambda t)\sum_{i=0}^{n-1}\dfrac{(\lambda t)^i}{i!}$ [a]
R, R, R	Active 1/3	$3\,\exp(-\lambda t)-3\,\exp(-2\lambda t)$ $+\exp(-3\lambda t)$	As above (active)
	Active 2/3	$3\,\exp(-2\lambda t)-2\exp(-3\lambda t)$	$1-\sum_{i=0}^{m-1}\binom{n}{i}R^i(1-R)^{n-i}$ [c]
	Standby 1/3	$\exp(-\lambda t)+\lambda t\,\exp(-\lambda t)^{\mathrm{d}}$ $+\tfrac{1}{2}\lambda^2 t^2\,\exp(-\lambda t)$	$R\sum_{i=0}^{n-1}\dfrac{(\lambda t)^i}{i!}$

[a] $\lambda_1=\lambda_2=\lambda$. Assumes series repair, i.e. single repair team.
[b] When $\lambda_1=\lambda_2$ the reliability formula becomes indeterminate. When $\lambda_1=\lambda_2$ use $R(t)=\exp(-\lambda t)+\lambda t\,\exp(-\lambda t)$. If $\lambda_1\approx\lambda_2$ use $\lambda=(\lambda_1+\lambda_2)/2$. Assumes perfect switching.

are sometimes employed, e.g. built-in test equipment (BITE) for electronic equipment, but this does not necessarily have a 100 per cent chance of detecting all failures. In real-life situations it is necessary to consider these aspects, and the analysis can become very complex. Methods for dealing with more complex systems are given at the end of this chapter, and maintenance and maintainability are covered in more detail in Chapter 15.

Example 5.1

A shipboard missile system is composed of two warning radars, a control system, a launch and guidance system, and the missiles. The radars are arranged so that either can give warning if the other fails, in a standby redundant configuration. Four missiles are available for firing and the system is considered to be reliable if three out of four missiles can be fired and guided. Figure 5.3 shows the system in reliability block diagram form, with the MTBFs of the subsystems. The reliability of each missile is 0.9. Assuming that: (1) the launch and guidance system is constantly activated,

Table 5.1 *(continued)*
Inc. Reprinted by permission of John Wiley & Sons, Inc.)

R for $\lambda_1=\lambda_2=0.01$, $t=100$	Steady-state availability, A, repair rate, μ, CFR, λ	General steady-state availability, A, for n blocks	A for $\lambda=0.01$, $\mu=0.2$
0.37	$\dfrac{\mu}{\lambda+\mu}$	—	0.95
0.14	$\dfrac{\mu_1\mu_2}{\mu_1\mu_2+\mu_1\lambda_2+\mu_2\lambda_1+\lambda_1\lambda_2}$	$\displaystyle\prod_{i=1}^{n}\dfrac{\mu_i}{\lambda_i+\mu_i}$	0.907
0.60	$\dfrac{\mu^2+2\mu\lambda}{\mu^2+2\mu\lambda+2\lambda^2}$ [a]	$1-\displaystyle\prod_{i=1}^{n}\dfrac{\lambda_i}{\lambda_i+\mu_i}$ [a]	0.996
0.74	$\dfrac{\mu^2+\mu\lambda}{\mu^2+\mu\lambda+2\lambda^2}$ [a]	—	0.998
0.75	$\dfrac{\mu^3+3\mu^2+6\mu\lambda^2}{\mu^3+3\mu\lambda^2+6\lambda\mu^2+6\lambda^3}$ [a]	As above (active)	0.9993
0.53	$1-\dfrac{1}{(\lambda+\mu)^3}(\lambda^3+3\mu\lambda^2+3\mu^2\lambda)$ [a]	$1-\dfrac{1}{(\lambda+\mu)^n}\displaystyle\sum_{i=0}^{m-1}\binom{n}{i}\mu\lambda^{n-i}$ [a,c]	0.30
0.92	$\dfrac{\mu^3+\mu^2\lambda+\lambda^2\mu}{\lambda^3+\mu^2\lambda+\lambda^2\mu+\lambda^3}$ [a]	—	0.9999

[c]For *m*-out-of-*n* redundancy.
[d]Assumes perfect switching.

(2) the missile flight time is negligible and (3) all elements are *s*-independent, evaluate: (a) the reliability of the system over 24 h, (b) the steady-state availability of the system, excluding the missiles, if the mean repair time for all units is 2 h and the changeover switch reliability is 0.95.

The reliabilities of the units over a 24 h period are:

Primary radar	0.9762	(failure rate $\lambda_P=0.001$)
Standby radar	0.9762	(failure rate $\lambda_S=0.001$)
Launch and guidance	0.9685	(failure rate $\lambda_{LG}=0.0013$)

(a) The overall radar reliability is given by (from Table 5.1)

$$R_{\text{radar}}=\exp(-\lambda t)+\lambda t\,\exp(-\lambda t)$$
$$=0.9762+(0.001\times24\times0.9762)=0.9996$$

The probability of the primary radar failing is $(1-R_P)$. The probability of this radar failing *and* the switch failing is the product of the two failure probabilities:

$$(1-0.9762)\ (1-0.95)=0.0012$$

Therefore the switch reliability effect can be considered equivalent to a series unit with reliability

$$R_{SW}=(1-0.0012)=0.9988$$

The system reliability, up to the point of missile launch, is therefore

$$R_S=R_{radar}\times R_{SW}\times R_{LG}$$
$$=0.9996\times0.9988\times0.9685=0.9670$$

The reliability of any three out of four missiles is given by the cumulative binomial distribution (Eqn 5.5):

$$R_M=1-\left[\binom{4}{0}0.9^0\times0.1^4+\binom{4}{1}0.9^1\times0.1^3+\binom{4}{2}0.9^2\times0.1^2\right]$$

$$=0.9477$$

The total system reliability is therefore

$$R_S'=R_S\times R_M$$
$$=0.9760\times0.9477=0.9250$$

(b) The availability of the redundant radar configuration is (see Table 5.1)

$$A_{radar}=\frac{\mu^2+\mu\lambda}{\mu^2+\mu\lambda+2\lambda^2}$$

$$=\frac{0.5^2+(0.5\times0.001)}{(0.5)^2+(0.5\times0.001)+2(0.001)^2}$$

$$=0.999\ 997\qquad(\text{unavailability}=3\times10^6)$$

The availability of the launch and guidance system

$$A_{LG}=\frac{\mu}{\mu+\lambda}$$

$$=\frac{0.5}{0.5+0.0013}=0.9974\qquad(\text{unavailability}=2.6\times10^{-3})$$

The system availability is therefore

$$A_{radar} \times A_{LG} = 0.9974 \qquad (\text{unavailability} = 2.6 \times 10^{-3})$$

The previous example can be used to illustrate how such an analysis can be used for performing sensitivity studies to compare system design options. For example, a 20 per cent reduction in the MTBF of the launch and guidance system would have a far greater impact on system reliability than would a similar reduction in the MTBF of the two radars.

In maintained systems which utilize redundancy for reliability or safety reasons, separate analyses should be performed to assess system reliability in terms of the required output and failure rate in terms of maintenance arisings. In the latter case all elements can be considered as being in series, since all failures, whether of primary or standby elements, lead to repair action.

MODULAR DESIGN

Availability and the cost of maintaining a system can also be influenced by the way in which the design is partitioned. 'Modular' design is used in many complex products, such as electronic systems and aeroengines, to ensure that a failure can be corrected by a relatively easy replacement of the defective module, rather than by replacement of the complete unit.

Example 5.2

An aircraft gas-turbine engine has a mean time between replacements (MTBR)—scheduled and unscheduled—of 1000 flight hours. With a total annual flying rate of 30 000 h and an average cost of replacement of $10 000, the annual repair bill amounted to $300 000. The manufacturer redesigned the engine so that it could be separated into four modules, with MTBR and replacement costs as shown in Table 5.2. What would be the new annual cost?

With the same total number of replacements, the annual repair cost is greatly reduced, from $300 000 to $72 750 (see Table 5.3).

Note that Example 5.2 does not take into account the different spares holding that would be required for the modular design (i.e. the operator would keep spare modules, instead of spare engines, thus making a further saving). In fact other factors would complicate such an analysis in practice. For example the different scheduled

Table 5.2 MTBR and replacement costs for the four modules

	MTBR (h)	Replacement costs ($)
Module 1	2500	3000
Module 2	4000	2000
Module 3	4000	2500
Module 4	10000	1000

Table 5.3 Cost per year of replacing the modules

	Replacements per year	Cost per year ($)
Module 1	12	36 000
Module 2	7.5	15 000
Module 3	7.5	18 750
Module 4	3	3000
Total	30	$72 750

overhaul periods of the modules compared with the whole engine, the effect of wearout failure modes giving non-constant replacement rates with time since overhaul, etc. Monte Carlo simulation is often used for planning and decision-making in this sort of situation (see page 134).

BLOCK DIAGRAM ANALYSIS

The failure logic of a system can be shown as a reliability block diagram (RBD), which shows the logical connections between components of the system. The RBD is not necessarily the same as a block schematic diagram of the system's functional layout. We have already shown examples of RBDs for simple series and parallel systems. For systems involving complex interactions construction of the RBD can be quite difficult, and a different RBD will be necessary for different definitions of what constitutes a system failure. A failure mode and effect analysis (FMEA) (see Chapter 7) can be a useful starting point for preparing the RBD, since each failure mode is considered in relation to its effect on the system's output.

Block diagram analysis consists of reducing the overall RBD to a simple system which can then be analysed using the formulae for series and parallel arrangements. It is necessary to assume s-independence of block reliabilities.

The technique is also called block diagram *decomposition*. It is illustrated in Example 5.3.

Example 5.3

The system shown in Fig. 5.4 can be reduced as follows (assuming s-independent reliabilities):

$$R_s = R_1 \times R_2 \times R_B \times R_{10} \times R_C \qquad \text{(from Eqn 5.1)}$$

$$R_B = 1 - [1 - (R_3 \times R_4 \times R_5)] \, [1 - (R_6 \times R_7 \times R_8)] \, (1 - R_9) \qquad \text{(from Eqn 5.4)}$$

$$R_C = 1 - \frac{3 \times 2}{3 \times 2} R_{11}^0 (1 - R_{11})^3 + \frac{3 \times 2}{2} R_{11} (1 - R_{11})^2 \qquad \text{(from Eqn 5.5)}$$

$$= 1 - (1 - R_{11})^3 + 3 R_{11} (1 - R_{11})^2$$

Cut and tie sets

Complex RBDs can be analysed using *cut set* or *tie set* methods. A cut set is produced by drawing a line through blocks in the system to show the minimum number of

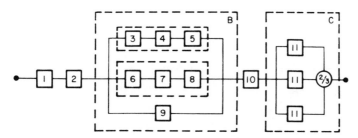

Figure 5.4 Block diagram decomposition

failed blocks which would lead to system failure. Tie sets (or *path sets*) are produced by drawing lines through blocks which, if all were working, would allow the system to work. Figure 5.5 illustrates the way that cut and tie sets are produced. In this system there are three cut sets and two tie sets.

Approximate bounds on system reliability as derived from cut sets and tie sets, respectively, are given by

$$R_s > 1 - \sum_{i=1}^{N} \prod_{j=1}^{n} (1 - R_i) \tag{5.12}$$

$$R_s < \sum_{i=1}^{T} \prod_{j=1}^{n} R_i \tag{5.13}$$

where N is the number of cut sets, T is the number of tie sets and n_j is the number of blocks in the jth cut set or tie set.

Example 5.4

Determine the reliability bounds of the system in Fig. 5.5 for

$$R_1 = R_2 = R_3 = R_4 = 0.9.$$

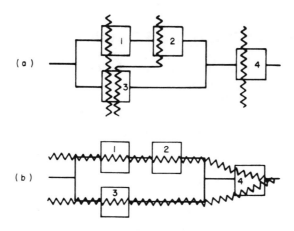

Figure 5.5 (a) Cut sets and (b) tie sets

Cut set:

$$R_s > 1 - [(1-R_1)(1-R_3) + (1-R_2)(1-R_3) + (1-R_4)]$$
$$> 1 - [3 - R_1 - R_2 - 2R_3 - R_4 + R_1R_3 + R_2R_3]$$
$$> 1 - 0.12 = 0.88$$

Tie set:

$$R_s < R_1R_2R_4 + R_3R_4$$
$$< 1.54 \text{ (i.e. } < 1.0)$$

For comparison, the exact reliability is

$$R_s = [1 - (1 - R_1R_2)(1 - R_3)]R_4$$
$$= R_3R_4 + R_1R_2R_4 - R_1R_2R_3R_4$$
$$= 0.883$$

The cut and tie set approaches are not used for systems as simple as in Example 5.4, since the decomposition approach is easy and gives an exact result. However, since the derivation of exact reliability using the decomposition approach can become an intractable problem for complex systems, the cut and tie set approach has its uses in such applications. The approximations converge to the exact system reliability as the system complexity increases, and the convergence is more rapid when the block reliabilities are high. Tie sets are not usually identified or evaluated in system analysis, however.

Cut and tie set methods are suitable for computer application. Their use is appropriate for the analysis of large systems in which various configurations are possible, such as aircraft controls, power generation, or control and instrumentation systems for large plant installations. The technique is subject to the constraint (as is the decomposition method) that all block reliabilities must be s-independent.

STATE-SPACE ANALYSIS (MARKOV ANALYSIS)

If a system or component can be in one of two states (e.g. failed, non-failed), and if we can define the probabilities associated with these states on a discrete or continuous basis, the probability of being in one or other at a future time can be evaluated using *state-space* (or *state-time*) analysis. In reliability and availability analysis, failure probability and the probability of being returned to an available state, or failure rate and repair rate, are the variables of interest.

The best-known state-space analysis technique is Markov analysis. The Markov method can be applied under the following major constraints:

1. The probabilities of changing from one state to another must remain constant, i.e. the process must be homogeneous. Thus the method can only be used when a constant hazard or failure rate assumption can be justified.

2. Future states of the system are independent of all past states except the immediately preceding one. This is an important constraint in the analysis of repairable systems, since it implies that repair returns the system to an 'as new' condition.

Nevertheless, Markov analysis can be usefully applied to system reliability, safety and availability studies, particularly to maintained systems for which BDA is not directly applicable, provided that the constraints described above are not too severe. The method is used for analysing complex systems such as power generation and communications. Computer programs can conveniently be written for Markov analysis.

The Markov method can be illustrated by considering a single component, which can be in one of two states: failed (F) and available (A). The probability of transition from A to F is $P_{A \to F}$ and from F to A is $P_{F \to A}$. Figure 5.6 shows the situation diagrammatically. This is called a *state transition* or a *state-space diagram*. All states, all transition probabilities and probabilities of remaining in the existing state ($=1-$ transition probability) are shown. This is a *discrete* Markov chain, since we can use it to describe the situation from increment to increment of time. Example 5.5 illustrates this.

Example 5.5

The component in Fig. 5.6 has transitional probabilities in equal time intervals as follows:

$$P_{A \to F} = 0.1$$

$$P_{F \to A} = 0.6$$

What is the probability of being available after four time intervals, assuming that the system is initially available?

This problem can be solved by using a *tree diagram* (Fig. 5.7).

The availability of the system in Example 5.5 is shown plotted by time interval in Fig. 5.8. Note how availability approaches a steady state after a number of time

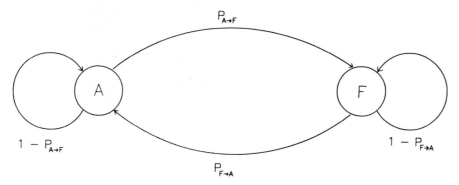

Figure 5.6 Two-state Markov state transition diagram

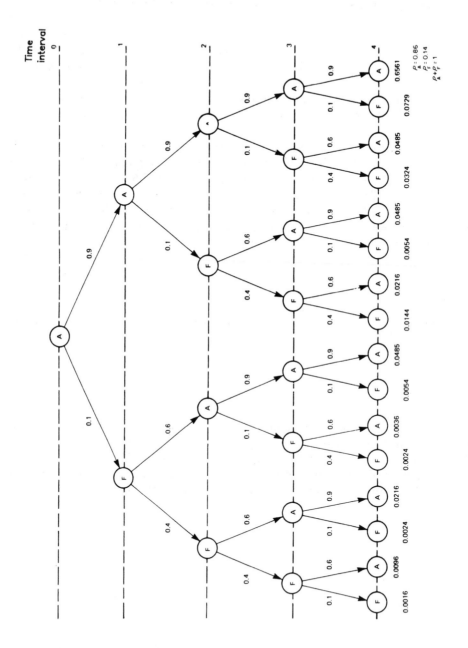

Figure 5.7 Tree diagram for Example 5.5

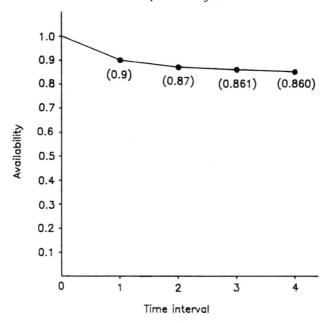

Figure 5.8 Transient availability of repaired system

intervals. This is a necessary conclusion of the underlying assumptions of constant failure and repair rates and of s-independence of events.

Whilst the transient states will be dependent upon the initial conditions (available or failed), the steady state condition is independent of the initial condition. However, the rate at which the steady state is approached is dependent upon the initial condition and on the transition probabilities.

Complex systems

The tree diagram approach used above obviously becomes quickly intractable if the system is much more complex than the one-component system described, and analysed over just a few increments. For more complex systems, matrix methods can be used, particularly as these can be readily solved by computer programs. For example, for a single repairable component the probability of being available at the end of any time interval can be derived using the *stochastic transitional probability matrix*:

$$P = \begin{vmatrix} P_{A \to A} & P_{A \to F} \\ P_{F \to A} & P_{F \to F} \end{vmatrix} \tag{5.14}$$

The stochastic transitional probability matrix for Example 5.5 is

$$P = \begin{vmatrix} 0.9 & 0.1 \\ 0.6 & 0.4 \end{vmatrix}$$

The probability of being available after the first time increment is given by the first term in the first row (0.9), and the probability of being unavailable by the second term in the first row (0.1). To derive availability after the second time increment, we square the matrix:

$$P^2 = \begin{vmatrix} 0.9 & 0.1 \\ 0.6 & 0.4 \end{vmatrix}^2 = \begin{vmatrix} 0.87 & 0.13 \\ 0.78 & 0.22 \end{vmatrix}$$

The probability of being available at the end of the second increment is given by the first term in the top row of the matrix (0.87). The unavailability $= 1 - 0.87 = 0.13$ (the second term in the top row).

For the third time increment, we evaluate the third power of the probability matrix, and so on.

Note that the bottom row of the probability matrix raised to the power 1, 2, 3, etc., gives the probability of being available (first term) or failed (second term) if the system started from the failed state. The reader is invited to repeat the tree diagram (Fig. 5.7), starting from the failed state, to corroborate this. Note also that the rows always summate to 1; i.e. the total probability of all states. (Revision notes on simple matrix algebra are given in Appendix 7.)

If a system has more than two states (multicomponent or redundant systems), then the stochastic transitional probability matrix will have more than 2×2 elements. For example, for a two-component system, the states could be:

	Component	
State	1	2
1	A	A
2	A	$\bar{A}$
3	$\bar{A}$	A
4	$\bar{A}$	$\bar{A}$

A: available
$\bar{A}$: unavailable

The probabilities of moving from any one state to any other can be shown on a 4×4 matrix. If the transition probabilities are the same as for the previous example, then:

$$P_{1 \to 1} = 0.9 \times 0.9 = 0.81$$

$$P_{1 \to 2} = 0.9 \times 0.1 = 0.09$$

$$P_{1 \to 3} = 0.1 \times 0.9 = 0.09$$

$$P_{1 \to 4} = 0.1 \times 0.1 = 0.01$$

$$P_{2 \to 1} = 0.9 \times 0.6 = 0.54$$

$$P_{2 \to 2} = 0.9 \times 0.4 = 0.36$$

$$P_{2 \to 3} = 0.1 \times 0.6 = 0.06$$

$P_{2\rightarrow4}=0.1\times0.4=0.04$

$P_{3\rightarrow1}=0.6\times0.9=0.54$

$P_{3\rightarrow2}=0.6\times0.1=0.06$

$P_{3\rightarrow3}=0.4\times0.9=0.36$

$P_{3\rightarrow4}=0.4\times0.1=0.04$

$P_{4\rightarrow1}=0.6\times0.6=0.36$

$P_{4\rightarrow2}=0.6\times0.4=0.24$

$P_{4\rightarrow3}=0.4\times0.6=0.24$

$P_{4\rightarrow4}=0.4\times0.4=0.16$

and the probability matrix is

$$P=\begin{vmatrix} P_{1\rightarrow1} & P_{1\rightarrow2} & P_{1\rightarrow3} & P_{1\rightarrow4} \\ P_{2\rightarrow1} & P_{2\rightarrow2} & \cdots & \\ P_{3\rightarrow1} & \vdots & \vdots & \vdots \\ P_{4\rightarrow1} & \cdots & \cdots & P_{4\rightarrow4} \end{vmatrix}$$

$$=\begin{vmatrix} 0.81 & 0.09 & 0.09 & 0.01 \\ 0.54 & 0.36 & 0.06 & 0.04 \\ 0.54 & 0.06 & 0.36 & 0.04 \\ 0.36 & 0.24 & 0.24 & 0.16 \end{vmatrix}$$

The first two terms in the first row give the probability of being available and unavailable after the first time increment, given that the system was available at the start. The availability after 2, 3, etc., intervals can be derived from P^2, P^3, . . ., as above.

It is easy to see how, even for quite simple systems, the matrix algebra quickly diverges in complexity. However, computer programs can easily handle the evaluation of large matrices, so this type of analysis is feasible in the appropriate circumstances.

Continuous Markov processes

So far we have considered discrete Markov processes. We can also use the Markov method to evaluate the availability of systems in which the failure rate and the repair rate (λ, μ) are assumed to be constant in a time continuum. The state transition diagram for a single repairable item is shown in Fig. 5.9.

In the steady state, the stochastic transitional probability matrix is:

$$P=\begin{vmatrix} 1-\lambda & \lambda \\ \mu & 1-\mu \end{vmatrix} \tag{5.15}$$

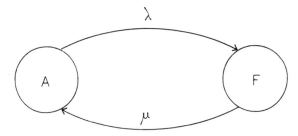

Figure 5.9 State–space diagram for a single-component repairable system

The instaneous availability, before the steady state has been reached, can be derived using Eqn (5.11).

The methods described in the previous section can be applied for evaluating more complex, continuous Markov chains. Markov analysis can also be used for availability analysis, taking account of the holdings and repair rate of spares. The reader should refer to Reference 11 in the Bibliography for details of the Markov method as applied to more complex systems.

Limitations, advantages and applications of Markov analysis

The Markov analysis method suffers one major disadvantage. As mentioned earlier, it is necessary to assume constant probabilities or rates for all occurrences (failures and repairs). It is also necessary to assume that events are *s*-independent. These assumptions are hardly ever valid in real life, as explained in Chapter 3 and earlier in this chapter. The extent to which they might affect the situation should be carefully considered when evaluating the results of a Markov analysis of a system.

Markov analysis requires knowledge of matrix operations. This can result in difficulties in communicating the methods and the results to people other than reliability specialists. The severe simplifying assumptions can also affect the credibility of the results.

Markov analysis is fast when run on computers and is therefore economical once the inputs have been prepared. The method is used for analysing systems such as power distribution networks and logistic systems.

MONTE CARLO SIMULATION

In a Monte Carlo simulation, a logical model of the system being analysed is repeatedly evaluated, each run using different values of the distributed parameters. The selection of parameter values is made randomly, but with probabilities governed by the relevant distribution functions.

Monte Carlo simulation can be used for system reliability and availability modelling, using suitable computer programs. Since Monte Carlo simulation involves no complex mathematical analysis, it is an attractive alternative approach. It is a relatively easy way to model complex systems, and the input algorithms are easy to understand. There are no constraints regarding the nature of input assumptions on parameters such as failure and repair rates, so non-constant values can be used. It is also easy to model aspects such as queueing rules for repairs, repair priorities and 'cannibalization' (the use of serviceable spare parts from unserviceable systems).

One problem with Monte Carlo analysis is its expensive use of computer time. Since every event (failure, repair, movement, etc.) must be sampled for every unit of time, using the input distributions, a simulation of a moderately large system over a reasonable period of time can require hours of computer run-time. Also, since the simulation of probabilistic events generates variable results, in effect simulating the variability of real life, it is usually necessary to perform a number of runs in order to obtain estimates of means and variances of the output parameters of interest, such as availability, number of repairs arising and repair facility utilization. On the other hand, the effects of variations can be assessed.

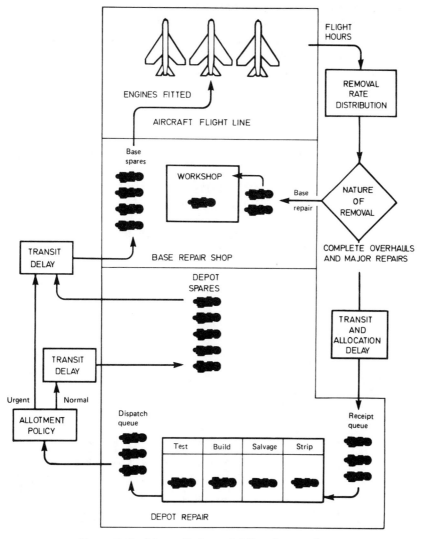

Figure 5.10 Monte Carlo model flowchart outline

A flow diagram showing the failure and repair logic for a typical system is shown in Fig. 5.10, and the results of simulation runs are shown in Fig. 5.11.

RELIABILITY APPORTIONMENT

Sometimes it is necessary to break an overall system reliability requirement down to individual subsystem reliabilities. This is common in large systems such as avionics, particularly when different design teams or subcontractors are involved. The main contractor or system design team leader requires early assurance that subsystems will have reliabilities which will match the system requirement, and therefore the appropriate values have to be included in the subsystem specifications.

The starting point for reliability apportionment is a reliability block diagram for the system drawn to show the appropriate system structure. The system requirement is then broken down in proportions which take account of the complexity, risk and existing experience related to each block. It is important to take account of the uncertainty inherent in such an early prediction, and therefore the block reliabilities need not aggregate to the system requirement, but to some higher reliability. The apportionment and specifications derived from it should take account of different operating conditions of subsystems. For example, a radar system might have a subsystem which operates for only half of the total system operating time, and therefore this should be shown on the RBD, and the failure rate apportioned to it should be related clearly either to the operating time of the system or of the subsystem.

STANDARD METHODS FOR RELIABILITY PREDICTION AND MODELLING

The most commonly used standard reference for reliability prediction is US MIL-STD-756 (Reference 1 in the Bibliography). It is cited in other standards covering

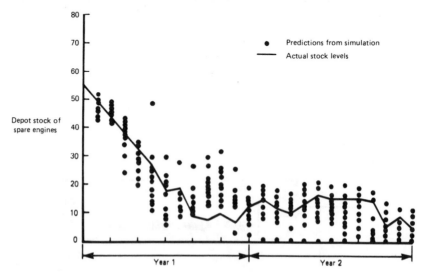

Figure 5.11 Depot stock levels

reliability programme management in defence and non-defence work in the United States and in Europe. MIL-STD-756 covers the following aspects of reliability prediction:

1. The prediction plan as part of the reliability programme plan, related to the various phases of the development programme. It requires that an initial reliability prediction is performed as early as possible as part of the feasibility study, to compare options and validate the concept. Subsequent predictions are performed to update the initial work, using more detailed design data as they become available, leading to a final prediction involving full stress analysis where applicable.
2. Procedures for performing the reliability prediction, including modelling methods and data sources. MIL-HDBK-217 is the referenced source for electronic equipment parts count and stress analysis reliability prediction (see Chapter 9).
3. Procedures for documenting and reporting the predictions.

A further reference is NASA-CR-1129 (Reference 4 in the Bibliography), which describes the approaches to reliability prediction for NASA space programmes. Here the stress is laid on reliability prediction as a method of comparing designs, and there is less emphasis on quantitative methods. A British Standard, BS 5760 (Reference 5), also describes reliability prediction methods and relates them to the reliability programme. UK Defence Standard 00–41, Part 3 is equivalent to MIL-STD-756. It emphasizes the top-down approach to reliability prediction.

CONCLUSIONS

System reliability (and availability) prediction and modelling can be a frustrating exercise, since even quite simple systems can lead to complex reliability logic when redundancy, repair times, testing and monitoring are taken into account. On the other hand, the parameters used, particularly reliability values, are usually very uncertain, and can be highly variable between similar systems. This chapter has described some approaches, but it must be realized that the results can be very sensitive to parameter changes. For example, a single common-cause failure, overlooked in the analysis, might have a probability of occurrence which would completely invalidate the reliability calculations for a high reliability redundant system. In real life, availability is often determined more by spares holdings, administrative times (transport, documentation, delays, etc.) than by 'predictable' factors such as mean repair time. Therefore predictions and models of system reliability and availability should be used as a form of design review, to provide a disciplined framework for considering factors which will affect reliability and availability, and the sensitivity to changes in assumptions. Critical aspects can then be highlighted for further attention, and alternative system approaches can be compared.

Prediction and modelling are concepts which have generated much attention and literature in the reliability field. Considerable effort has been expended on the development and updating of databases and models, and a large proportion of the journal articles and conference contributions is devoted to the topics. Most of this work is, however, of only abtruse interest, since reliability is not a parameter which is inherently predictable, on the basis of the laws of nature or of statistical extrapolation. The mathematical techniques described in this chapter are useful only in so far as the values inserted into the formulae are known within reasonably close limits. The use of complicated formulae to analyse the effects of parameters which are highly uncertain is inefficient and potentially misleading. It is essential that the extent of uncertainty is always considered, and that reliability specialists are discouraged from taking prediction and modelling work beyond the point of usefulness.

BIBLIOGRAPHY

1. US MIL-STD-756: *Reliability Prediction*. Available from the National Technical Information Service, Springfield, Virginia.
2. US MIL-HBK-217: *Reliability Prediction for Electronic Systems*. Available from the National Technical Information Service, Springfield, Virginia.
3. Non-electronic Parts Reliability Data (NPRD): USAF Rome Air Development Center. Available from the National Technical Information Service, Springfield, Virginia.
4. NASA-CR-1129: *Reliability Prediction*. Available from the National Technical Information Service, Springfield, Virginia.
5. British Standard, BS 5760: *Reliability of Systems, Equipments and Components*. British Standards Institution, London.
6. K. C. Kapur and L. R. Lamberson, *Reliability in Engineering Design*. Wiley (1977).
7. C. Singh and R. Billington, *System Reliability Modelling and Evaluation*. Hutchinson (1977).
8. F. F. Martin, *Computer Modeling and Simulation*, Wiley (1968).
9. A. K. S. Jardine, *Maintenance, Replacement and Reliability*. Pitman (1973).
10. E. J. Henley and H. Kumanoto, *Reliability Engineering and Risk Assessment*. Prentice-Hall (1981).
11. R. Billington and R. N. Allen, *Reliability Evaluation of Engineering Systems*. Plenum Press (1982).
12. A. Pages and M. Gondran, *Systems Reliability Evaluation and Prediction in Engineering*. North Oxford Academic (1986).

6

Reliability in Design

INTRODUCTION

The reliability of a product is strongly influenced by decisions made during the design process. Deficiencies in design affect all items produced and are progressively more expensive to correct as development proceeds. It is often not practicable or economic to change a design once production has started. It is therefore essential that design disciplines are used which minimize the possibility of failure and which allow design deficiencies to be detected and corrected as early as possible. In Chapter 4 the basic requirements for failure-free design were laid down, i.e. adequate safety margins, protection against extreme load events and protection against strength degradation. The design must also take account of all other factors that can affect reliability, such as production methods, use and maintenance, and failures not caused by load.

The design process must therefore be organized to ensure that failure-free design principles are used and that any deviations from the principles are detected and corrected. Failure-free design is the only acceptable principle for any reliability-conscious project team. Anything less will be reflected in the acceptance of failures throughout the development and production cycle, and a low rate of improvement. The designer must produce designs which will not fail if manufactured and used as specified. In order to be able to do this test data may be needed to reduce uncertainties. Any subsequent failures can then be firmly classified as design deficiencies which escaped the review or test system, or as being due to manufacturing failures or overload. Failure-free design therefore involves prevention, check and cure.

This chapter (and Chapters 8 and 9 on mechanical and electronic reliability) does not cover the full range of knowledge necessary for good design. The designer must be aware of the materials, processes, components, production methods, design rules and guidelines, costs, and much else in order to create a good design. These chapters cover only fairly general topics, which should be known by reliability and design engineers working on most types of project.

COMPUTER-AIDED ENGINEERING

Computer-aided engineering (CAE) methods are available to assist with a wide variety of design tasks. Their power, ease of use, and increasing availability due to reducing costs of computing equipment and software are resulting in increasing applications. CAE also makes possible the creation of designs which would otherwise be very difficult or uneconomic, for example large scale integrated circuits. CAE can also provide enormous improvements in engineering productivity. Properly used, it can lead to the creation of more reliable designs.

The main design CAE developments have occurred in the electronics field. Proprietary versions of the SPICE analog simulation program can be used to design circuits, and to test their operation under different operating conditions. Component performance details are held in the database. The designer can, in principle, design the circuit, then 'build' it and 'test' it, all on the computer screen. The effects of parameter changes or failure modes can be quickly evaluated, and dynamic as well as static operating conditions can be tested. Similar software exists for digital circuit design and evaluation (HILO (GENRAD Corp.), LASAR).

In the mechanical engineering field, software is available for stress analysis, e.g. NASTRAN (McNeal-Schwendler Corp.), which performs finite element analysis calculations for mechanical and thermal stress calculations, and for analysis of vibration and load response. Drafting software is used for generating manufacturing drawings and machine tool instructions, and this can also be used to optimize the design of mechanisms.

Specialist CAE software is also available for design and analysis of systems and products incorporating other technologies, such as hydraulics, magnetics, and microwave electronics. Multi-technology capability is now also being provided, e.g. by SABER (Analogy Corp.), a CAE system which allows mixed technologies to be modelled and analysed.

CAE provides the capability for rapid assessment of different design options, and for analysing the effects of tolerances, variation, and failure modes. Therefore, if used in a systematic, disciplined way, with adequate documentation of the options studied and assessments performed, designs can be optimized for costs, producibility and reliability. CAE should be considered as a powerful aid to more cost-effective and correct design, not merely a means of speeding up the design process.

However, there are important limitations inherent in most CAE tools. The software models can never be totally accurate representations of all aspects of the design and its operating environment. For example, electronic circuit simulation programs will ignore the effects of electromagnetic interference between components, and drafting systems will ignore distortion due to stress or temperature. Therefore it is essential that engineers using CAE are aware of the limitations, and how these could affect their designs. The effective application of modern CAE places greater responsibility upon designers to be aware of the practical aspects of the relevant technologies. Otherwise they can be easily misled into placing undue faith in the accuracy and completeness of the software models, resulting in incorrect or unreliable designs.

QUALITY FUNCTION DEPLOYMENT

Quality Function Deployment (QFD) is a horrible expression for a simple technique to identify all of the factors which might affect the ability of a design or product to satisfy the customer, and the methods and responsibilities necessary to ensure control. QFD goes beyond reliability, as it covers aspects such as customer preferences for feel, appearance, etc., but it is a useful and systematic way to highlight design and process activities and controls necessary to ensure reliability.

QFD begins by a team consisting of the key marketing, design, production, reliability and quality staff working their way through the project plan or specification, and identifying the features that will require to be controlled, the control methods applicable, and the responsible people. Constraints and risks are also identified, as well as resources necessary. At this stage no analysis or detailed planning is performed, but the methods likely to be applied are identified. These methods are described later in this chapter and in others.

QFD makes use of charts which enable the requirements to be listed, and controls, responsibilities, constraints, etc., to be tabulated, as they relate to design, analysis, test, production, etc. An example is shown in Fig. 6.1.

This shows requirements rated on an importance scale (1–5), and the design features that can affect them. Each feature is in turn rated against its contribution to each requirement, and a total rating of each feature is derived by multiplying

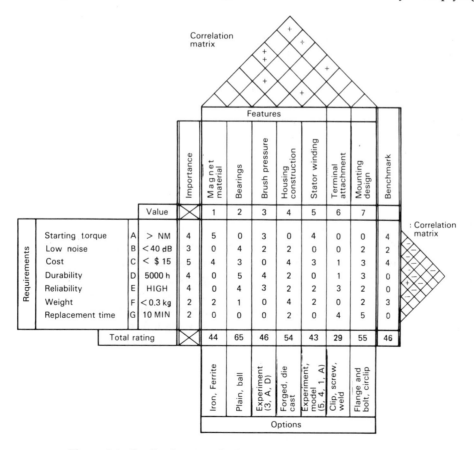

Figure 6.1 Quality function deployment for electric motor design

each rating by the importance value, and adding these values. Thus the bearing selection, housing construction, and mounting design come out as the most critical design features.

The 'benchmark' column is used to rate each requirement, as perceived by potential customers, against those of competitive products. Only one benchmark is shown here; more can be added for other competitors. Benchmarking is a useful method for putting requirements into a sound marketing perspective.

The correlation matrices indicate the extent to which requirements and features interact: plus sign(s) indicate positive correlation, and minus negative correlation. For example, magnet material and stator winding design might interact strongly. The minus signs in the requirements matrix indicate conflicting requirements.

The options available are shown. In some cases further modelling or experiments are required, and this part of the chart can be used to indicate the variables that need to be included in such work.

The shape of the QFD chart has led to its being called the 'house of quality'. Of course quality here is used in the widest sense, to include all aspects of the product that will affect its reputation and cost. Figure 6.1 is a top level chart: lower level charts are used to analyse more detailed aspects, for example, more detailed design and component characteristics, and production processes and tolerances, always against the same set of requirements. Thus every aspect of design and production, including analysis, test, production process control, final inspection, packaging, maintenance, etc., is systematically evaluated and planned for, always in relation to the most important product requirements. Requirements and features that are not important are shown up as such, and this can be a very important contribution to cost reduction and reliability improvement.

Like other conceptual analysis methods, there is no single standard approach, and users should be encouraged to develop formats and methods appropriate to their products and problems.

ENVIRONMENTS

The environments in which the product will be expected to be stored, operated and maintained must be carefully assessed, as well as the expected severity and durations. The assessment must include all aspects that could affect the product's operation, safety and reliability. Physical factors include temperature, vibration, shock, humidity, pressure, etc. Extreme values and, where relevant, rates of change must be considered. Other environmental conditions, such as corrosive atmospheres, electrical interference, power supply variation, etc., must also be taken into account. Where appropriate, combined environmental conditions, such as temperature/corrosive atmosphere and vibration/ contamination, should be assessed. An aspect of the environment often neglected is the treatment of the product by people, in storage, handling, operation and maintenance.

Environmental aspects should be reviewed systematically, and the review should be properly documented.

The protective measures to be taken must be identified, as appropriate to storage, transport, handling, operation and maintenance. Protective measures include packaging, provision of warning labels and instructions, protective treatment of surfaces, and design features. Detailed design aspects are covered in Chapters 8 and 9.

Resistance to environmental conditions must be confirmed by test when hardware is available. Test aspects are covered in Chapters 11 and 12.

Load protection

Protection against extreme loads is not always possible, but should be considered whenever practicable. In many cases the maximum load can be pre-determined, and no special protection is necessary. However, in many other loading situations extreme external loads can occur and can be protected against. Standard products are available to provide protection against, for example, overpressure in hydraulic or pneumatic systems, impact loads or electrical overload. When overload protection is provided, the reliability analysis is performed on the basis of the maximum load which can be anticipated, bearing in mind the tolerances of the protection system. In appropriate cases, loads which can occur when the protection system fails must also be considered.

However, in most practical cases it will be sufficient to design to withstand a predetermined load and to accept the fact that loads above this will cause failure. The probability of such loads occurring must be determined for a full reliability analysis to be performed. It may not always be practicable to determine the distribution of such extreme events, but data may be available either from failure records of similar items, or from test or other records.

Where credible data are not available, the worst design load case must be estimated. The important point is that the worst design case is estimated and specified. A common cause of failure is the use of safety factors related to average load conditions, without adequate consideration having been given to the extreme conditions which can occur during use of the product.

Protection against strength degradation

Strength degradation, in its many forms, can be one of the most difficult aspects to take into account in design reliability analysis. Strength degradation due to fatigue in metals is fairly well understood and documented, and therefore reliability analysis involving metal fatigue, including the effects of stress raisers such as notches, corners, holes and surface finish, can be performed satisfactorily, and parts can be designed to operate below the fatigue limit, or for a defined safe life.

However, other weakening mechanisms are often more complex. Combined stresses may accelerate damage or reduce the fatigue limit. Corrosion and wear are dependent upon environments and lubrication, the effects of which are therefore often difficult to forecast. If complete protection is not possible, the designer must specify maintenance procedures for inspection, lubrication or scheduled replacement.

Reliability analysis of designs with complex weakening processes is often impracticable. Tests should then be designed to provide the required data by generating failures under known loading conditions.

Chapter 8 covers these aspects in more detail.

DESIGN ANALYSIS METHODS

Despite discipline, training and care, it is inevitable that occasional oversights or errors will occur in new designs. Design analysis methods have been developed to highlight critical aspects and to focus attention on possible shortfalls.

Design analyses are sometimes considered tedious and expensive. In most cases the analysis will show that nearly all aspects of the design are satisfactory, and much more effort will have been expended in showing this than in highlighting a few deficiencies. However, the discovery of a very few deficiencies at an appropriately early stage can save far more than the costs that might be incurred by having to modify the design at a later stage, or by having to live with the consequences of the defect. Therefore, well-managed design analyses are extremely cost-effective. The tedium and expense can be greatly reduced by good planning and preparation and by the use of computerized methods. In this section, we will describe the main design analysis techniques available. Their place in the overall design review process and the way they should be managed are also covered. The main reliability design analysis techniques are:

1. Reliability prediction (covered in Chapter 5).
2. Load–strength analysis.
3. Failure mode, effects and criticality analysis.
4. Fault tree analysis.
5. Parameter variation analysis.

LOAD–STRENGTH ANALYSIS

Load–strength analysis is a procedure to ensure that all load and strength aspects have been considered in deriving the design, and if necessary in planning of tests.

Table 6.1 is an example of a hypothetical load–strength analysis for a mechanical and electrical assembly. The example shows approaches that can be used for different aspects of the analysis. Event probabilities can be expressed as full distributions, or as the likelihood of a particular limiting case being exceeded. The former is more appropriate when the load(s) can cause degradation, or if a more detailed reliability assessment is required. Both examples show typical, though rather simple, cases where the effects of combined loads might have been overlooked but for the analysis. For example, the solenoid might be supplied with a manufacturer's rating of 28 V operating, ± 2 V, and a maximum ambient temperature of 45°C. A room temperature test of the solenoid might have confirmed its ability to function with a 32 V supply without overheating. However, the combined environment of +45°C and 32 V supply, albeit an infrequent occurrence, could lead to failure.

The mechanical example is less easy to analyse and testing is likely to be the best way of providing assurance, if the assembly is critical enough to warrant it. Where the load–strength analysis indicates possible problems, further analysis should be undertaken, e.g. use of probabilistic methods as described in Chapter 4, and CAE methods. Tests should be designed to confirm all design decisions.

Table 6.1 Load–strength analysis example

Item (Matl, function)	Worst case load/ combined load	Frequency/ probability of occurrence	Data source	Combined effect	Strength	Remarks
Rivet (×4) (aluminium, fixing bracket to plastic frame)	1. 50 N total, axial 2. 40 N, lateral impact 3. Temperature 0–35°C	Continuous See load distri-bution annex 1	— Operating data	— Combine with 1. *Degradation* NIL	Plastic frame is weak link NIL effect	Life test to confirm Thickness of plastic frame at bracket attachment may be critical feature
Solenoid coil	1. 32 V (at 27°C) 2. 45°C ambient	$1/10^4$ h $1/10^2$ h	Data on power supply variation	72°C	Insulation limited to 70°C	Overvoltage protection or improved cooling needed

FAILURE MODE, EFFECTS AND CRITICALITY ANALYSIS (FMECA)

Failure mode, effects and criticality analysis (FMECA) is probably the most widely used and most effective design reliability analysis method. The standard reference is US MIL-STD-1629 (Procedures for Performing a Failure Mode, Effects and Criticality Analysis) (Reference 2). The principle of FMECA is to consider each mode of failure of every component of a system and to ascertain the effects on system operation of each failure mode in turn. Failure effects may be considered at more than one level, e.g. at subsystem and at overall system level. Failure modes are classified in relation to the severity of their effects.

An FMECA may be based on a hardware or a functional approach. In the hardware approach actual hardware failure modes are considered (e.g. resistor open circuit, bearing seizure). The functional approach is used when hardware items cannot be uniquely identified or in early design stages when hardware is not fully defined. In this approach function failures are considered (e.g. no feedback, memory lost). Note that a functional failure mode can become a hardware failure effect in a hardware-approach FMECA. An FMECA can also be performed using a combination of hardware and functional approaches.

MIL-STD-1629 provides two basic methods (101,102) for performing an FMECA. In both an FMECA worksheet is generated to document the analysis (Figs 6.2 and 6.3). Method 101 is a non-quantitative method, which serves to highlight failure modes whose effects would be considered important in relation to severity, detectability, maintainability or safety.

Method 102 (criticality analysis) includes consideration of failure rate or probability, failure mode ratio and a quantitative assessment of criticality, in order to provide a quantitative criticality rating for the component or function. The *failure mode criticality number* is

$$C_m = \beta\alpha\lambda_p t \tag{6.1}$$

where β = conditional probability of loss of function or mission
α = failure mode ratio (for an item, $\Sigma_\alpha = 1$)
λ_p = part failure or hazard rate
t = operating or at-risk time of item

$\lambda_p t$ can be replaced by failure probability, $1 - \exp(-\alpha\lambda_p t)$.

The *item criticality number* is the sum of the failure mode criticality numbers for the item.

Variations on the MIL-STD-1629 methods are also used. For example, the failure/hazard rate figures can be replaced by an assessment scale, say 0 (negligible) to 1 (very likely). This approach is often used in the automobile industry.

Steps in performing an FMECA

An effective FMECA can be performed only by an engineer or team of engineers having thorough knowledge of the system's design and application. The first step therefore is to obtain all the information available on the design. This includes

System _____
Indenture level _____
Reference drawing _____
Mission _____

Date _____
Sheet _____ of _____
Compiled by _____
Approved by _____

| Identification number | Item/functional identification (nomenclature) | Function | Failure modes and causes | Mission phase/ operational mode | Failure effects | | | Failure detection method | Compensating provisions | Severity class | Remarks |
					Local effects	Next higher level	End effects				

Figure 6.2 MIL-STD-1629 worksheet for method 101

System _____
Indenture level _____
Reference drawing _____
Mission _____

Date _____
Sheet _____ of _____
Compiled by _____
Approved by _____

Identification number	Item/functional identification (nomenclature)	Function	Failure modes and causes	Mission phase/ operational mode	Severity class	Failure probability / Failure rate data source	Failure effect probability	Failure mode ratio (a)	Failure rate (λ_p)	Operating time (t) (β)	Failure mode crit $C_m = \beta a \lambda_p'$	Item crit $C_i = \Sigma(C_m)$	Remarks

Figure 6.3 MIL-STD-1629 worksheet for method 102

specifications, drawings, computer-aided design (CAD) data, stress analysis, test results, etc., to the extent they are available at the time. For a criticality analysis, the reliability prediction data must also be available or they might be generated simultaneously.

A system functional block diagram and reliability block diagram (page 126) should be prepared, if not already available, as these form the basis for preparing the FMECA and for understanding the completed analysis.

If the system operates in more than one phase in which different functional relationships or item operating modes exist, these must be considered in the analysis. The effects of redundancy must also be considered by evaluating the effects of failure modes assuming that the redundant subsystem is or is not available.

An FMECA can be performed from different viewpoints, such as safety, mission success, availability, repair cost, failure mode or effect detectability, etc. It is necessary to decide, and to state, the viewpoint or viewpoints being considered in the analysis. For example, a safety-related FMECA might give a low criticality number to an item whose reliability seriously affects availability, but which is not safety critical.

The FMECA is then prepared, using the appropriate worksheet, and working to the item or subassembly level considered appropriate, bearing in mind the design data available and the objectives of the analysis. For a new design, particularly when the effects of failure are serious (high warranty costs, reliability reputation, safety, etc.) the analysis should take account of all failure modes of all components. However, it might be appropriate to consider functional failure modes of subassemblies when these are based upon existing designs, e.g. modular power supplies in electronic systems, particularly if the design details are not known.

The FMECA should be started as soon as initial design information is available. It should be performed iteratively as the design evolves, so that the analysis can be used to influence the design and to provide documentation of the eventually completed design. Design options should be separately analysed, so that reliability implications can be considered in deciding on which option to choose. Test results should be used to update the analysis.

Uses for FMECA

FMECAs can be used very effectively for several purposes, in addition to the prime one of identifying safety or reliability critical failure modes and effects. The main uses are:

1. Preparation of diagnostic routines such as flowcharts or fault-finding tables. The FMECA provides a convenient listing of the failure modes which produce particular failure effects or symptoms, and their relative likelihoods of occurrence.
2. Preparation of preventive maintenance requirements. The effects and likelihood of failures can be considered in relation to the need for scheduled inspection, servicing or replacement. For example, if a failure mode has an insignificant effect on safety or operating success, the item could be replaced only on failure, rather than at scheduled intervals, to reduce the probability of failure.
3. Design of built-in test (BIT), failure indications and redundancy. The failure detectability, including BIT, viewpoint is an important one in FMECA of systems which include these features.

4. For analysis of testability, particularly for electronic subassemblies and systems, to ensure that hardware can be economically tested and failures diagnosed, using automatic or manual test equipment.
5. For development of software for automatic test and BIT.
6. For retention as formal records of the safety and reliability analysis, to be used as evidence if required in reports to customers or in product safety litigation.
7. An FMECA can be performed specifically to consider the possibility of production-induced failures, e.g. wrong diode orientation. Such a *production* FMECA can be very useful in test planning and in design for ease of production.

It is important to coordinate these activities, so that the most effective use can be made of the FMECAs in all of them, and to ensure that FMECAs are available at the right time and to the right people.

Computerized FMECA

Computer programs have been developed for performance of FMECA. Using a computer program instead of FMECA worksheets allows FMECAs to be produced more quickly and accurately, and greatly increases the ease of editing and updating to take account of design changes, design options, different viewpoints, and different input assumptions. Like any other computer-aided design technique, computerized FMECA frees engineers to concentrate on engineering, rather than on tedious compilation, so that for the same total effort designs can be more thoroughly investigated, or less effort can be expended for the same depth of analysis. Also, by eliminating the more tedious and time-consuming aspects of the work, engineers' motivation and effectiveness is increased.

Computerized FMECA enables more perceptive analysis to be performed. Failure effects can be ranked in criticality order, at different system levels, in different phases of system operation and from different viewpoints. Report preparation can be partly automated and sensitivity analyses quickly performed.

Figure 6.4 shows part of a computerized FMECA, performed using the PREDICTOR® (TM Management Sciences Inc.) FMECA program, on a hypothetical anti-aircraft missile control system.

Other FMECA software is also available, for use on mainframe or personal computers. Computerized FMECA is also included in the software for integrated logistic support (ILS), as described in Chapter 14.

It is also possible, and effective, to use a computerized spreadsheet to create an FMECA. This method has the advantage that the format and type of analysis can be designed to suit the particular design and methods of analysis. Modern integrated software also allows a wide range of graphic presentations to be created, databases to be used for reliability information, and for the analysis to be incorporated into wordprocessors for report preparation.

Computer-aided engineering (CAE) software, when used to create and analyse designs, can be used to perform FMECAs. Use of CAE permits very detailed, objective analyses to be made, covering transient and dynamic conditions, which can be very difficult to analyse manually. For example, commercial versions of the SPICE program for analogue electronic circuit emulation can be used to determine

Mission failure effects (MFE)

MFE	Effect	Loss probability
1	No effect	0
2	True no control	1
3	False no control	1
4	Intermittent control	0.4
5	Unstable control	0.7
6	Control flutter	0.5

SFE no.	System effect	MFE no.	System effect failure probability	Percent of all groups failure probability	Mission loss prob.	System criticality	Percent contribution to all groups criticality
2	No drive to control fins	2	0.3713E-05	19.69	1.0	0.3713E-05	24.75
7	T no output to solenoid	2	0.2495E-05	13.23	1.0	0.2495E-05	16.63
5	Drive to one extremity of travel	2	0.1500E-05	7.95	1.0	0.1500E-06	9.99
8	F no output to solenoid	3	0.1500E-05	7.95	1.0	0.1500E-05	9.99
10	Unstable output to solenoid	5	0.1976E-05	10.48	0.7	0.1383E-05	9.22
11	Low output to solenoid	4	0.2686E-05	14.24	0.4	0.1074E-05	7.16
13	No fin movement	2	0.1000E-05	5.30	1.0	0.1000E-05	6.66
3	Intermittent drive	5	0.1383E-05	7.33	0.7	0.9661E-06	6.45
12	Jitter on output to solenoid	6	0.9000E-06	4.77	0.5	0.4500E-06	2.99
4	Slow drive	4	0.1080E-05	5.72	0.4	0.4320E-06	2.87
9	Incorrect sensing of input demand	2	0.3952E-06	2.09	1.0	0.3952E-06	2.63
6	Drive ceases prematurely	4	0.2240E-06	1.18	0.4	0.8962E-07	0.59

Figure 6.4 Part of output listing from computerized FMECA (PREDICTOR®, TM Management Sciences Inc., Albuquerque, NM, USA)

the effects on circuit operation of component failure modes, by running the emulation with parameter values set at the failure conditions. Mechanical design CAE software can be similarly used in some cases, for example finite element analysis (FEA) software can be used to analyse the effects of mechanical or thermal stress. The SABER (TM Analogy Corp.) program enables FMECAs of mixed-technology designs to be created, and for the FMECA to be automated using a database of component failure modes.

FAULT TREE ANALYSIS (FTA)

Fault tree analysis (FTA) is a reliability/safety design analysis technique which starts from consideration of system failure effects, referred to as 'top events'. The analysis proceeds by determining how these can be caused by individual or combined lower level failures or events. It differs from FMECA in being strictly a top-down approach and in considering multiple failures as a matter of course.

Standard symbols are used in constructing an FTA to describe events and logical connections. These are shown in Fig. 6.5. Figure 6.6 shows a simple FTA for an aircraft internal combustion engine, in which the top event is failure to start. There are two ignition systems in an active parallel redundant configuration. The FTA shows that failure to start can be caused by either fuel flow failure, carburettor failure or ignition failure (three-input OR gate). At a lower level total ignition failure is caused by failure of ignition systems 1 and 2 (two-input AND gate). The reliability block diagram of the system is shown at Fig. 6.7.

In addition to showing the logical connections between failure events in relation to defined top events, FTA can be used to quantify the top event probabilities, in the same way as in block diagram analysis (page 126). Failure probabilities derived from the reliability prediction values can be assigned to the failure events, and cut set and tie set methods can be applied to evaluate system failure probability.

Note that a different FTA will have to be constructed for each defined top event which can be caused by different failure modes or different logical connections between failure events. In the engine example, if the top event is 'unsafe for flight' then it would be necessary for both ignition systems to be available before take-off, and gate Q1 would have to be changed to an OR gate.

The FTA shown is very simple; a representative FTA for a system such as this, showing all component failure modes, or for a large system, such as a flight control system or a chemical process plant, can be very complex and impracticable to draw out and evaluate manually. Computer programs are used for generating and evaluating large FTAs. The use of computer programs for FTA provides the same advantages of effectiveness, economy and ease of iterative analysis as described for FMECA. FTA software is generally available for personal computer, workstation and mainframe computer applications. These perform cutset analysis and create the fault-tree graphics.

Common mode failures

A common mode (or common cause) failure is one which can lead to the failure of all paths in a redundant configuration. Identification and evaluation of common

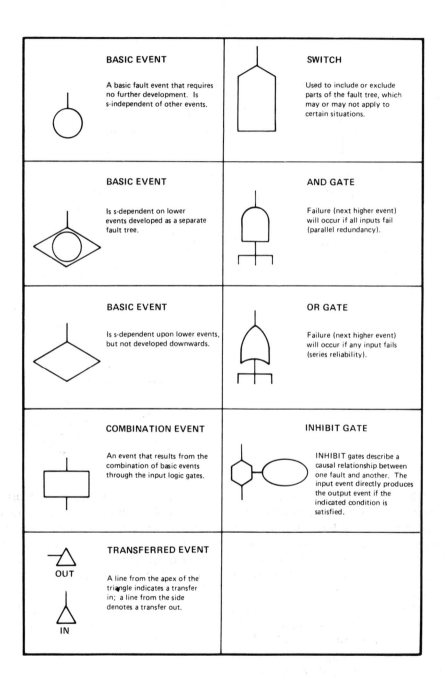

Figure 6.5 Standard symbols used in fault tree analysis

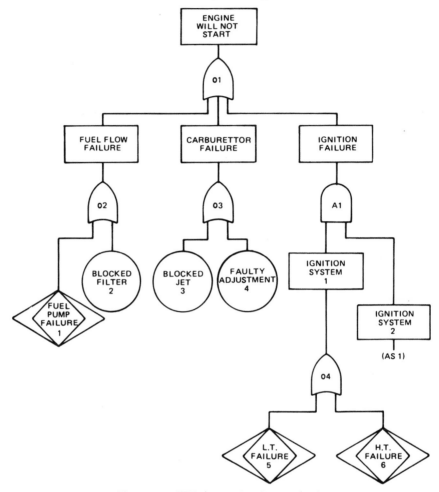

Figure 6.6 FTA for engine (incomplete)

mode failures is very important, since they might have a higher probability of occurrence than the failure probability of the redundant system when only individual path failures are considered. In the design of redundant systems it is very important to identify and eliminate sources of common mode failures, or to reduce their probability of occurrence to levels an order or more below that of other failure modes.

For example, consider a system in which each path has a reliability $R=0.99$ and a common mode failure which has a probability of non-occurrence $R_{CM}=0.98$. The system can be designed either with a single unit or in a dual redundant configuration (Fig. 6.8 (a) and (b)). Ignoring the common mode failure, the reliability of the dual redundant system would be 0.9999. However, the common mode failure practically eliminates the advantage of the redundant configuration.

Examples of sources of common mode failures are:

1. Changeover systems to activate standby redundant units.
2. Sensor systems to detect failure of a path.

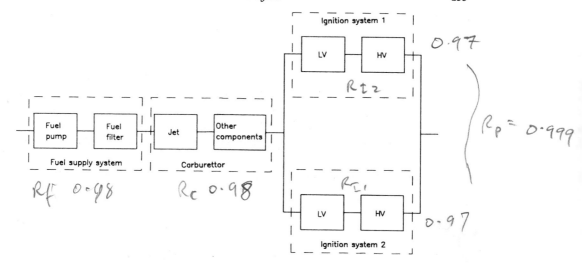

Figure 6.7 Reliability block diagram of engine

(handwritten annotations:)

0.97

R_{I2}

$R_p = 0.999$

$R_f \quad 0.98$

$R_c \quad 0.98$

R_{I1}

0.97

$R_s = 0.98 \times 0.98 \times 0.999$
$= 0.96$
$cf \ 0.93$

3. Indicator systems to alert personnel to failure of a path.
4. Power or fuel supplies which are common to different paths.
5. Maintenance actions which are common to different paths, e.g. an aircraft engine oil check after which a maintenance technician omits to replace the oil seal on *all* engines. (This actually happened, very nearly causing a major disaster.)
6. Operating actions which are common to different paths, so that the same human error will lead to loss of both.
7. Software which is common to all paths, or software timing problems between parallel processors.
8. 'Next weakest link' failures. Failure of one item puts an increased load on the next item in series, or on a redundant unit, which fails as a result.

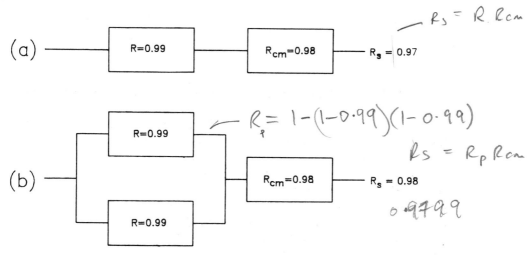

(handwritten annotations:)

$R_s = R \cdot R_{cm}$

$R_s = 0.97$

$R_p = 1 - (1 - 0.99)(1 - 0.99)$

$R_s = R_p R_{cm}$

$R_s = 0.98$

0.9799

Figure 6.8 Effect of common mode failure

Common mode failures can be very difficult to foresee, and great care must be taken when analysing safety aspects of systems to ensure that possible sources are identified.

Enabling events

An enabling event is one which, whilst not necessarily a failure or a direct cause of failure, will cause a higher level failure event when accompanied by a failure. Like common mode failures, enabling events can be important and difficult to anticipate, but they must be considered in FTA. Examples of enabling events are:

1. Warning systems disabled for maintenance, or because they create spurious warnings.
2. Controls incorrectly set.
3. Operating or maintenance personnel following procedures incorrectly, or not following procedures.
4. Standby elements being out of action due to maintenance.

RELIABILITY PREDICTIONS FOR FMECA AND FTA

Since FMECA and FTA are performed primarily to identify critical failure modes and to evaluate design options, failure rate or reliability values which could be considered as realistic worst cases should be used. Standard methods, such as MIL-STD-1629 for FMECA, stipulate the reliability prediction methods to be used, e.g. MIL-HDBK-217 for electronics. However, it is very important to appreciate the large amount of uncertainty inherent in reliability prediction, particularly at the level of individual failure events (see Chapter 5). Therefore, worst-case or pessimistic reliability values should always be used as input assumptions for failure modes which are identified as critical, or which might be critical if the pessimistic assumption proved to be realistic. Generally, the more critical the failure mode the more pessimistic should be the worst-case reliability assumptions. The use of computer programs for FMECA and FTA greatly facilitates this type of sensitivity analysis.

PARTS, MATERIALS AND PROCESSES (PMP) REVIEW

All new parts, materials and processes called up in the design should be identified. 'New' in this context means new to the particular design and production organization. The designer is likely to assume that a part or material will perform as specified in the brochure and that processes can be controlled to comply with the design. The reliability and quality assurance (QA) staff must ensure that this faith is well-founded. New parts, materials and processes must therefore be assessed or tested before being applied, so that adequate training for production people can be planned, quality control safeguards set up and alternative second sources located. New parts, materials and processes must be formally approved for production and added to the approved lists.

Materials and processes must be assessed in relation to reliability. The main reliability considerations include:

1. *Cyclical loading.* Whenever loading is cyclical, including frequent impact loads, fatigue must be considered.
2. *External environment.* The environmental conditions of storage and operation must be considered in relation to factors such as corrosion and extreme temperature effects.
3. *Wear.* The wear properties of materials must be considered for all moving parts in contact.

There is such a wide variation of material properties, even among categories such as steels, aluminium alloys, plastics or rubbers, that it is not practicable to generalize about how these should be considered in relation to reliability. Material selection will be based upon several factors; the design review procedure should ensure that the reliability implications receive the attention appropriate to the application. Chapter 8 covers mechanical design for reliability in more detail.

NON-MATERIAL FAILURE MODES

Most reliability engineering is concerned with material failure, such as caused by load–strength interference and strength degradation. However, there is a large class of failure modes which are not related to this type of material failure, but which can have consequences which are just as serious. Examples of these are:

1. Fasteners which secure essential panels and which can be insecurely fastened due to wear or left unfastened without being detected.
2. Wear in seals, causing low pressure leaks in hydraulic systems.
3. Resistance increase of electrical contacts due to arcing and accretion of oxides.
4. Failure of protective surfaces, such as paints, metal plating or anodized surfaces.
5. Distortion of pins, or intermittent contact, on multipin electrical connectors.
6. Drift in electronic component parameter values.
7. Electrically noisy electronic components.
8. Other personnel-induced failures such as faulty maintenance, handling or storage, e.g. omitting to charge electrolytic capacitors kept in long-term storage, which can result in reduced charge capacity in use.
9. Interface problems between sub-systems, due to tolerance mismatch.

All of these modes can lead to perceived failures. Failure reporting systems always include a proportion of such failures. However, there is usually more scope for subjective interpretation and for variability due to factors such as skill levels, personal attitudes and maintenance procedures, especially for complex equipment.

Non-material failures can be harder to assess at the design stage, and often do not show up during a test programme. Design reliability assessments should address these types of failure, even though it may be impracticable to attempt to predict the frequency of occurrence in some cases, particularly for personnel-induced failures.

HUMAN RELIABILITY

The term 'human reliability' is used to cover the situations in which people, as operators or maintainers, can affect the correct or safe operation of systems. In these circumstances people are fallible, and can cause component or system failure in many ways.

Human reliability must be considered in any design in which human fallibility might affect reliability or safety. Design analyses such as FMECA and FTA should include specific consideration of human factors, such as the possibility of incorrect operation or maintenance, ability to detect and respond to failure conditions, and ergonomic or other factors that might influence them.

Attempts have been made to quantify various human error probabilities, but such data should be treated with caution, as human performance is too variable to be credibly forecastable from past records. Human error probability is usually very dependent on training, supervision, and motivational factors, so these must be considered in the analysis. Of course in many cases the design organization has little or no control over these factors, but the analyses can be used to highlight the need for specific training, independent checks, or operator and maintainer instructions and warnings.

DESIGN FOR PRODUCTION

Designers must take account of the processes which will be used for manufacturing the product. All manufacturing processes are subject to variation, as are parameter values and dimensions of parts and subassemblies. Production people and processes inevitably vary in their performance in terms of accuracy and correctness. The design must take all of these into account, and must minimize the possibility of failure due to production-related causes.

The use of FMECA to help to identify such causes has been mentioned above. Techniques for evaluating the effects of variation in production processes are described later. These methods are sometimes referred to as *process* design, to distinguish them from those aspects of the design which address the product specification and its environment. Product and process design, using an integrated approach, including the test and analysis techniques referred to later, are sometimes referred to as *off-line quality control*. Process design leads to the setting of the correct controls on the production processes, for monitoring as part of *on-line quality control*, described in Chapter 13.

There are two possible approaches to designing for parameter variation and tolerances, the 'worst case' approach, and statistical methods. The traditional approach is to consider the worst case. For example, if a shaft must fit into a bore, the shaft and bore diameters and tolerances might be specified as: shaft, 20 ± 0.1 mm; bore, 20.2 ± 0.1 mm, in order to ensure that all shafts fit all bores. If the tolerance limits are based upon machining processes which produce parts with s-normally distributed diameters, of which 2.5 per cent are oversize and 2.5 per cent are undersize (2σ limits), the probability of a shaft and bore having an interference would be

$$0.025\times0.025=0.000625$$

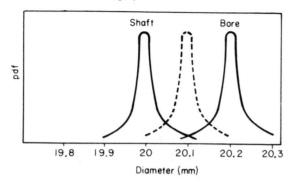

Figure 6.9 Shaft–bore interference

On the other hand, most combinations will result in a fairly loose fit. Figure 6.9 shows the situation graphically. Twenty-five per cent of combinations will have fits greater than 0.2 mm.

If, however, statistical tolerancing were used, we could design for much closer nominal diameters and still have an acceptably low probability of interference. If the shaft nominal diameter was set at 20.1 mm (dotted line on Fig. 6.9), the interference probability P_I can be calculated as:

$$P_I = 1 - \Phi\left[\frac{D_1 - D_2}{(\sigma_1^2 + \sigma_2^2)^{1/2}}\right]$$

In this case, if 2σ is 0.1 mm then σ is 0.05 mm. Therefore,

$$P_I = 1 - \Phi\left[\frac{20.2 - 20.1}{(0.05^2 + 0.05^2)^{1/2}}\right]$$

$$= 0.08$$

This is a very simple example to illustrate the principle. Reference 8 in the Chapter 2 Bibliography covers statistical tolerancing in more detail. For systems such as electronic circuits, where tolerances of many components must be considered, statistical analysis of parameter tolerances or drift can provide more economic designs, since the probability of several parts being near their specification limits is much lower than for one or two parts. Statistical tolerancing can also result in lower production costs, since part and subassembly test specifications do not need to be as tight and thus there will be fewer test rejects. However, statistical tolerancing must be based on the correct models, and it is not always safe to assume that variables are s-normally distributed. For example, many electronic parts are sorted, with parts whose values lie close to the nominal being sold as 'precision' parts. Thus the distribution of values of a lot from which such parts have been removed would be bimodal, with no parts being within the sorted range of the nominal value (see Fig. 9.8).

Methods for analysing multiple simultaneous variations are described in the next chapter.

CRITICAL ITEMS LIST

The critical items list is a summary of the items shown by the other analyses to be likely either to have an appreciable effect on the product's reliability or to involve uncertainty. Its purpose is to highlight these items and summarize the action being taken to reduce the risks. The initial list will be based upon the design analyses, but updates will take account of test results, design changes and service data as the project develops. The critical items list is a top document for management reporting and action as it is based upon the 'management by exception' principle and summarizes the important reliability problems. Therefore, it should not usually include more than ten items and these should be ranked in order of criticality, so that management attention can be focused upon the few most important problems. It could be supported by a Pareto chart (Chapter 12) to show the relative importance, when there are sufficient data. The critical items list should provide only identification of the problem and a very brief description and status report, with references to other relevant reports.

MANAGEMENT OF DESIGN REVIEW

The review techniques described must be made part of a disciplined design sequence, or they will merely generate work and not advance the objective of more reliable design. To be effective, they must be performed by the people who understand the design. This does not necessarily mean the designer, for two reasons. First, the analyses are an audit of his work and therefore an independent assessment is generally more likely to highlight aspects requiring further work than would be the case if the designer were reviewing his own work. Second, the analyses are not original work in the same sense as is the design. The designer is paid to be creative and time spent on reassessing this effort is non-productive in this sense. The designer may, however, be the best qualified to perform much of the analysis, since he knows the problem, assessed the options, carried out all the design calculations and created the solution. On the other hand, the creative talent may not be the best at patiently performing the rather tedious review methods.

The best solution to this situation is for the person performing the reviews to work closely with the designer and to act as his 'Devil's advocate' during the creative process. In this way, the designer and the reviewer work as a team, and problem areas are highlighted as early as possible. The organization of reliability engineering staff to provide this service is covered in Chapter 15. The reviewer should ideally be a reliability engineer who can be respected by the designer as a competent member of a team whose joint objective is the excellence of the design. Since the reliability engineer is unlikely to spend as much time on one design as the designer, one reliability engineer can usually cover the work of several designers. The ratio obviously depends upon the reliability effort considered necessary on the project and on the design disciplines involved.

By working as a team, the design and reliability staff can resolve many problems before the formal analysis reports are produced, and agreement can be reached on recommendations, such as the tests to be performed. Since the reliability engineer should plan and supervise the tests, the link is maintained. Also, the team approach makes it possible for designs to be adequately reviewed and analysed before drawings are signed off, beyond which stage it is always more difficult and more expensive to incorporate changes.

Unfortunately, this team approach is frequently not applied, and design and reliability staff work separately in preparing analyses and criticizing one another's work at a distance, either by memo or over the conference table. Design review techniques then lose credibility, as do reliability staff. The main victim is the design itself, since the protagonists usually prosper within their separate organizations. If the organization is such that it is not possible to set up a team approach to design reliability, it is usually better not to try to apply the design review methods at all, since the effect will almost certainly be too little, too late.

To be of continuing value, the design analyses must be updated continually as design and development proceed. Each formal review must be based upon analyses of the design as it stands and supported by test data, parts assessments, etc. The analyses should be scheduled as part of the design programme, with design reviews scheduled at suitable intervals. The reviews should be planned well in advance, and the designer must be fully aware of the procedure. All people attending must also be briefed in advance, so they do not waste review time by trying to understand basic features. To this end, all attendees must be provided with a copy of all formal analysis reports (reliability prediction, load–strength analysis, PMP review, maintainability analysis, critical items list, FMECA, FTA) and a description of the item, with appropriate design data such as drawings. The designer should give a short presentation of the design and clear up any general queries. Each analysis report should then form a separate agenda item, with the queries and recommendations as the subjects for discussion and decision. If experience has generated a checklist appropriate to the design, this could also be run through, but see the comments below.

With this procedure, nearly all aspects requiring further study or decision will have been discussed before, during the continuous, informal process of the team approach to preparing the analyses. The formal review then becomes a decision-making forum, and it is not bogged down with discussion of trivial points. This contrasts markedly with the type of design review meeting which is based largely upon the use of checklists, with little preparatory work. Such reviews become a stolid march through the checklist, many of whose questions might be irrelevant to the design. They can become a substitute for thinking.

Three golden rules for the use of checklists should be:

1. Use them in the design office, not during the formal design review meetings.
2. Ensure that they are relevant and up to date.
3. Avoid vague questions such as 'Has maintenance been considered?', or even 'Are the grease points accessible?' 'What access is provided for lubrication?' would be a better question, since it calls for detailed response, not a simple affirmative.

The design review team should consist of staff from sales, production, QA, and specialists in key design areas. The people on the spot are the designer and his reliability engineer team member (who may belong to the QA department). The chairman should be the project manager or another person who can make decisions affecting the design, e.g. the chief designer. Sometimes design reviews are chaired by the procuring agency, or it may require the option of attending. A design review which is advisory and has no authority is unlikely to be effective, and therefore all those attending must be concerned with the project (apart from specialists called in as advisers).

Formal design review meetings should be scheduled to take place when sufficient information is available to make the meeting worth while and in time to influence future work with the minimum of interference with project schedules and budgets. Three reviews are typical, based upon initial designs, completion of development testing and production standard drawings. Each review authorizes transition to the next phase, with such provisos deemed to be necessary, e.g. design changes, additional tests. The design reviews should be major milestones in a project's evolution. They are not concerned solely with reliability, of course, but reliability engineers have considerably influenced the ways that modern design reviews are conducted, and design reviews are key events in reliability programmes.

CONFIGURATION CONTROL

Configuration control is the process whereby the exact design standard of a system is known. Configuration control applies to hardware and to software. Effective configuration control ensures that, for example, the specifications and sources of components, and the issue numbers of drawings, can be readily identified for a particular system. Configuration control is very important in the development and production of systems, and it is mandatory for projects such as in aerospace (civil and military) and defence. Formal control should start after the first design review.

Configuration control is important to reliability, since it allows failures to be traced back to the appropriate design standard. For example, failures might occur in a component machined to a particular tolerance; the configuration control system should enable this cause to be identified.

BIBLIOGRAPHY

1. C.O. Smith, *Introduction to Reliability in Design*. McGraw-Hill, (1976).
2. US MIL-STD-1629: *Failure Mode and Effects Analysis*. Available from the National Technical Information Service, Springfield, Virginia.
3. British Standard, BS 5760: *Reliability of Systems, Equipment and Components*. British Standards Institution, London.
4. A. Pages and M. Gondran, *Systems Reliability Evaluation and Prediction in Engineering*. North Oxford Academic (1986).

7

Design for Variation

INTRODUCTION

Every practical engineering design must take account of the effects of the variation inherent in parameters, environments, and processes. Variation and its effects can be considered in three categories:

1. *Deterministic*, or *causal*, which is the case when the relationship between a parameter and its effect is known, and we can use theoretical or empirical formulae, e.g., we can use Ohm's law to calculate the effect of resistance change on the performance of a voltage divider. No statistical methods are required. The effects of variation are calculated by inserting the expected range of values into the formulae.
2. *Functional*, which includes relationships such as the effect of a change of operating procedure, human mistakes, calibration errors, etc. There is no theoretical formula. In principle these can be allowed for, but often are not, and the cause and effect relationships are not always easy to identify or quantify.
3. *Random*. These are the effects owing to the inherent variability of processes and operating conditions. It can be considered to be the variation that is left unexplained when all deterministic and functional causes have been eliminated. For example, a machining process that is in control will nevertheless produce parts with some variation in dimensions, and random voltage fluctuations can occur on power supplies due to interference. Note that the random variation has a cause. However, it is not always possible or practicable to predict how and when the cause will arise.

Process-induced variation exists in all manufactured products. For example, physical dimensions, material properties and electrical parameters will vary in any population. These variations are introduced during the production stages leading up to the final product. The manufacturer must understand the causes of variability, and control it, though of course he will not be able to eliminate it totally. The user of the components or materials must take account of this variability, by understanding its extent and the effects on the system in which the components or materials are to be used. Process variation is usually, though not always, s-normally distributed.

Variation can also be progressive, for example due to wear, material fatigue, change of lubricating properties, or electrical parameter drift.

Earlier chapters have shown how statistically-distributed parameters and their effects can be analysed, when there is one variable and its effect, or two variables, e.g. load and strength. This chapter deals with the problem of assessing the combined effects of multiple variables on a measurable output or other characteristic of a product, by means of experiments. This is not a problem that is important in all designs, particularly when there are fairly large margins between capability and required performance, or for designs involving negligible risk or uncertainty, or when only one or a few items are to be manufactured. However, when designs have to be optimized in relation to variations in parameter values, processes, and environmental conditions, particularly if these variations can have combined effects, it is necessary to use methods that can evaluate the effects of the simultaneous variations. For example, it might be necessary to maximize the power output from an alternator, and minimize the variation of its output, in relationship to rotational speed, several dimensions, coil geometry, and load conditions. All of these could have single or combined effects which cannot all be easily or accurately computed using theoretical calculations. Likewise, most electronic circuit designs involve the use of many components, all with distributed parameter values. These can have combined effects on performance or test yield that are difficult to evaluate owing to the large number of variables and interactions involved.

Statistical methods of experimentation have been developed which enable the effects of variation to be evaluated in these types of situation. They are applicable whenever the effects cannot be theoretically evaluated, particularly when there is a large component of random variation or interactions between variables. For multivariable problems, the methods are much more economical than traditional experiments, in which the effect of one variable is evaluated at a time. The traditional approach also does not enable interactions to be analysed, when these are not known empirically. The rest of this chapter describes the statistical experimental methods, and how they can be adapted and applied to optimization and problem-solving in engineering.

STATISTICAL DESIGN OF EXPERIMENTS AND ANALYSIS OF VARIANCE

The statistical approach to design of experiments and the analysis of variance (ANOVA) technique was developed by R.A. Fisher, and is a very elegant, economical and powerful method for determining the s-significant effects and interactions in multivariable situations. Analysis of variance is used widely in such fields as market research, optimization of chemical and metallurgical processes, agriculture and medical research. It can provide the insights necessary for optimizing product designs and for preventing and solving quality and reliability problems. Whilst the methods described below might appear tedious, the computer software described in Chapter 2 includes facilities for ANOVA.

Analysis of single variables

The variance of a set of data (sample) is equal to

$$\frac{1}{n} \sum_{i=1}^{n} (x_i - \bar{x})^2$$

(Eqn. 2.15), where n is the sample size and $\bar{x}$ is the mean value. The population variance estimate is derived by dividing the sum of squares, $\Sigma(x_i-\bar{x})^2$, not by n but by $(n-1)$, where $(n-1)$ denotes the number of degrees of freedom (DF). Then $\hat{\sigma}=\Sigma(x_i-\bar{x})^2/(n-1)$ (Eqn 2.16).

Example 7.1

To show how the variance of a group of samples can be analysed, consider a simple experiment in which 20 bearings, 5 each from 4 different suppliers, are run to failure. Table 7.1 shows the results.

Table 7.1 Times to failure of 20 bearings

Sample	Times to failure, $^a x_i$ (h)					Sample totals	Sample means, x_i
1	4	1	3	5	7	20	4
2	6	6	5	10	3	30	6
3	3	2	5	7	8	25	5
4	7	8	8	12	10	45	9

$^a\Sigma x_i = 120.$

We need to know if the observed variation between the samples is s-significant or is only a reflection of the variations of the populations from which the samples were drawn. Within each sample of five there are quite large variations. We must therefore analyse the difference between the 'between sample' (BS) and the 'within sample' (WS) variance and relate this to the populations.

The next step is to calculate the sample totals and sample means, as shown in Table 7.1. The overall average value

$$\bar{x}=\frac{\Sigma x_i}{n}=\frac{120}{20}=6$$

Since n is 20, the total number of degrees of freedom (DF) is 19. We then calculate the values of $(x_i-\bar{x})^2$. These are shown in Table 7.2.

Having derived the total sum of squares and the DF, we must derive the WS and BS values. To derive the BS effect, we assume that each item value is equal to its

Table 7.2 Values of $(x_i-\bar{x})^2$ for the data of Table 7.1

Sample	$(x_i-\bar{x})^2$					$\Sigma(x_i-\bar{x})^{2a}$
1	4	25	9	1	1	40
2	0	0	1	16	9	26
3	9	16	1	1	4	31
4	1	4	4	36	16	61

^{a}Overall $\Sigma(x_i-\bar{x})^2 = 158.$

Table 7.3 Values of $(x_i - x_i')$ for the data of Table 7.1

Sample			x_i''			WS $\Sigma x_i''$
1	0	-3	-1	1	3	0
2	0	0	-1	4	-3	0
3	-2	-3	0	2	3	0
4	-2	-1	-1	3	1	0

Table 7.4 Values of $WS(x_i'' - \bar{x}'')^2$ for the data of Table 7.1

Sample		$WS(x_i'' - \bar{x}'')^2$				$WS\Sigma(x_i'' - \bar{x}'')^{2a}$
1	0	9	1	1	9	20
2	0	0	1	16	9	26
3	4	9	0	4	9	26
4	4	1	1	9	1	16

^{a}Overall $\Sigma(x_i'' - \bar{x}'')^2 = 88$.

Table 7.5 Sources of variance for the data in Table 7.1

Source of variance	$\Sigma(.)$	DF	σ^2
BS	70	3	23.33
WS (residual)	88	16	5.50
Total	158	19	8.32

sample mean (x_i'). The sample means for each item in samples 1 to 4 are 4, 6, 5 and 9, respectively. The BS sums of squares $(x_i' - \bar{x})^2$ are then, for each item in samples 1 to 4, 4, 0, 1 and 9, respectively, giving sample totals $\Sigma(x_i' - \bar{x})^2$ of 20, 0, 5 and 45 and an overall BS $\Sigma(x_i' - \bar{x})$ of 70. The BS DF is $4 - 1 = 3$.

Now we derive the equivalent values for the WS variance, by removing the BS effect. We achieve this by subtracting x_i' from each item in the original table to give a value x_i''. The result is shown in Table 7.3. Table 7.4 gives the values of the WS sums of squares, derived by squaring the values as they stand, since now $\bar{x}'' = 0$. The number of WS DF is $(5 - 1) \times 4 = 16$ (4 DF within each sample, for a total of four samples). We can now tabulate the analysis of variance (Table 7.5).

If we can assume that the variables are s-normally distributed and that all the variances are equal, we can use the F-test (variance ratio test) (page 54) to test the null hypothesis that the two variance estimates (BS and WS) are estimates of the same common (population) variance. The WS variance represents the experimental error, or *residual* variance. F is the ratio of the variances, and a table showing the s-significance levels of variance ratios in relation to the number of degrees of freedom is given in Appendix 4. In this case

$$F = \frac{23.33}{5.50} = 4.24$$

Table 7.6 Squares of the data values in Table 7.1

Sample			x_i^2			Totals
1	16	1	9	25	49	100
2	36	36	25	100	9	206
3	9	4	25	49	64	151
4	49	64	64	144	100	421

For 3 DF in the greater variance estimate and 16 DF in the smaller variance estimate, Appendix 4 shows that the 5 per cent s-significance level of F is 3.24. Since our value of F is greater than this, we conclude that the variance ratio is s-significant at the 5 per cent level, and the null hypothesis that there is no difference between the samples is therefore rejected at this level.

It is possible to simplify the analysis of variance procedure described above. Having set up the initial table of values, we produce Table 7.6 showing the squares of the values. We then use a *correction factor* equal to $(\Sigma x_i)^2/n$. In this case, $\Sigma x_i = 120$; therefore the correction factor CF $= 720$. The total sum of squares is then

$$\Sigma(x_i^2) - CF = 158$$

(as derived earlier). The between sample sum of squares is

$$\frac{\text{Sum of squares of sample totals}}{\text{Number of items in sample}} - CF = 70$$

The within sample sum of squares is the difference between the total sum of squares and the between sample sum of squares:

$$158 - 70 = 88$$

The degrees of freedom are derived as before.

If the sample sizes are not all the same, it is necessary to derive the between sample sum of squares by squaring each sample total, dividing by the numbers in the samples, adding these values and then subtracting the correction factor.

A further simplification can be applied when the values are not small numbers. If a constant value is subtracted from all the values, the variances (which form the subject of the analysis) are unaffected, but the arithmetic can be simplified. Since the first step in the analysis is to square the values, we can subtract a number which results in negative values. Subtracting a number close to the overall mean value provides the greatest simplification. Of course this trick will not always be necessary if an electronic calculator is being used, but even then it can speed up the calculation as it reduces the number of keystrokes, especially when dealing with the squares of fairly large numbers. The analysis results are similarly unaffected by division by a constant value.

Analysis of multiple variables (factorial experiments)

The method described above can be extended to analyse more than one source of variance. When there is more than one source of variance, interactions may occur between them, and the interactions may be more s-significant than the individual sources of variance. The following example will illustrate this for a three-factor situation.

Example 7.2

On a hydraulic system using 'O' ring seals, leaks occur apparently randomly. Three manufacturers' seals are used, and hydraulic oil pressure and temperature vary through the system. Argument rages as to whether the high temperature locations are the source of the problem, or the manufacturer, or even pressure. Life test data show that seal life may be assumed to be s-normally distributed at these stress levels, with variances which do not change with stress. A test rig is therefore designed to determine the effect on seal performance of oil temperature, oil pressure and type of seal. We set up the experiment in which we apply two values of pressure, 15 and 18 $MN\,m^{-2}$ (denoted p_1 and p_2, in increasing order), and three values of temperature, 80, 100 and 120°C (t_1, t_2 and t_3, also in increasing order). We then select seals for application to the different test conditions, with two tests at each

Table 7.7 Results of experiments on 'O' ring seals

Temperature	Type (T) 1		T2		T3	
	p_1	p_2	p_1	p_2	p_1	p_2
t_1	104	209	181	172	157	178
	196	132	129	151	187	211
t_2	136	140	162	133	141	164
	97	122	108	114	174	128
t_3	108	96	99	112	122	135
	121	110	123	109	130	118

Table 7.8 The data of Table 7.7 after subtracting 100 from each datum

Temperature	Type (T) 1		T2		T3	
	p_1	p_2	p_1	p_2	p_1	p_2
t_1	4	109	81	72	57	78
	96	32	29	51	87	111
t_2	36	40	62	33	41	64
	-8	22	8	14	74	28
t_3	8	-4	-1	12	22	35
	21	10	23	9	30	18

$\Sigma x_i(t)$

$\Sigma x_i(T)$

test combination. The results of the test are shown in Table 7.7, showing the time (h) to show a detectable leak.

To simplify Table 7.7, subtract 100 from each value. The coded data then appear as in Table 7.8.

The sums of squares for the three sources of variation are then derived as follows:

1. The correction factor:

$$CF = \frac{(\Sigma x_i)^2}{n} = \frac{(1409)^2}{36} = 55\,147$$

2. The between types sum of squares:

$$SS_T = \frac{\Sigma x_i^2(T)}{2 \times 3 \times 2} - CF$$

$$= \frac{371^2 + 393^2 + 645^2}{12} - 55\,147 = 3863$$

Between three types there are two DF.

3. The between pressures sum of squares:

$$SS_p = \frac{\Sigma x_i^2(p)}{3 \times 3 \times 2} - CF$$

$$= \frac{675^2 + 734^2}{18} - 55\,147 = 96$$

Between two pressures there is one DF.

4. The between temperatures sum of squares:

$$SS_t = \frac{\Sigma x_i^2(t)}{2 \times 3 \times 2} - CF$$

$$= \frac{807^2 + 419^2 + 183^2}{12} - 55\,147 = 16\,544$$

Between three temperatures there are two DF.

5. The types–temperature interaction sum of squares:

$$SS_{Tt} = \frac{\Sigma x_i^2(Tt)}{2 \times 2} - CF - SS_T - SS_t$$

$$= \frac{241^2 + 95^2 + 35^2 + 233^2 + 117^2 + 43^2 + 333^2 + 207^2 + 105^2}{4}$$

$$-55\,147 - 3863 - 16\,544$$

$$= 176$$

The T and the t effects each have 2 DF, so the interaction has $2 \times 2 = 4$ DF.

6. The types–pressure interaction sum of squares:

$$SS_{Tp} = \frac{\Sigma x_i^2(T_p)}{6} - CF - SS_T - SS_p$$

$$= \frac{162^2 + 209^2 + 202^2 + 191^2 + 311^2 + 334^2}{2 \times 3} - 55\,147 - 3863 - 96$$

$$= 142$$

The T effect has 2 DF and the p effect has 1 DF, so the Tp interaction has $2 \times 1 = 2$ DF.

7. The temperature–pressure interaction sum of squares:

$$SS_{tp} = \frac{\Sigma x_i^2(tp)}{2 \times 3} - CF - SS_t - SS_p$$

$$= \frac{354^2 + 453^2 + 218^2 + 201^2 + 103^2 + 80^2}{6} - 55\,147 - 16\,544 - 96$$

$$= 789$$

The t effect has 2 DF and the p effect 1 DF. Therefore the tp interaction has $2 \times 1 = 2$ DF.

8. The type–temperature–pressure interaction sum of squares:

$$SS_{Ttp} = \frac{\Sigma x_i^2(Ttp)}{2} - CF - SS_T - SS_t - SS_p - SS_{Tt} - SS_{tp} - SS_{Tp}$$

$$= \frac{154\,613}{2} - 55\,147 - 3863 - 16\,544 - 96 - 176 - 789 - 142$$

$$= 550$$

There are $2 \times 1 \times 2 = 4$ DF.

9. The total sum of squares:

$$SS_{tot} = \Sigma x_i^2 - CF$$
$$= 91\,427 - 55\,147 = 36\,280$$

Total DF $= 36 - 1 = 35$ DF.

10. Residual (experimental error) sum of squares is

SS_{tot} – (all other SS)
$$= 36\,280 - 3863 - 96 - 16\,544 - 376 - 142 - 789 - 550$$
$$= 13\,920$$

The residual DF:
Total DF – (all other DF) $= 35 - 2 - 1 - 2 - 4 - 2 - 2 - 4 = 18$ DF

Examination of the analysis of variance table (Table 7.9) shows that all the interactions show variance estimates much less than the residual variance, and therefore they are clearly not s-significant.

Having determined that none of the interactions are s-significant, we can assume that these variations are also due to the residual or experimental variance. We can therefore combine these sums of squares and degrees of freedom to provide a better estimate of the residual variance. The revised residual variance is thus:

$$\frac{176 + 142 + 789 + 550 + 13\,920}{4 + 2 + 2 + 4 + 18} = \frac{15\,577}{30}$$

$$= 519 \text{ with } 30 \text{ DF}$$

We can now test the s-significance of the main factors. Clearly the effect of pressure is not s-significant. For the 'type' (T) main effect, the variance ratio $F = 1932/519 = 3.72$ with 2 and 30 DF. The F-distribution table (Appendix 4) shows that this is s-significant at the 5 per cent level. For the temperature (t) main effect, $F = 8272/519 = 15.94$ with 2 and 30 DF. This is s-significant, even at the 1 per cent level.

Therefore the experiment shows that the life of the seals is s-significantly dependent upon operating temperature and upon type. Pressure and interactions show effects which, if important, are not discernible within the experimental error; the effects are 'lost in the noise'. In other words, no type is s-significantly better or worse at higher pressures. Referring back to the original table of results, we can calculate the mean lives of the three types of seal, under the range of test conditions: type 1,

Table 7.9 Analysis of variance table

Effect	Type (T)	Pressure (p)	Temperature (t)	Tt	Tp	tp	Ttp	Residual
	Main factors			First order			Second order	
SS	3863	96	16 544	176	142	789	550	13 920
DF	2	1	2	4	2	2	4	18
SS/DF[a]	1932	96	8272	44	71	395	138	773
SD	44	10	91	10	8	20	9	28

[a]Variance estimate.

130 h; type 2, 132 h; and type 3, 154 h. Assuming that no other aspects such as cost predominate, we should therefore select type 3, which we should attempt to operate at low oil temperatures.

Non-normally distributed variables

In Example 7.2 above it is important to note that the method described is statistically correct only for s-normally distributed variables. As shown in Chapter 2, in accordance with the central limit theorem many parameters in engineering are s-normally distributed. However, it is prudent to test variables for s-normality before performing an analysis of variance. If any of the key variables are substantially non-s-normally distributed, non-parametric analysis methods should be used, as described later.

Two-level factorial experiments

It is possible to simplify the analysis of variance method if we adopt a two-level factorial design for the experiment. In this approach, we take only two values for each main effect, high and low, denoted by + and −. Example 7.3 below shows the results of a three-factor non-replicated experiment (such an experiment is called a 2^3 factorial design, i.e. three factors, each at two levels).

Example 7.3

From the results of Table 7.10, the first three columns of Table 7.11 represent the *design matrix* of the factorial experiment. The response value is the mean of the values at each test combination or in this case, as there is no replication, the single test value.

The main effects can be simply calculated by averaging the difference between the response values for each high and low factor setting, using the appropriate signs in the 'factor' columns. Thus:

$$\text{Main effect } A = [(15-13)+(13-12)+(14-11)+(14-12)]/4 = 2$$

This is the same as: $(15+13+14+14-13-12-11-12)/4 = 2$
Likewise,
Main effect B $= (15+13-14-14+13+12-11-12)/4 = 0.5$
and,
Main effect C $= (15-13+14-14+13-12+11-13)/4 = 0.5$

Table 7.10 Results of a three-factor non-replicated experiment

A		B		
	−	−	+	+
		C		
	−	+	−	+
−	12	11	12	13
+	14	14	13	15

The sum of squares of each effect is then calculated using the formula

$$SS = 2^{k-2} \times (\text{effect estimate})^2$$

where k is the number of factors. Therefore,

$$SS_A = 2 \times 2^2 = 8$$
$$SS_B = 2 \times 0.5^2 = 0.5$$
$$SS_C = 2 \times 0.5^2 = 0.5$$

We can derive the interaction effects by expanding Table 7.11. Additional columns are added, one for each interaction. The signs under each interaction column are derived by algebraic multiplication of the signs of the constituent main effects. The ABC interaction signs are derived from $AB \times C$ or $AC \times B$ or $BC \times A$.

The AB interaction is then

$$(15 + 13 - 14 - 14 - 13 - 12 + 11 + 12)/4 = -0.5$$

and

$$SS_{AB} = 2 \times (-0.5)^2 = 0.5$$

Table 7.11 Response table and interactions of effects A, B, C

Factor			Interactions				
A	B	C	AB	AC	BC	ABC	Response
+	+	+	+	+	+	+	15
+	+	−	+	−	−	−	13
+	−	+	−	+	−	−	14
+	−	−	−	−	+	+	14
−	+	+	−	−	+	−	13
−	+	−	−	+	−	+	12
−	−	+	+	−	−	+	11
−	−	−	+	+	+	−	12

Table 7.12 Analysis of variance table

	Effect							
	A	B	C	AB	AC	BC	ABC	Total
SS	8	0.5	0.5	0.5	0.5	2	0	12
DF	1	1	1	1	1	1	1	7
SS/DF[a]	8	0.5	0.5	0.5	0.5	2	0	

[a]Variance estimate

The other interaction sums of squares can be calculated in the same way and the analysis of variance table (Table 7.12) constructed.

Whilst the experiment in Example 7.3 indicates a large A main effect, and possibly an important BC interaction effect, it is not possible to test these statistically since no residual variance is available. To obtain a value of residual variance further replication would be necessary, or a value of experimental error might be available from other experiments. Alternatively, if the interactions, particularly high order interactions, are insignificant, they can be combined to give a residual value. Also, with so few degrees of freedom, the *F* test requires a very large value of the variance ratio in order to give high confidence that the effect is significant. Therefore, an unreplicated 2^3 factorial experiment may not always be sufficiently sensitive. However, the example will serve as an introduction to the next section, dealing with situations where several variables need to be considered.

Fractional factorial experiments

So far we have considered experiments in which all combinations of factors were tested, i.e. *full factorial* experiments. These can be expensive and time-consuming, since if the number of factors to be tested is *f*, the number of levels is *L* and the number of replications is *r*, then the number of tests to be performed is rL^f, i.e. in the hydraulic seal example $2 \times 3^2 = 18$, or in a three-level four-factor experiment with two replications $2 \times 3^4 = 162$. In a *fractional factorial* experiment we economize by eliminating some test combinations. Obviously we then lose information, but if the experiment is planned so that only those effects and interactions which are already believed to be unimportant are eliminated, we can make a compromise between total information, or experiment costs, and experimental value.

A point to remember is that higher order interactions are unlikely to have any engineering meaning or to show statistical significance, and therefore the full factorial experiment with several factors can give us information not all of which is meaningful.

We can design a fractional factorial experiment in different ways, depending on which effects and interactions we wish to analyse. Selection of the appropriate design is made starting from the full factorial design matrix. Table 7.13 gives the full design matrix for a 2^4 factorial experiment.

We select those interactions which we do not consider worth analysing. In the 2^4 experiment, for example, the ABCD interaction would not normally be considered significant. We therefore omit all the rows in the table in which the ABCD column shows $-$. Thus we eliminate half of our test combinations, leaving a *half factorial* experiment. What else do we lose as a result? Table 7.14 shows what is left of the experiment.

Examination of this table shows the following pairs of identical columns

A,BCD; B,ACD; C,ABD; D,ABC; AB,CD; AC,BD: AD,BC

This means that the A main effect and the BCD interaction effect will be indistinguishable in the results. In fact in any experiment to this design we will not be able to distinguish response values for these effects; we say that they are *aliased*

Table 7.13 The full design matrix for a 2^4 factorial experiment

Test no.	1	2	3	4	5	6	7	8	9	10	11	12	13	14	15
	A	B	C	D	AB	AC	AD	BC	BD	CD	ABC	ABD	ACD	BCD	ABCD
1	−	−	−	−	+	+	+	+	+	+	−	−	−	−	+
2	−	−	−	+	+	+	−	+	−	−	−	+	+	+	−
3	−	−	+	−	+	−	+	−	+	−	+	−	+	+	−
4	−	−	+	+	+	−	−	−	−	+	+	+	−	−	+
5	−	+	−	−	−	+	+	−	−	+	+	+	−	+	−
6	−	+	−	+	−	+	−	−	+	−	+	−	+	−	+
7	−	+	+	−	−	−	+	+	−	−	−	+	+	−	+
8	−	+	+	+	−	−	−	+	+	+	−	−	−	+	−
9	+	−	−	−	−	−	−	+	+	+	+	+	+	−	−
10	+	−	−	+	−	−	+	+	−	−	+	−	−	+	+
11	+	−	+	−	−	+	−	−	+	−	−	+	−	+	+
12	+	−	+	+	−	+	+	−	−	+	−	−	+	−	−
13	+	+	−	−	+	−	−	−	−	+	−	−	+	+	+
14	+	+	−	+	+	−	+	−	+	−	−	+	−	−	−
15	+	+	+	−	+	+	−	+	−	−	+	−	−	−	−
16	+	+	+	+	+	+	+	+	+	+	+	+	+	+	+

Design for Variation

Table 7.14 Table 7.13 omitting rows where ABCD gives minus

A	B	C	D	AB	AC	AD	BC	BD	CD	ABC	ABD	ACD	BCD	ABCD
+	+	+	+	+	+	+	+	+	+	+	+	+	+	+
+	−	−	+	−	−	+	+	−	−	+	−	−	+	+
+	−	+	−	−	+	−	−	+	−	−	+	−	+	+
+	+	−	−	+	−	−	−	−	+	−	−	+	+	+
−	−	−	−	+	+	+	+	+	+	−	−	−	−	+
−	+	+	−	−	−	+	+	−	−	−	+	+	−	+
−	+	−	+	−	+	−	−	+	−	+	−	+	−	+
−	−	+	+	+	−	−	−	−	+	+	+	−	−	+

Table 7.15 Sixteenth fractional factorial layout for seven main effects

Test no.	A	B	C	D	E	F	G
1	+	+	+	+	+	+	+
2	+	+	−	+	−	−	−
3	+	−	+	−	+	−	−
4	+	−	−	−	−	+	+
5	−	+	+	−	−	+	−
6	−	+	−	−	+	−	+
7	−	−	+	+	−	−	+
8	−	−	−	+	+	+	−
Alias				AB	AC	BC	ABC

or *confounded*. If we can assume that the first-and second-order interactions aliased in this case are insignificant, then this will be an appropriate fractional design, reducing the number of tests from $2^4=16$ to $\frac{1}{2}\times 2^4=8$. We will still be able to analyse all the main effects, and up to three first-order interactions if we considered that they were likely to be significant. For example, if engineering knowledge tells us that the AB interaction is likely to be significant but the CD interaction not, we can attribute the variance estimate to the AB interaction.

A similar breakdown of a 2^3 experiment would show that it is not possible to produce a fractional factorial without aliasing main effects with first-order interactions. This is unlikely to be acceptable, and fractional factorial designs are normally only used when there are four or more factors to be analysed. Quarter factorial designs can be used when appropriate, following similar logic to that described above. The value of using fractional factorial designs increases rapidly when large numbers of effects must be analysed. For example, if there are seven main effects, a full factorial experiment would analyse a large number of high level interactions which would not be meaningful, and would require $2^7=128$ tests for no repeats. We can design a sixteenth fractional factorial layout with only eight tests, which will analyse all the main effects and most of the first-order interactions, as shown in Table 7.15. The aliases are deliberately planned, e.g. by evaluating the signs for the D column by multiplying the signs for A and B, and so on. We can select which interactions to alias by engineering judgement. It should be noted that other effects are also aliased. The full list of aliased effects can be derived by multiplying the aliased effects. For example, if D and AB are aliased, then the ABD interaction effect is also aliased, and so on. (If a squared term arises, let the squared term equal unity, e.g. $AB \times AC + A^2BC = BC$.)

Example 7.4

A jet engine fuel control system contains a number of components, seven of which are considered likely to affect the desired fuel flow ($30 \ dm^3 \ min^{-1}$) under specified conditions. A sixteenth fractional factorial experiment is carried out with each of the seven components at high and low values within their tolerances. The results are given in Table 7.16. (The experiment is designed on the basis that components D, E, F, G and the aliased interactions are not considered likely to be significant.)

Table 7.16 Results of a sixteenth fractional factorial experiment for seven jet engine components affecting fuel flow

Test no.	Component							Response ($dm^3 \ min^{-1}$)	Response −30
	A	B	C	D	E	F	G		
1	+	+	+	+	+	+	+	36	6
2	+	+	−	+	−	−	−	34	4
3	+	−	+	−	+	−	−	34	4
4	+	−	−	−	−	+	+	28	−2
5	−	+	+	−	−	+	−	28	−2
6	−	+	−	−	+	−	+	30	0
7	−	−	+	+	−	−	+	32	2
8	−	−	−	+	+	+	−	26	−4
Alias				AB	AC	BC	ABC		

The main effects are:
A: $(6+4+4-2-2-0-2+4)/4 = 3$
B: $(6+4-4+2+2+0-2+4)/4 = 3$
C: $(6-4+4+2+2-0+2+4)/4 = 4$
D: $(6+4-4+2-2-0+2-4)/4 = 1$
E: $(6-4+4+2-2+0-2-4)/4 = 0$
F: $(6-4-4-2+2-0-2-4)/4 = -2$
G: $(6-4-4-2-2+0+2+4)/4 = 0$

$SS = 2^{(7-2)} \times (\text{effect estimate})^2 = 32 \times (\text{effect estimate})^2$. Therefore

$SS_A = 288$
$SS_B = 288$
$SS_C = 512$
$SS_D = 32$
$SS_E = 0$
$SS_F = 64$
$SS_G = 0$

Therefore the variance of component C is the most critical factor in the design, with components A and B also requiring control.

NON-PARAMETRIC METHODS

Non-parametric methods may also be used for the two-way analysis of variance. Non-parametric methods can be useful when the variables cannot be assumed to be s-normally distributed since the methods imply no distribution for the data. They are also quite easy to apply. We will describe only the Kruskal–Wallis test, since other tests require fairly large numbers of observations in each group and this is often not realistic in reliability work.

In the Kruskal–Wallis test we replace the observed values by their rank order numbers. If the null hypotheses (that there is no difference in variances) is true, then the rank order numbers $1 \ldots N$ should be evenly distributed among the groups, so the mean of the rank order numbers in groups should be about the same. If T is total of rank order numbers and T_i is the total of rank order numbers in the ith group, then

$$T = \frac{N(N+1)}{2}$$

The average rank in group i is T_i/n_i (where n_i is the number of observations in group i).

The sum of squares of the rank order numbers is

$$\sum \frac{T_i^2}{n_i} - \frac{T^2}{N} = \sum \frac{T_i^2}{n_i} - \frac{N(N+1)^2}{4}$$

The Kruskal–Wallis criterion is

$$\chi^2_{\nu=(n_i-1)} = \frac{12}{N(N+1)} \times (\text{sum of squares of rank order numbers})$$

$$= \frac{12}{N(N+1)} \sum \frac{T_i^2}{n_i} - 3(N+1)$$

Example 7.5

Test data on five groups are given in table 7.17 and the rank order numbers in Table 7.18.

$$N = 30$$

$$n_i = 6$$

$$\chi^2_{\nu=4} = \frac{12}{30 \times 31} \left(\frac{80.83^2 + 112.33^2 + 128.5^2 + 53.5^2 + 87.83^2}{6} \right) - (3 \times 31)$$

$$= 99.4 - 93 = 6.4$$

Table 7.17 Test data on five groups

Group	Test					
	1	2	3	4	5	6
1	4	17	21	341	35	39
2	17	26	29	34	40	42
3	25	25	33	41	41	43
4	1	5	109	22	27	34
5	14	24	31	32	33	32

Table 7.18 Rank order numbers (Example 7.5)

Group	Test						T_i
	1	2	3	4	5	6	
1	2	6½	8	15⅓	24	25	80.83
2	6½	13	15⅓	22½	26	29	112.33
3	11½	11½	20½	27½	27½	30	128.5
4	1	3	4	9	14	22½	53.5
5	5	10	15⅓	18½	20½	18½	87.83

From Appendix 2, this is s-significant at about 20 per cent.

RANDOMIZING THE DATA

At this stage it is necessary to point out an essential aspect of any statistically designed experiment. s-significant sources of variance must be made to show their presence not only against the background of experimental error but against other sources of variation which might exist but which might not be tested for in the experiment. For instance, in Example 7.2, a source of variation might be the order in which seals are tested, or the batch from which seals are drawn. To eliminate the effects of extraneous factors and to ensure that only the effects being analysed will affect the results, it is important that the experiment is randomized. Thus the items selected for test and the sequence of tests must be selected at random, using random number tables or another suitable randomizing process. In Example 7.2, test samples should have been drawn at random from several batches of seals of each type and the test sequences should also have been randomized. It is also very important to eliminate human bias from the experiment, by hiding the identity of the items under test, if practicable.

If the items under test undergo a sequence of processes, e.g. heat treatment, followed by machining, then plating, the items should undergo each process in random order, i.e. separately randomized for each process.

Because of the importance of randomizing the data, it is nearly always necessary to design and plan an experiment to provide the data for analysis of variance. Data collected from a process as it normally occurs is unlikely to be valid for this purpose. Careful planning is important, so that once the experiment starts unforeseen circumstances do not cause disruption of the plan or introduce unwanted sources of variation or bias. A dummy run can be useful to confirm that the experiment can be run as planned.

ENGINEERING INTERPRETATION OF RESULTS

A statistical experiment can always, by its nature, produce results which conflict with the physical or chemical basis of the situation. The probability of a variance estimate being s-significant in relation to the experimental error is determined in the analysis, but we must always be on the lookout for the occurrence of chance results which do not fit our knowledge of the processes being studied. For example, in the hydraulic seal experiment we could study further the temperature–pressure interaction. Since the variance estimate for this interaction was higher than for the other interactions we might be tempted to suspect some interaction. In another experiment the seals might be selected in such a way that this variance estimate showed s-significance.

Figure 7.1 shows the interaction graphically, in two forms. If there were no interaction, i.e. the two effects acted quite independently upon seal life, the lines would be parallel between t_1t_2, t_2t_3 or p_1p_2. In this case an interaction appears to exist between $80(t_1)$ and $100°C(t_2)$, but not between 100 and $120°C(t_3)$. This we can dismiss as being unlikely, taking into account the nature of the seals and the range of pressures and temperatures applied. That is not to say that such an interaction would always be dismissed, only that we can legitimately use our engineering knowledge to help interpret the results of a statistical experiment. The right balance must always be struck between the statistical and engineering interpretations. If a result appears highly s-significant, such as the temperature main effect, then it is conversely highly unlikely that it is a perverse result. If the engineering interpretation clashes with the statistical result and the decision to be made based on the result is important, then it is wise to repeat the experiment, varying the plan to emphasize the effects in question. In the hydraulic seal experiment, for example, we might perform another experiment, using type 3 seals only, but at three values of

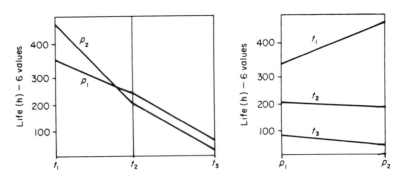

Figure 7.1 Temperature–pressure interactions

pressure as well as three values of temperature, and making four replications of each test instead of only two.

THE TAGUCHI METHOD

Genichi Taguchi has developed a framework for statistical design of experiments adapted to the particular requirements of engineering design. Taguchi suggested that the design process consists of three phases: *system design, parameter design,* and *tolerance design.* In the system design phase the basic concept is decided, using theoretical knowledge and experience to calculate the basic parameter values to provide the performance required. Parameter design involves refining the values so that the performance is optimized in relation to factors and variation which are not under the effective control of the designer, so that the design is 'robust' in relation to these. Tolerance design is the final stage, in which the effects of random variation of manufacturing processes and environments are evaluated, to determine whether the design of the product and the production processes can be further optimized, particularly in relation to cost of the product and the production processes. Note that the design process is considered to explicitly include the design of the production methods and their control. Parameter and tolerance design are based on statistical design of experiments.

Taguchi separates variables into two types. *Control factors* are those variables which can be practically and economically controlled, such as a controllable dimensional or electrical parameter. *Noise factors* are the variables which are difficult or expensive to control in practice, though they can be controlled in an experiment, e.g. ambient temperature, or parameter variation within a tolerance range. The objective is then to determine the combination of control factor settings (design and process variables) which will make the product have the maximum 'robustness' to the expected variation in the noise factors. The measure of robustness is the *signal-to-noise* ratio, which is analogous to the term as used in control engineering.

Figure 7.2 illustrates the approach. This shows the response of an output parameter to a variable. This could be the operating characteristic of a transistor or of a hydraulic valve, for example. If the desired output parameter value is *A*, setting the input parameter at *A'*, with the tolerance shown, will result in an output centred on *A*, with variation as shown. However, the design would be much better, i.e. more robust to variation of the input parameter, if this were centred at *B'*, since the output would be much less variable with the same variation of the input parameter. The fact that the output value is now too high can be adjusted by adding another component to the system, with a linear or other less sensitive form of operating characteristic. This is a simple case for illustration, involving only one variable and its effect. For a multi-dimensional picture, with relationships which are not known empirically, the statistical experimental approach must be used.

Figure 7.3 illustrates the concept when multiple variations, control and noise factors affect the output of interest. This shows the design as a control system, whose performance must be optimized in relation to the effect of all variations and interactions.

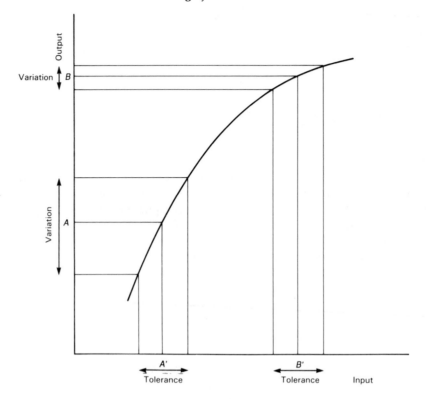

Figure 7.2   Taguchi method (1)

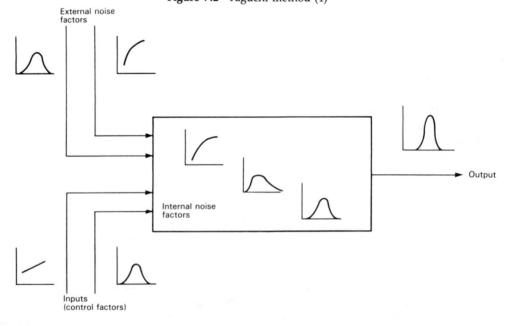

Figure 7.3   Taguchi method (2)

The experimental framework is as described earlier, using fractional factorial designs. Taguchi argued that, in most engineering situations, interactions do not have significant effects, so that much reduced, and therefore more economical, fractional factorial designs can be applied. When necessary, subsidiary or confirmatory experiments can be run to ensure that this assumption is correct. Taguchi developed a range of such design matrices, or *orthogonal arrays*, from which the appropriate one for a particular experiment can be selected. For example, the 'L8' array is a sixteenth fractional factorial design for seven variables, each at two levels, as shown in Table 7.14. (The 'L' refers to the Latin square derivation.) Further orthogonal arrays are given in References 9 to 11.

The arrays can be combined, to give an inner and an outer array, as shown in Table 7.19. The inner array contains the control factors, and the outer array the noise factors. The signal-to-noise ratio is calculated for the combination of control factors being considered, using the outer array, the formula depending on whether the desired output parameter must be maximized, minimized or centralized. The expressions are as follows:

$$\text{Maximum output, S/N ratio} = -10 \log \left[\frac{\Sigma(1/x^2)}{n} \right]$$

$$\text{Minimum output, S/N ratio} = -\log \left[\frac{\Sigma x^2}{n} \right]$$

$$\text{Centralized output, S/N ratio} = -10 \log [\hat{\sigma}^2]$$

where x is the mean response for the range of control factor settings, and $\hat{\sigma}$ is the estimate of the standard deviation. The ANOVA is performed as described earlier, using the S/N ratio calculated for each row of the inner array. The ANOVA can, of course, also be performed on the raw response data.

Example 7.6 shows a Taguchi implementation of the problem of Example 7.4.

Example 7.6

Table 7.19 shows the results of a Taguchi experiment on the fuel control system, with only the variation in components A, B and C being considered to be significant. These are then selected as control factors. The effects of two noise factors, X and Y, are to be investigated. The design must be robust in terms of the central value of the output parameter, fuel flow, i.e. minimal variation about the nominal value.

Figure 7.4 shows graphically the effects of varying the control factors on the mean response and signal-to-noise ratio. As in Example 7.4, variation of C has the largest effect on the mean response, with A and B also having effects. However, variation of B and C have negligible effects on the signal-to-noise ratio, but the low value of A provides a much more robust design than the higher value.

This is a rather simple experimental design, to illustrate the principles. Typical experiments might utilize rather larger arrays for both the control and noise factors.

Table 7.19 Results of Taguchi experiment on fuel system components (Example 7.6)

			OUTER ARRAY (2×2)						S/N
INNER ARRAY (L4: 3×2)		X	+	+	−	−			
		Y	+	−	+	−	mean	$\hat{\sigma}$	$(-10 \log \sigma^2)$
A	B	C	RESPONSE (−30)						
1	+	+	+	8	6	4	4	5.5	1.91	−5.63
2	+	−	−	0	0	−2	−4	−1.5	1.91	−5.63
3	−	+	−	0	−2	0	−2	−1.0	1.15	−1.12
4	−	−	+	4	2	4	2	3.0	1.15	−1.12

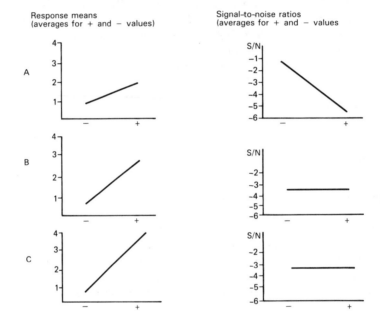

Figure 7.4 Results of Taguchi experiment (Example 7.6)

EVOLUTIONARY OPERATION

Evolutionary operation (EVOP) is a method used to optimize a process or system. It depends upon the vital few variables having been identified by methods such as those described above, and allows the optimum values to be determined in relation to the response required.

Consider an item in which two s-significant variables X and Y have been isolated. The results of a two-factor two-level experiment can be depicted as shown in Fig. 7.5. These results indicate that the response value might be increased by further increasing the values of X and Y. We therefore plan a further experiment, using the previous high values of X and Y as the new low values. Continuing in this way, we might generate a series of responses as shown in Fig. 7.6. The experiments are

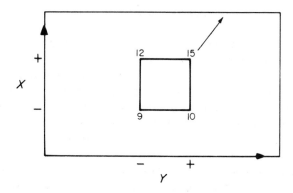

Figure 7.5 Evolutionary operation (1)

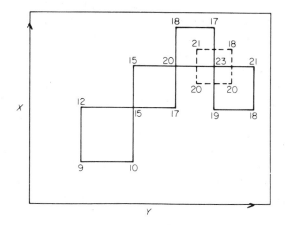

Figure 7.6 Evolutionary operation (2)

continued until no further improvement is achieved. In this case the combination of X and Y values which give the response of 23 appear to be close to the optimum.

The method can be extended to include further variables. For three variables a three-dimensional chart can be drawn to show the results, but computer analysis is required for more than three variables. Further refinement can be achieved by running a further experiment, as indicated by the dotted square in Fig. 7.6. If none of the corners indicate an improvement over the previous optimum, then we have achieved the objective, unless even higher optimization is required.

In performing this type of optimization it must be remembered that we are looking for s-significant changes in the response. The amount of change which is s-significant will have become apparent from the first analysis of variance. A further point to bear in mind is that in some cases the *response surface*, considered as a contour of the response values projected perpendicular to the plane of the variables in the two-variable case, may have more than one maximum value. Evolutionary operation is also called *response surface analysis*.

CONCLUSIONS

Statistical experimental methods of design optimization and problem-solving in engineering design and production can be very effective and economic. They can provide higher levels of optimization and better understanding of the effects of variables than is possible with purely deterministic approaches, when the effects are difficult to calculate or are caused by interactions. However, as with any statistical method, they do not by themselves explain why a result occurs. A scientific or engineering explanation must always be developed, so that the effects can be understood and controlled.

It is essential that careful plans are made to ensure that the experiments will provide the answers required. This is particularly important for statistical experiments, owing to the fact that several trials are involved in each experiment, and this can lead to high costs. Therefore a balance must be struck between the cost of the experiment and the value to be obtained, and care must be taken to select the experiment and parameter ranges that will give the most information. The 'brainstorming' approach is associated with the Taguchi method, but should be used in the planning of any engineering experiment. In this approach, all involved in the design of the product and its production processes meet and suggest which are the likely important control and noise factors, and plan the experimental framework. The team must consider all sources of variation, deterministic, functional and random, and their likely ranges, so that the most appropriate and cost-effective experiment is planned. A person who is skilled and experienced in the design and analysis of statistical experiments must be a team member, and may be the leader. It is important to create an atmosphere of trust and teamwork, and the whole team must agree with the plan once it is evolved. Note the similarity with the Quality Function Deployment method described in Chapter 6. The philosophical and psychological basis is the same, and QFD should highlight the features for which statistical experiments should be performed.

Statistical experiments are equally effective for problem solving. In particular, the brainstorming approach very often leads to the identification and solution of problems even before experiments are conducted, especially when the variation is functional, as described earlier.

The results of statistical experiments should be used as the basis for setting the relevant process controls for production. This aspect is covered in Chapter 13. In particular, the Taguchi method is compatible with modern concepts of statistical process control in production, as described in Chapter 13, as it points the way to minimizing the variation of responses, rather than just optimizing the mean value. The explicit treatment of control and noise factors is an effective way of achieving this, and is a realistic approach for most engineering applications.

The Taguchi approach has been criticized by some of the statistics community and by others (see, for example, Reference 12), for not being statistically rigorous and for under-emphasizing the effects of interactions. Whilst there is some justification for these criticisms, it is important to appreciate that Taguchi has developed an operational method which deliberately economizes on the number of trials to be performed, in order to reduce experiment costs. The planning must take account of the extent to which theoretical and other knowledge, for example experience, can be used to generate a more cost-effective experiment. For example, theory and experience can often indicate when interactions are unlikely or insignificant. Also, full randomization of treatments might be omitted in an experiment involving different processing treatments, to save time. Taguchi recommends that confirmatory experiments should be conducted, to ensure that the assumptions made in the plan are valid.

It is arguable that Taguchi's greatest contribution has been to foster a much wider awareness of the power of statistical experiments for product and process design optimization and problem solving. The other major benefit has been the emphasis of the need for an integrated approach to the design of the product and of the production processes.

Statistical experiments can be conducted using computer-aided design software, when the software includes the necessary facilities, such as Monte Carlo simulation and statistical analysis routines. Of course there would be limitations in relation to the extent to which the software truly simulates the system and its responses to variation, but on the other hand experiments will be much less expensive, and quicker, than using hardware. Therefore initial optimization can often usefully be performed by simulation, with hardware experiments being run to confirm and refine the results.

The methods described in this chapter are appropriate for analysing cause-and-effect relationships which are linear, or which can be considered to be approximately linear over the likely range of variation. They cannot, of course, be used to analyse non-linear or discontinuous functions, such as resonances or changes of state.

The correct approach to the use of statistical experiments in engineering design and development, and for problem solving, is to use the power of all the methods available, as well as the skills and experience of the people involved. Teamwork and training are essential, and this in turn implies good management.

BIBLIOGRAPHY

1. M. J. Moroney, *Facts from Figures*. Penguin, Harmondsworth (1965).
2. G. E. Box, W. G. Hunter and J. S. Hunter, *Statistics for Experimenters*. Wiley (1978).
3. C. Lipson and N. J. Sheth, *Statistical Design and Analysis of Engineering Experiments*. McGraw-Hill (1973).
4. W. G. Cochran and G. M. Cox, *Experimental Designs*, 2nd edn. Wiley (1957).
5. R. L. Mason, R. F. Gunst and J. L. Hess, *Statistical Design and Analysis of Experiments*. Wiley (1989).
6. D. C. Montgomery, *Design and Analysis of Experiments*, 2nd edn. Wiley (1984).
7. M. Hollander and D. A. Wolfe, *Non-parametric Statistical Methods*. Wiley (1963).
8. G. Taguchi, *Introduction to Quality Engineering*. Unipub/Asian Productivity Association (1986).
9. G. Taguchi, *Systems of Experimental Design*. Unipub/Asian Productivity Association (1978).
10. P. J. Ross, *Taguchi Techniques for Quality Engineering*. McGraw-Hill (1988).
11. N. Logothetis and H. P. Wynn, *Quality through Design*. Oxford University Press (1990).
12. K. R. Bhote, *World Class Quality*. American Management Association (1988).

8

Reliability of Mechanical Components and Systems

INTRODUCTION

Mechanical components can fail if they break as a result of applied loads. Such failures occur primarily due to two causes:

1. Overload, leading to fracture. Loads may be tension, compression or shear. Bending loads cause tensile and compressive forces, but fracture usually occurs in tension.
2. Degradation of strength, so that working loads cause rupture.

For example, a pressure vessel will burst if the pressure exceeds its design burst strength, or if a crack or other defect has developed to weaken it sufficiently.

Mechanical components and systems can also fail for many other reasons, such as (though this list is by no means exhaustive):

—Backlash in controls, linkages and gears, due to wear, excessive tolerances, or incorrect assembly or maintenance.
—Incorrect adjustments on valves, metering devices, etc.
—Seizing of moving parts in contact, such as bearings or slides, due to contamination, corrosion, or surface damage.
—Leaking of seals, due to wear or damage.
—Loose fasteners, due to incorrect tightening, wear, or incorrect locking.
—Excessive vibration or noise, due to wear, out-of-balance rotating components, or resonance.

Designers must be aware of these and other potential causes of failure, and must design to prevent or minimize their occurrence. Appreciation of 'Murphy's Law' ('if a thing can go wrong, it will') is essential, particularly in relation to systems which are maintained and which include other than simple operator involvement. This chapter will describe overload and strength deterioration, and relevant aspects of component and material selection and manufacturing processes.

188

OVERLOAD

Fracture mechanics

The probabilistic concept of load and strength interaction, leading to overload failure, was covered in Chapter 4. The mechanisms that lead to stress rupture is the subject of the field of fracture mechanics. Fracture mechanics theory describes the mechanisms of fracture failure, which is caused by the breaking of intermolecular or intercrystalline cohesive bonds due to the stress applied. Fracture can be either ductile, occurring after plastic deformation of the material, or brittle. Ductile fracture results in relatively slow crack growth rates, with high energy needed to continue the process, whereas crack propagation in brittle fracture is very fast, with low energy required to initiate and sustain it.

Fracture occurs as a result of stress concentrations around imperfections such as cracks, surface roughness due to machining, crystal misalignments, etc. These result in the practically achievable fracture toughness of most engineering materials being much lower than that theoretically possible. It is also the reason why very pure, single crystal structures such as carbon fibres have such high strength.

Fracture mechanics theory is still largely empirical, and based upon experimental results. Also, fracture toughness is in practice variable, since we cannot usually know enough about the surface and internal conditions of the material. Therefore it is not possible to predict fracture strength accurately from the material physics, and allowance has to be made for this uncertainty in designs.

It is important to distinguish between the properties of *strength* and *fracture toughness*. Strength values are derived from tests on carefully prepared specimens. Fracture toughness relates to strength in the presence of defects such as cracks, and is derived from tests on specimens containing such defects. It is lower than (tensile) strength, and much more variable.

Fracture toughness can be influenced by temperature in most materials, so that weakening occurs above certain temperatures. Fracture toughness is also lower when loads are applied impulsively, e.g. by impact, as there is no plastic phase to permit local stress relief. The difference can be up to a factor of 2.

STRENGTH DEGRADATION

This section will describe the main strength degradation mechanisms and protective measures.

The main causes of strength degradation in mechanical components and materials are:

1. Fatigue, caused by cyclical stresses above a critical value.
2. Wear, when surfaces moving in contact are damaged, resulting in higher friction, further damage, and failure.
3. Corrosion, when materials (particularly ferrous alloys) are chemically attacked by ions (mainly oxygen, but also halides) in water.

There are other causes of strength degradation which can be important in particular circumstances. For example:

—Creep, which is permanent elongation due to the formation of a network of microcracks, due to combined tensile stress and temperature effects. Creep leads to reduced strength, as well as deformation, in metals.
—Material weakening due to temperature (annealing at high temperature, embrittlement at low temperature).
—Other chemical attack.
—Damage due to mishandling, improper machining or assembly, etc.

FATIGUE

Fatigue damage is caused when a repeated mechanical stress is applied to a component, the stress being above a limiting value called the critical stress. The damage is due to internal structural deformations, such as crystal lattice deformations in metals, which do not return to the original prestressed condition when the stress is removed. Fatigue damage is cumulative, so that repeated or cyclical stress above the critical stress will eventually result in failure. For example, a spring subjected to cyclic extension beyond the critical stress will ultimately fail in tension.

Fatigue is a very important aspect of reliability of structures subject to repetitive stress, e.g. from repeated load application, wave loading, and vibration, since the critical stress can be less than a quarter of the static fracture strength, and fracture can occur after 10^7 to 10^8 cycles when the applied stress is less than half the static strength.

The fatigue damage mechanism is not well understood, and there are several theories. The most basic is that microcracks are formed, owing to the energy imparted to crystal boundaries, and that these gradually weaken the bonds. The cracks then continue to extend along these lines of weakness, which act as stress concentrators. Like static fracture mechanics, quantification and prediction is largely empirical and based on experiment, but the degree of uncertainty is much higher.

Figure 8.1 shows the general, empirical relationship between stress and cycles to fracture. This is called the *S–N* curve. However, to maintain the notation introduced in Chapter 4, we will use the term load instead of stress (stress = load per unit area).

The distributions in Fig. 8.1 indicate sample-to-sample variation, while the curve shows the median values. Below the critical cyclic load L' the life is indefinite, but higher load levels induce cumulative damage, leading ultimately to failure. L is the

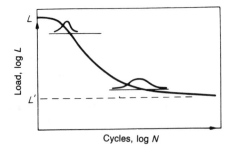

Figure 8.1 *S–N* curve

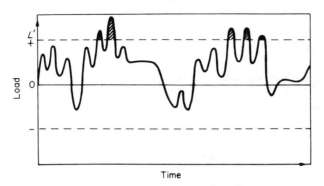

Figure 8.2 Random overload

load which will result in failure in one application, the *ultimate load*. Lower cyclic loads cause cumulative fatigue damage, so that the item is progressively weakened, and the curve indicates the cycles to failure at any cyclic load value between L and L'. The curve indicates the mean value of cyclic load for a given number of cycles to failure (or vice versa). The population would in fact be distributed, as shown. The basic *S–N* curve shows the simplest situation, in which a uniform cyclic load is applied. In the more general practical case, with randomly distributed loads as shown in Fig. 8.2, the population distribution of cycles to failure will have an additional variance and we will not know how much damage has been inflicted.

The fatigue life of an item can be estimated using *Miner's rule*. This is expressed as

$$\frac{n_1}{N_1} + \frac{n_2}{N_2} + \frac{n_3}{N_3} + \ldots + \frac{n_k}{N_k} = 1$$

$$\sum_{i=1}^{k} \frac{n_i}{N_i} = 1 \tag{8.1}$$

where n_i is the number of cycles at a specific load level, above the fatigue limit, and N_i is the median number of cycles to failure at that level, as shown on the *S–N* curve.

The fatigue life of an item subject to an alternating load with a mean value of zero is

$$N_e = \sum_{i=1}^{k} n_i \tag{8.2}$$

N_e is called the *equivalent life*, and when used with the *S–N* diagram gives an equivalent steadily alternating load, at which damage will occur at the same rate as under the varying load conditions.

Example 8.1

Load data on a part indicate that there are three values which exceed the fatigue limit stress of $4.5 \times 10^8 \, \text{N m}^{-2}$. These values occur during operation in the following proportions:

5.5×10^8 N m^{-2}:3
6.5×10^8 N m^{-2}:2
7.0×10^8 N m^{-2}:1

Evaluate the equivalent constant dynamic stress.

The *S–N* diagram for the material is shown in Fig. 8.3. The cycles to failure at each overstress level are:

5.5×10^8 N m^{-2}:9.5×10^4 cycles
6.5×10^8 N m^{-2}:1.5×10^4 cycles
7.0×10^8 N m^{-2}:0.98×10^4 cycles

Therefore, from Eqn (8.1) where *C* is an arbitrary constant,

$$\frac{3C}{9.5 \times 10^4} + \frac{2C}{1.5 \times 10^4} + \frac{1C}{0.98 \times 10^4} = 1$$

$$C = 3746$$

From Eqn (8.2)

$$N_e = 3C + 2C + C$$
$$= 2.25 \times 10^4 \text{ N}$$

From the *S–N* diagram, the equivalent constant dynamic stress is 6.3×10^8 N m^{-2}.
   Figure 8.4 shows an *S–N* diagram for a population of items, drawn on log–log paper, with the applied load distribution also shown. The load distribution tail extends beyond L', thus generating fatigue damage, and the mean of the strength distribution is therefore reduced. The strength distribution variance increases as items incur different amounts of fatigue damage. At N', the tails of the load and strength distribution interfere, and we enter the increasing hazard rate period.

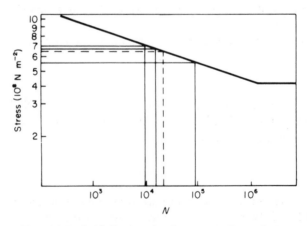

Figure 8.3   *S–N* diagram for the part in Example 8.1

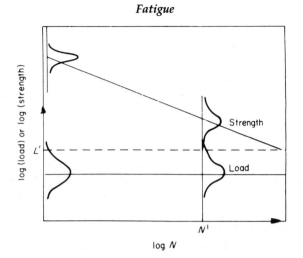

Figure 8.4 Strength deterioration with cyclic overload

Population times to failure in fatigue are typically log normal or Weibull distributed. The variance is large, typically an order of magnitude even under controlled test conditions, and much larger under random service environments, particularly when other factors such as temperature stress, corrosion, damage, or production variation, extend the left-hand tail of the life distribution. Therefore fatigue lives are predicted conservatively, particularly for critical components and structures. However, reliability values calculated in this way are subject to considerable uncertainty. The usual practice in designing for a safe life is to estimate the equivalent cycles to failure and to assign a safe life based upon the expected variation in N_e. However, the predicted safe life should always be confirmed by carrying out life tests, using simulated or actual environments, and actual production items.

Analyses of time to failure in test and service situations can be performed using Weibull probability plots. Weibull distributions of times to failure show a positive failure-free life (γ) and slope (β) values greater than 1 (typically 2–3.5), i.e. an increasing hazard rate with failures starting after the safe life interval. This life is sometimes quoted as the '*B*-life', i.e. the life interval at which *B*% of the items have been shown to have failed on test. *B*-lives are also used to define the lives of components subject to wear, e.g. bearings.

Fatigue life is affected by other factors, mainly temperature and corrosion. High temperature accelerates crack growth rates, by maintaining the critical energy levels at the crack tips. Corrosion can greatly accelerate crack propagation.

Complex loading situations, for example vibration superimposed on a static load, can also reduce fatigue life. The frequency of stress cycling has only a small effect in most metals, though it is more significant in plastics, since the local heat energy generated is not so quickly removed by conduction.

Design against fatigue

Design for reliability under potential fatigue conditions means either ensuring that the distributed load does not exceed the critical load or designing for a limited 'safe life', beyond which the item is not likely to be used or will be replaced in accordance with a maintenance schedule. If we can ensure these conditions, then failure should not occur.

However, in view of the wide variation of fatigue lives and the sensitivity to stress and other environmental and material conditions, this is not easy. The following list gives the most important aspects that must be taken into account:

1. Knowledge must be obtained on the material fatigue properties, from the appropriate data sources, and, where necessary, by test. This knowledge must be related to the final state of the item, after all processes (machining, etc.) which might affect fatigue.
2. Stress distributions must be controlled, by careful attention to design of stress concentration areas such as holes, fixings, and corners and fillets. The location of resonant nodes in items subject to vibration must be identified. Finite element and nodal analysis methods are used for this work.
3. Design for 'fail safe', i.e. the load can be taken by other members or the effect of fatigue failure otherwise mitigated, until the failed component can be detected and repaired or replaced. This approach is common in aircraft structural design.
4. Design for ease of inspection to detect fatigue damage (cracks), and for ease of repair.
5. Use of protective techniques, such as surface treatment to relieve surface stresses (shot peening, heat treatment), increasing surface toughness (nitriding of steels, heat treatment), or provision of 'crack stoppers', fillets added to reduce the stress at crack tips.
6. Care in manufacture and maintenance to ensure that surfaces are not damaged by scratches, nicks, or impact.

Maintenance of fatigue-prone components

It is very important that critical components subject to fatigue loading can be inspected to check for crack initiation and growth. Maintenance techniques for such components include:

1. Visual inspection.
2. Non-destructive test (NDT) methods, such as dye penetrants, X-ray, and acoustic emission tests.
3. Where appropriate, monitoring of vibration spectra.
4. Scheduled replacement before the end of the fatigue life.

The scheduling and planning of these maintenance techniques must be based upon knowledge of the material properties (fatigue life, crack propagation rates, variability), the load duty cycle, the effect of failure, and test data. See Chapter 14 for a more detailed discussion of maintenance planning principles.

WEAR

Wear mechanisms

Wear is the removal of material from the surfaces of components as a result of their movement relative to other components or materials. Wear can occur by a variety of mechanisms, and more than one mechanism may operate in any particular situation. The science and methods related to understanding and controlling wear in engineering comprise the discipline of *tribology*. The main wear mechanisms are described below.

Adhesive wear occurs when smooth surfaces rub against each other. The contact load causes interactions between the high spots on the surfaces and the relative motion creates local heating and dragging between the surfaces. This results in particles being broken or scraped off the surfaces, and loose particles of wear debris are generated.

Fretting is similar to adhesive wear, but it occurs between surfaces subject to small oscillatory movements. The small movements prevent the wear debris from escaping from the wear region, so the particles are broken up to smaller sizes and might become oxidized. The repeated movements over the same parts of the surface also result in some surface fatigue, and corrosion also contributes to the mechanism.

Abrasive wear occurs when a relatively soft surface is scored by a relatively hard surface. The wear mechanism is basically a cutting action often with displacement of the soft material at the sides of grooves scored in the soft material.

Fluid erosion is caused to surfaces in contact with fluids, if the fluid impacts against the surfaces with sufficient energy. For example, high velocity fluid jets can cause this type of damage. If the fluid contains solid particles the wear is accelerated. Cavitation is the formation and violent collapse of vacuum bubbles in flowing liquids subject to rapid pressure changes. The violent collapse of the vacuum bubbles on to the material surfaces causes fluid erosion. Pumps, propellers and hydraulic components can suffer this type of damage.

Corrosive wear involves the removal of material from a surface by electrolytic action. It is important as a wear mechanism because other wear processes might remove protective films from surfaces and leave them in a chemically active condition. Corrosion can therefore be a powerful additive mechanism to other wear mechanisms.

Methods of wear reduction

The main methods of wear reduction are:

1. Minimize the potential for wear in a design by avoiding as far as practicable conditions leading to wear, such as contact of vibrating surfaces.
2. Selection of materials and surface treatments that are wear-resistant or self-lubricating.

3. Lubrication, and design of efficient lubricating systems and ease of access for lubrication when necessary.

When wear problems arise in use, an essential starting point for investigation is examination of the worn surfaces to determine which of the various wear mechanisms, or combinations of mechanisms, is involved. For example, if a plain bearing shows signs of adhesive wear at one end, the oil film thickness and likely shaft deflection or misalignment should be checked. If the problem is abrasive wear the lubricant and surfaces should be checked for contamination or wear debris.

In serious cases design changes or operational limitations might be needed to overcome wear problems. In others a change of material, surface treatment or change of lubricant might be sufficient. It is also important to ensure that lubricant filtration, when appropriate, is effective.

Maintenance of systems subject to wear

The life and reliability of components and systems subject to wear are very dependent upon good maintenance. Maintenance plans should be prepared, taking into account cleaning and lubrication requirements, atmospheric and contamination conditions, lubricant life and filtration, material properties and wear rates, and the effects of failure. In appropriate cases maintenance also involves scheduled monitoring of lubricant samples, using magnetic plugs to collect ferrous particles and spectroscopic oil analysis programmes (SOAP) to identify changes in levels of wear materials. Vibration or acoustic monitoring is also applied. These techniques are used in systems such as industrial and aero engines, gearboxes, etc.

CORROSION

Corrosion affects ferrous and some other non-ferrous engineering metals, such as aluminium and magnesium. It is a particularly severe reliability problem with ferrous products, especially in damp environments. Corrosion can be accelerated by chemical contamination, for example by salt in coastal or marine environments.

The primary corrosion mechanism is oxidation. Some metals, particularly aluminium, have oxides which form as very hard surface layers, thus providing protection for the underlying material. However, ferrous alloys do not have this property, so oxidation damage is cumulative.

Galvanic corrosion can also be a problem in some applications. This occurs when electromotive potentials are built up as a result of dissimilar metals being in contact and conditions exist for an electric current to flow. This can lead to the formation of intermetallic compounds and the acceleration of other chemical action. Also, electrolytic corrosion can occur, with similar results, in electrical and electronic systems when induced currents flow across dissimilar metal boundaries. This can occur, for example, when earthing or electrical bonding is inadequate.

Stress corrosion is caused by a combination of tensile stress and corrosion damage. Corrosion initiates surface weaknesses, leading to crack formation. Further corrosion and weakening occurs at crack tips, where the metal is in a chemically active state and where the high temperatures generated accelerate further chemical action. Thus the combined effect can be much faster than either occurring alone.

Design methods to prevent or reduce corrosion include:

1. Selection of materials appropriate to the application and the expected environments.
2. Surface protection, such as anodizing for non-ferrous metals, plasma spraying, painting, metal plating (galvanizing, chrome plating), and lubrication.
3. Other environmental protection, such as the use of dryers or desiccators.
4. Avoidance of situations in which galvanic or electrolytic corrosion can occur.
5. Awareness and avoidance of conditions likely to generate stress corrosion.

Correct maintenance is essential to ensure the reliability of corrosion-prone components. Maintenance in these situations involves ensuring the integrity of the protective measures described above. Since corrosion damage is usually extremely variable, scheduled maintenance should be based upon experience and criticality.

MATERIALS

Selection of appropriate materials is an important aspect of design for reliability, and it is essential that designers are aware of the relevant properties in the application environments. With the very large and increasing range of materials available this knowledge is not easy to retain, and designers should obtain data and application advice from suppliers as well as from handbooks and other databases. A few examples of points to consider in selecting engineering materials for reliability are given below. The list is by no means exhaustive, and it excludes obvious considerations such as strength, hardness, flexibility, etc., as appropriate to the application.

Metal alloys

1. Fatigue resistance.
2. Corrosion environment, compatibility.
3. Surface protection methods.
4. Electrochemical (electrolytic, galvanic) corrosion if dissimilar metals in contact.

Plastics, rubbers

1. Resistance to chemical attack from materials in contact or in the local atmosphere (lubricants, pollutants, etc.).
2. Temperature stability (dimensional, physical), and strength variation at high and low temperature.
3. Sensitivity to ultraviolet radiation (sunlight).
4. Moisture absorption (all plastics are hygroscopic).

Ceramics

Brittleness, fracture toughness.

Composites, adhesives

1. Impact strength.
2. Erosion.
3. Directional strength.

COMPONENTS

The range of mechanical components is vast, ranging from springs, seals and bearings to engines, pumps and power transmission units. Even among the most basic components there is little standardization, and new products and concepts are constantly being developed. It would not be feasible to attempt to provide guidance on the detailed reliability aspects of such a range in this chapter, but some general principles should be applied.

1. All relevant aspects of the component's application must be carefully evaluated, using the techniques described in the previous chapters. Where experience exists of application in another system, all data on past performance should be used, such as modes and causes of failure, application conditions, durability, etc. It is essential to discuss the application fully with the supplier's applications engineers, to the extent of making them effectively part of the design team, with commitment to the success of the product.
2. Use mature components in preference to new ones unless there are clear overriding reasons of cost, performance, etc. Novelty, even when the risks seem insignificant, often introduces unpleasant surprises. All new components should be placed on the critical items list (see Chapter 6).
3. Minimize the number of components and of component types. Whether a spring or a hydraulic pump, this approach not only reduces costs of the product and of assembly, but also can improve reliability. For example, where a mechanism such as a paper feed requires springs, cams and levers, careful study of the problem can often reveal ways in which one component can perform more than one function.
4. Pay attention to detail. It is very often the simple design problems which lead to unreliability, because insufficient attention was paid to them. For example, spring attachment lugs on plastic components that break as a result of the hard spring material cutting through (a metal bush could be a solution), and the location of components so that they suffer contamination from water or oil, or are difficult to fit and adjust, are common examples of failure to apply design skills and experience to the 'simple' jobs.

PROCESSES

Designers must be aware of the reliability aspects of the manufacturing processes. Machine processes create variations in dimensions, which can affect wear and fatigue properties. Processes designed to improve material properties must be considered and designed for. For example, heat treatment, metal plating, anodizing, chemical treatment, and painting require careful control if they are to be effective, and the design of the product and of its methods of assembly must ensure that these processes can be applied correctly and efficiently.

Assembly methods must also be designed with reliability in mind, in addition to cost and other factors. One aspect of assembly which often influences reliability is the choice of fastening method. Choices include, depending on the application, welding or other metal-to-metal joining such as brazing or soldering, bolting, riveting, or use of adhesives. The choice of components, systems and methods within each of these categories is large, and aspects such as surface preparation and operator skill can make considerable differences to strength and endurance.

Chapter 13 covers the control of manufacturing processes. However, it is essential that the capabilities and problems of these are given as much consideration in design as aspects such as performance and cost. The manufacturing operations affect these aspects also, so a fully integrated approach, as described in Chapters 7 and 15, must be followed. Production and quality engineers must be included in the design team, and not left to devise production methods and quality standards after the design has been finalized.

BIBLIOGRAPHY

General

1. A. D. S. Carter, *Mechanical Reliability*, 2nd edn. Macmillan (1986).

Fracture mechanics

2. R. W. Hertzberg, *Deformation and Fracture Mechanics of Engineering Materials*. Wiley (1976).
3. J. A. Collins, *Failure of Materials in Mechanical Design*. Wiley (1981).
4. P. M. Besuner, D. O. Harris and J. M. Thomas (eds), *A Review of Fracture Mechanics Life Technology*, NASA Report 3957 (1956).

Wear

5. C. Lipson, *Wear Considerations in Design*. Prentice-Hall (1967).
6. R. S. Sayles, M. M. Webster and P. B. MacPherson, *The Influence of some Tribological Problems in Mechanical Reliability*, Proc. Seminar on Mechanical Reliability in the Process Industries, IMechE, London (1984).

Corrosion

7. H. H. Uhlig and R. W. Revie, *Corrosion and Corrosion Control*, 3rd edn. Wiley (1985).

Materials

8. F. A. A. Crane and J. A. Charles, *Selection and Use of Engineering Materials*, 2nd edn. Butterworths (1989).
9. A. Nica, *Mechanics of Aerospace Materials*. Elsevier (1981).
10. W. Brostow and R. D. Corneliussen, *Failure of Plastics*. Hanser (1986).
11. *CenBASE/Materials Database*. (Book or Personal Computer disc format). Wiley (1990).

Components

12. J. D. Summers-Smith (ed.), *Mechanical Seal Practice for Improved Performance*. IMechE, London (1988).

9

Electronic Systems Reliability

INTRODUCTION

The reliability of electronic systems requires to be covered as a topic on its own in reliability engineering, for several reasons. Reliability engineering and management grew up largely in response to the problems of electronic equipment reliability and many of the techniques have been developed from electronics applications. The design and construction of an electronic system, more than any other branch of engineering, involves the utilization of very large numbers of components which are similar, but over which the designer and production engineer have relatively little control. For example, for a given logic function a particular integrated circuit device might be selected. Apart from choosing a functionally identical device from a second source, the designer usually has no option but to use the catalogued item. The reliability of the device used can be controlled to a large extent in the procurement and manufacturing phases but, as will be explained, mainly by quality control methods. The circuit designer generally has little control over the design reliability of the device. This trend has become steadily more pronounced from the time that complex electronic systems started to be produced. As the transistor gave way to the integrated circuit (IC) and progressively with the advent of large scale integration (LSI) and very large scale integration (VLSI), the electronic system designer's control over some of the major factors influencing reliability has decreased. However, this is changing in some respects as system designs are increasingly implemented on custom-designed or semi-custom integrated circuits. This aspect is covered in more detail later. This is not to say that the designer's role is diminished in relation to reliability. Rather, the designer of an electronic system must be, more than in most other branches of engineering, a member of a team, involving people from production, quality control, test planning, reliability engineering and others. Without such a team approach, his or her functionally correct design could be highly unreliable. It is less likely that the designer of a functionally correct hydraulic or mechanical system could be as badly let down. It is important to understand the reasons for this difference.

For the great majority of electronic components and systems the major determinant of reliability is quality control of all the production processes. This is also true of non-electronic components (subject in both cases to the items being used within specification). However, most non-electronic equipment can be inspected and tested to an extent sufficient to assure that they will operate reliably. Electronic components cannot be easily inspected, since they are nearly always encapsulated. In fact, apart from X-ray inspection of parts for ultra-high reliability products, internal inspection is not generally possible. Since electronic components, once encapsulated, cannot be inspected, and since the size and quantity of modern components dictates that very precise dimensions be held at very high production rates, it is inevitable that production variations will be built into any component population. Gross defects, i.e. failure to function within specification, can easily be detected by automatic or manual testing. However, it is the defects that do not immediately affect performance that are the major causes of electronic component unreliability.

Consider a typical failure mechanism in an electronic component: a weak mechanical bond of a lead-in conductor to the conducting material of the device. This may be the case in a resistor, a capacitor, a transistor or an IC. Such a device might function satisfactorily on test after manufacture and in all functional tests when built into a system. No practical inspection method will detect the flaw. However, because the bond is defective it may fail at some later time, due to mechanical stress or overheating due to a high current density at the bond. Several other failure mechanisms lead to this sort of effect, e.g. flaws in semiconductor material and defective hermetic sealing. Similar types of failure occur in non-electronic systems, but generally they do not predominate.

The typical 'electronic' failure mechanism is a wearout or stress induced failure of a defective item. In this context, 'good' components do not fail, since the application of specified loads during the anticipated life will not lead to failure. While every defective item will have a unique life characteristic, depending upon the nature of the defect and the load(s) applied, it is possible to generalize about the nature of the failure distributions of electronic components. Taking the case of the defective bond, its time to failure is likely to be affected by the voltage applied across it, the ambient temperature around the device and mechanical loading, e.g. vibration. Other failure mechanisms, say a flaw in a silicon crystal, may be accelerated mainly by temperature variations. Defects in devices can result in high localized current densities, leading to failure when the critical value for a defective device is exceeded.

Electronic components characteristically have a decreasing hazard rate, due to the fact that as weaker components fail and are rejected the proportion of defectives in the population is reduced. Similarly, repairable electronics systems usually show a decreasing failure rate trend as defective components fail and are replaced or system manufacturing defects such as solder defects show up and are repaired. Wearout is seldom a characteristic of 'good' electronic components or systems.

Of course, by no means all electronic system unreliability is due to defective components. The designer still has the task of ensuring that the load applied to components in the system will not exceed rated (or derated values), under steady-state, transient, test or operating conditions. Since electronic component reliability can be affected by temperature, design to control temperatures, particularly localized 'hot spots', is necessary. Thus the designer is still subject to the reliability disciplines covered in Chapter 6.

Electronic system failures can be caused by mechanisms other than load exceeding strength. For example, parameter drifts in components, short circuits due to solder defects or inclusions in components, high resistance relay or connector contacts, tolerance mismatches, and electromagnetic interference are examples of failures which may not be caused by load. We will consider these failure modes later, appropriate to the various components and processes which make up electronic systems.

RELIABILITY OF ELECTRONIC COMPONENTS

Microelectronic devices

Microelectronic devices vary enormously in complexity, from relatively simple small-scale integration (SSI) circuits containing fewer than ten logic gates to very large scale integration (VLSI) microprocessors and large memory devices, containing a million or more transistors. These latest VLSI devices have line widths of the conducting tracks and semiconductor gate dimensions less than 1μm.

The prime reasons for the increasing level of integration, apart from the obvious one of reducing the volume requirements, have been to decrease power consumption and to increase operating speed. Increasing levels of integration have also led to great reductions in the cost per function and improvements in reliability.

The reduced power dissipation has been just about matched by the increases in packing density, so that power dissipation per unit volume has remained roughly constant. Therefore the problem of controlling junction temperatures in densely packed systems can still be a difficult one.

The quality control of IC manufacture has improved markedly, largely due to competition, and this has contributed to the improvements in reliability. This aspect is covered in more detail in Chapter 13.

The main competing directions of the basic silicon technology for digital ICs have been between variations of bipolar or transistor–transistor logic (TTL), the basis of the 5400 and 7400 series of devices, and variations of metal oxide semiconductor (MOS) fabrication, e.g. complementary MOS (CMOS), the basis of the 4000 series and most modern VLSI devices. TTL transistor action takes place within the silicon material, whereas MOS transistor action occurs mainly on the surface of the chip. TTL has always been best for speed whilst MOS, particularly CMOS, has had lower power dissipation. Performance and reliability aspects of TTL and MOS are shown in Table 9.1.

Construction of ICs starts with the selective diffusion into the silicon wafer of areas of different charge level, either by ionic diffusion in a furnace or by implantation by a charged particle accelerator. The latter method is used for large-scale production. In the diffusion process, the areas for treatment are defined by masks. A sequence of treatments, with intermediate removal by chemical etch of selected areas, creates the structure of transistors and capacitors.

Different layers of the diffusion process are electrically isolated by layers of silicon dioxide (SiO_2). This is called *passivation*. Finally, the entire die surface, apart from connector pads for the wire bonds, is protected with a further SiO_2 or Si_3N_4 layer. This process is called *glassivation*.

Table 9.1 TTL and MOS digital IC technologies

TTL	MOS
Speed	
High speed, particularly 5400S/7400S (Schottky) and HS (high-speed Schottky) version	Lower speed, but new devices nearly as fast as TTL HS
Power, heat dissipation	
Higher power requirements, but LS (low-power Schottky) and ELS (extra-low-power Schottky) nearly as good as CMOS	Lower power, particularly CMOS, low heat dissipation
Electrostatic damage (ESD) sensitivity	
Not as sensitive as MOS	Very sensitive
Radiation hardness (gamma rays)	
High	Low (but silicon on sapphire (SOS) CMOS has high radiation hardness)
Electromagnetic noise immunity	
Relatively low	High
Sensitivity to surface moisture/contamination	
Relatively low	High

The connections between transistors on the chip and to the input and output pins are made via a network of aluminium conductor tracks, by depositing a thin layer of metal (*metallization*) on to the surface, through a mask.

Finally, the assembly is packaged in either a plastic moulding or in a hermetic (ceramic or metal) package.

Application-specific ICs

There is an increasing trend for ICs to be designed for specific applications. Standard ICs such as microprocessors and memories will always be used, but many circuits can be more economically implemented by using ICs which have been designed for the particular application. These are called *application-specific ICs (ASICs)*.

In a *semi-custom* ASIC, all fabrication processes on the chip are previously completed, leaving arrays of transistors or cells to be interconnected by a conductor pattern designed for the particular application. In a full custom design, however, the chip is designed and manufactured entirely for the specific application.

Semi-custom ASICs are more economical than full custom ICs in relatively low quantities, but there is less flexibility of design and the utilization of chip area is less economical. Full custom ASICs are usually economical when large quantities are to be used, since the design and development costs are high. Both design approaches rely heavily on CAE, though the semi-custom method is easier to implement.

ASICs introduce important reliability aspects. The electronic system designer is no longer selecting 'black boxes', i.e. standard ICs, from a catalogue, but is designing the system at the component (or functional group) level. Reliability (and maintainability/ testability) analysis must be performed to this level, not just to input and output pins. Since design changes are very expensive, it is necessary to ensure that the circuit is reliable and testable the first time. Particular aspects that need to be considered are:

1. Satisfactory operation under the range of operating inputs and outputs. It is not usually practicable to test a LSI or VLSI design exhaustively, due to the very large number of different operating states (analogous to the problem of testing software, see Chapter 10), but the design must be tested under the widest practicable range of conditions, particularly for critical functions.
2. The effects of failures on system functions. Different failure modes will have different effects, with different levels of criticality. For example, some failure modes might have no effect until certain specific conditions are encountered, whilst others might cause total and obvious loss of all functions. FMECAs and stress analyses should therefore be performed on new IC designs, and the designs should be formally reviewed.
3. The effects of system software on the total system operation. For example, the extent to which the software is designed to compensate for specified hardware failures, by providing failure indications, selecting alternate operating paths, etc.
4. The need for and methods for providing built-in redundancy, both to increase production test yield and to improve reliability, particularly for critical applications.
5. Testability of the design. The ease with which circuits can be tested can greatly influence production costs and reliability, since untested functions present particular reliability hazards.

The CAE methods used for IC design include facilities for assessing reliability and testability. For example, failure modes can be simulated at the design stage and the effects evaluated, so stress analysis and FMECA can be integrated with the design process. Design analysis methods for electronic circuits are described in more detail later.

Microelectronics packaging

There are two main methods of packaging IC chips. In hermetic packaging the die is attached to the package base, usually by soldering, wire bonds are connected between the die connector pads and the leadout conductors, and the package is then sealed with a lid. Packages are either ceramic or metal. Plastic encapsulated ICs (PEICs or PEDs) use an epoxy or silicone encapsulant.

The most common package form is the dual-in-line package (DIL or DIP), with pin spacing of 0.1 inch (2.5 mm). The pins are inserted into holes in the printed circuit board (PCB) and soldered, or into a DIL socket which allows easy removal and reinsertion.

PEICs are cheaper than hermetic ICs, and therefore tend to be used in domestic and much commercial and industrial equipment. However, PEICs are not suitable for high temperature operation (above 85 °C case). They are therefore not normally approved for use in military equipment and they cannot be high temperature screened. They can also suffer a life dependent (wearout) failure mode due to moisture ingress, either by absorption through the encapsulation material or along the plastic/metal boundary of the leads. The moisture provides a medium for electrolytic corrosion at the interfaces of conductor tracks and wire bonds, or of the conductor tracks themselves through any gaps or holes in the glassivation layer. No plastic encapsulant is totally impervious to moisture ingress, though modern materials and process controls have greatly reduced the problem. Therefore when PEICs are used in high moisture environments or where long life is important, e.g. in military or aerospace applications, particular care should be taken to ensure their suitability.

The packaging techniques used for the first 20 years or so of IC manufacture are giving way to new methods, primarily in order to enable more circuitry to be packaged in less volume. The conventional DIL package requires a PCB area many times larger than the chip surface area. The leadless chip carrier (LCC) package and the small outline IC (SOIC) are *surface-mounted devices* (SMD). These have leadouts around the periphery, which are reflow soldered to the PCB conductor tracks (or to a ceramic substrate which is in turn soldered to the PCB conductor tracks) rather than being inserted through PCB holes as with DIP. (In reflow soldering the components are placed on the PCB or substrate, and the assembly is heated in an infra-red or vapour phase oven to melt the solder.) The leadouts are on a 0.05 inch (1.25 mm) spacing. Use of SMDs reduces PCB surface area by about four times.

The new packaging techniques have also been developed with automation of the assembly processes in mind. The components, including the very small 'chip' packaged discrete components such as transistors, diodes, capacitors, etc., are too small, and the solder connections too fine, to be assembled manually, and automatic placement and soldering systems are used.

A more recent development is the pin grid array (PGA) package. Leadouts are taken to an array of pins on the underside of the package, on a 0.05 inch (1.25 mm) grid. As with the LCC package, connection is made to the PCB or substrate by reflow soldering. Figure 9.1 shows examples of the packaging techniques described above. Other packaging methods are being developed for special applications, such as vertical mounting for high density computer circuitry, and direct mounting of the chip onto the PCB or substrate.

The main reliability implication of the new IC packaging technologies is the fact that, as the volume per function is decreased, the power dissipation per unit volume increases. This can lead to difficult thermal management problems in order to prevent junction temperatures attaining levels above which reliability would be seriously affected. Liquid cooling of assemblies is now necessary in some applications such as in some military and high speed computing equipment, and there is likely to be a trend to more powerful cooling systems in such systems in future.

Another reliability aspect of the new methods is the use of reflow soldering to the surface of the PCB or substrate. The solder connections cannot be inspected as can DIL solder connections; with a PGA they cannot be seen at all. Also, repeated thermal cycling can cause the solder joints to fail in shear since there is no mechanical compliance as with the pins on a DIL. Therefore the solder process must be very

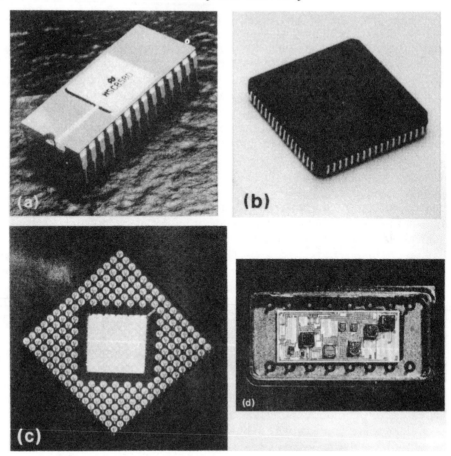

Figure 9.1 Packaging techniques for integrated circuits. (a) Dual in-line (DIL), (b) leadless chip carrier, (c) pin grid array (PGA), (d) microhybrid. (Courtesy National Semiconductor Corporation)

carefully controlled, and subsequent burn-in and reliability tests (see later chapters) must be designed to ensure that good joints are not damaged by the test conditions.

See Reference 12 for a detailed description of packaging technologies and their reliability aspects.

Hybrid microelectronic packaging

Hybrid microelectronic packaging is a technique for mounting unencapsulated semiconductor and other devices on a ceramic substrate. Resistors are made by screen-printing with conductive ink and laser-trimming to obtain the desired values. Connections from the conducting tracks to the device pads are made using fine gold or aluminium wire and ultrasonic bonding in the same way as within an encapsulated IC. The complete assembly is then encased in a hermetic package. See Fig. 9.1(d).

Hybrid packaging provides certain advantages over conventional printed circuit board construction, for special applications. It is very rugged, since the complete circuit is encapsulated, and it allows higher density packaging than PCB mounting of components. However, it is not practicable to repair hybrid circuits, since clean room conditions and special equipment are necessary. Therefore they are suited for systems where repair is not envisaged except by replacing hybrid modules and discarding defective ones. Hybrid circuits are used in missile electronics, automotive engine controls and severe environment industrial conditions, and in many other applications where compact assembly is required, such as for high frequencies. Hybrid circuits can be custom designed and manufactured or standard catalogue hybrids can be used.

Due to their relatively large size, the number of internal bonds and the long package perimeter, hybrids tend to suffer from inclusion of contamination and conducting particles, bond failure and sealing problems more than do packaged ICs on equivalent PCB circuits. Therefore, very stringent production and quality control are required if the potential reliability of hybrid circuits is to be realized. MIL-STD-883 includes the same screening techniques for hybrid microelectronics as for discrete ICs, and the European and UK specifications (CECC, BS 9450) include similar requirements, as described later.

Microelectronic component attachment

Microelectronic components in dual-in-line packages can either be soldered on the PCBs or plugged into IC sockets which are soldered in place. Plugging ICs into sockets provides three major advantages from the test and maintenance points of view:

1. Failed components can easily be replaced, with less danger of damaging the PCB or other components.
2. Testing and diagnosis is usually made much easier and more effective if complex devices such as microprocessors are not in place.
3. It is much easier to change components which are subject to modifications, such as programmable memories and ASICs.

On the other hand, there are some drawbacks which can override these advantages in certain circumstances. These are:

1. Heat transfer is degraded, so it might not be possible to derate junction temperatures adequately.
2. There might be electrical contact problems in high vibration, shock or contamination environments.
3. There is a risk of damage to the IC and the socket due to handling.

IC sockets are therefore used on many repairable systems, particularly mass-produced systems for which test costs must be kept low. However, they are not used to the same extent in high reliability, few-of-a-kind systems, such as spacecraft, or in systems such as avionics and mobile military equipment.

Microelectronic device failure modes

For hermetically sealed semiconductor devices, there are no inherent wearout failure modes. That is, there are no failure mechanisms which depend upon operating or non-operating time, within a correctly manufactured device. The only ways in which a hermetically sealed semiconductor device can fail is if it is overloaded beyond its design rating (temperature, voltage or current) or if there is a defect which causes immediate or progressive weakening. Therefore IC reliability is very dependent upon quality control of the manufacturing processes and the effectiveness of the screening techniques used to remove defective devices.

High temperature operation and temperature cycling can affect reliability by accelerating the onset of failure due to defects. However, so long as temperatures are kept reasonably below the maximum recommended values, using the thermal design and derating techniques described later, reliability will not be affected if high quality components and processes, particularly soldering, are used.

Other environmental conditions can affect reliability. These, and internal failure modes, are summarized in Table 9.2. It is important to appreciate that, despite the many ways by which microelectronic devices can fail, and their great complexity, modern manufacturing processes provide very high quality levels, with defective proportions being typically 0–100 per million. Also, appropriate care in system design, manufacture and use can ensure adequate protection against externally-induced failures. As a result, only a small proportion of modern electronic system failures are due to failures of microelectronic devices.

Microelectronic device specifications

In order to control the quality and reliability of microelectronic devices for military purposes, US Military Specification M-38510 was developed. This describes general controls, and separate sections ('slash sheets') give detailed specifications of particular device types. Similar international (International Electrotechnical Commission — IEC), European (CECC) and British (British Standards Institution — BS 9400) specifications have since been generated. These specifications are generally 'harmonized', so that there is little if any difference between them for a particular device type. Components produced to these specifications are referred to as 'approved' components.

Military system specifications usually require that electronic components are manufactured and tested to these standard specifications, in order to provide assurance of reliability and interchangeability. However, with the rapid growth in variety of device types, the specification systems have not kept pace, so that many of the latest device types available on the market do not have such specifications. In order to cope with this problem, an approach called *capability approval* provides generic approval for a device manufacturer's processes, covering all similar devices from that line. Capability approval is also appropriate for ASIC manufacture.

The general improvements in process quality have also resulted in removing the quality gap between 'approved' and commercial-grade components, so the justification for the specification systems is questionable. In fact, most manufacturers of high-reliability non-military electronic systems use commercial grade components, relying on the manufacturers' specifications and quality control.

A major difference between the different microelectronic device specifications is temperature rating. Military grade devices are rated between −55 °C and 125 °C, so that hermetic (ceramic or metal) packaging is necessary. Industrial grades are rated typically between −25 °C and +85 °C, and commercial grade between 0 and 70 °C. (All operating temperatures, measured on the package.)

Table 9.2 Microcircuit device failure modes

Failure mode	Caused by	Prevention (items in italics refer to system level actions)
Internal open circuit	Electromigration (bulk movement of aluminium conductor track material due to electron flow)	Limit current density *and operating temperature:* quality control of metallization process.
	Current overstress	*Circuit protection,* ESD *control.*
	Corrosion of tracks due to moisture ingress	Quality control of packaging and glassivation.
Internal short circuit	Voids in dielectric (passivation) layers	Quality control of passivation.
	Voltage overstress of dielectric	*Circuit protection,* ESD *control.*
	Inclusions in package	Quality control of packaging.
Incorrect transistor action	Bulk silicon or oxide defects	Quality control of processes.
	Mask misalignment	
	Impurities, inclusions	
	'Hot electrons'	
	γ-radiation (space, military)	Selection of 'hard' technology, e.g. Silicon-on-sapphire.
'Latch up' (destruction of CMOS output or input transistors due to internal positive feedback)	Transient current overstress	Internal protective circuits. *External protection,* ESD *control.*
Data corruption ('soft' errors)	α-particle emissions from package material	*Memory refresh, software techniques, EMI protection.*
	Electromagnetic interference (EMI)	
Open circuit (internal wire bond)	Broken/lifted wire bond	Quality control of bonding.
	Corrosion ('purple plague')	Quality control packaging.
Open/intermittent circuit (external connection)	Poor/broken solder joint	*Quality control of solder process.*

Microelectronic device screening

Screening is the name given to the process of finding by test which of a batch of components or assemblies is defective, without weakening or causing failure of good items. It is justified when:

1. The expected proportion defective is sufficiently high that early removal will improve yield in later tests and reliability in service.

2. The cost of screening is lower than the consequential costs of not screening.

The assumption that no weakening of good items will occur implies that the hazard rate will be decreasing.

Figure 9.2 shows the three categories of component that can be manufactured in a typical process. Most are 'good', and are produced to specification. These should not fail during the life of the equipment. Some are initially defective and fail when first tested, and are removed. They therefore do not cause equipment failures. However, a proportion might be defective, but nevertheless pass the tests. The defects will be potential causes of failure at some future time. Typical defects of this type are weak wire bond connections, silicon, oxide and conductor imperfections, impurities, inclusions, and non-hermetic packages. These components are called *freaks*.

Screening techniques have been developed specifically for microcircuit devices. The original standard for these is US MIL-STD-883: *Test Methods and Procedures for Microelectronic Devices* (Reference 10). The other national and international standards mentioned above include very similar methods. There are three basic screen levels, as summarized in Table 9.3. The 'A' level screen (also referred to as 'S', for spacecraft application) is the most severe, and the most expensive. 'B' level screening is typically applied to microcircuits to be used in military, avionic and other severe-environment, high-integrity systems, particularly if a long operating life is required. 'C' level is a more relaxed specification, which does not include burn-in, as described below.

Burn-in is a test in which the components are subjected to high temperature operation for a long period, to stimulate failure of defective components by accelerating the stresses that will cause failure due to these defects, without damaging the good ones. In MIL-STD-883 the temperature to be used is 125 °C (package temperature), for 168 hours duration. The electrical test conditions are also specified.

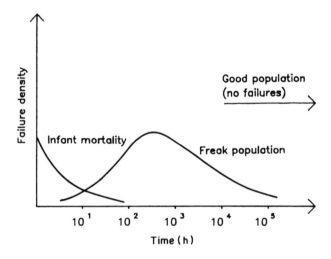

Figure 9.2 Typical failure density functions of electronic components when no component burn-in has been carried out

Table 9.3 Microelectronic device screening requirements[a]

		Screen level applicability		
		MIL-STD-883/BS 9400		
Screen	Defects effective against	A	B	C
Pre-encapsulation visual inspection (30–200×magnification)	Contamination, chip surface defects, wire bond positioning	100%	100%	100%
Stabilization bake	Bulk silicon defects, metallization defects (stabilizes electrical parameters)	100%	100%	100%
Temperature cycling	Package seal defects, weak bonds, cracked substrate	100%	100%	100%
Constant acceleration (20 000 g)	Chip adhesion, weak bonds, cracked substrate	100%	100%	100%
Leak tests	Package seal	100%	100%	100%
Electrical parameter tests (pre-burn-in)	Surface and metallization defects, bond failure, contamination/particles	100%	100%	100%
Burn-in test (168 h, 125 °C with applied a.c. voltage stress)	Surface and metallization defects	100%	100%	—
	Weak bonds	240 h	168 h	
Electrical test (post-burn-in)	Parameter drift	100%	100%	—
X-ray	Particles, wire bond position	100%	—	—

[a]This table is not comprehensive, and the reader should refer to the appropriate standard to obtain full details of applicable tests.

Component manufacturers and users have developed variations of the standard screens and burn-in methods. The main changes are in relation to the burn-in duration, since 168 hours has been shown to be longer than necessary to remove the great majority of defectives (the only justification for 168 hours is merely that it is the number of hours in a week). Also, more intensive electrical tests are sometimes applied, beyond the simple reverse-bias static tests specified. Dynamic tests, in which gates and conductors are exercised, and full functional tests with monitoring, are applied to memory devices, other VLSI devices, and ASICs, when the level of maturity of the process or design and the criticality of the application justify the additional costs.

Plastic encapsulated components cannot be burned-in at 125 °C, so lower temperatures are used. Also, in place of leak tests they are tested for moisture resistance, typically for 1000 hours in an 85 °C/85 per cent relative humidity (RH) chamber. This is not, however a 100 per cent screen, but a sample test to qualify the batch. A more severe test, using a non-saturating autoclave at 100 °C and 100 per cent RH, is also used, as the 85 °C/85 per cent RH test is not severe enough for the latest encapsulating processes.

The recent trends in microelectronic device quality have to a large extent eliminated the justification for burn-in by component users. Most component manufacturers burn-in components as part of their production processes, particularly for VLSI components and ASICs, using variations of the standard methods. Also, the new packaging technologies are not suitable for handling other than by automatic component placement machines, so user burn-in is generally inadvisable, as the handling involved can lead to damage and can degrade the solderability of the contacts.

Other electronic components

Other electronic component types are primarily 'active' devices, such as transistors and diodes, and 'passive' devices such as resistors, capacitors, inductors, PCBs, etc. In general these discrete components are very reliable and most have no inherent degradation mechanisms (exceptions are light-emitting diodes, relays, some vacuum components, etc.). Factors that can affect reliability include thermal and electrical stress and quality control of manufacture and assembly processes. Standard specifications exist, as for microcircuits, but screening is not normally applied, apart from the manufacturers' functional tests.

Application guidelines for reliability are given in References 2, 3 and 5 and in the component manufacturers' databooks.

Electrical connectors

Connectors are used to provide electrical connections between PCBs and the equipment case, between the equipment and the other parts of the system, and to interconnect conductor cables. They are also used in certain cases for mounting individual components such as microprocessors and memory devices. Unlike a permanent connection such as a solder joint, connectors have to provide integrity of the electrical path (i.e. continuity and low resistance), whilst being capable of disconnection and reconnection. These conflicting requirements make the choice of connectors a very important consideration in many systems, particularly where vibration, temperature change, humidity, etc., can degrade reliability, or in critical applications. Since connectors can be among the most expensive components in a system, there is often a tendency to economize. However, experience shows that use of high-quality connectors is usually a good investment. In particularly severe environments, such as automotive, industrial, military and avionics, use of high grade connectors, with adequate gold plating on the contacts, is essential.

Good accessibility for assembly and maintenance is essential in order to minimize the chances of damage during production and in use. It is also important to locate connectors so that they are protected from contamination, impact or vibration.

Optical connectors are being used increasingly in systems utilizing fibre-optic data links, such as telecommunications, military and avionic systems. These require careful assembly to ensure accurate alignment of the optical mating faces.

References 2 and 13 provide detailed guidelines on connector applications.

Table 9.4 Device failure modes

Type	Main failure modes	Typical approximate proportions (per cent)
Microcircuits		
Digital logic	Output stuck at high or low	80
	No function	20
Linear	Parameter drift	20
	No output	70
	Hard over output	10
Transistors		
	Low gain	20
	Open-circuit	30
	Short-circuit	20
	High leakage collector-base	30
Diodes		
Rectifier, general purpose	Short-circuit	10
	Open-circuit	20
	High reverse current	70
Resistors		
Film, fixed	Open-circuit	30
	Parameter change	70
Composition, fixed	Open-circuit	10
	Parameter change	90
Variables	Open-circuit	30
	Intermittent	10
	Noisy	10
	Parameter change	50
Relays		
	No transfer	20
	Intermittent	70
	Short-circuit	10
Capacitors		
Fixed	Short-circuit	60
	Open-circuit	20
	Excessive leakage	10
	Parameter change	10

Device failure modes

For electronic devices used in a system, the most likely failure modes must be considered during the design so that their effects can be minimized. Circuit FMECAs and system reliability block diagrams should also take account of likely failure modes. Table 9.4 summarizes the main failure modes for the most common device types. The failure modes listed are not exhaustive and the device types listed are only a summary of the range. The failure mode proportions can vary considerably depending on type within the generic headings, application, rating and source. Devices used within a particular design should be individually assessed, e.g. a resistor rated very conservatively is likely to have a reduced relative chance of failing open-circuit.

Circuit design should take account of the likely failure modes whenever practicable. Capacitors in series will provide protection against failure of one causing a short-circuit and resistors in parallel will provide redundancy against one failing open. Blocking diodes are often arranged in series to protect against shorts.

ELECTRONIC SYSTEM RELIABILITY PREDICTION

The most commonly used standard database of failure rates for electronic components is that developed in the USA by the USAF Rome Air Development Center, and published as US MIL-HDBK-217 (*Reliability Prediction for Electronic Systems*) (Reference 14). This provides constant hazard rate models for all types of electronic component, taking into account factors that are considered likely to affect reliability.

MIL-HDBK-217 in fact quotes 'failure rate' models, not hazard rate models. Since the method is mainly applied to repairable systems, the models really relate to the component failure rate contribution to the system, i.e. the failure rate of the 'socket' into which that component type fits. MIL-HDBK-217 assumes independent, identically exponentially distributed (IID exponential) times to failure for all components.

The general MIL-HDBK-217 failure rate model is of the form:

$$\lambda_p = \lambda_b \pi_Q \pi_E \pi_A \ldots \tag{9.1}$$

where λ_b is the base failure rate related to temperature and π_Q, π_E, π_A, ... are factors which take account of part quality level, equipment environment, application stress, etc.

The relationship of failure rate to temperature is based upon the model for temperature dependent physical and chemical processes (diffusion, reaction), due to Arrhenius. The MIL-HDBK-217 version is:

$$\lambda_b = K \exp\left(\frac{-E}{kT}\right) \tag{9.2}$$

where λ_b is the process rate (component 'base' failure rate), E the activation energy (eV) for the process, k Boltzmann's constant (1.38×10^{-23} J K^{-1} or 8.63×10^{-5} eV K^{-1}), T the absolute temperature and K is a constant.

Detailed models are provided for each part type, such as microcircuits, transistors, resistors, connectors, etc. For example, the microelectronic device failure rate model is:

$$\lambda_p = \pi_Q \pi_L [C_1 \pi_T \pi_V + C_2 \pi_E] / 10^6 \text{h} \tag{9.3}$$

where π_Q and π_E are as described above; π_V is a voltage derating stress factor, π_L is a learning factor, equal to unity except for new, relatively unproved devices, when

Table 9.5 Microcircuit device screening effect on quality factor and cost

Screen level (MIL-HDBK-217)	Specification	π_Q	Typical relative cost
A	MIL-M-38510, Class S	0.5	8–20
B,B-0	As above, Class B	1.0,2.0	
B-1	MIL-STD-883 method 5004, Class B	3.0	4–6
B-2	Vendor equivalent of B-1	6.5	
C	MIL-M-38510, Class C	8.0	
C-1	Vendor equivalent of C	13.0	2–4
D	Commercial (i.e. no special screening), hermetic package	17.5	1
D-1	Commercial plastic encapsulated	35.0	0.5

$\pi_L = 10$; C_1 is a complexity factor based upon the chip gate count, or bit count for memory devices, or transistor count for linear devices; C_2 is a complexity factor based upon packaging aspects (number of pins, package type); and π_T is the temperature factor, derived from Eqn 9.2.

The quality factors are based upon specification standard and screening. Table 9.5 shows quality factors for microcircuits.

The criticisms of using such databases and models for system-level reliability prediction as described in Chapter 5, apply to the MIL-HDBK-217 method. In addition, MIL-HDBK-217 is fundamentally in error in other major respects:

1. Experience shows that only a very small proportion of failures of modern electronic systems are due to components failing owing to internal causes (typically 1 to 10 per cent).
2. Experience shows that the reliability of 'higher-grade' components, such as MIL SPEC and to high screen levels, is no longer higher than good commercial grade components purchased to manufacturers' specifications.
3. The temperature dependence of failure rate is not supported by modern experience or by considerations of physics of failure.
4. Several other parameters used in the models are of doubtful validity. For example, it is not true that failure rate increases significantly, if at all, with increasing complexity, as continual process improvements counteract the effects of complexity.
5. The models do not take account of many factors that do affect reliability, such as transient overstress, temperature cycling, and control of assembly, test and maintenance.

Other databases and methods for predicting the reliability of electronic systems have been published, mostly based upon MIL-HDBK-217, for example by national telecommunications organizations. These are subject to the same criticisms.

The only correct way to predict the likely reliability of electronic systems is to work top-down, as described in Chapter 5.

RELIABILITY IN ELECTRONIC SYSTEM DESIGN

Introduction

The designer of an electronic system must consider the following main aspects in order to create an inherently reliable design:

1. Electrical and other stresses, particularly thermal, on components, to ensure that no component can be overstressed during operation or testing.
2. Variation and tolerances of component parameter values, to ensure that circuits will function correctly within the range of likely parameter values.
3. The effects of non-stress factors, such as electrical interference, timing, and parasitic parameters. These are particularly important in high frequency and high gain circuits.
4. Ease of manufacture and maintenance, including design for ease of test.

In addition to these primary considerations, there are other aspects of circuit and system design which can be applied to improve reliability. By reducing the number of different part types, the parts selection effort can be reduced and designs become easier to check. This also generates cost savings in production and use. Redundancy can also be designed into circuits. Whenever practicable the need for adjustments or fine tolerances should be avoided.

Not all of the means of achieving reliable electronic design are complementary. For example, redundancy and the inclusion of additional protective devices or circuits are not compatible with reducing complexity and the number of part types. The various design options relevant to reliability must be considered in relation to their effectiveness, cost and the consequences of failure.

The sections which follow outline the most important methods available to ensure high reliability. They are by no means comprehensive: circuit designers should consult their own organizations' design rules, component application notes, the Bibliography to this chapter and other relevant sources. However, what follows is intended as a guide to the points which reliability engineers and circuit designers need to consider.

Transient voltage protection

Electronic components are prone to damage by short duration high voltage transients, caused by switching of loads, capacitive or inductive effects, electrostatic discharge (ESD), incorrect testing, etc. Small semiconductor components such as ICs and low power transistors are particularly vulnerable, owing to their very low thermal inertias. MOS devices are very vulnerable to ESD, and require special protection, both externally and on-chip.

Logic devices which interface with inductive or capacitive loads, or which 'see' test connections, require transient voltage protection. This can be provided by: a *capacitor* between the voltage line to be protected and ground, to absorb high frequency transients (buffering), *diode protection*, to prevent voltages from rising beyond a fixed value (clamping), and *series resistances*, to limit current values. Figures 9.3 and 9.4 show typical arrangements for the protection of a logic device and a transistor. IC protection is also provided by transmitting logic signals via a

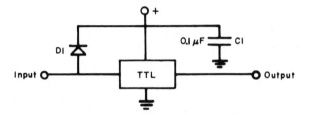

Figure 9.3 Logic device protection. Diode D1 prevents the input voltage from rising above the power supply voltage. Capacitor C1 absorbs high frequency power supply transients

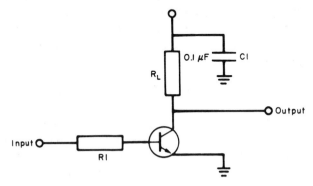

Figure 9.4 Transistor protection. Resistor R1 limits the base current I_B and capacitor C1 absorbs power supply high frequency transients

light-emitting diode (LED) and optical transducer combination, called an opto-isolator or opto-coupler.

The transient voltage levels which can cause failure of semiconductor devices are referred to as VZAP. VZAP values depend upon transient duration. Maximum safe transient voltages are stated in manufacturers' databooks, and standard tests have been developed, for example in MIL-STD-883.

Passive devices can also be damaged by transient voltages, but the energy levels required are much higher than for small semiconductor devices. Therefore passive devices do not normally need individual protection.

Very high electrostatic potentials, up to 5000 V, can be generated by triboelectrical effects on clothing, packaging material, automatic handling and assembly equipment, etc. If these are discharged into ESD sensitive components, either directly by contact with their pins, or via conductors in the system, damage or destruction is likely. Therefore it is essential that components are handled with adequate ESD precautions at all stages, and that protection is designed into circuits to safeguard components after assembly. Thereafter, care must be taken during test and maintenance, though the components will no longer be as vulnerable.

ESD can damage or destroy components even when they are unpowered, so precautions are necessary during all operations involving handling. Warning labels should be fixed to packages and equipments, and workbenches, tools and personnel must all be electrically grounded during assembly, repair and test.

Reference 20 is a good source for information on ESD.

Thermal design

It has been commonly accepted that the reliability of electronic components is related to temperature in accordance with the Arrhenius reaction rate formula (Eqn 9.2). This model is used for reliability prediction for electronic systems, particularly as described in US MIL-HDBK-217 (Reference 14), described earlier. However, there is good reason to doubt this relationship, since, as explained earlier, the great majority of modern components do not have defects which would be affected by temperature, and the materials and processes used are stable up to temperatures well in excess of those recommended for use. The reason why the relationship seemed to hold was probably because, in the early years of microcircuit technology, quality control standards were not as high, and therefore a fairly large proportion of components were observed to fail at higher temperatures. However, current data do not show such a relationship. This has major implications for thermal design, since the erroneous impression that 'the cooler the better' is widely held.

Nevertheless, it is important to control the thermal design of electronic systems, so that maximum rated operating temperatures are not exceeded under worst cases of environment and load, and so that temperature variations within the system are not severe. The reasons are that high temperatures can accelerate some failure modes in marginally defective components, and temperature cycling between ambient and high values can cause thermal fatigue of bonds and component structures, particularly if there are high local temperature gradients.

The maximum temperature generated within a device depends on the electrical load and the local ambient temperature, as well as the thermal resistance between the active part of the device and the external environment. Temperature at the active area of a device, for example the junction of a power transistor, or averaged over the surface of an IC, can be calculated using the formula

$$T_J = T_A + \theta W \tag{9.4}$$

where T_J is the local temperature at the active region, T_A is the ambient temperature around the component, W is the power dissipation, and θ is the thermal resistance between the active region and the ambient, measured in °C per Watt.

For devices that consume significant power levels in relation to their heat dissipation capacity, it is necessary to provide additional thermal protection. This can be achieved by mounting the device on a heat sink, typically a metal block, with fins to aid convective and radiant heat dissipation. Some devices, such as power transistors and complex high-speed integrated circuits have integral heat sinks. Further protection can be provided by temperature-sensitive cut-off switches or relays; power supply and conversion units often include such features.

It is sometimes necessary to consider not only the thermal path from the component's active area to the local ambient, but to design to allow heat to escape from assemblies. This is essential in densely packaged systems such as avionics, military electronics, and high-speed computers, particularly when TTL integrated circuits are used. In such systems a copper heat plane is usually incorporated into the PCB, to enable heat to flow from the components to the case of the equipment. Good thermal contact must be provided between the edge of the heat plane and the case. In turn the case can be designed to dissipate heat effectively, by the use of fins. In extreme cases liquid cooling systems are used, fluid being pumped through channels in the walls of the case.

Temperature control can be greatly influenced by the layout and orientation of components and sub-assemblies such as PCBs. Hot components should be positioned downstream in the heat flow path (heat plane or air flow), and PCBs should be aligned vertically to allow convective air flow. Fans are often used to circulate air in electronic systems, to assist heat removal.

When additional thermal control measures are employed, their effects must be considered in evaluating component operating temperatures. The various thermal resistances, from the component active area to the external environment, must all be taken into account, as well as heat inputs from all heat-generating components, external sources such as solar radiation, and the effects of convection or forced cooling measures. Such a detailed thermal evaluation can best be performed with thermal modelling software, using finite element methods. Such software can be used to produce thermal maps of PCBs, taking into account each component's power load and all thermal resistances.

Thermal evaluation is important for any electronic design in which component operating temperatures might approach maximum rated values. Good detailed guidelines on thermal design for electronic systems are given in References 15 to 18.

Stress derating

Derating is the practice of limiting the stresses which may be applied to a component, to levels below the specified maxima, in order to enhance reliability. Derating values of electrical stress are expressed as ratios of applied stress to rated maximum stress. The applied stress is taken as the maximum likely to be applied during worst case operating conditions. Thermal derating is expressed as a temperature value.

Derating enhances reliability by:

1. Reducing the likelihood that marginal components will fail during the life of the system.
2. Reducing the effects of parameter variations.
3. Reducing long-term drift in parameter values.
4. Providing allowance for uncertainty in stress calculations.
5. Providing some protection against transient stresses, such as voltage spikes.

Typical derating guidelines are shown in Table 9.6, which gives electrical and thermal derating figures appropriate to normal and for critical (Hi-rel) applications such as spacecraft, or for critical functions within other systems. Such guidelines should usually be taken as advisory, since other factors such as cost or volume might be overriding. However, if stress values near to rated maxima must be used it is important that the component is carefully selected and purchased, and that stress calculations are doubled-checked.

Table 9.6 Device derating guidelines

Device type	Parameter	Max. rating	
		Normal	Hi-rel
Microelectronics			
Digital	Power supply, input voltages	Derated but within	
	Output current (load,	performance spec.	
	fan-out)	0.8	0.8
	Junction temp. (hermetic): TTL	130°C	100°C
	(hermetic): CMOS	110°C	90°C
	(plastic)	100°C	70°C
	Speed	0.8	0.8
Linear	Power supply	Derated but within	
	Voltage	performance spec.	
	Input voltage	0.8	0.7
	Junction temp. (hermetic)	110°C	90°C
	(plastic)	100°C	70°C
Transistors			
Silicon (general purpose)	Collector current	0.8	0.5
	Voltage V_{cc}	0.8	0.6
	Junction temp. (hermetic)	120°C	100°C
	(plastic)	100°C	80°C
Silicon (power)	Collector current	0.8	0.6
	Voltage V_{cc}	0.8	0.6
	Voltage (reverse bias)	0.9	0.8
	Junction temp. (hermetic)	130°C	110°C
	(plastic)	110°C	90°C
Diodes			
Silicon (general purpose)	Forward current, voltages	0.8	0.5
Zener	Junction temp.	120°C	100°C
Resistors			
	Power dissipation	0.8	0.5
	Operating temp.	Rated−20°C	Rated−40°C
Capacitors			
	Voltage	0.8	0.5
	Operating temp.	Rated−20°C	Rated−40°C
Relays and switches			
Resistive or capacitive load	Current	0.8	0.5
Inductive load	Current	0.5	0.3
Motor	Current	0.3	0.2
Filament	Current	0.2	0.1

Since thermal stress is a function of the surrounding temperature and power dissipation, combined temperature–power stress derating, as shown in Fig. 9.5, is often advised for components such as power transistors. The manufacturers' databooks should be consulted for specific guidelines, and References 3, 4 and 5 also provide information.

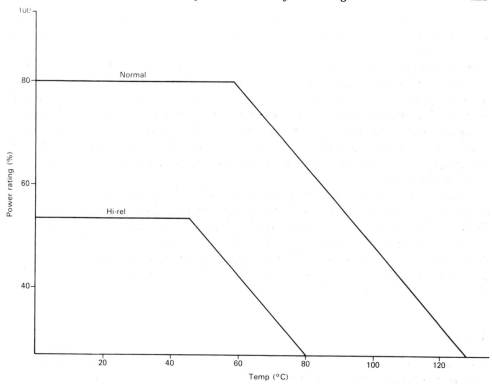

Figure 9.5 Temperature–power derating for transistors and diodes (typical)

Redundancy

Redundancy techniques were covered in Chapter 5. In electronic circuit and system design it is possible to apply redundancy at any level from individual components to subsystems. Decisions on when and how to design-in redundancy depend upon the criticality of the system or function and must always be balanced against the need to minimize complexity and cost. However, it is often possible to provide worthwhile reliability improvements by using redundant circuit elements, at relatively little cost, owing to the low cost of most modern devices. The most likely component failure modes must be considered; for example, resistors in parallel will provide redundant, though possibly degraded operation if one becomes open circuit, and short circuit is an unlikely failure mode. Opposite considerations apply to capacitors.

Design simplification

Like all good engineering, electronic system designs must be kept as simple as practicable. The motto often quoted is KISS—'Keep it simple, stupid'. In electronics, design simplification is mainly a matter of minimizing the number of components to perform a required function. Reducing the number of components and their connections should improve reliability as well as reduce production costs.

However, the need to provide adequate circuit protection and component derating, and where necessary redundancy, should normally take priority over component count reduction.

Minimizing the number of component types is also an important aspect of design simplification. It is inevitable that when a number of designers contribute to a system, different solutions to similar design problems will be used, resulting in a larger number of component types and values being specified than is necessary. This leads to higher production costs, and higher costs of maintenance, since more part types must be bought and stocked. It can also reduce reliability, since quality control of bought-in parts is made more difficult if an unnecessarily large number of part types must be controlled.

Design rules can be written to assist in minimizing component types, by constraining designers to preferred standard approaches. Component type reduction should also be made an objective of design review, particularly of initial designs, before prototypes are made or drawings frozen for production. The US Navy Standard Electronic Module (SEM) programme, as described in MIL-M-28787, provides a range of highly reliable standard modules, designed to reduce logistics costs in naval systems.

Sneak analysis

A sneak circuit is an unwanted connection in an electrical or electronic circuit, not caused by component failure, which leads to an undesirable circuit condition or which can inhibit a desired condition. Sneak circuits can be inadvertently designed into systems when interfaces are not fully specified or understood, or when designers make mistakes in the design of complex circuitry. Sneak analysis is a technique developed to identify such conditions in electrical and electronic circuits, and in operating software.

It is based on the identification within the system of 'patterns' which can lead to sneak conditions. The five basic patterns are shown in Fig. 9.6.

Any circuit can be considered as being made of combinations of these patterns. Each pattern is analysed to detect if conditions could arise, either during normal operation or due to a fault in another part of the system, that will cause a sneak. For example, in the power dome or the combination dome the power sources could be reversed if S1 and S2 are closed.

Sneak circuits are of five types:

1. *Sneak paths*. Current flows along an unexpected route.
2. *Sneak opens*. Current does not flow along an expected route.
3. *Sneak timing*. Current flows at the incorrect time or does not flow at the correct time.
4. *Sneak indications*. False or ambiguous indications.
5. *Sneak labels*. False, ambiguous or incomplete labels on controls or indicators.

When potential sneak conditions are identified, they must be validated by test or detailed investigation, reported, and corrective action must be considered.

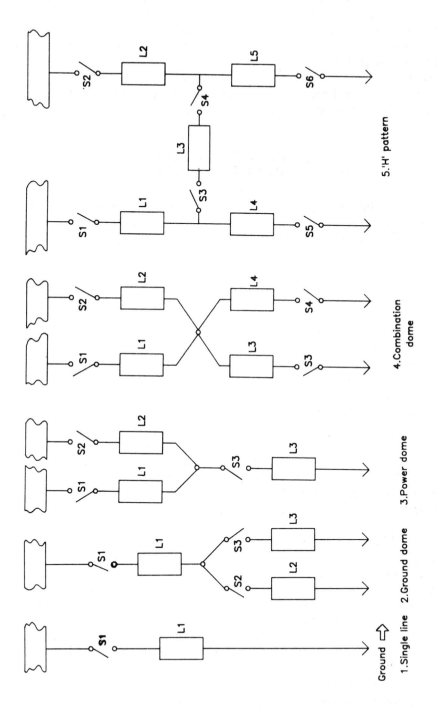

Figure 9.6 Sneak analysis basic patterns (hardware)

Sneak analysis is a tedious task when performed on relatively large systems. However, it has proved to be very beneficial in safety analysis and in assessing the integrity of controls in aircraft and industrial systems. Computer programs have been developed, and a MIL-HDBK is being prepared. Software applications are described in Chapter 10.

Sneak circuits can be avoided by careful design, or detected by adequate testing. The formal analysis technique is appropriate for critical systems, particularly when there are complex interfaces between sub-systems.

ELECTROMAGNETIC INTERFERENCE AND COMPATIBILITY (EMI/EMC)

Electromagnetic interference (EMI) is any unwanted 'noise' in an electronic system, caused by electromagnetic radiation which is picked up on signal lines, and then adversely affects system operation. EMI can be generated by several sources, primarily:

1. Switching of inductive or capacitive loads, such as motors, lamps, or relays.
2. Electromagnetic emissions from other systems, or from other parts of the system. Examples of such sources are radios, radars, automotive ignition systems, sparking from electric motor brushes, arcing across relays, and high frequency clocks and oscillators.
3. High frequency radiation from fast digital circuit components and conductors. Since these currently operate at frequencies of the order of 5–20 MHz, unwanted coupling is a potential hazard.
4. EMI can also be transmitted on power circuits, generated by other equipments on the same circuit, lightning strikes, or load switching.

Electrical and electronic systems must be designed both to avoid transmitting noise, either electromagnetically or into power circuits, and also to be unaffected by noise. The methods used are referred to as electromagnetic compatiblity (EMC) controls.
The main design techniques to ensure EMC are:

1. The use of filter circuits to decouple noise and transients from or to the power supply.
2. Circuits and conductors can be shielded by enclosing them in grounded, conductive boxes (Faraday shields), or, in the case of cables, grounded conductive screens. Cables can also be made less susceptible to picking up noise by using a twisted pair arrangement.
3. Circuit impedances should be balanced, e.g. between power supplies and loads, so that any noise pickup will be the same in each conductor, and will thus be self-cancelling.
4. All circuit grounds must be at the same electrical potential during circuit operation, and therefore all ground connections must provide a low impedance path back to the current source. This is particularly important in high frequency digital systems.

5. Contacts which make or break during circuit operation, e.g. microswitches and relays, must be selected to minimize EMI, and if necessary filter circuits must be designed around them.

6. Digital systems must include noise filters at the PCB power input and near to each IC. The normal approach is to use decoupling capacitors. The capacitance value must be selected in relation to the circuit frequency, so that the resonant frequency of the local L–C circuit (see Fig. 9.7) is well above the circuit operating frequency (to prevent resonance), but with a large enough capacitance to supply the transient current needed by the IC for its switching function. The values typically selected are $0.01\,\mu\text{F}$ for IC decoupling, and $1\,\mu\text{F}$ for PCB power input decoupling.

7. In software-driven systems, coding methods can be used to provide EMI protection, see Chapter 10.

National and international regulations exist to set standards for electromagnetic and power line emissions, and associated test methods.

Most of the protection techniques against transient high voltages, described earlier, are useful in relation to EMI, and vice versa. Therefore the topics are often combined in specialist texts and training. Reference 19 is a good introduction to the whole field of EMI and EMC, as well as ESD.

PARAMETER VARIATION AND TOLERANCES

Introduction

All electrical parameters of electronic components are subject both to initial component-to-component variation, and to long-term drift. Parameter values can also vary as a result of other factors, particularly temperature. Whether these variations are important or not, in a particular design, depends upon the requirements for accuracy of the parameters in that application. For example, the resistance value of a resistor in a feedback circuit of a high gain amplifier might be critical for correct operation, but would not need to be as closely controlled in a resistor used as a current limiter.

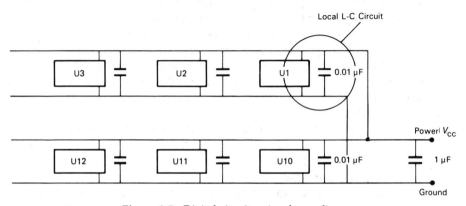

Figure 9.7 Digital circuit noise decoupling

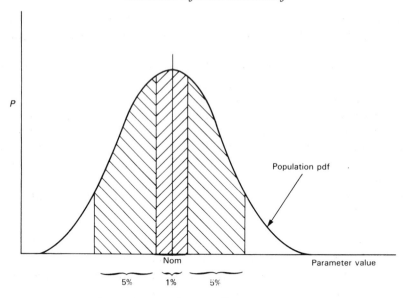

Figure 9.8 Parameter distributions after selection

Initial variation is an inevitable consequence of the component production processes. Most controlled parameters are measured at the end of production, and the components are assigned to tolerance bands, or rejected if they fall outside the limits. For example, typical resistors are provided in tolerance ranges of 1 per cent, 5 per cent, 10 per cent and 20 per cent about the nominal resistance. Since the selection is often from the same batch, which may have had a parameter distribution as shown in Fig. 9.8, the parameter distributions of the selected tolerance ranges would be as shown, assuming only two tolerance bands had been selected. Depending upon the application, knowledge of the shape of the parameter distribution might be important.

For many component parameters, for example transistor characteristics, maximum and minimum values are stated. It is also important to note that not all parameter values are controlled in manufacture and selection. Some parameters are given only as 'typical' values. It is never a good idea to design critical circuit operation around such parameters, since they are not usually measured, and therefore are not guaranteed.

Since conductance, both of conductor and of semiconductor materials, varies with temperature, all associated parameters will also vary. Therefore resistance of resistors, and gain and switching time of transistors, are typical of temperature-dependent parameters. High temperature can also increase noise outputs. Other parameters can interact, for example the capacitance values between transistor connections is affected by bias voltage.

Parameter drift with age is also usually associated with changes in conductance, as well as in dielectric performance, so that resistors and capacitors are subject to drift, at rates which depend upon the type of materials and construction used, operating temperature and time.

Another source of circuit parameter variation arises from what are referred to as *parasitic* parameters. These are electrical parameters that are not intrinsic to the theoretical design of the component or the circuit, but which are due to construction and layout features. For example, resistors are inductive, the inductance depending upon the type of construction, PCB conductor tracks have mutual inductance and capacitance, and integrated circuit lead frames are inductive. Parasitic effects can be very important, and difficult to control, in high gain and high frequency systems.

Parameter variation can affect circuits in two ways. For circuits which are required to be manufactured in quantity, a proportion might not meet the required operating specification, and production yield will then be less than 100 per cent, adding to production cost. Variation can also cause circuits to fail to work correctly in service. Initial component-to-component variation mainly affects yield, and stress or time related variation mainly affects reliability.

Tolerance design

Every electronic circuit design (for that matter, not only electronic circuits, but any system) must be based on the nominal parameter values of all the components that will contribute to correct performance. This is called *parameter design*. It encompasses the qualities of knowledge and inventiveness, necessary for the solution of design problems. However, having created the correct functional design, it is necessary to evaluate the effects of parameter variation on yield, stability and reliability. This is called *tolerance design*.

The first step in tolerance design is to determine which parameter values are likely to be most sensitive in affecting yield and performance. This can be performed initially on the basis of experience and system calculations made during the parameter design stage. However, a more systematic approach, using the techniques described below, should be used for serious design.

The next step is to determine the extent of variation of all of the important parameter values, by reference to the detailed component specifications. This step is sometimes omitted by designers using lists of 'preferred parts', which list only primary nominal values and tolerances, without giving full details of other data relevant to the application. All relevant parasitic parameters should also be evaluated at this stage.

It is possible to design-in compensating features for some variation, for example by using temperature compensation components such as thermistors or adjustable components such as variable resistors. However, these add complexity and usually degrade reliability, since they are themselves prone to drift, and adjustable components can be degraded by wear, vibration, and contamination. Wherever possible the design should aim for minimum performance variation by the careful selection of parameter values and tolerances.

Analysis methods

The analysis of tolerance effects in general design situations was covered in Chapter 7. This section introduces the methods available to analyse the effects of variation and tolerances in electronic circuits. Reference 21 provides an excellent detailed description of the methods.

Worst case analysis

Worst case analysis (WCA) involves evaluating the circuit performance when the most important component parameter values are at their highest and lowest tolerance values. It is a straightforward extension of the parameter design calculations. However, it is only realistic for simple circuits. Also, purely digital circuits are relatively easy to analyse in this respect, so long as frequency and timing requirements are not too severe. However, if there are several parameters whose variation might be important, particularly if there are interactions or uncertainty, then more powerful methods of analysis should be used.

The transpose circuit

The sensitivity of the output of a circuit to parameter changes can be analysed using the *transpose circuit* method. A transpose circuit is a circuit which is topologically identical to that under investigation, except that the forward and reverse transmission coefficients of each 3-terminal device (e.g. transistor) are interchanged, the input is replaced by an open circuit, and the output by a current source of 1 A. Figure 9.9 shows a circuit and a possible transpose of it. Here we are looking only at those components whose parameter variations we consider might most affect the output, in this case V_0, when the input is I_i. Note that these are instantaneous values of terms in the frequency domain (or DC values).

The sensitivity of V_0 to small changes in the conductance G of the resistor is given by

$$\frac{\partial V_0}{\partial G} = -V_G V_{G/T} \tag{9.5}$$

where V_G is the voltage across the conductance in the actual circuit and $V_{G/T}$ is the voltage across the conductance in the transpose circuit. Similar relations hold for other component parameters, if the two circuits are analysed at the same frequency. This is *Tellegen's theorem*. Using these relationships, the sensitivities to all the critical parameters can be evaluated, by analysing only two different circuits, using for example circuit simulation software. This is an extremely efficient technique for analysing the effects of small, single variations.

Simulation

Another method for analysing the effects of tolerances and variation is simulation, using the Monte Carlo method. The principles of Monte Carlo simulation were described in Chapter 5. Most modern circuit simulation software includes Monte Carlo techniques, which allow parameter variations to be set, either as a range or as a defined distribution shape (e.g. *s*-normal, bimodal), and the program will then randomly 'build' circuits using parameter values from the distributions, and will analyse these. Monte Carlo circuit simulation evaluates the effects of multiple simultaneous variations. Refinements allow the most critical parameters to be identified, and statistically designed experiments (see Chapter 7) can be run. Circuits

Parameter Variation and Tolerances 229

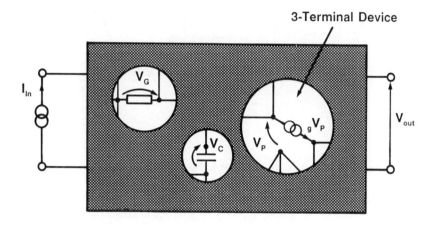

a. ORIGINAL CIRCUIT

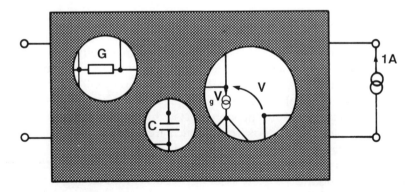

b. TRANSPOSE CIRCUIT

$$\frac{\partial V_o}{\partial G} = -V_G V_{GT}, \text{ etc}$$

Figure 9.9 Transpose circuit

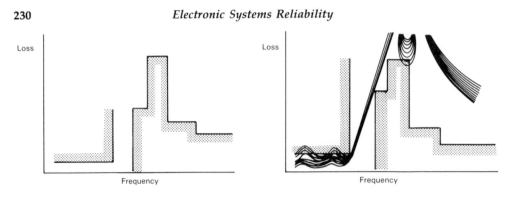

(a) Specifications on the performance of a filter

(b) Some samples of a mass-produced circuit violate the specification

Figure 9.10 Monte Carlo analysis of filter circuit (from Reference 21)

can be analysed in the time and frequency domains, and there are no practical limitations, apart from the time required to run each analysis, on the number of parameters, input conditions, and simulations.

Figure 9.10 shows the results of a number of Monte Carlo simulations of a filter circuit, in relation to the specification. This shows that some parameter combinations give performance outside the specification. Carrying out a number of runs provides an estimate of production yield, and the particular parameter value combinations that caused circuits to be outside the specification can be identified.

See Reference 21 for a detailed description of the topics covered in this section.

DESIGN FOR PRODUCTION, TEST AND MAINTENANCE

Electronic circuits should be designed to be testable, using the test methods that will be applied in production. These methods depend upon the manufacturing test policy and economics, as discussed in Chapter 13. Testability is an important design feature, which can make a significant impact on production costs. Testability also affects reliability, since production defects which are not detected by the tests can lead to failure in service, and circuits which are difficult to diagnose are more likely to be inadequately or incorrectly repaired.

Electronic assemblies are typically tested at two main levels, the loaded printed circuit board, and the complete assembly. Loaded PCB testing is of two main types, in-circuit test (ICT) and functional test. Both are performed by automatic test equipment (ATE), which often combines the two types of test. ICT tests the components on the PCB, accessing each component in turn via the test software and a matrix of pin connections to test points on the PCB. Functional test checks the operation of the complete circuit, via the circuit input and output connections. Other specialized ATE is used for testing assemblies such as bare PCBs, power supplies, etc. Integrated circuits are tested on IC testers, which can test standard as well as application-specific ICs (ASICs). It is important that the circuit designer is aware of the test systems that will be used, and the requirements that they impose on the design to ensure effective and economic test coverage.

Circuit designs must allow the ATE to initialize the operating states of components, control the circuit operation, observe and measure output states and values, and partition the circuit to reduce test program complexity. It is good practice to conduct a careful review, with the test engineers, of the testability of the design before it is finalized. Modern electronic CAE software includes facilities for performing testability analysis. Reference 22 covers the subject of design for test in detail.

Design of electronic systems for production, test and maintainability should be included in design rules and design review. Aspects of good electronic design which contribute to these are listed below:

1. Avoid the necessity for adjustments, e.g. potentiometers, whenever possible. Adjustable components are less reliable than fixed-valued components and are more subject to drift.
2. Avoid 'select on test' situations, where components must be selected on the basis of measured parameter values. Specify components which can be used anywhere within the tolerance range of the applicable parameters and do not rely on parameters which are listed as typical rather than guaranteed. Where 'typical' tolerances must be used, ensure that the appropriate component screening is performed before assembly.
3. Ensure that adjustments are easily accessible at the appropriate assembly level.
4. Partition circuits so that subassemblies can be tested and diagnosed separately. For example, if several measured values require amplification, analogue-to-digital conversion, logic treatment and drivers for displays, it might be better to include all functions for each measured value on one PCB rather than use a PCB for each function, since fault diagnosis is made easier and repair of one channel does not affect the performance or calibration of others. However, other factors such as cost and space must also be considered.

Production and test aspects are covered in more detail in Chapter 13 and maintenance in Chapter 14.

BIBLIOGRAPHY

General

1. P. Horowitz and W. Hill, *The Art of Electronics*, 2nd edn. Cambridge University Press (1989).
2. F. F. Mazda (ed.), *Electronic Engineer's Reference Book*, 6th edn. Butterworths (1989).
3. N. B. Fuqua, *Reliability Engineering for Electronic Design*. M. Dekker (1987).
4. J. E. Arsenault and J. A. Roberts (eds), *Reliability and Maintainability of Electronic Systems*. Computer Science Press Inc., Rockville, Maryland (1980).
5. US MIL-HDBK-338: *Electronic Reliability Design Handbook*. Available from the National Technical Information Service, Springfield, Virginia.

Components

6. M. J. Howes and D. V. Morgan, *Reliability and Degradation in Semiconductor Devices and Circuits*. Wiley (1981).
7. E. A. Amerasekera and D. S. Campbell, *Failure Mechanisms in Semiconductor Devices*. Wiley (1987).
8. E. R. Hnatek, *Integrated Circuit Quality and Reliability*. Dekker (1987).

9. British Standard, BS 9000: *Electronic Components of Assessed Quality*. British Standards Institution, London. (And equivalent US MIL, European (CECC) and International (IEC) standards.

10. US MIL-STD-883: *Test Methods and Procedures for Microelectronic Devices*. Available from the National Technical Information Service, Springfield, Virginia.

11. F. Jensen and N. E. Peterson, *Burn-in*. Wiley (1983).

12. F. N. Sinnadurai, *Handbook of Microelectronics Packaging and Interconnection Technologies*. Electrochemical Publications (1985).

13. A. J. Bilotta, *Connections in Electronic Assemblies*. Dekker (1985).

Reliability prediction

14. US MIL-HDBK-217: *Reliability Prediction for Electronic Systems*. Available from the National Technical Information Service, Springfield, Virginia.

Thermal design

15. A. D. Kraus and A. Barr-Cohen, *Thermal Analysis and Control of Electronic Equipment*. McGraw-Hill (1983).

16. *Thermal Guide for Reliability Engineers*. Rome Air Development Center Report TR-82-172. Available from the National Technical Information Service, Springfield, Virginia.

17. D. J. Dean, *Thermal Design of Electronic Circuit Boards and Packages*. Electrochemical Publications (1985).

18. US MIL-HDBK-251: *Electronic System Reliability — Design Thermal Applications*. Available from the National Technical Information Service, Springfield, Virginia.

EMI/EMC/ESD

19. H. W. Ott, *Noise Reduction Techniques in Electronic Systems*, 2nd edn. Wiley–Interscience (1988).

20. W. D. Greason, *Electrostatic Damage in Electronic Devices and Systems*. Research Studies Press/Wiley (1987).

Tolerance design

21. R. Spence and R. S. Soin, *Tolerance Design in Electronic Circuits*. Addison-Wesley (1988).

Testability

22. J. Turino and H. F. Binnendyk, *Design to Test*. Logical Solutions Inc., Campbell, CA. (1988). (Also *Testability Advisor* software for PCs.)

10

Software Reliability

INTRODUCTION

Software is now part of the operating system of a very wide range of products and systems, and this trend is accelerating with the opportunities presented by low cost microprocessor devices. In most cases, the fact that computer programs take over functions previously performed by hardware results in enhanced reliability, since software does not fail in the way that hardware does. Performing functions with software leads to less complex and more robust hardware. Each copy of a computer program is identical to the original, so failures due to variability cannot occur. Also, software does not degrade, except in a few special senses,* and when it does it is easy to restore it to its original standard.

Nevertheless, software can fail to perform the function intended, due to undetected errors in the program. When a software error does exist, it exists in all copies of the program, and if it is such as to cause failure in certain circumstances, it will always fail when those circumstances occur. Therefore software errors can be extremely serious.

Since most programs consist of very many individual statements and logical paths, the scope for error is large. A software reliability effort is concerned with minimizing the existence of errors, by imposing programming disciplines, checking and testing. The term 'software reliability' is not universally accepted, since it is argued that reliability implies a probability, whereas a program either contains one or more errors, in which case the probability of failure in certain circumstances is unity, or it contains no errors, in which case the probability of failure is zero. Similarly it is argued that 'rate of failure' has no meaning in a software sense. A good program will run indefinitely without failure, and so will all copies of it. A program with an error will always fail when that part of the program is executed under the error conditions. However, we will consider the system user's point of view. The user will observe system failures, and will be equally affected whether they are caused by hardware failures or by software errors. In some cases it might not even be possible to distinguish between hardware and software causes.

---

*Data or programs stored in some media can degrade. Magnetic media such as discs and tape are susceptible to electromagnetic fields, or even to being closely packed for long periods. Semi-conductor memories using very large scale integration (VLSI) can suffer changes in the voltage state of individual memory cells due to naturally occurring α-particle bombardment. In each case a refresh cycle will restore the program.

Software Reliability

There are several ways by which hardware and software reliability differ. Some have already been mentioned. Table 10.1 lists the differences.

Table 10.1 Hardware and software reliability

Hardware	Software
1. Failures can be caused by deficiencies in design, production, use and maintenance.	1. Failures are primarily due to design errors, with production (copying), use and maintenance (excluding corrections) having negligible effect.
2. Failures can be due to wear, or other energy-related phenomena. Sometimes warning is available before failure occurs.	2. There is no wearout phenomenon. Software failures occur without warning.
3. Repairs can be made which might make the equipment more reliable.	3. The only repair is by redesign (reprogramming), which, if it removes the errors and introduces no others, will result in higher reliability.
4. Reliability can depend upon burn-in or wearout phenomena, i.e. failure rates can be decreasing, constant or increasing with respect to operating time.	4. Reliability is not so dependent. Reliability improvement over time may be effected, but this is not an operational time relationship. Rather it is a function of the effort put into detecting and correcting errors.
5. Failure can be related to the passage of operating (or storage) time.	5. Reliability is not time-related in this way. Failures occur when a program step or path which is in error is executed.
6. Reliability is related to environmental factors.	6. The external environment does not affect reliability, except insofar as it might affect program inputs.
7. Reliability can be predicted in theory from knowledge of design and usage factors.	7. Reliability cannot be predicted from any physical bases, since it entirely depends upon human factors in design. Some *a priori* approaches have been proposed (see below).
8. Reliability can sometimes be improved by redundancy.	8. Reliability cannot be improved by redundancy if the parallel program paths are identical, since if one path fails the others will have the same error. It is possible to provide redundancy by having parallel paths, each with different programs written and checked by different teams.
9. Failures can occur to components of a system in a pattern which is to some extent predictable from the stresses on the components, and other factors. Reliability critical lists and Pareto analysis of failures are useful techniques.	9. Failures are not usually predictable from analysis of separate statements. Errors are likely to exist randomly throughout the program, and any statement may be in error. Reliability critical lists and Pareto analysis of failures are not appropriate.

SOFTWARE FAILURE MODES

Software errors ('bugs') can arise from the specification, the software system design and from the coding process.

Specification errors

Typically more than half the errors recorded during software development originate in the specification. Since software is not perceivable in a physical sense, there is little scope for common sense interpretation of ambiguities, inconsistencies or incomplete statements. Therefore software specifications must be very carefully developed and reviewed. The software specification must describe fully and accurately the requirements of the program. The program should reflect the requirements exactly. There are no safety margins in software design as in hardware design. For example, if the requirement is to measure 9 ± 0.5 V and to indicate if the voltage is outside these tolerances, the program will do precisely that. If the specification was incorrectly formulated, e.g. if the tolerances were not stated, the out-of-tolerance voltage would be indicated at this point every time the measured voltage varied by a detectable amount from 9 V, whether or not the tolerances were exceeded. Depending upon the circumstances this might be an easily detectable error, or it might lead to unnecessary checks and adjustments because the out-of-tolerance indication is believed. This is a relatively simple example. Much more serious errors, such as a misunderstanding of the logical requirement of the program, can be written into the specification. This type of error can be much harder to correct, involving considerable reprogramming, and is much more serious in effect.

The specification must be logically complete. Consider the statement: 'Sample inputs *A*, *B* and *C*. If any one exceeds by $> \pm 10$ units the average of the other two, feed forward the average of these two. Indicate failure of the out-of-tolerance input. If the out-of-tolerance condition does not exist, feed forward the average of the three inputs.'

This is an example of a two-out-of-three majority voting redundant system. The logic is shown in the flow diagram, Fig. 10.1. Consider the situation when the values of *A*, *B* and *C* are 100, 90 and 120. The values of the derived parameters, and route taken by the program, are shown in Fig. 10.1. In this case, two fault conditions exist, since both *B* and *C* exceed the average of the other two inputs. The program will indicate a *B* failure, as the algorithm compares *B* before *C*. The specification has not stated what should happen in the event of more than one input being out of tolerance. The program will work as shown in the algorithm, in the sense that an input will always be available, but the system may not be safe. The flowchart complies with the specification, but it probably does not reflect the real wishes of the specification writer. A software specification must cover all the possible input conditions and output requirements, and this usually requires much more detailed consideration than for a hardware specification.

The specification must be consistent. It must not give conflicting information or use different conventions in different sections.

The specification must not include requirements that are not testable, e.g. accuracy or speed requirements that are beyond the capability of the hardware.

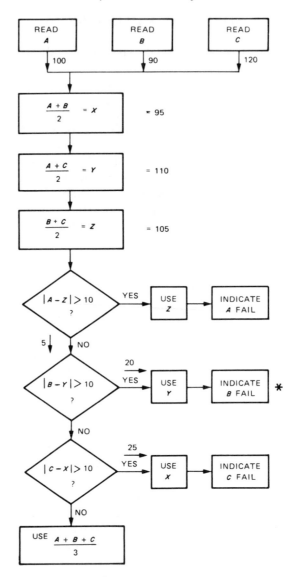

Figure 10.1 Voting redundant system

The specification should be more than just a description of program requirements. It should describe the structure to be used, the program test requirements and documentation needed during development and test, as well as basic requirements such as the programming language, and inputs and outputs. (Program structure, test and documentation will be covered later.) By adequately specifying these aspects, a framework for program generation will be created which minimizes the possibilities for creating errors, and which ensures that errors will be found and corrected.

Software system design

The software system design follows from the specification. The system design may be a flowchart and would define the program structure, test points, limits, etc. Errors can occur as a result of incorrect interpretation of the specification, or incomplete or incorrect logic.

An important reliability feature of software system design is *robustness*, the term used to describe the capability of a program to withstand error conditions without serious effect, such as becoming locked in a loop or 'crashing'. The robustness of the program will depend upon the design, since it is at this stage that the paths to be taken by the program under error conditions are determined.

Software code generation

Code generation is a prime source of errors, since a typical program involves a large number of code statements.

Typical errors can be:

1. Typographical errrors (*sic*).
2. Incorrect numerical values, e.g. 0.1 for 0.01.
3. Omission of symbols, e.g. parentheses.
4. Inclusion of expressions which can become indeterminate, such as division by a value which can become zero.

SOFTWARE STRUCTURE AND MODULARITY

Structure

Structured programming is an approach that constrains the programmer to using certain clear, well-defined approaches to program design, rather than allowing total

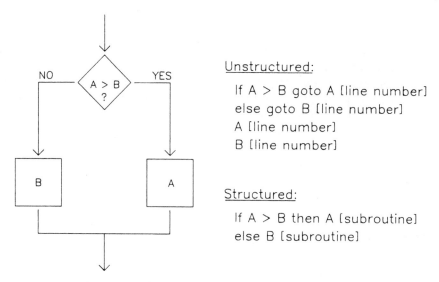

Figure 10.2 Structured versus unstructured programming

freedom to design 'clever' programs which might be complex, difficult to understand or inspect, and prone to error. A major source of error in programs is the use of the GOTO statement for constructs such as loops and branches (decisions). The structured programming approach therefore discourages the use of GOTOs, requiring the use of control structures which have a single entry and a single exit. For example, the simple branch instruction in Fig. 10.2 can be programmed (using BASIC) in either an unstructured or a structured way as shown. The unstructured approach can lead to errors if the wrong line number is given (e.g. if line numbers are changed as a result of program changes), and it is difficult to trace the subroutines (A, B) back to the decision point.

On the other hand, the structured approach eliminates the possibility of line number errors, and is much easier to understand and to inspect.

Structured programming leads to fewer errors, and to clearer, more easily maintained software. On the other hand, structured programs might be less efficient in terms of speed or memory requirements.

Modularity

Modular programming breaks the program requirement down into separate, smaller program requirements, or modules, each of which can be separately specified, written and tested. The overall problem is thus made easier to understand and this is a very important factor in reducing the scope for error and for easing the task of checking. The separate modules can be written and tested in a shorter time, thus reducing the chances of changes of programmer in mid-stream.

Each module specification must state how the module is to interface with other parts of the program. Thus, all the inputs and outputs must be specified. Structured programming might involve more preparatory work in determining the program structure, and in writing module specifications and test requirements. However, like good groundwork in any development programme, this effort is likely to be more than repaid later by the reduced overall time spent on program writing and debugging, and it will also result in a program which is easier to understand and to change. The capability of a program to be modified fairly easily can be compared to the maintainability of hardware, and it is often a very important feature. Program changes are necessary when logical corrections have to be made, or when the requirements change, and there are not many software development projects in which these conditions do not arise.

The optimum size of a module depends upon the function of the module and is not solely determined by the number of program elements. The size will usually be determined to some extent by where convenient interfaces can be introduced. As a rule of thumb, modules should not normally exceed 100 separate statements or lines of code in a high level language.

Requirements for structured and modular programming

Major software customers specify the need for programs to be structured and modular, to ensure reliability and maintainability. These disciplined approaches can greatly reduce software development and life cycle costs. In the United Kingdom,

MASCOT (modular approach to software construction, operation and test) and, primarily in the United States, APSE (Ada programming and support environment) are methods imposed to ensure that the great difficulties and costs generated by the unstructured approaches used in the past are obviated. References 2 and 6 in the Bibliography cover structured and modular programming in more detail.

PROGRAMMING STYLE

Programming style is an expression used to cover the general approach to program design and coding. Structured and modular programming are aspects of style. Other aspects are, for example, the use of REM (remark) statements in the listing to explain the program, 'defensive' programming in which routines are included to check for errors, and the use of simple constructs whenever practicable. Obviously, a disciplined programming style can have a great influence on software reliability and maintainability, and it is therefore important that style is covered in software design guides and design reviews, and in programmer training. Programming style is covered in detail in References 5 and 6.

FAULT TOLERANCE

Programs can be written so that errors do not cause serious problems or complete failure of the program. We have mentioned 'robustness' in connection with program design, and this is an aspect of fault tolerance. A program should be able to find its way gracefully out of an error condition and indicate the error source. This can be achieved by programming internal tests, or checks of cycle time, with a reset and error indication if the set conditions are not met. Where safety is a factor, it is important that the program sets up safe conditions when an error occurs. For example, a process controller could be programmed to set up known safe conditions and indicate a problem, if no output is generated in two successive program cycle times or if the output value changes by more than a predetermined amount.

Fault tolerance can also be provided by program redundancy. For high integrity systems separately coded programs can be arranged to run simultaneously on separate but connected controllers, or in a time-sharing mode on one controller. A voting or selection routine can be used to select the output to be used. The effectiveness of this approach is based on the premise that two separately coded programs are very unlikely to contain the same coding errors, but of course this would not provide protection against a specification error. Redundancy can also be provided within a program by arranging that critical outputs are checked by one routine, and if the correct conditions are not present then they are checked by a different routine (Fig. 10.3).

These software techniques can also be used to protect against hardware failures, such as failure of a sensor which provides a program input. For example, failure of a thermostat to switch off a heating supply can be protected against by ensuring that the supply will not remain on for more than a set period, regardless of the thermostat output. This type of facility can be provided much more easily with

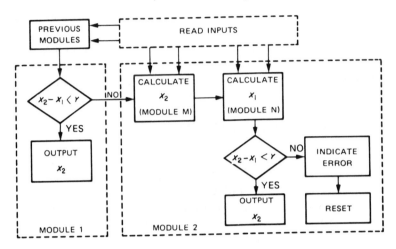

Figure 10.3 Fault tolerant algorithm

software than with hardware, at no extra material cost, and therefore the possibility of increasing the reliability and safety of software controlled systems should always be analysed in the specification and design stages.

LANGUAGES

The selection of the computer language to be used can affect the reliability of software. There are two main approaches which can be used:

1. Assembly level programming.
2. High level (or high order) language (HLL or HOL) programming.

Assembly level programs are faster to run and require less memory; therefore they can be attractive for real-time systems. However, assembly level programming is much more difficult and is much harder to check and to modify. Several types of error which can be made in assembly level programming cannot be made, or are much less likely to be made, in a high level language. Therefore assembly level programming and the next level down, machine code programming, are not favoured for relatively large programs, though they might be used for modules in order to increase speed and reduce memory requirements.

Assembly and machine code programming are specific to a particular processor, since they are aimed directly at the architecture and operating system.

High level languages, such as BASIC, FORTRAN, Ada, CORAL, etc., are processor-independent, working through a *compiler* which converts the HLL to that processor's operating system. Therefore HLLs require more memory (the compiler itself is a large program) and they run more slowly. However, it is much easier to program in HLLs, and the programs are much easier to inspect and correct.

Selection of an HLL also has reliability and maintainability implications, for two main reasons:

1. In some languages, constructs which are frequent sources of errors are more likely to be used. For example, BASIC, while popular and easy to learn, allows GOTO statements to be used for many control structures. GOTO errors are very common. PASCAL and Ada discourage the use of GOTOs, using less error-prone constructs such as IF...THEN...ELSE or DO...WHILE instead.
2. The older HLLs (FORTRAN, BASIC) do not encourage structured programming. PASCAL, Ada and the UK language for defence systems, CORAL 66, strongly encourage structured programming. Ada and CORAL 66 are the standard HLL in the United States and the United Kingdom for military systems, their use being mandatory in order to ensure system reliability and maintainability.

Since HLLs must work through a compiler, the reliability of the compiler affects system reliability. Generally speaking, though, compilers are reliable once fully developed, since they are so universally used. Compilers for new HLLs and/or new processors sometimes cause problems for the first few years until all errors are corrected.

REAL-TIME SYSTEMS

A real-time system is one in which the software must operate at the speed demanded by the system inputs and outputs. A chess program or a circuit simulation program, for example, will run when executed, and it is not critical exactly how long it takes to complete the run. However, in an operational system such as a process controller or an autopilot, it is essential that the software is ready to accept inputs and completes tasks at the right times. In real-time systems the processor and input and output functions are synchronized by the system clock. The software must be designed so that functions are correctly timed in relation to the system clock pulses.

Timing errors are a common cause of failure, particularly during development, in real-time systems. Timing errors are often difficult to detect, particularly by inspection of code. Timing errors can be caused by hardware faults or by interface problems. However, logic test instruments (logic analysers) can be used to show exactly when and under what conditions system timing errors occur, so that the causes can be pinpointed.

DATA RELIABILITY

Data reliability (or information integrity) is an important aspect of the reliability of software-based systems. When digitally coded data are transmitted, there are two sources of degradation:

1. The data might not be processed in time, so that processing errors are generated. This can arise, for example, if data arrive at a processing point (a 'server', e.g. a microprocessor or a memory address decoder) at a higher rate than the server can process.

2. The data might be corrupted in transmission or in memory by digital bits being lost or inverted, or by spurious bits being added. This can happen if there is noise in the transmission system, e.g. from electromagnetic interference or defects in memory.

System design to eliminate or reduce the incidence of failures due to processing time errors involves the use of queueing theory, applied to the expected rate and pattern of information input, the number and speed of the 'servers', and the queueing disciplines (e.g. first-in first-out (FIFO), last-in first-out (LIFO), etc.). Also, a form of redundancy is used, in which processed data are accepted as being valid only if they are repeated identically at least twice, say, in three cycles. This might involve some reduction in system processing or operating speed.

Data corruption due to transmission or memory defects is checked for and corrected using error detection and correction codes. The simplest and probably best known is the parity bit. An extra bit is added to each data word, so that there will always be an even (or odd) number of ones (even (or odd) parity). If an odd number of ones occurs in a word, the word will be rejected or ignored. More complex error detection codes, which provide coverage over a larger proportion of possible errors and which also correct errors, are also used. Examples of these are Hamming codes and BCH codes.

Ensuring reliable data transmission involves trade-offs in memory allocation and operating speed. Reference 2 provides further information on this topic.

SOFTWARE CHECKING

Few programs run perfectly the first time they are tested. The scope for error is so large, due to the difficulty that the human mind has in setting up perfectly logical structures, that it is routine for programmers to have to spend a long time debugging a new program until all the basic errors are eliminated. Modern high level language compilers contain error detection, so that many logical, syntactical or other errors are displayed to the programmer, allowing them to be corrected before an attempt is made to load the program. Automatic error correction is also possible in some cases, but this is limited to certain specific types of error. When the program is capable of being run, it is then necessary to confirm that it fulfils all requirements of the specification and that it will run under all anticipated input conditions.

To confirm that the specification is satisfied, the program must be checked against each item of the specification. For example, if a test specification calls for an impedance measurement of $15 \pm 1 \, \Omega$, only a line-by-line check of the program listing is likely to discover an error that calls for a measurement tolerance of $+1 \, \Omega$, $-0 \, \Omega$. Program checking can be a tedious process, but it is made much easier if the program is structured into well-specified and understandable modules, so that an independent check can be performed quickly and comprehensively. Like hardware design review procedures, the cost of program checking is usually amply repaid by savings in development time at later stages. The program should be checked in accordance with a prepared plan, which stipulates the tests required to demonstrate specification compliance.

Formal program checking, involving the design team and independent people, is called a *structured walkthrough*, or a *code review*.

FMECAs of software-based systems

It is not practicable to perform an FMECA on software, since software 'components' do not fail. The nearest equivalent to an FMECA is a code review, but whenever an error is detected it is corrected so the error source is eliminated. With hardware, however, we cannot eliminate the possibility of, say, a transistor failure.

In performing an FMECA of a software-based hardware system it is necessary to consider the failure effects in the context of the operating software, since system behaviour in the event of a hardware failure might be affected by the software. This is particularly the case in systems utilizing built-in-test software, or when the software is involved in functions such as switching redundancy, displays, warnings and shut-down.

'FORMAL' DESIGN AND ANALYSIS METHODS

Several so-called 'formal' software design methods have been developed, with the objective of setting up a disciplined framework for specification and programming that will reduce the chances of errors being created. Included among these are the Vienna Development Method (VDM), developed by IBM, the Z notation, and MASCOT (mentioned earlier).

'Formal' methods for automatically checking programs have also been developed. These check the program for consistency, structure, and errors, by assessing the source code against the specification. This is called 'static analysis'.

These methods are described briefly in Reference 4. They are still being developed, and their use is somewhat controversial, since they set out to prove logically and mathematically that the specification meets the requirements and that the program is correct. Properly used, they can lead to better specifications and program designs, and can show up errors. However, they are often expensive to apply, and cannot provide total assurance against human fallibility.

Software sneak analysis

The sneak analysis (SA) method described in Chapter 9 for evaluating circuit conditions that can lead to system failure is also applicable to software. Since a section of code does not fail but performs the programmed functions whether or not they are the intended ones, there is an analogy with an erroneous circuit design.

The program must be reduced to a set of topological patterns, as for hardware SA. Since a program of reasonable size is very difficult to reduce in this way, this step is usually computerized.

Six basic sneak patterns exist, as shown in Fig. 10.4. Note that most software sneak patterns are related to branching instructions, such as GOTO or IF THEN/ELSE statements. The conditions leading to and deriving from such statements, as well as the statements themselves, are important clues in the SA.

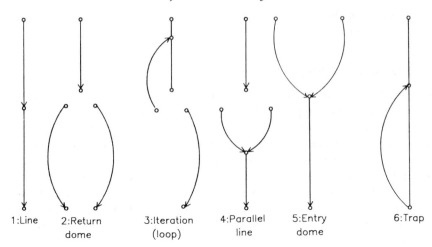

Figure 10.4 Software sneak patterns

Software sneak conditions are:

1. *Sneak output.* The wrong output is generated.
2. *Sneak inhibit.* Undesired inhibit of an input or output.
3. *Sneak timing.* The wrong output is generated because of its timing or incorrect input timing.
4. *Sneak message.* A program message incorrectly reports the state of the system.

Figure 10.1 illustrates a potential sneak message condition, since the program will not indicate that C has failed if A and B have failed. This failure is brought about by an incorrect line pattern. The program correctly identifies the correct A value and the incorrect B value, and proceeds to the output with no chance of testing C.

SOFTWARE TESTING

Testing that a program will operate correctly over the range of input conditions is an essential part of the development process. Software testing must be planned and executed in a disciplined way since, even with the most careful design effort, errors are likely to remain in any reasonably large program, due to the impracticability of finding all errors by checking, as described above. Some features, such as timing, overflow conditions and module interfacing, are not easy to check.

There are limitations to software testing. It is not practicable to test exhaustively a reasonably complex program. The total number of possible paths through a program with n branches and loops is 2^n. It is not normally possible to plan a test strategy which will provide such coverage, and the test time would be exorbitant. Therefore the tests to be performed must be carefully selected to verify correct operation under the likely range of environments and input conditions, whilst being economical.

The software test process is iterative, whilst code is being produced. It is necessary to test code as soon as it is produced, to ensure that errors can be corrected quickly by the programmer who wrote it. It is also useful to test modules independently, since it is easier to devise effective tests for smaller, well-specified sections of code than for large programs. The detection and correction of errors is also much less expensive early in the development programme. As errors are corrected the software must be re-tested to confirm that the redesign has been effective and has not introduced any other errors. Later, when most or all modules have been written and tested, the complete program must be tested, errors corrected, and retested. Thus design and test proceed in steps, with test results being fed back to the programmers.

It is usual for programmers to test modules or small programs themselves. Given the specification and suitable instructions for conducting and reporting tests, they are usually in the best position to test their own work. Alternatively, programmers might test one another's programs, so that an independent approach is taken. However, testing of larger sections of the program, involving the work of several programmers, must be performed by a separate person or team. This is called *integration* testing. Integration testing covers module interfaces, and should demonstrate compliance with the system specification.

Formal configuration control (page 162) should be started when integration testing commences. Formal error reporting (see next section) should also be started at this stage, if it is not already in operation.

There are two main categories of program testing. *Verification* is the term used to cover all testing in a development or simulated environment, for example using a host computer. *Validation* covers testing in the real environment, including running on the target computer, connected to the operational input and output devices. Verification can include module and integration testing. Validation is applicable only to integration testing.

The objectives of software testing are to ensure that the system complies with the requirements and to detect as many errors as is practicable. Therefore the test plan must include:

1. Operation at extreme conditions (timing, input parameter values and rate of change, memory utilization.)
2. Ranges of input sequence.
3. Fault tolerance (error recovery).

Since it is not practicable to test for the complete range of input conditions it is important to test for the most critical ones and for combinations of these. Random input conditions, possibly developed from system simulation, should also be used to provide assurance that a wide range of inputs is covered.

References 7 and 8 provide more information on software testing.

ERROR REPORTING

Reporting of software errors is an important part of the overall program documentation. The person who discovers an error is usually not the programmer or system designer, and therefore all errors, whether discovered during checking,

Program

Module

Error conditions:

      Input conditions:

    Description of failure:

Effect/importance:

Execution time since last failure: Total run time:

Date: Time: Signed:

Program statement(s) involved:

    Line   Statement

Error source:

      Code: Design: Specification:

Correction recommended:

  Code:

  Design:

  Specification:

  Date: Signed: Approved:

    Correction made/tested: Date: Time: Signed:

    Program master amended: Date: Time: Signed:

Figure 10.5 Software error reporting form

testing or use, need to be written up with full details of program operating conditions at the time. The corrective action report should state the source of the error (specification, design, coding) and describe the changes made. Figure 10.5 shows an example of a software error reporting form. A software error reporting and corrective action procedure is just as important as a failure reporting system for hardware. The error reports and corrective action details should be retained with the module or program folder as part of the development record.

SOFTWARE RELIABILITY PREDICTION AND MEASUREMENT

Introduction

Efforts to quantify software reliability usually relate to predicting or measuring the probability of, or quantity of, errors existing in a program. Whilst this is a convenient starting point, there are practical difficulties. The reliability of a program depends not only upon whether or not errors exist but upon the probability that an existing error will affect the output, and the nature of the effect. Errors which are very likely to manifest themselves, e.g. those which cause a failure most times the program is run, are likely to be discovered and corrected during the development phase. An error which only causes a failure under very rare or unimportant conditions may not be a reliability problem, but the coding error that caused the total loss of a spacecraft, for example, was a disaster, despite all the previous exhaustive checking and testing.

Error generation, and the discovery and correction of errors, is a function of human capabilities and organization. Therefore, whilst theoretical models based upon program size might be postulated, the derivation of reliability values is likely to be contentious. For example, a well-structured modular program is much easier to check and test, and is less prone to error in the first place, than an unstructured program designed for the same function. A skilled and experienced programming team is less likely to generate errors than one which is less well endowed. A further difficulty in software reliability modelling is the fact that errors can originate in the specification, the design and the coding. With hardware, failure is usually a function of load, strength and time, and whether a weakness is due to the specification, the design or the production process, the physics of failure remain the same. With software, however, specification, design and coding errors are often different in nature, and the probability of their existence depends upon different factors. For example, the number of coding errors might be related to the number of code statements, but the number of specification errors might not have the same relationship. One specification error might lead to a number of separate program errors.

The following sections briefly outline some of the statistical models which have been proposed for software reliability. See References 9 and 10 for a detailed discussion of software reliability prediction and measurement. However, it is important to appreciate that the utility of any statistical software reliability model depends upon acceptable values for the distribution parameters being available. Unlike hardware failure statistics, there is no physical basis for parameter estimation and the data that have been analysed to date are very limited compared with the wealth of available hardware failure data. Since software reliability is so dependent upon human performance and other non-physical factors, data obtained on one program or group of programs are unlikely to be accepted as being generally applicable, in the way that data on material properties are.

The logical limitations inherent in the prediction of reliability as described in Chapter 5 apply equally to software. Indeed they are even more severe, since there are no physical or logical connections between past data and future expectation, as there are with many hardware failure modes. Therefore the methods described in this section are of mainly academic interest, and they have not been generally accepted or standardized by the software engineering community.

The Poisson model (time-related)

It is assumed that errors can exist randomly in a code structure and that their appearance is a function of the time the program is run. The number of errors occurring in time t is $N(t)$. If the following conditions exist:

1. $N(0) = 0$,
2. not more than one error can occur in the time interval $(t, t+dt)$,
3. the occurrence of an error is independent of previous errors,

then the occurrence of errors is described by the non-homogeneous Poisson distribution:

$$P[N(t)=n] = \frac{[m(t)]^n}{n!} \exp[-m(t)] \qquad (n \geqslant 0) \tag{10.1}$$

where

$$m(t) = \int_0^t \lambda(s) \, ds$$

$m(t)$ is the mean (s-expected) number of errors occurring in the interval $(0, t)$:

$$m(t) = a[1 - \exp(-bt)]$$

where a is the total number of errors and b is a constant. The number of errors remaining after time t, assuming that each error which occurs is corrected without the introduction of others, is

$$\bar{N}(t) = a \exp(-bt) \tag{10.2}$$

The reliability function, after the most recent error occurs and is corrected at time s, is

$$R(t) = \exp[\![-a\{\exp(-bs) - \exp[-b(s+t)]\}]\!] \tag{10.3}$$

In using a time-related model, the question arises as to what units of time should be used. The Poisson model has been tested against software error data using calendar time during which errors were detected and corrected and values for the parameters a and b derived. However, since software errors are not time-related in the way that physical (hardware) failure processes are, the use of time-related models for software errors is problematical.

The Musa model

The Musa model uses program execution time as the independent variable. A simplified version of the Musa model is

$$n = N_0 \left[1 - \exp\left(\frac{-Ct}{N_0 T_0} \right) \right] \tag{10.4}$$

where N_0 is the inherent number of errors, T_0 the MTTF at the start of testing (MTTF is mean time to failure) and C the 'testing compression factor' equal to the ratio of equivalent operating time to testing time.

The present MTTF:

$$T = T_0 \exp\left(\frac{Ct}{N_0 T_0} \right)$$

gives

$$R(t) = \exp\left(\frac{-t}{T} \right) \tag{10.5}$$

From these relationships we can derive the number of failures which must be found and corrected, or the program execution time necessary, to improve from T_1 to T_2:

$$\Delta_n = N_0 T_0 \left(\frac{1}{T_1} - \frac{1}{T_2} \right) \tag{10.6}$$

$$\Delta_t = \left(\frac{N_0 T_0}{C} \right) \ln\left(\frac{T_2}{T_1} \right) \tag{10.7}$$

Example 10.1

A large program is believed to contain about 300 errors and the recorded MTTF at the start of testing is 1.5 h. The testing compression factor is assumed to be 4. How much testing is required to reduce the remaining number of errors to ten? What will then be the reliability over 50 h of running?

From Eqns (10.6) and (10.7),

$$(300 - 10) = 300 \times 1.5 \left(\frac{1}{1.5} - \frac{1}{T_2} \right)$$

$$t = \left(\frac{300 \times 1.5}{4} \right) \ln\left(\frac{T_2}{1.5} \right)$$

Therefore

$$T_2 = 45 \, \text{h}$$

and

$$\Delta_t = 382.6 \, \text{h}$$

giving

$$R_{50} = \exp\left(\frac{-50}{45}\right) = 0.33$$

The Jelinski–Moranda and Schick–Wolverton models

Two other exponential-type models which have been suggested are the Jelinski–Moranda (JM) model and the Schick–Wolverton (SW) model. In the JM and SW models, the hazard function $h(t)$ is given respectively by:

$$h(t_i) = \phi[N_0 - n_{i-1}] \qquad (10.8)$$

$$h(t_i) = \phi[N_0 - n_{i-1}]t_i \qquad (10.9)$$

where t_i is the length of the ith debugging interval, i.e. the time between the $(i-1)$th and the ith errors, and ϕ is a constant.

Littlewood models

Littlewood attempts to take account of the fact that different program errors have different probabilities of causing failure. If $\phi_1, \phi_2, \ldots, \phi_N$ are the rates of occurrence of errors 1, 2, . . ., N, the p.d.f. for the program time to failure, after the ith error has been fixed, is

$$f(t) = \lambda \exp(-\lambda t) \qquad (10.10)$$

where λ is the program failure rate

$$\lambda = \phi_1 + \phi_2 + \cdots \phi_{N-i}$$

ϕ is assumed to be gamma-distributed, i.e. errors do not have constant rates of occurrence but rates which are dependent upon program usage. If the gamma distribution parameters are (α, β) (equivalent to (λ, a) in Eqn 2.34) then it can be shown, using a Bayes approach, that

$$f(t) = \frac{(N-1)\alpha(\beta + t')^{(N-i)\alpha}}{(\beta + t' + t)^{(N-1)(\alpha+1)}} \qquad (10.11)$$

where t' is the time taken to detect and correct i errors. From this

$$R(t) = \left(\frac{\beta + t'}{\beta + t' + t}\right)^{(N-i)\alpha} \qquad (10.12)$$

and

$$\lambda(t) = \frac{(N-i)\alpha}{\beta + t' + t} \qquad (10.13)$$

At each error occurrence and correction, $\lambda(t)$ falls by an amount $\alpha/(\beta+t')$. It is assumed that all detected errors are corrected, without further errors being introduced.

Example 10.2

A large program is assumed to include a total of 300 errors, of which 250 have been detected and corrected in 20 h of execution time. Assuming the Littlewood model holds and the distribution parameters are $\alpha=0.005$, $\beta=4$, what is the expected reliability over a further 20 h?

From Eqn (10.12),

$$R(20) = \left(\frac{4+20}{4+20+20}\right)^{(300-250)0.005}$$

$$= 0.86$$

Point process analysis

Since a program can be viewed as a repairable system, with errors being detected and corrected in a time continuum, the method of point process analysis described in Chapter 2 can be applied to software reliability measurement and analysis.

HARDWARE/SOFTWARE INTERFACES

In software controlled systems, failures can occur which are difficult to diagnose to hardware or software causes, due to interactions between the two. We have already covered examples of such situations, where hardware elements provide program inputs. The software design can minimize these possibilities, as well as provide automatic diagnosis and fault indication. However, there are other types of failure which are more difficult, particularly when the hardware/software interface is less clearly defined.

Hardware meets software most closely within electronic devices such as processors and memories. A failure of a memory device, say of an individual memory cell which always indicates a logic state 1 (i.e. stuck at 1) regardless of the input, can cause failures which appear to be due to software errors. If the program is known to work under the input conditions, electronic fault-finding techniques can be used to trace the faulty device. There are times, particularly during development, when the diagnosis is not clear-cut, and the software and hardware both need to be checked. Timing errors, either due to device faults or software errors can also lead to this situation.

Memory devices of all types, whether optical or magnetic media or semiconductor memory devices, can cause system failures. Memory media and devices belong to the class of equipment sometimes called 'firmware', to indicate their interface status. Since many memory media are dynamic, i.e. the same data are handled in different locations at different times during program execution, firmware failures can lead to system failures which occur only under certain operating conditions, thus appearing to be due to software errors. Such failures can also be intermittent. Software and memory or microprocessor devices can be designed to protect the system against such failures. For example, the redundancy techniques described above could provide protection against some types of dynamic memory failure (other than a catastrophic failure of, say, a complete memory device). Redundancy can be provided to data or logic held in memory by arranging for redundant memory within the operating store or by providing independent, parallel memory devices. The program logic then has to be designed to store and access the redundant memory correctly, so the program becomes more complex.

CONCLUSIONS

Software is part of the operating system in a rapidly increasing range of modern engineered products, from large systems such as process plant, through more compact systems such as numerical control (NC) machine tools, to individual products such as domestic appliances and a wide range of electronic equipment. The versatility and economy offered by software control can lead to an under-estimation of the difficulty and cost of program generation. It is relatively easy to write a program to perform a simple defined function. To ensure that the program will operate satisfactorily under all conditions that might exist, and which will be capable of being changed or corrected easily when necessary, requires an effort greater than that required for the basic design and first-program preparation. Careful groundwork of checking the specification, planning the program structure and assessing the design against the specification is essential, or the resulting program will contain many errors and will be difficult to correct. The cost and effort of debugging a large, unstructured program containing many errors can be so high that it is cheaper to scrap the whole program and start again.

Software that is reliable from the beginning will be cheaper and quicker to develop, so the emphasis must always be to minimize the possibilities of early errors and to eliminate errors before proceeding to the next phase. The essential elements of a software development project to ensure a reliable product are:

1. Specify the requirements completely and in detail.
2. Make sure that all project staff understand the requirements.
3. Check the specification thoroughly. Keep asking 'what if . . . ?'
4. Design a structured program and specify each module fully.
5. Check the design and the module specification thoroughly against the system specification.
6. Check written programs for errors, line by line.
7. Plan module and system tests to cover important input combinations, particularly at extreme values.
8. Ensure full recording of all development notes, tests, checks, errors and program changes.

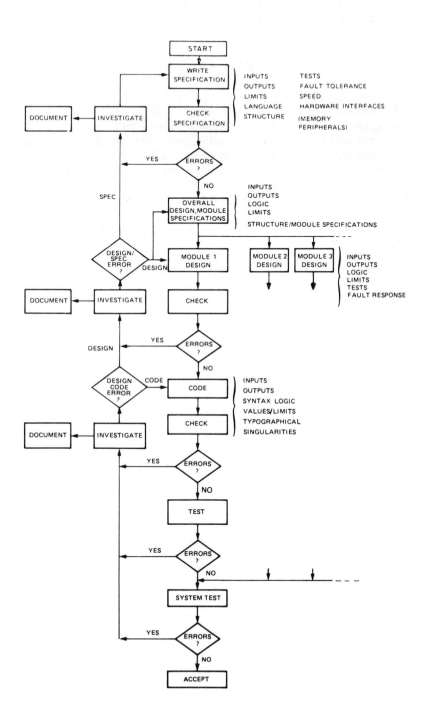

Figure 10.6 Software development for reliability

Figure 10.6 shows the sequence of development activities for a software project, with the emphasis on reliability.

BIBLIOGRAPHY

1. G. J. Myers, *Software Reliability: Principles and Practice*. Wiley (1976).
2. M. L. Shooman, *Software Engineering—Design, Reliability, Management*. McGraw-Hill (1983).
3. R. Longbottom, *Computer System Reliability*. Wiley (1980).
4. D. J. Smith and K. B. Wood, *Engineering Quality Software* (2nd edn). Elsevier (1989).
5. B. W. Kernighan and P. J. Plauger, *The Elements of Programming Style*. McGraw-Hill (1974).
6. E. Yourdon, *Techniques of Program Structure and Design*. Prentice-Hall (1975).
7. G. J. Myers, *The Art of Software Testing*. Wiley (1979).
8. M. A. Ould and C. Unwin, *Testing in Software Development*. Cambridge University Press (1986).
9. J. D. Musa, A. Iannino and K. Okumoto, *Software Reliability Prediction and Measurement*. McGraw-Hill (1987).
10. L. N. Harris and C. J. Dale, *Approaches to Software Reliability Prediction*. Procs. Annual Reliability and Maintainability Symposium, IEEE (1982).
11. US MIL-S-52779(AD): *Software Quality Assurance Requirements*. Available from the National Technical Information Service, Springfield, Virginia.
12. UK Defence Standard 00-16: *Guide to the Achievement of Quality in Software*. HMSO.

11

Reliability Testing

INTRODUCTION

Testing is an essential part of any engineering development programme. If the development risks are high the test programme becomes a major component of the overall development effort, in terms of time and other resources. For example, a new type of hydraulic pump or a new model of a video recording system will normally undergo exhaustive tests to determine that the design is reliable under the expected operating environments and for the expected operating life. Reliability testing is necessary because designs are seldom perfect and because designers cannot usually be aware of, or be able to analyse, all the likely causes of failure of their designs in service. The disciplines described in earlier chapters, when systematically applied, can contribute to a large extent to inherently reliable design. They can also result in fewer failures during testing, and thus reduce the time and cost of the test programme.

Reliability testing should be considered as part of an integrated test programme, which should include:

1. Statistical tests, as described in Chapter 7, to optimize the design of the product and the production processes.
2. Functional testing, to confirm that the design meets the basic performance requirements.
3. Environmental testing, to ensure that the design is capable of operating under the expected range of environments.
4. Reliability testing, to ensure that the product will operate without failure during its expected life.
5. Safety testing, when appropriate.

It is obviously impracticable to separate entirely the various categories of test. All testing will provide information on performance and reliability, and there will be common requirements for expertise, test equipment and other resources. The different categories of test do have certain special requirements. In particular, statutory considerations often determine safety tests, some of which may have little in common with other tests.

To provide the basis for a properly integrated development test programme, the design specification should cover all criteria to be tested (function, environment, reliability, safety). The development test programme should be drawn up to cover assurance of all these design criteria. It is important to avoid competition between people running the different categories of test, with the resulting arguments about allocation of models, facilities, and priorities. An integrated test programme reduces the chances of conflict.

The development test programme should include:

1. Model allocations (components, sub-assemblies, system)
2. Requirements for facilities such as test equipment
3. A common test and failure reporting system
4. Test schedule

One person should be put in charge of the entire programme, with the responsibility and authority for ensuring that all specification criteria will be demonstrated.

There is one conflict inherent in reliability testing as part of an integrated test programme, however. To obtain information about reliability in a cost-effective way, i.e. quickly, it is necessary to generate failures. Only then can safety margins be ascertained. On the other hand, failures interfere with functional and environmental testing. The development test programme must address this dilemma. It can be very tempting for the people running the development test programme to minimize the chance of failure occurring, in order to make the programme run smoothly and at least cost. However, weaknesses in the design (or in the way it is made) must be detected and corrected before the production phase. This can only be achieved realistically by generating failures. An ideal test programme will show up every failure mode which might occur in service.

The development test dilemma should be addressed by dividing tests into two main categories:

1. Tests in which failures are undesirable.
2. Tests which deliberately generate failures.

Statistical testing, functional testing and most environmental testing are in category 1. Most reliability testing (and some safety testing) are in category 2. (The next chapter describes reliability demonstration tests in which failures are expected but are not deliberately generated.) The two categories of test must be run in parallel, with good communication between them and, whenever practicable, using common approaches. In particular, there must be a common reporting system for test results and failures, and for action to be taken to analyse and correct failure modes. Test and failure reporting and corrective action are covered in more detail later.

The category 2 testing should be started as soon as hardware (and software, when appropriate) is available for test. The effect of failures on schedule and cost increases progressively, the later they occur in the development programme. Therefore tests should be planned to show up failure modes as early as is practicable.

PLANNING RELIABILITY TESTING

Using design analysis data

The design analyses performed during the design phase (reliability prediction, FMECA, stress analysis, parameter variation analysis, sneak circuit analysis, FTA) described in Chapter 6, as well as any earlier test results, should be used in preparing the reliability test plan. These should have highlighted the risks and uncertainties in the design, and the reliability test programme should specifically address these. For example, if the FMECA shows a particular failure mode to be highly critical, the reliability test programme should confirm that the failure is very unlikely to occur within the use environment and lifetime. Inevitably the test programme will also show up failure modes and effects not perceived during the design analyses, otherwise there would be little point in testing. Therefore, the test programme must cover the whole range of use conditions, including storage, handling, testing, repair and any other aspect which might affect reliability.

Considering variability

We have seen (Chapters 4 and 7) how variability affects the probability of failure. A major source of variability is the range of production processes involved in converting designs into hardware. Therefore the reliability test programme must cover the effects of variability on the expected and unexpected failure modes. If parameter variation analyses or statistical tests have been performed, these can be very useful in planning reliability tests to confirm the effects of variation. However, to ensure that the effects of variability are covered as far as is practicable, it is important to carry out reliability testing on several items. The number of systems to be tested must be determined by considering:

1. The extent to which the key variables can be controlled
2. The criticality of failure
3. The cost of test hardware and of testing

Only rarely will fewer than four items be adequate. For fairly simple systems (transistors, fasteners, hydraulic check valves) it might be relatively easy to control the few key variables and the criticality of failures might be relatively low. However, it is not expensive to test large quantities. For systems of moderate complexity (e.g. automobiles, TV sets, machine tools) it is much harder to control key variables, since there are so many. Every interface within the system introduces further sources of variability which can affect reliability. Therefore it is very important to test a relatively large number, 5 to 20 being a typical range. For complex systems (aero engines, large computers) hardware and test cost tend to be the major constraints, but at least four items should be subjected to a reliability test. There are only two types of systems for which reliability testing of fewer than four might be appropriate:

1. Very complex, expensive systems, such as power stations and spacecraft launchers.

2. Systems which will be manufactured in very small quantities (e.g. spacecraft, ships, power stations), of which the items tested will be used operationally.

The effects of known sources of variability can sometimes be assessed by testing items in which variable parameters (e.g. dimensions, process variables) have been deliberately set at worst case values. Analysis of variance (ANOVA) and other statistical engineering optimization techniques, as described in Chapter 7, should be used to analyse the effects of multiple sources of variation.

Time effects

The reliability test programme must take account of the pattern of the main failure modes with respect to time (or cycles, distances, etc., with which the time dimension is associated).

If the failure modes have increasing hazard rates, testing must be directed towards assuring adequate reliability during the expected life. Therefore reliability tests must be of sufficient duration to demonstrate this, or they must be accelerated. Accelerated testing is covered later. Generally speaking, mechanical components and assemblies are subject to increasing hazard rates, when wear, fatigue, corrosion or other deterioration processes can cause failure. Systems subject to repair and overhaul can also become less reliable with age, due to the effects of maintenance, so the appropriate maintenance actions must be included in the test plan.

For items and systems which are not subject to an increasing hazard or failure rate, endurance testing is less important. Electronic components and systems are in this category. There is usually little to be gained by subjecting such hardware to long duration reliability testing, and it is far more effective to test several items for relatively short periods. Since such items are not prone to wearout, the tested items can usually be used for other development work without having to be overhauled.

TEST ENVIRONMENTS

The reliability test programme must cover the range of environmental conditions which the product is likely to have to endure. The main reliability-affecting environmental factors, affecting most products, are:

Temperature
Vibration
Shock
Humidity
Power input and output
Dirt
People

In addition, electronic equipment might be subjected to:

Electromagnetic effects
Voltage transients, including static electrical discharge

Certain other environments can affect reliability in special cases. Examples are:

Radiation (ultraviolet, cosmic, X-rays)
Lubricant age or contamination
High altitude
Space vacuum
Industrial pollution
Electromagnetic pulse (lightning, nuclear)
Salt spray
Fungus
High intensity noise

US MIL-STD-810 and UK Defence Standard 07-55 (References 1 and 2) provide test methods appropriate to most of these environmental conditions. However, these standards do not address reliability directly, since the objective is to show that the product will not fail or incur damage under the test conditions. Also, most of the tests do not require that the equipment be operating during the tests, and the tests are single-environment, not combined.

The environmental test programme will address the formal environmental test requirements, particularly when these are necessary in order to comply with legal or contractual requirements. The environmental aspects of the reliability test programme must take account of the environmental requirements stated in the design specification and of the planned environmental test. However, to be effective as a means of ensuring a reliable product, the environmental aspects of reliability testing must be assessed in much greater detail.

The environmental aspects of reliability testing must be determined by considering which environmental conditions, singly and in combination with others, are likely to be the most critical from the reliability point of view. In most cases, past experience and codes of practice will provide adequate guidelines. For example, US MIL-STD/HDBK-781 (Reference 3) provides information on how to assess environmental conditions and to design the tests accordingly. Typically, a reliability test environment for an electronic system to be used in a vehicle or aircraft might be as shown in Fig. 11.1. Such testing is known as *combined environmental reliability testing* (CERT).

Test chambers are available for CERT testing, particularly for electronic systems. These include facilities for temperature cycling and for vibration input to the unit under test by locating the chamber over a floor-mounted vibrator, with a movable or flexible floor for the chamber. Electrical signals, (power, control and monitoring) can be fed through connectors in the chamber wall. Special chambers can be provided with other facilities, such as humidity and reduced pressure. Control of the chamber conditions can be programmed, and the unit under test can be controlled and monitored using external equipment, such as programmable power supplies, data loggers, etc. Figure 11.2 shows a typical CERT test facility.

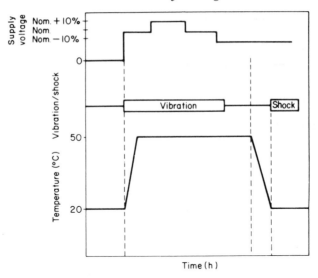

Figure 11.1 Typical CERT environmental cycles: electronic equipment in a vehicle application

When past experience on standard methods is inappropriate, e.g. for a high risk product to be used in a harsh environment, the test environments must be carefully evaluated, particularly:

1. Rate of change of conditions, not just maximum and minimum values. For example, a high rate of change of temperature can cause fracture or fatigue due to thermal mismatch and conductivity effects.
2. Operating and dormant conditions in relation to the outside environment. For example, moisture-assisted corrosion might cause more problems when equipment is idle than when it is operating.
3. The effects of combined environments, which might be much more severe than any one condition. ANOVA methods (Chapter 7) applied to test data can be used to evaluate these effects.
4. Direction and modes of vibration and shock. This is dealt with in more detail later.
5. Particular environmental conditions applicable to the product, such as handling, storage, maintenance and particular physical conditions.

Vibration testing

Adequate vibration testing is particularly important for products which must survive vibration conditions. However, specifying and obtaining the right conditions can be difficult, and it is easy to make expensive mistakes.

The main principles of effective vibration testing are:

1. Vibration should be input to the unit under test (UUT) through more than one axis, preferably simultaneously.

Figure 11.2 CERT test facility (Courtesy Thermotron Industries Inc.)

2. Vibration input should cover the complete range of expected frequencies and intensities, so that all resonances will be excited.
3. Vibration input should be random, rather than swept frequency, so that different resonances will be excited simultaneously (see below).
4. Test fixtures to mount the UUT to the vibration tables should be designed so that they do not alter the vibration output (no fixture resonances or damping). Whenever practicable, the UUT should be mounted directly on to the vibrator platform.

The simplest vibration test is a fixed frequency 'shake', usually with a sine wave input. However, this is of little value in reliability testing, but can be useful in development testing. Modern vibrators can be programmed to generate any desired profile within the operating range. For example, the test profile might continuously sweep a sine wave vibration at a prescribed intensity, across a specified frequency range, but with a gap over a particular frequency band (Fig. 11.3).

Swept frequency sine testing is useful for resonance searches, to enable the design to be modified if unacceptable resonances are detected.

Peak acceleration for a given frequency of sine wave vibration can be calculated using the formula:

$$A = 0.002 \, f^2 \, D \tag{11.1}$$

where
A = peak acceleration (g)
f = frequency (Hz)
D = peak-to-peak displacement (mm)

for example, if $f = 50$ Hz and $D = 2$ mm then $A = 10$ g.

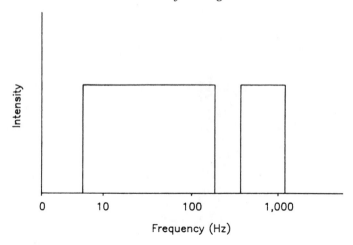

Figure 11.3   Simple vibration test specification

Alternatively, the spectrum could be a random input within a specified range and density function. Random vibration testing in which the input contains many frequencies is more effective than swept frequency for reliability testing, to show up vibration-induced failure modes, since it simultaneously excites all resonances. It is also more representative of real life.

The unit of measurement for random vibration inputs with continuous spectra is *acceleration spectral density* (ASD). The units are $g^2\,Hz^{-1}$. Typically inputs of up to $0.1\,g^2\,Hz^{-1}$ are used for equipment which must be shown to withstand fairly severe vibration, or for screening tests on assemblies such as electronic equipment. A typical random vibration spectrum is shown in Fig. 11.4.

It is important to apply power to electrical or electronic equipment and to monitor its performance while it is being vibrated, so that intermittent failures can be detected and investigated.

Since dynamic responses are usually affected more by resonances within the product, due to the design and to production variation, than by the input spectrum from the vibrator, it is seldom cost-effective to simulate accurately the operating environment, even if it is known in detail. Since the objective in vibration reliability testing is to excite resonances simultaneously, and since almost any random spectrum will do this, test costs can be minimized by permitting large spectral tolerances, e.g. $\pm$ 6 dB.

Temperature testing

Temperature testing for reliability is a less complex subject than vibration testing. The only aspects that need to be considered are:

Extreme values
Rate of change

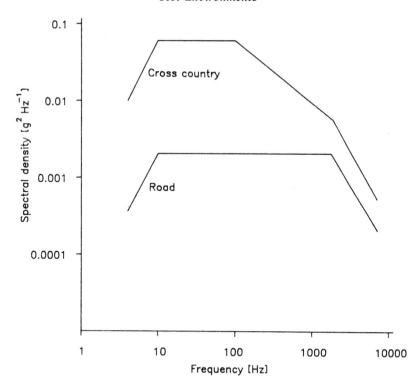

Figure 11.4 Road transport vibration levels

As for any other environmental condition, these should be selected by considering the expected product environment and the likely effects. Temperature testing for electrical and electronic equipment is particularly important, since reliability can be affected by operating temperature (Chapter 9). Equipment should be powered during temperature testing, otherwise the tests will be unrepresentative of the thermal patterns and gradients in use. It should also be monitored continuously to ensure that intermittent failures are detected.

Electromagnetic compatibility (EMC) testing

EMC testing is very important for microprocessor-controlled systems, since data corruption due to electromagnetic interference (EMI) or from voltage transients in power supplies can have serious consequences (see Chapter 9). The equipment must be subjected to EMI and transients to confirm that it will perform without failure under these conditions. The levels of EMI and transient waveforms must be ascertained by evaluating or measuring the operating environment, or they might be specified.

Internally induced EMI and transients must also be protected against, and tests to ensure that transmitted EMI is within limits might also be necessary.

Customer simulation testing

Functional, environmental, reliability and safety tests are all designed to demonstrate that the equipment will meet its design parameters. In general these tests are carried out by people with extensive engineering backgrounds. Such people are, with the best will in the world, often far removed from the average user of the equipment. It is therefore important, particularly in the field of consumer products (televisions, copiers, washing machines, etc.), that some reliability testing is conducted using people who are more nearly representative of typical customers or by trial customers. This approach is very useful in highlighting failure modes that do not show up when the equipment is used by experienced personnel.

ACCELERATED TESTS

For some products the test time necessary to provide adequate reliability assurance under normal operating conditions might be inordinately long, and therefore very expensive. Reliability data-gathering should not hold up development, and should be as economical as practicable, so it is important to be able to accelerate reliability tests.

Reliability tests can be accelerated by increasing the sample size, provided that the life distribution does not show a wearout characteristic during the anticipated life. Increasing the sample size is appropriate for small, cheap items which can be produced in quantity, such as electronic components, bearings, hydraulic seals and mechanical fastening devices. Being able to use a large sample reduces the error in the reliability estimate for the population due to part-to-part variability. However, large-sample reliability tests, to provide a high total operating time, should be supported by some long duration testing if there is reason to suspect that failure modes exist which have high times to first failure. For example, a reliability test of a mechanical fastener must provide data on endurance, and a short duration test of a very large number of items would not do this, since such a device would not have a constant hazard rate or a zero time to first failure under typical load conditions. Extrapolation of reliability data over long periods of time must be treated with caution, and therefore whenever practicable supporting long duration tests should be considered.

A particular type of large sample test is sudden death testing, in which the sample is split into subgroups and the time to first failure in each group is plotted to provide the distribution parameters. Sudden death probability plotting was covered in Chapter 3.

Increasing the severity of the test is an obvious approach when large samples cannot be provided. However, we are then faced with two problems:

1. What is the equivalent operating time under normal stress?
2. Are the failures induced under the accelerated test conditions the same as those which might occur under normal conditions?

Equivalent time

The degree of test acceleration can be determined in single-stress situations, such as in fatigue testing by using Miner's rule (Eqn 8.1), or in some electronic device testing by using the Arrhenius model (Eqn 9.2). These relationships are empirical or based upon previous test data, so accurate correlations between stress acceleration and reliability should not be expected.

Accelerated test results can be evaluated using probability plots. A higher stress level than expected is applied, and time-to-failure data are plotted in the usual way. The failure distribution parameters (e.g. failure-free life, B_{10} life) must then be related to the expected operating conditions using the types of relationship mentioned above.

Step-stress testing

The accelerated tests covered so far involve the test being performed at a fixed but elevated stress level. Step-stress testing is a technique whereby the item is tested initially at normal stress, but after a certain time the stress is increased, and stepwise increases are continued until failure. Therefore instead of a time axis, we have a stress-time axis for the probability plot of failure data. The probability of failure at a stress-time value can then be determined. Multiple stresses can be combined, each stress value being incremented simultaneously. Example 11.1 provides an illustration of a combined step-stress test.

Example 11.1

A rocket engine component must operate under fatigue loading conditions at high temperature. A reliability of 0.995 must be demonstrated under the extreme conditions of completely reversed cyclic (150 Hz) stress of 2×10^8 N m^{-2} at 450°C, over a 10 min engine run-time. Design an accelerated test to demonstrate this.

Table 11.1 Results for ten samples tested to failure (Example 11.1)

			Stress	
Failure no.	Mean rank $x_i/(10+1)(\%)$	Time (min)	Load (N m$^{-2} \times 10^8$)	Temperature (°C)
1	9.1	13.1	3.1	520
2	18	13.2	3.1	520
3	27	14.4	3.4	550
4	36	15.0	3.4	550
5	45	15.0	3.4	550
6	54	15.0	3.4	550
7	64	15.5	3.5	560
8	73	15.6	3.6	570
9	82	15.9	3.6	570
10	91	15.9	3.6	570

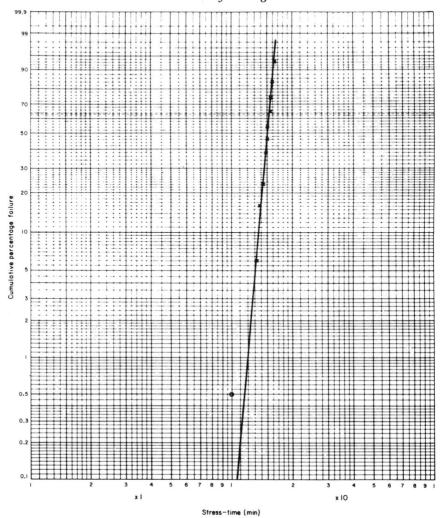

Figure 11.5 Step-stress test (example 11.1)

The specified load and temperature stresses are fixed as the values for the start of the test. These values are maintained for 10 min, after which load is increased by $0.1\,\mathrm{N\,m^{-2}}$ and temperature by 10°C and the test continued for 30 s. These increments are repeated after each subsequent 30 s period. Ten samples are tested to failure with results as shown in Table 11.1. The results are plotted in Fig. 11.5. This shows the line of plotted failure data lying to the right of the design point (0.5 per cent failure, 10 min). Therefore the test demonstrates compliance with the requirement.

It is not meaningful to estimate distribution parameters or *s*-confidence limits for this type of data, since additional variables have been added. A failure-free life will probably exist in many test situations of this type. However, this will not normally be detectable from curvature of the plotted data, since step-stress failure data plot as a steeper slope than ordinary life data. Normally the design would provide for a failure-free stress life greater than the design life. The step-stress test can then be used to confirm economically that the design is correct.

Failure modes

It is important in accelerated testing to ensure that unrealistic failure modes are not introduced by the higher stresses. The physics of the materials being tested and analysis of failures should indicate whether or not such failure modes are likely to be or have been stimulated. Obviously failure modes which can occur only at stresses well above the maximum operating stress will not be of interest. For example, increasing temperature beyond a certain level may change the strength of a material, so it is important that temperature increments are kept within such limits. The occurrence of a new failure mode can sometimes be detected by an upward curvature of the plotted data.

It is also possible that interactions may occur between separate stresses, so that the combined weakening effect is greater than would be expected from a simple additive process. Interactive effects are covered in Chapter 7, which describes experiments which can quantify the effects of variables and of their interactions. Accelerated tests should be supported by experiments to provide the insights necessary for planning the tests when combined environmental stressing is to be applied. The amounts by which the separate stresses are increased should be determined in relation to their separate and combined effects.

FAILURE REPORTING AND CORRECTIVE ACTION SYSTEMS (FRACAS)

FRACAS is an apt acronym for the task of failure reporting and corrective action. It is essential that all failures which occur during development testing are carefully reported and investigated. It can be very tempting to categorize a failure as irrelevant, or not likely to cause problems in service, especially when engineers are working to tight schedules and do not want to be delayed by filling in failure reports. However, time and costs will nearly always be saved in the long run if the first occurrence of every failure mode is treated as a problem to be investigated and corrected. Failure modes which affect reliability in service can often be tracked back to incidents during development testing, when no corrective action was taken.

A failure review board should be set up with the task of assessing failures, instigating and monitoring corrective action, and monitoring reliability growth. An important part of the board's task is to ensure that the corrective action is effective in preventing any recurrence of failure. The board should consist of:

The project reliability engineer
The designer
Others who might be able to help with the solutions, such as the quality engineer, production or test engineer

The failure review board should operate as a team which works together to solve problems, not as a forum to argue about blame or to consign failure reports to the 'random, no action required' category. Its recommendations should be actioned quickly or reported to the project management if the board cannot decide on immediate action, e.g. if the solution to the problem requires more resources. This approach has much in common with the quality circles method described in Chapter 13.

US MIL-STD-781 provides a good description of failure reporting methods. Since a consistent reporting system should be used throughout the programme MIL-STD-781 can be recommended as the basis for this.

These data should be recorded for each failure:

1. Description of failure symptoms, and effect of failure.
2. Immediate repair action taken.
3. Equipment operating time at failure (e.g. elapsed time indicator reading, mileage).
4. Operating conditions.
5. Date/time of failure.
6. Failure classification (e.g. design, maintenance-induced, QC).
7. Report of investigation into failed component and reclassification, if necessary.
8. Recommended action to correct failure mode.
9. Corrective action follow-up (test results, etc.).

Failure report forms should be designed to allow these data to be included. They should also permit easy input to computer files, by inclusion of suitable coding boxes for use by the people using the forms.

Corrective Action Effectiveness

When a change is made to a design or to a process to correct a cause of failure, it is important to repeat the test which generated the failure to ensure that the corrective action is effective. Corrective action sometimes does not work. For example, it can have the effect of transferring the problem to the next weakest item in the sequence of stress-bearing items, or the true underlying cause of failure might be more complex than initial analysis indicates. Therefore re-test is important to ensure that no new problems have been introduced and that the change has the desired effect.

Analysis of test results must take account of the expected effectiveness of corrective action. Unless the causes of a failure are very well understood, and there is total confidence that the corrective action will prevent recurrence, 100 per cent effectiveness should not be assumed.

BIBLIOGRAPHY

1. US MIL-STD-810: *Environmental Test Methods*. Available from the National Technical Information Service, Springfield, Virginia.
2. UK Defence Standard 07-55: *Environmental Testing*. HMSO.
3. US MIL-STD/HDBK-781: *Reliability Testing for Engineering Development, Qualification and Production*. Available from the National Technical Information Service, Springfield, Virginia.

4. C. E. Harris and C. E. Crede (eds), *Shock and Vibration Handbook*. McGraw-Hill (1976).

5. C. T. Morrow, *Shock and Vibration Engineering*. Wiley (1963).

6. D. S. Steinberg, *Vibration Analysis for Electronic Equipment*. Wiley (1973).

7. W. T. Thomson, *Theory of Vibration with Applications*. Prentice-Hall (1981).

8. W. Tustin and R. Mercado, *Random Vibration in Perspective*. Tustin Tech. Inst., Santa Barbara (1984).

9. *The Journal of Environmental Sciences*. Institute of Environmental Sciences (USA). Published monthly.

12

Analysing Reliability Data

INTRODUCTION

This chapter describes a number of techniques, further to the probability plotting methods described in Chapter 3, that can be used to analyse reliability data derived from development tests and service use, with the objectives of monitoring trends, identifying causes of unreliability, and measuring or demonstrating reliability.

Since most of the methods are based on statistical analysis, the caution given at the beginning of Chapter 2 must be heeded, and all results obtained must be judged in relation to appropriate engineering and scientific knowledge.

PARETO ANALYSIS

As a first step in reliability data analysis we can use the Pareto principle of the 'significant few and the insignificant many'. It is often found that a large proportion of failures in a product are due to a small number of causes. Therefore, if we analyse the failure data, we can determine how to solve the largest proportion of the overall reliability problem with the most economical use of resources. We can often eliminate a number of failure causes from further analysis by creating a Pareto plot of the failure data. For example, Fig. 12.1 shows failure data on a domestic washing machine, taken from warranty records. These data indicate that attention paid to the programme switch, the outlet pump, the high level switch and leaks would be likely to show the greatest payoff in warranty cost reduction. However, before committing resources it is important to make sure that the data have been fully analysed, to obtain the maximum amount of information contained therein. The data in Fig. 12.1 show the parts replaced or adjusted.

In this case further analysis of records reveals:

1. For the programme switch: 77 failures due to timer motor armature open-circuit, 18 due to timer motor end bearing stiff, 10 miscellaneous. Timer motor failures show a decreasing hazard rate during the warranty period.
2. For the outlet pump: 79 failures due to leaking shaft seal allowing water to reach motor coils, 21 others. Shaft seal leaks show an increasing hazard rate.
3. For the high level switch: 58 failures due to failure of spot weld, allowing contact assembly to short to earth (decreasing hazard rate), 10 others.

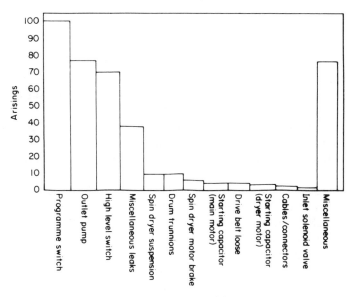

Figure 12.1 Pareto plot of failure data

These data reveal definite clues for corrective action. The timer motor and high level switch appear to exhibit manufacturing quality problems (decreasing hazard rate). The outlet pump shaft leak is a wear problem (increasing hazard rate). However, the leak is made more important because it damages the pump motor. Two types of corrective action might be considered: reorientation of the pump so that the shaft leak does not affect the motor coils and attention to the seal itself. Since this failure mode has an increasing rate of occurrence relative to equipment age, improving the seal would appreciably reduce the number of repair calls on older machines. Assuming that corrective action is taken on these four failure modes and that the improvements will be 80 per cent effective, future production should show a reduction in warranty period failures of about 40 per cent.

The other failure modes should also be considered, since, whilst the absolute payoff in warranty cost terms might not be so large, corrective action might be relatively simple and therefore worth while. For example, some of the starting capacitor failures on older machines were due to the fact that they were mounted on a plate, onto which the pump motor shaft leak and other leaks dripped. This caused corrosion of the capacitor bodies. Therefore, rearrangement of the capacitor mounting and investigation into the causes of leaks would both be worth considering.

This example shows the need for good data as the basis for decision-making on where to apply effort to improve reliability, by solving the important problems first. The data must be analysed to reveal as much as possible about the relative severity of problems and the likely causes. Even quite simple data, such as a brief description of the cause of failure, machine and item part number, and purchase date, are often enough to reveal the main causes of unreliability. In other applications, the failure data can be analysed in relation to contributions to down-time or by repair cost, depending upon the criteria of importance.

RELIABILITY ANALYSIS OF REPAIRABLE SYSTEMS

Chapter 3 described methods for analysing data related to the time to first failure. The distribution function of times to first failure are obviously important when we need to understand failure processes of parts which are replaced on failure, or when we are concerned with survival probability, for example, for missiles, spacecraft or underwater telephone repeaters.

However, for repairable systems, which really represent the great majority of everyday reliability experience, the distribution of times to first failures are much less important than is the *failure rate* or *rate of occurrence of failures* (ROCOF) of the system.

Any repairable system may be considered as an assembly of parts, the parts being replaced when they fail. The system can be thought of as comprising 'sockets' into which non-repairable parts are fitted. We are concerned with the pattern of successive failures of the 'sockets'. Some parts are repaired (e.g. adjusted, lubricated, tightened, etc.) to correct system failures, but we will consider first the case where the system consists only of parts that are replaced on failure (e.g. most electronic systems). Therefore, as each part fails a new part takes its place in the 'socket'. If we ignore replacement (repair) times, which are usually small in comparison with standby or operating times, and if we assume that the time to failure of any part is independent of any repair actions, then we can use the methods of event series analysis in Chapter 2 to analyse the system reliability.

Consider the data of Example 2.20. The interarrival and (chronologically ordered) arrival values between successive component failures were as shown in columns 1 and 2:

1 X_i	2 Chronological x_i	3 Ranked X_i
175	175	12
21	196	14
108	304	21
111	415	23
89	504	38
12	516	47
102	618	51
23	641	89
38	679	102
47	726	108
14	740	111
51	791	175

Example 2.20 showed that the failure rate was increasing, the interarrival values tending to become shorter. In other words, the interarrival values are not IID. If, however, we had not performed the centroid test and assumed that the data were IID, we might order the data in rank order (column 3) and plot on probability paper. These are shown plotted on Weibull paper in Fig. 12.2. The plot shows an apparently

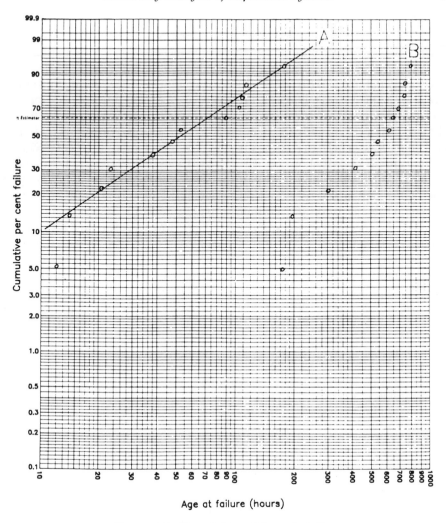

Age at failure (hours)

Figure 12.2 Plotted data of Example 2.20

exponential component life distribution. This is obviously a misleading result, since there is clearly an increasing failure rate trend for the 'socket' when the data are studied chronologically.

This example shows how important it is for failure data to be analysed correctly, depending on whether we need to understand the reliability of a non-repairable part or of a repairable system consisting of 'sockets' into which parts are fitted. The presence of a trend when the data are ordered *chronologically* shows that times to failure are not IID, and ordering by magnitude, which implies IID, will therefore give misleading results. *Whenever failure data are reordered* all trend information is ignored.

We can derive the system reliability over a period by plotting the cumulative times to failure in chronological order (column 2) rather than in rank order. This is shown in Fig. 12.2. It shows the progressively increasing failure rate (though the 'socket' times to failure are not Weibull-distributed).

Multisocket systems

Now we will consider a more typical system, comprised of several parts which exhibit independent failure patterns. Each part fills a 'socket'. The failure pattern of such a system, comprising six 'sockets', is shown in Fig. 12.3.

Socket 1 generates a high, constant rate of system failures. Socket 2 generates an increasing rate of system failures as the system ages, and so on. The combined failure rate can be seen on the bottom line. The estimate of U for each part and for the system is shown. When U is negative, it denotes a 'happy' socket, with an increasing inter-arrival time between failures (DFR). A positive value of U indicates a 'sad' socket (IFR).

If there are no perturbations (which will be discussed below) the failure rate will tend to a constant value after most parts have been replaced at least once, regardless of the failure trends of the sockets (see page 62). This is one of the main reasons why the CFR assumption has become so widely used for systems, and why part hazard rate has been confused with failure rate. However, the time by which most parts have been replaced in a system is usually very long, well beyond the expected life of most systems.

If part times to failure (in a series system, see Chapter 5) are independently and identically exponentially distributed (IID exponential) the system will have a CFR which will be the sum of the reciprocals of the part mean times to failure, i.e.

$$\lambda_s = \sum_{1}^{n} \frac{1}{x_i}$$

The assumption of IID exponential for part times to failure within their sockets in a repairable system can be very misleading. The reasons for this are (adapted from Reference 1, with permission):

1. The most important failure modes of systems are usually caused by parts which have failure probabilities which increase with time (wearout failures).
2. Failure and repair of one part may cause damage to other parts. Therefore times between successive failures *are not necessarily independent*.
3. Repairs often do not 'renew' the system. Repairs are often imperfect or they introduce other defects leading to failures of other parts.
4. Repairs might be made by adjustment, lubrication, etc., of parts which are wearing out, thus providing a new lease of life, but not 'renewal', i.e. the system is not made as good as new.
5. Replacement parts, if they have a decreasing hazard rate, can make subsequent failure initially more likely to occur.
6. Repair personnel learn by experience, so diagnostic ability (i.e. the probability that the repair action is correct) improves with time. Generally, changes of personnel can lead to reduced diagnostic ability and therefore more reported failures.
7. Not all part failures will cause system failures.
8. Factors such as on–off cycling, different modes of use, different system operating environments or different maintenance practices are often more important than operating times in generating failure-inducing stress.

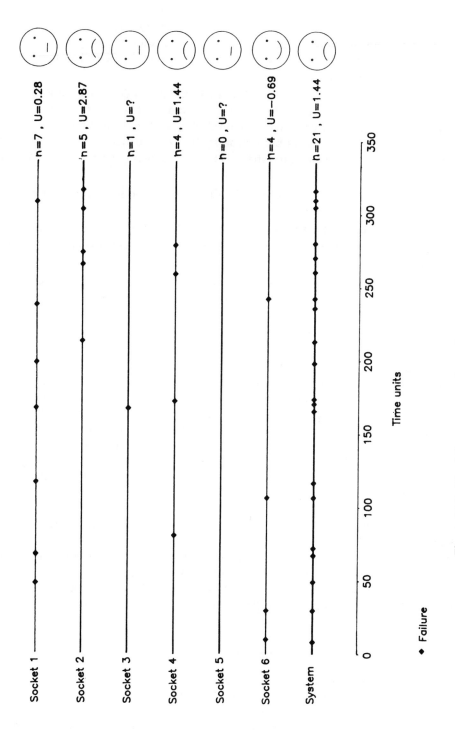

Figure 12.3 The failure pattern of a multisocket system

9. Reported failures are nearly always subject to human bias and emotion. What an operator or maintainer will tolerate in one situation might be reported as a failure in another, and perception of failure is conditioned by past experience, whether repair is covered by warranty, etc. Wholly objective failure data recording is very rare.

10. Failure probability is affected by scheduled maintenance or overhaul. Systems which are overhauled often display higher failure rates shortly after overhaul, due to disturbance of parts which would otherwise not have failed. If there is a post-overhaul test period before the system is returned to service, many of these failures might be repaired then. The failure data might or might not include these failures.

11. Replacement parts are not necessarily drawn from the same population as the original parts—they may be better or worse.

12. System failures might be caused by parts which individually operate within specification (i.e. do not fail) but whose combined tolerances cause the system to fail.

13. Many reported failures are not caused by part failures at all, but by events such as intermittent connections, improper use, maintainers using opportunities to replace 'suspect' parts, etc.

14. Within a system not all parts operate to the overall system cycle.

Any practical person could add to this list from his or her own experience. The factors listed above often predominate in systems to be modelled and in collected reliability data. Large data-collection systems, in which failure reports might be coded and analysed remotely from the work locations, are usually most at fault in perpetrating the analytical errors described. Such data systems might generate 'MTBFs' for systems and for parts by merely counting total reported failures and dividing into total operating time. For example, MTBFs in flying hours are quoted for aircraft electronic equipment, when the equipment only operates for part of the flight, or MTBFs in hours are quoted for valves, ignoring whether they are normally closed, normally open or how often they are opened and closed. These data are often used for reliability predictions for new systems (see Chapter 5), thus adding insult to injury.

A CFR is often a practicable and measurable first-order assumption, particularly when data are not sufficient to allow more detailed analysis.

The effect of successive repairs on the reliability of an ageing system are shown vividly in the next example (from Reference 1 in the Bibliography).

Example 12.1 (Reprinted from Reference 1 by courtesy of Marcel Dekker, Inc.)

Data on the miles between major failures (interarrival values) of bus engines are shown plotted in Fig. 12.4. These show the miles between first, second, . . ., fifth major failure. Note that the interarrival mileages to the first failures (X_i) are nearly s-normally distributed. Successive interarrival times (second, third, fourth, fifth failures) show a tendency to being exponentially

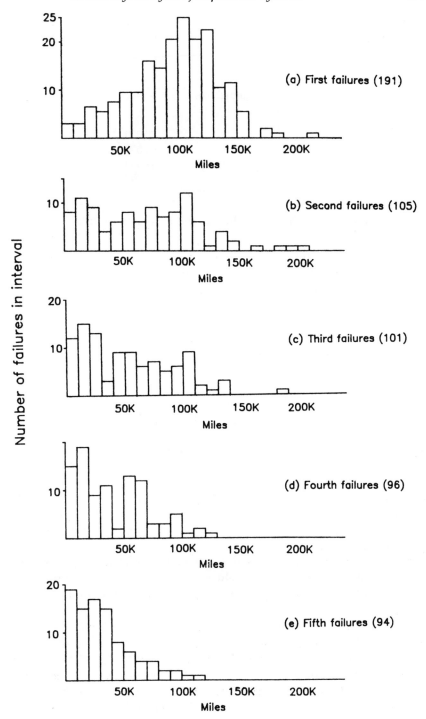

Figure 12.4 Bus engine failure data (a) First failures (191), (b) Second failures (105), (c) Third failures (101), (d) Fourth failures (96), (e) Fifth failures (94)

distributed. Nevertheless, the results show clearly that the reliability decreases with successive repairs, since the mean of the interarrival distances is progressively reduced:

Failure No.	$\bar{X}_i$ miles
1	94 000
2	70 000
3	54 000
4	41 000
5	33 000

The importance of this result lies in the evidence that:

1. Repair does not return the engines to an 'as new' condition.
2. Successive X_is are not IID exponential.
3. The failure rate tends to a constant value only after nearly all engines have been repaired several times. Even after five repairs the steady state has not been reached.
4. Despite the *appearance* of 'exponentiality' after several failures, replacement or more effective overhaul appears to be necessary.

CUSUM CHARTS

The 'cumulative sum', or CUSUM, chart is an effective graphical technique for monitoring trends in quality control and reliability. The principle is that, instead of monitoring the measured value of interest (parameter value, success ratio), we plot the divergence, plus or minus, from the target value. The method is the same as the scoring principle in golf, in which the above or below par score replaces the stroke count. The method enables us to report progress simply and in a way that is very easily comprehended.

The CUSUM chart also provides a sensitive indication of trends and changes. Instead of indicating measured values against the sample number, the plot shows the CUSUM, and the slope provides a sensitive indicator of the trend, and of points at which the trend changes.

Table 12.1 shows data from a reliability test on a one-shot item. Batches of one hundred are tested, and the target success ratio is 0.95. Figure 12.5 (a) shows the results plotted on a conventional run chart. Figure 12.5 (b) shows the same data plotted on a CUSUM chart, with the CUSUM values calculated as shown in Table 12.1.

The CUSUM can be restarted with a new target value if a changed, presumably improved, process average is attained. Decisions on when to restart, the sample size to take, and scaling of the axes will depend upon particular circumstances. Guidance on the use of CUSUM charts is given in Reference 2, and in good books on statistical process control, such as those listed in the Bibliography for Chapter 13.

Table 12.1 Reliability test data
Target = 95% (T)

Sample, i	x_i	$x_i - T$	CUSUM $\Sigma(x_i - T)$
1	86	−9	−9
2	88	−7	−16
3	85	−10	−26
4	87	−8	−34
5	88	−7	−41
6	91	−4	−45
7	91	−4	−49
8	93	−2	−51
9	93	−2	−53
10	94	−1	−54
11	92	−3	−57
12	95	0	−57
13	94	−1	−58
14	96	1	−57
15	94	−1	−58
16	93	−2	−60
17	95	0	−60
18	97	2	−58
19	96	1	−57
20	96	1	−56
21	94	−1	−57
22	96	1	−56
23	97	2	−54
24	95	0	−54
25	96	1	−53
26	97	2	−51
27	98	3	−48
28	98	3	−45
29	96	1	−44
30	98	3	−41

EXPLORATORY DATA ANALYSIS AND PROPORTIONAL HAZARDS MODELLING

Exploratory data analysis is a simple graphical technique for searching for connections between time series data and explanatory factors. In the reliability context, the failure data are plotted as a time series chart, along with the other information. For example, overhaul intervals, seasonal changes, or different operating patterns can be shown on the chart. Figure 12.6 shows failure data plotted against time between scheduled overhauls. There is a clear pattern of clustering of failures shortly after each overhaul, indicating that the overhaul is actually adversely affecting reliability. In this case, further investigation would be necessary to determine the reasons for this, for example, the quality of the overhaul work might be inadequate. Another feature that shows up is a tendency for failures to occur in clusters of two or more.

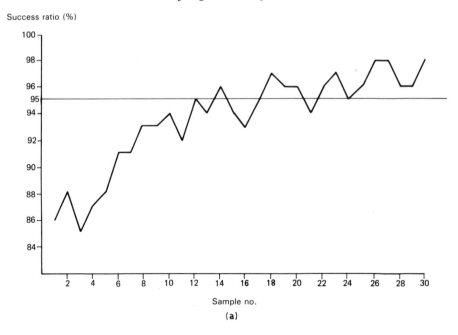

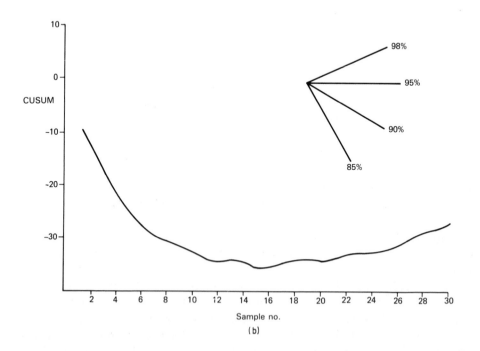

Figure 12.5 (a) Run chart of data in Table 12.1. (b) CUSUM chart of data of Table 12.1

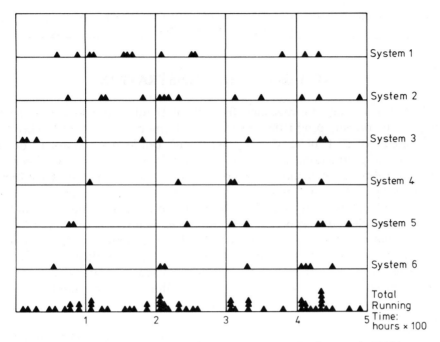

Figure 12.6 Time series chart: failure *vs* time (overhaul interval 1000 h)

This seems to indicate that failures are often not diagnosed or repaired correctly the first time.

This method of presenting data can be very useful for showing up causes of unreliability in systems such as vehicle fleets, process plant, etc. The data can be shown separately for each item, or by category of user, etc., depending on the situation, and analysed for connections or correlations between failures and the explanatory factors.

Proportional hazards modelling (PHM) is a mathematical extension of EDA. The basic proportional hazards model is of the form

$$\lambda(t;\, Z_1,\, Z_2,\, \ldots,\, Z_k) = \lambda_0(t)\, \exp\,(\beta_1 Z_1 + \beta_2 Z_2 + \ldots \beta_k Z_k) \tag{12.1}$$

where $\lambda(t;\, Z_1,\, Z_2,\, \ldots,\, Z_k)$ represents the hazard rate at time t, $\lambda_0(t)$ is the baseline hazard rate function, $Z_1,\, Z_2,\, \ldots,\, Z_k$ are the explanatory factors (or *covariates*), and $\beta_1,\, \beta_2,\, \ldots,\beta_k$ are the model parameters.

In the proportional hazards model, the covariates are assumed to have multiplicative effects on the total hazard rate. In standard regression analysis or analysis of variance the effects are assumed to be additive. The multiplicative assumption is realistic, for example, when a system with several failure modes is subject to different stress levels, the stress having similar effects on most of the failure modes. The proportional hazards approach can be applied to failure data from repairable and non-repairable systems.

The theoretical basis of the method is described in Reference 3. The derivation of the model parameters requires the use of advanced statistical software, as the analysis is based on iterative methods. This limits application of the technique to teams with specialist knowledge and access to the appropriate software.

RELIABILITY DEMONSTRATION

It is often necessary to measure the reliability of equipment and systems during development, production and in use. Demonstration of reliability might be required as part of a development and production contract, or prior to release to production, to ensure that the requirements have been met. Two basic forms of reliability measurement are used. A sample of equipments may be subjected to a formal reliability test, with the conditions specified in detail. Reliability may also be monitored during development and use, as test and utilization proceed, without tests being set up specifically for reliability measurement. Both approaches have common features, such as the need to define failures and to collect and analyse data, and there are advantages in practice if both approaches are used as parts of an integrated reliability programme (see Chapter 15). This section describes standard methods of test and analysis which are used to demonstrate compliance with reliability requirements.

The standard methods are not substitutes for the statistical analysis methods described in Chapter 3. The standard methods may be referenced in procurement contracts, particularly for government equipment, but they may not provide the statistical engineering insights given, for example, by Weibull probability plotting of failure data. Therefore the standards should be seen as complementary to the statistical engineering methods and useful (or mandatory) for demonstrating and monitoring reliability of products which are past the experimental development phase.

US MIL-STD-781/MIL-HDBK-781

The best known standard method for formal reliability demonstration testing for repairable equipment which operates for periods of time, such as electronic equipment, motors, etc., is US MIL-STD-781: *Reliability Testing for Engineering Development, Qualification and Production* (Reference 4). A companion handbook, MIL-HDBK-781, provides details of test methods and environments, as well as reliability growth monitoring methods.

MIL-STD/HDBK-781 testing is based on *probability ratio sequential testing* (PRST), the results of which (failures and test time) are plotted as in Fig. 12.7. Testing continues until the 'staircase' plot of failures versus time crosses a decision line. The reject line (dotted) indicates the boundary beyond which the equipment will have failed to meet the test criteria. Crossing the accept line denotes that the test criteria have been met. The decision lines are truncated to provide a reasonable maximum test time. Test time is stated as multiples of the specified MTBF. British and international standards for reliability demonstration are based on MIL-STD-781 (see Bibliography).

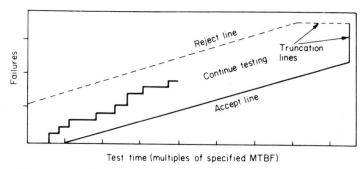

Figure 12.7 Typical probability ratio sequential test (PRST) plan

Test plans

MIL-HDBK-781 contains a number of test plans, which allow a choice to be made between the statistical risks involved (i.e. the risk of rejecting an equipment with true reliability higher than specified or of accepting an equipment with true reliability lower than specified) and the ratio of minimum acceptable to target reliability. The risk of a good equipment (or batch) being rejected is called the *producer's risk* and is denoted by α. The risk of a bad equipment (or batch) being accepted is called the *consumer's risk*, denoted by β. MIL-HDBK-781 test plans are based upon the assumption of a constant failure rate, so MTBF is used as the reliability index. Therefore MIL-HDBK-781 tests are appropriate for equipment where a constant failure rate is likely to be encountered, such as fairly complex maintained electronic equipment, after an initial burn-in period. Such equipment in fact was the original justification for the development of the precursor to MIL-STD-781, the AGREE report (see page 9). If predominating failure modes do not occur at a constant rate, tests based on the methods described in Chapter 2 should be used. In any case it is a good idea to test the failure data for trend, as described in Chapter 2.

The criteria used in MIL-HDBK-781 are:

1. Upper test MTBF, θ_0. This is the MTBF level considered 'acceptable'.
2. Lower test MTBF, θ_1. This is the specified, or contractually agreed, minimum MTBF to be demonstrated.
3. Design ratio, $d = \theta_0/\theta_1$.
4. Producer's risk, α (the probability that equipment with MTBF higher than θ_1 will be rejected).
5. Consumer's risk β (the probability that equipment with MTBF lower than θ_0 will be accepted).

The PRST plans available in MIL-HDBK-781 are shown below in Table 12.2. In addition, a number of fixed-length test plans are included (plans IX–XVI), in which testing is required to be continued for a fixed multiple of design MTBF. These are listed in Table 12.3. A further test plan (XVII) is provided, for production reliability acceptance testing (PRAT), when all production items are to be tested. The plan is based on test plan III. The test time is not truncated by a multiple of MTBF but depends upon the number of equipments produced.

Table 12.2 MIL-HDBK-781 PRST plans

Test plan	Decision risks (%)		Design ratio, $d = \theta_0/\theta_1$
	α	β	
I	10	10	1.5
II	20	20	1.5
III	10	10	2.0
IV	20	20	2.0
V	10	10	3.0
VI	20	20	3.0
VII[a]	30	30	1.5
VIII[a]	30	30	2.0

[a]Test plans VII and VIII are known as short-run high risk PRST plans.

Table 12.3 MIL-HDBK-781 fixed length test plans

Test plan	Decision risks (%)		Design ratio, d	Test duration, $X\theta_1$	Reject $\geqslant$ failures	Accept $\leqslant$ failures
	α	β				
IX	10	10	1.5	45.0	37	36
X	20	20	1.5	21.1	18	17
XI	10	10	2.0	18.8	14	13
XII	20	20	2.0	7.8	6	5
XIII	30	30	2.0	3.7	3	2
XIV	10	10	3.0	9.3	6	5
XV	20	20	3.0	4.3	3	2
XVI	30	30	3.0	1.1	1	0

Statistical basis for PRST plans

MIL-STD-781 PRST testing is based on the assumption of a constant failure rate. The decision risks are based upon the risks that the estimated MTBF will not be more than the upper test MTBF (for rejection), or not less than the lower test MTBF (for acceptance).

We thus set up two null hypotheses:

For H_0: $\hat{\theta} \leqslant \theta_0$
For H_1: $\hat{\theta} \geqslant \theta_1$

The probability of accepting H_0 is $(1-\alpha)$, if $\hat{\theta} = \theta_1$; the probability of accepting H_1 is β, if $\hat{\theta} = \theta_0$. The time at which the ith failure occurs is given by the exponential distribution function $f(t_i) = (1/\theta) \exp(-t_i/\theta)$. The *sequential probability ratio*, or ratio of the expected number of failures given $\theta = \theta_0$ or θ_1, is

$$\prod_{i=1}^{n} \frac{(1/\theta_1) \exp{(-t_i/\theta_1)}}{(1/\theta_0) \exp{(-t_i/\theta_0)}} \qquad (12.2)$$

where n is the number of failures.

The upper and lower boundaries of any sequential test plan specified in terms of θ_0, θ_1, α and β can be derived from the sequential probability ratio. However, arbitrary truncation rules are set in MIL-STD-781 to ensure that test decisions will be made in a reasonable time. The truncation alters the accept and reject probabilities somewhat compared with the values for a non-truncated test, and the α and β rules given in MIL-STD-781 are therefore approximations. The exact values can be determined from the *operating characteristic* (OC) curve appropriate to the test plan and are given in MIL-STD-781. The OC curves are described in the next section.

Operating characteristic curves and expected test time curves

An operating characteristic (OC) curve can be derived for any sequential test plan to show the probability of acceptance (or rejection) for different values of true MTBF. Similarly, the s-expected test time (ETT—time to reach an accept or reject decision) for any value of θ can be derived. OC and ETT curves are given in MIL-STD-781 for the specified test plans. Typical curves are shown in Figs 12.8 and 12.9.

Selection of test criteria

Selection of which test plans to use depends upon the degrees of risk which are acceptable and upon the cost of testing. For example, during development of a new equipment, when the MTBF likely to be achieved might be uncertain, a test plan with 20 per cent risks may be selected. Later testing, such as production batch acceptance testing, may use 10 per cent risks. A higher design ratio would also be appropriate for early development reliability testing. The higher the risks (i.e. the higher the values of α and β) and the lower the design ratio, the longer will be the s-expected test duration and therefore the expected cost.

The design MTBF should be based upon reliability prediction, development testing and previous experience. MIL-STD-781 requires that a reliability prediction be performed at an early stage in the development programme and updated as development proceeds. We discussed the uncertainties of reliability prediction in Chapter 5. However, this should only apply to the first reliability test, since the results of this can be used for setting criteria for subsequent tests.

The lower test MTBF may be a figure specified in a contract, as is often the case with military equipment, or it may be an internally generated target, based upon past experience or an assessment of market requirements.

Test sample size

MIL-HDBK-781 provides recommended sample sizes for reliability testing. For a normal development programme, early reliability testing (qualification testing) should be carried out on at least two equipments. For production reliability acceptance testing the sample size should be based upon the production rate, the complexity of the

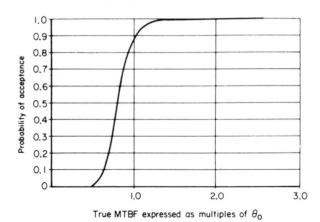

Figure 12.8 Operating characteristic (OC) curve. Test plan 1: $\alpha = 10\%$, $\beta = 10\%$ and $d = 1.5$

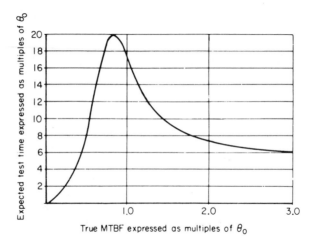

Figure 12.9 Expected test time (ETT) curve. Test plan 1: $\alpha = 10\%$, $\beta = 10\%$ and $d = 1.5$

equipment to be tested and the cost of testing. Normally at least three equipments per production lot should be tested.

Burn-in

If equipment is burned-in prior to being submitted to a production reliability acceptance test, MIL-STD-781 requires that all production equipments are given the same burn-in prior to delivery.

Test environmental conditions

The test conditions specified in MIL-HDBK-781 are based upon the expected conditions of use most likely to generate failure. The conditions used are called *combined environment reliability testing* (CERT), and normally include:

1. Operating stress (usually electrical stress).
2. Temperature cycling.
3. Vibration cycling (fixed frequency or swept frequency).
4. Humidity cycling.

The environmental stresses (type, severity, cyclic pattern) to be used for a particular test depend upon the anticipated usage environmental conditions. MIL-HDBK-781 describes typical conditions, including the analyses necessary to establish these. The equipment's environmental specification is usually derived from the 'mission profile', which is often specified for military equipment. Where it is not specified, typical or worst case profiles should be established by analysis and measurement. For example, if the equipment will be subjected to shock or vibration during transport or use, the conditions should be measured and used as the basis for planning the environmental test conditions. A typical CERT test profile was shown in Fig. 11.1. The reliability test operating conditions are not usually worst case or design limit values. Environmental qualification tests (see Chapter 11) should have been performed prior to reliability demonstration to prove the ability of the design to withstand these conditions. The purpose of MIL-HDBK-781 testing is to show, within specified levels of risk, that the equipment's MTBF is greater than the lower test MTBF and possibly also to provide contractual milestones. Therefore the objective is not to induce failures by applying unrealistic stresses.

Practical problems of MIL-HDBK-781 testing

Reliability demonstration testing to MIL-HDBK-781 is subject to some severe practical problems and limitations, which cause it to be a controversial method. We have already covered one fundamental limitation: the assumption of a constant failure rate. However, it is also based upon the implication that MTBF is an inherent parameter of a system which can be experimentally demonstrated, albeit within s-confidence limits. In fact, reliability measurement is subject to the same fundamental constraint as reliability prediction: *reliability is not an inherent physical property of a system, as is mass or electric current*. The mass or power consumption of a system is measurable (also within statistical bounds, if necessary). Anyone could repeat the measurement with any copy of the system and would expect to measure the same values. However, if we measure the MTBF of a system in one test, *it is unlikely* that another test will demonstrate the same MTBF, quite apart from considerations of purely statistical variability. In fact there is no logical or physical reason to expect repeatability of such experiments. This can be illustrated by an example.

Suppose a computer is subjected to a MIL-HDBK-781 reliability demonstration. Four computers are tested for 400 hours and show failure patterns as follows:

No.1   2 memory device failures (20 h, 48 h)
        1 connector intermittent (150 h)
        1 capacitor short circuit (60 h)

No.2   1 open-circuit PCB track (40 h)
        1 IC socket failure (200 h)

No.3   No failures

No.4   1 shorted connector (trapped on assembly) (0 h)

Total failures: 6
Total running time: 1600 h. Observed MTBF $(\hat{\theta}) = 267$ h

Note that these failures are quite typical. However, if the experiment were repeated with another four computers, there would be no reason to expect the same number or pattern of failures. If the same four computers were tested for another 1600 hours the pattern of failures would almost certainly be different. The pattern of failures and their likelihood can be influenced by quality control of manufacture and repair. Therefore the MTBF measured in this test is really no more than historical data, related to those four computers over that period of their lives. It does not predict the MTBF of other computers or of those four over a subsequent period, any more than four sales in one day would be a prediction of the next day's sales. If any design or process changes are made as a result of the test, forecasting becomes even more uncertain.

Of course, if a large number of computers were tested we would be able to extrapolate the results with rather greater credibility and to monitor trends (e.g. average failures per computer). However, MIL-HDBK-781 testing can seldom be extended to such large quantities because of the costs involved.

MIL-HDBK-781 testing is often criticized on the grounds that in-service experience of MTBF is very different to the demonstrated figure. From the discussion above this should not surprise anyone. In addition, in-service conditions are almost always very different to the environments of MIL-HDBK-781 testing, despite attempts to simulate realistic conditions in CERT.

MIL-HDBK-781 testing is not consistent with the reliability test philosophy described in the last chapter, since the objective is to count failures and to hope that few occur. An effective reliability test programme should aim at generating failures, *since they provide information on how to improve the product*. Failure-counting should be a secondary consideration to failure analysis and corrective action. Also, a reliability test should not be terminated solely because more than a predetermined number of failures occur. MIL-HDBK-781 testing is very expensive, and the benefit to the product in terms of improved reliability is sometimes questionable.

MIL-HDBK-781 testing can be a useful method for providing reliability milestones and motivation in development projects where the customer specifies the product and pays for its development, particularly if contractual incentives are involved. However, it should not replace the test philosophy described in Chapter 11. MIL-HDBK-781 methods are not used in projects in which the supplier specifies the product and funds its development, since that type of motivation is not normally necessary. This 'commercial' approach is becoming more widely adopted in military and other government contracting.

Reliability demonstration for one-shot items: US MIL-STD-105/BS 6001

For equipments which operate only once, or cyclically, such as pyrotechnic devices, missiles, fire warning systems and switchgear, the sequential method of testing based on operating time may be inappropriate. MIL-STD-105—*Sampling Procedures and Tables for Inspection by Attributes*—and BS 6001 provide test plans based on success ratio for such items. These plans are described in Chapter 13. Alternatively, a MIL-HDBK-781 test could be adapted for items which operate cyclically, using a baseline of mean cycles to failure, or MTBF assuming a given cycling rate.

COMBINING RESULTS USING BAYESIAN STATISTICS

It can be argued that the result of a reliability demonstration test is not the only information available on a product, but that information is available prior to the start of the test, from component and subassembly tests, previous tests on the product and even intuition based upon experience. Why should this information not be used to supplement the formal test result? Bayes theorem (Chapter 2) states (Eqn 2.9):

$$P(B|A) = \frac{P(A|B)P(B)}{P(A)}$$

enabling us to combine such probabilities. Equation (2.9) can be extended to cover probability distributions:

$$p(\lambda|\phi) = \frac{f(\phi|\lambda)p(\lambda)}{f(\phi)} \tag{12.3}$$

where λ is a continuous variable and ϕ represents the new observed data: $p(\lambda)$ is the *prior* distribution of λ; $p(\lambda|\phi)$ is the *posterior* distribution of λ, given ϕ; and $f(\phi|\lambda)$ is the sampling distribution of ϕ, given λ.

Let λ denote failure rate and t denote successful test time. Let the density function for λ be gamma distributed with

$$p(\lambda) = \frac{t}{\Gamma(a)}(\lambda t)^{a-1} \exp(-\lambda t)$$

If the prior parameters are a_0, t_0, then the prior mean failure rate is $\mu = a_0/t_0$ and the prior variance is $\sigma^2 = a_0/t_0^2$ (appropriate symbol changes in Eqn 2.34). The posterior will also be gamma distributed with parameters a_1 and t_1 where $a_1 = a_0 + n$ and $t_1 = t_0 + t$ and n is the number of events in the interval from 0 to t. The s-confidence limits on the posterior mean are $[\chi^2_{\alpha,\beta}(\nu = 2a_1)]/2t_1$.

Example 12.2

The prior estimate of the failure rate of an item is 0.02, with a standard deviation of 0.01. A reliability demonstration test results in $n = 14$ failures in $t = 500$ h. What is the posterior estimate of failure rate and the 90 per cent lower s-confidence limit?

The prior mean failure rate is

$$\mu = \frac{a_0}{t_0} = 0.02 \, h^{-1}$$

$$\sigma^2 = \frac{a_0}{t_0^2} = 10^{-4} \, h^{-2}$$

Therefore,

$$a_0 = \frac{\mu^2}{\sigma^2} = 4.0 \text{ failures}$$

$$t_0 = \frac{\mu}{\sigma^2} = \frac{0.02}{10^{-4}} = 200 \, h$$

$$a_1 = 4 + 14 = 18 \text{ failures}$$

$$t_1 = 200 + 500 = 700 \, h$$

The posterior estimate for failure rate is

$$\lambda_1 = \frac{a_1}{t_1} = \frac{18}{700} = 0.0257 \, h^{-1}$$

This compares with the traditional estimate of the failure rate from the test result of $14/500 = 0.028 \, h^{-1}$.

The 90 per cent lower s-confidence limit on the mean is

$$\frac{\chi_{10}^2(\nu = 2 \times 18)}{2t_1} = \frac{26}{2 \times 700} = 0.0186 \, h^{-1}$$

compared with the traditional estimate (from Eqn 2.43) of

$$\frac{1}{\lambda_1} = \frac{2 \times 500}{\chi_{10}^2(\nu = 2 \times 14 + 1)}$$

$$\lambda_1 = 0.0198 \, h^{-1}$$

In example 12.2 use of the prior information has resulted in a failure rate estimate lower than that given by the test, and closer s-confidence limits.

The Bayesian approach is very controversial in reliability engineering, particularly as it has been argued that it provides a justification for less reliability testing. Choosing a prior distribution based on subjective judgement or other test experience can also be very contentious. Combining subassembly test results in this way also ignores the possibility of interface problems. The Bayesian approach is not normally recommended and it has not been approved in any national standards.

NON-PARAMETRIC METHODS

Non-parametric statistical techniques (see page 55) can be applied to reliability measurement. They are arithmetically very simple and so can be useful as quick tests in advance of more detailed analysis, particularly when no assumption is made of the underlying failure distribution.

The C-rank method

If n items are tested and k fail, the reliability of the sample is

$$R_C \approx 1 - [C\text{-rank of the } (k+1)\text{th ordered value in } (n+1)] \qquad (12.6)$$

where C denotes the confidence level required, using the appropriate median rank table (Appendix 6).

Example 12.3

Twenty items were subjected to a 100 h test in which three failed. What is the reliability at the 50 and 95 per cent lower confidence levels?

$$k+1 = 3+1 = 4$$

$$n+1 = 20+1 = 21$$

From Appendix 6, from the median and 95 per cent rank tables, the C-rank of four items in a sample of 21 is:

At 50%:   0.172   (i.e. $R_{50} \approx 0.828$)

At 95%:   0.329   (i.e. $R_{95} \approx 0.671$)

(cf. $17/20 = 0.85$ for $\hat{R}$).

The success-run method

When tests are run without failure, reliability can be estimated using the equation

$$R_C \approx (1-C)^{1/(n+1)} \qquad (12.5)$$

Example 12.4

Twenty items are tested, without failure. What is the 90 per cent lower confidence limit of reliability?

$$R_{0.9} \approx (1-0.9)^{1/21}$$
$$= 0.897$$

RELIABILITY GROWTH MONITORING

It is common for new products to be less reliable during early development than later in the programme, when improvements have been incorporated as a result of failures observed and corrected. Similarly, products in service often display reliability growth. This was first analysed by J. T. Duane, who derived an empirical relationship based upon observation of the MTBF improvement of a range of items used on aircraft. Duane observed that the cumulative MTBF θ_c (total time divided by total failures) plotted against total time on log–log paper gave a straight line. The slope (α) gave an indication of reliability (MTBF) growth, i.e.

$$\log \theta_c = \log \theta_0 + \alpha(\log T - \log T_0)$$

where θ_0 is the cumulative MTBF at the start of the monitoring period T_0. Therefore,

$$\theta_c = \theta_0 \left(\frac{T}{T_0}\right)^{\alpha} \tag{12.6}$$

The relationship is shown plotted in Fig. 12.10.

The slope α gives an indication of the rate of MTBF growth and hence the effectiveness of the reliability programme in correcting failure modes. Duane observed that typically α ranged between 0.2 and 0.4, and that the value was correlated with the intensity of the effort on reliability improvement.

The Duane method is applicable to a population with a number of failure modes which are progressively corrected, and in which a number of items contribute different running times to the total time. Therefore it is not appropriate for monitoring early development testing, and it is common for early test results to show a poor fit to the Duane model.

We can derive the instantaneous MTBF θ_i of the population by differentiation of Eqn (12.6)

$$\theta_c = \frac{T}{n}$$

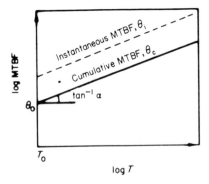

Figure 12.10 Duane reliability growth

where n is the number of failures. Therefore,

$$n = \frac{T}{\theta_c} = \frac{T}{\theta_0 (T/T_0)^\alpha}$$

$$= T^{(1-\alpha)} \left(\frac{T_0^\alpha}{\theta_0} \right)$$

(T_0^α / θ_0) is a constant. Differentiation gives

$$\frac{dn}{dT} = (1-\alpha) T^{-\alpha} \left(\frac{T_0^\alpha}{\theta_0} \right) = (1-\alpha) \left(\frac{T_0}{T} \right)^\alpha \frac{1}{\theta_0}$$

$$= \frac{1-\alpha}{\theta_c}$$

$$\frac{dn}{dT} = \frac{1}{\theta_i}$$

So

$$\theta_i = \frac{\theta_c}{1-\alpha} \tag{12.7}$$

θ_i is shown in Fig. 12.10. The plot of θ_i is parallel to that for θ_c. A reliability monitoring programme may be directed towards a target either for cumulative or instantaneous MTBF.

After the end of a development programme in which MTBF growth is being managed, the anticipated MTBF of production items is θ_i, measured at the end of the programme. This assumes that the development testing accurately simulated the expected in-use stresses of the production items and that the standard of items being tested at the end of the development programme fully represents production items. Of course, these assumptions are often not valid and extrapolations of reliability values from one set of conditions to another must always be considered to be tentative approximations. Nevertheless, the empirical Duane method provides a reasonable approach to monitoring and planning MTBF growth for complex systems.

The Duane method can also be used in principle, to assess the amount of test time required to attain a target MTBF. If the MTBF is known at some early stage, the test time required can be estimated if a value is assumed for α. The value chosen must be related to the expected effectiveness of the programme in detecting and correcting causes of failure. Knowledge of the effectiveness of past reliability improvement programmes operated by the organization can provide guidance in selecting a value for α. The following may be used as a guide:

$\alpha = 0.4$–0.6. Programme dedicated to the elimination of failure modes as a top priority. Use of accelerated (overstress) tests. Immediate analysis and effective corrective action for all failures.

$\alpha = 0.3$–0.4. Priority attention to reliability improvement. Normal (typical expected stresses) environment test. Well-managed analysis and corrective action for important failure modes.

$\alpha = 0.2$. Routine attention to reliability improvement. Testing without applied environmental stress. Corrective action taken for important failure modes.

$\alpha = 0.2$–0. No priority given to reliability improvement. Failure data not analysed. Corrective action taken for important failure modes, but with low priority.

Example 12.5

The first reliability qualification test on a new electronic test equipment generates 11 failures in 600 h, with no one type of failure predominating. The requirement set for the production standard equipment is an MTBF of not less than 500 h in service. How much more testing should be planned, assuming values for α of 0.3 and 0.5?

$$\hat{\theta}_0 = \frac{600}{11} = 54.4 \text{ h}$$

When $\theta_i = 500$,

$$\theta_c = 500(1-\alpha)$$

$$\begin{cases} = 350 \text{ (for } \alpha = 0.3) \\ = 250 \text{ (for } \alpha = 0.5) \end{cases}$$

Using $\theta_0 = 54.4$, from Eqn (12.6),

$$\theta_c = \theta_0 \left(\frac{T}{T_0}\right)^\alpha$$

$$T = T_0 \left(\frac{\theta_c}{\theta_0}\right)^{1/\alpha}$$

$$= 600 \left(\frac{350}{54.4}\right)^{1/0.3} = 297\,200 \text{ h} \quad \text{(for } \alpha = 0.3)$$

$$= 600 \left(\frac{250}{54.4}\right)^{1/0.5} = 12\,670 \text{ h} \quad \text{(for } \alpha = 0.5)$$

Graphical construction can be used to derive the same result, as shown in Fig. 12.11 [$\tan^{-1}(0.3) = 17°$; $\tan^{-1}(0.5) = 27°$; $\theta_i = \theta_c/(1-\alpha)$].

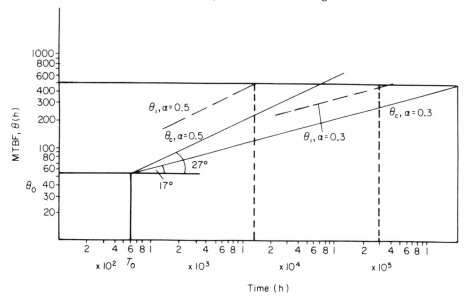

Figure 12.11 Duane plot for Example 12.5

Obviously nearly 300 000 h of testing is unrealistic, and therefore in this case a value for α of 0.5 would have to be the objective to achieve the MTBF requirement of 500 h in a further $(12\,670 - 600) \approx 12\,000$ h of testing.

Example 12.5 shows that the results of a Duane analysis are very sensitive to the starting assumptions. If θ_0 was 54.5 h at $T_0 = 200$ h, the test time required for a 500 h MTBF would be 4200 h. The initial reliability figure is usually uncertain, since data at the early stage of the programme are limited. It might be more appropriate to use a starting reliability based upon a combination of data and engineering judgement. If in the previous example immediate corrective action was being taken to remove some of the causes of earlier failures, a higher value of θ_0 could have been used. It is important to monitor early reliability growth and to adjust the plan accordingly as test results build up.

The Duane model is criticized as being empirical and subject to wide variation. It is also argued that reliability improvement in development is not usually progressive but occurs in steps as modifications are made. However, the model is simple to use and it can provide a useful planning and monitoring method for reliability growth. Difficulties can arise when results from different types of test must be included, or when corrective action is designed but not applied to all models in the test programme. These can be overcome by common-sense approaches. A more fundamental objection arises from the problem of quantifying and extrapolating reliability data. The comments made earlier about the realism of reliability demonstration testing apply equally to reliability growth measurement. As with any other failure data, trend tests as described in Chapter 3 should be performed to ascertain whether the assumption of a constant failure rate is valid.

Other reliability growth models are also used, some of which are described in MIL-HDBK-781, which also describes the management aspects of reliability growth monitoring. Reliability growth monitoring for one-shot items can be performed similarly by plotting cumulative success rate. Statistical tests for MTBF or success rate changes can also be used to confirm reliability growth, as described in Chapter 2. Example 12.4 shows a typical reliability growth plan and record of achievement.

Example 12.6

Reliability growth plan:

Office Copier Mk 4

Specification:

In-use call rate: 2 per year max. (at end of development)
                  1 per year max. (after first year)

Average copies per machine per year: 40 000

Assumptions:

$\theta_0 = 1000$ copies per failure at 10 000 copies on prototypes

$$\alpha \begin{cases} =0.5 \text{ during development} \\ =0.3 \text{ in service} \end{cases}$$

Notes to Duane plot (Fig. 12.12)

1. Prototype reliability demonstration: models 2 and 3: 10 000 copies each
2. First interim reliability demonstration: models 6–8, 10: 10 000 copies each
3,5. Overstress and ageing tests (data not included in θ_c)
4. Second interim reliability demonstration: models 8, 10, 12, 13: 10 000 copies each
6. Final reliability demonstration: models 12, 13: 10 000 copies each. Models 8, 10: 20 000 copies each

Reliability demonstration test results give values for θ_i.

Note that in Example 12.6 the overstress test results are plotted separately, so that the failures during these tests will not be accumulated with those encountered during tests in the normal operating environment. Therefore, overstress failure data will be obtained to enable potential in-use failure modes to be highlighted, without confusing the picture as far as measured reliability achievement is concerned. The improvement from the first to the second overstress test has a higher Duane slope than the main reliability growth line, indicating effective improvement. The example also includes a longevity test, to show up potential wearout failure modes, by having two of the first reliability demonstration units continue to undergo test in the second interim and final reliability demonstrations. These units will have been modified

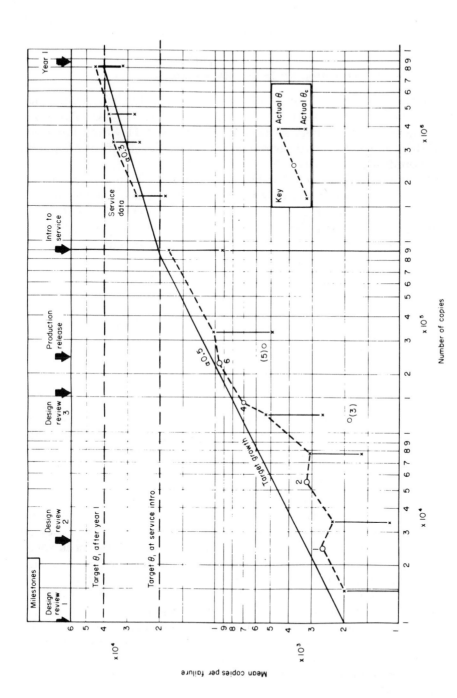

Figure 12.12 Duane plot for Example 12.6

between tests to include all design improvements shown to be necessary. A lower value for α is assumed for the in-service phase, as improvements are more difficult to implement once production has started.

Reliability growth estimation by failure data analysis

Reliability growth can be estimated by considering the failure data and the planned corrective action. No empirical model is used and the method takes direct account of what is known and planned, so it can be easier to sell. However, it can only be applied when sufficient data are available, well into a development programme or when the product is in service.

If we know that 20 per cent of failures are caused by failure modes for which corrective action is planned and we are sure that the changes will be effective, we can simply estimate that the improvement in failure rate will be 20 per cent. Alternatively, we could assign an effectiveness value to the changes, say 80 per cent, in which case the failure rate improvement will be 16 per cent.

This approach should be used whenever failure data and failure investigations are comprehensive enough to support a Pareto analysis, as described earlier. The method can be used in conjunction with a Duane plot. If known failure modes can be corrected, reliability growth can be anticipated. However, if reliability is below target and no corrective action is planned, the reliability growth forecast will not have much meaning.

MAKING RELIABILITY GROW

In this chapter we have covered methods for measuring reliability achievement and growth. Of course it is not enough just to measure performance. Effort must be directed towards achieving the objective. In reliability engineering this means taking positive action to unearth design and production shortfalls which can lead to failure, to correct these deficiencies and to prove that the changes are effective. In earlier chapters we have covered the methods of stress analysis, design review, testing and failure data analysis which can be used to ensure a product's reliability. To make these activities as effective as possible, it is necessary to ensure that they are all directed towards the quantified reliability achievement which has been specified. If reliability growth is being measured at stages in the development and early in-use phases, the programme must be related to reliability requirements to be demonstrated at key points.

There is a dilemma in operating such a programme. There will be a natural tendency to try to demonstrate that the reliability requirements have been met. This can lead to reluctance to induce failures by increasing the severity of tests and to a temptation to classify failures as non-relevant or unlikely to recur. On the other hand, reliability growth is maximized by deliberate and aggressive stress-testing, analysis and corrective action as described in Chapter 11. Therefore, the objective should be to stimulate failures during development testing and not to devise tests and failure-reporting methods which will maximize the chances of demonstrating that a specification has been satisfied. Such an open and honest programme makes high demands on teamwork and integrity, and emphasizes the importance of the project manager understanding the aims and being in control of the reliability programme.* The reliability milestones should be stated early in programme and achievement should be monitored against this statement.

Test, analyse and fix

Reliability growth programmes as described above have come to be known as test, analyse and fix (TAAF) programmes. It is very important in such programmes that:

1. All failures are analysed fully, and action taken in design or production to ensure that they should not recur. No failure should be dismissed as being 'random' or 'non-relevant' during this stage, unless it can be demonstrated conclusively that such a failure cannot occur on production units in service.
2. Corrective action must be taken as soon as possible on all units in the development programme. This might mean that drawings have to be altered more often, and can cause programme delays. However, if faults are not corrected reliability growth will be delayed, potential failure modes at the 'next weakest link' may not be highlighted, and the effectiveness of the corrective action will not be adequately tested.

Whenever failures occur, the investigation should refer back to the reliability predictions, stress analyses and FMECAs to determine if the analyses were correct. Discrepancies should be noted and corrected to aid future work of this type.

Reliability growth in service

The same principles as described above should be applied to reliability growth in service. However, there are three main reasons why in-service reliability growth is more difficult to achieve than during the development phase.

1. Failure data are often more difficult to obtain. Warranty or service contract repair reports are a valuable source of reliability data, but they are often harder to control, investigation can be more difficult with equipment in the users' hands and data often terminate at the end of the warranty period. Some companies make arrangements with selected dealers to provide comprehensive service data. Military and other government customers often operate their own in-use failure data systems. However, in-use data very rarely match the needs of a reliability growth programme.
2. It is much more difficult and much more expensive to modify delivered equipment or to make changes once production has started.
3. A product's reputation is made by its early performance. Reliance on reliability growth in use can be very expensive in terms of warranty costs, reputation and markets.

---

*The politics of test planning to ensure accept decisions for contractual or incentive purposes is an aspect of reliability programme management which will not be covered here.

Nevertheless, a new product will often have in-service reliability problems despite an intensive development programme. Therefore reliability data must be collected and analysed, and improvements designed and implemented. Most products which deserve a reliability programme have a long life in service and undergo further evolutionary development, and therefore a continuing reliability improvement programme is justifiable. When evolutionary development takes place in-use data can be a valuable supplement to further reliability test data, and can be used to help plan the follow-on development and test programme. Appendix 9 describes the features of a data collection and analysis system.

Another source of reliability data is that from production test and inspection. Many products are tested at the end of the production line and this includes burn-in for many types of electronic equipment. Whilst data from production test and inspection are collected primarily to monitor production quality costs and vendor performance, they can be a useful supplement to in-use reliability data. Also, as the data collection and the product are still under the manufacturer's control, faster feedback and corrective action can be accomplished.

The manufacturer can run further tests of production equipment to verify that reliability and quality standards are being maintained. Such tests are often stipulated as necessary for batch release in government production contracts. As in-house tests are under the manufacturer's control, they can provide early warning of incipient problems and can help to verify that the reliability of production units is being maintained or improved.

BIBLIOGRAPHY

1. H. Ascher and H. Feingold, *Repairable Systems Reliability*. Dekker (1984).
2. British Standard BS 5703: *Guide to Data Analysis and Quality Control using Cusum Techniques*. British Standards Institute, London.
3. J. D. Kalbfleisch and R. L. Prentice, *The Statistical Analysis of Failure Time Data*. Wiley (1980).
4. US MIL-STD-781: *Reliability Testing for Equipment Development, Qualification and Production*. Available from the National Technical Information Service, Springfield, Virginia.
5. British Standard, BS 5760: *Reliability of Systems, Equipments and Components*, Part 2. British Standards Institution, London.
6. IEC Publication 605: *Equipment Reliability Testing*. International Electrotechnical Commission, Geneva (1978).

13

Reliability in Manufacture

INTRODUCTION

It is common knowledge that a well-designed product can be unreliable in service because of poor quality of production. Control of production quality is therefore an indispensable facet of an effective reliability effort. This involves controlling and minimizing variability and identifying and solving problems.

Human operations, particularly repetitive, boring or unpleasant tasks, are frequent sources of variability. Automation of such tasks therefore usually leads to quality improvement. Typical examples are paint spraying, welding by robots in automobile production, component placement and soldering in electronic production and CNC machining.

Variability can never be completely eliminated, since there will nearly always be some human operations, and automatic processes are not without variation. A reliable design should cater for expected production variation, so designers must be made aware of the variability inherent in the manufacturing processes to be used.

The production quality team should use the information provided by design analyses, FMECAs and reliability tests. A reliable and easily maintained design will be cheaper to produce, in terms of reduced costs of scrap and rework.

The integration of reliability and quality programmes is covered in more detail in Chapter 15.

CONTROL OF PRODUCTION VARIABILITY

The main cause of production-induced unreliability, as well as rework and scrap, is the variability inherent in production processes. In principle, a correct design, correctly manufactured, should not fail in normal use. However, all manual processes are variable. Automatic processes are also variable, but the variability is usually easier to control. Bought-in components and materials also have variable properties. Production quality control (QC) is primarily concerned with measuring, controlling and minimizing these variations in the most cost-effective way.

Statistical process control (SPC) is the term used for the measurement and control of production variability. In SPC, QC people rely heavily on the s-normal distribution. This is usually appropriate, because of the central limiting tendency to s-normality of the many sources of variability in production processes. QC people are also primarily concerned with the behaviour of variables about the central tendency, and therefore control is typically set about ±2 or 3 SDs of the measured parameter.

Process capability

If a product has a tolerance or specification width, and it is to be produced by a process which generates variation of the parameter of interest, it is obviously important that the process variation is less than the tolerance. The ratio of the tolerance to the process variation is called the *process capability*, and it is expressed as

$$C_p = \frac{\text{Tolerance width } (T)}{\text{Process } 3\sigma \text{ limits}}$$

A process capability index of 1 will generate, in theory for s-normal variation, approximately 0.15 per cent out of tolerance product, at each extreme (Fig. 13.1). A process capability index of greater than 1.33 will theoretically generate hardly any out of tolerance product, or practically 100 per cent yield.

C_p values assume that the specification centre and the process mean coincide. To allow for the fact that this is not necessarily the case, an alternative index, C_{p_k}, is used, where

$$C_{p_k} = (1 - K)C_p,$$

and

$$K = \frac{D - \bar{x}}{T/2} \qquad (\text{if } D > \bar{x}, \text{ otherwise use } \bar{x} - D)$$

D being the design centre, $\bar{x}$ the process mean, and T the tolerance width.

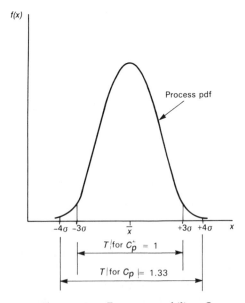

Figure 13.1 Process capability, C_p

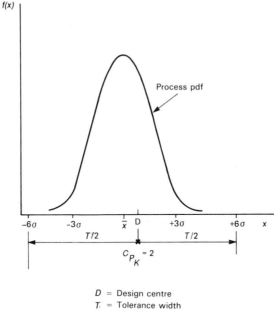

D = Design centre
T = Tolerance width

Figure 13.2 Process capability C_{p_k}

Figure 13.2 shows examples of C_{p_k}. Ideally $C_p = C_{p_k}$. Modern production quality requirements typically demand C_{p_k} values of 2 or even higher, to provide high assurance of consistent performance.

Use of the process capability index assumes that the process is s-normally distributed and is stationary. Any systematic divergence, due for example to set-up errors, movement of the process mean during the manufacturing cycle, or other causes, could significantly affect the output. Therefore the use of capability index to characterize a production process is appropriate only for processes which are under statistical control, i.e. when there are no *special causes* of variation such as those just mentioned, only *common causes*. Common cause variation is the random variation inherent in the process, when it is under *statistical control*.

The necessary steps to be taken when setting up a production process are:

1. Using the information from the product and process design studies and experiments, determine the required tolerance.
2. Obtain information on the process variability, either from previous production or by performing experiments.
3. Evaluate the process capability index.
4. If the process capability index is high enough, start production, and monitor using statistical control methods, as described below.
5. If C_p/C_{p_k} is too low, investigate the causes of variability, and reduce them, before starting production (see later).

Process control charts

Process control charts are used to ensure that the process is under statistical control, and to indicate when special causes of variation exist. In principle, an in-control process will generate a random fluctuation about the mean value. Any trend, or continuous performance away from the mean, indicates a special cause of variation.

Figure 13.3 is an example of a process control chart. As measurements are made the values are marked as points on the control chart against the sample number on the horizontal scale. The data plotted can be individual values or sample averages; when sample averages are plotted the chart is called an $\bar{X}$ *chart*. The $\bar{X}$ chart shows very clearly how the process value varies. Upper and lower control limits are drawn on the chart, as shown, to indicate when the process has exceeded preset limits.

The control limits on an $\bar{X}$ chart are based on the tolerance required of the process. Warning limits are also used. These are set within the control limits to provide a warning that the process might require adjustment. They are based on the process capability, and could be the process 3σ values ($C_{p_k} = 1.0$), or higher. Usually 2 or more sample points must fall outside the warning limits before action

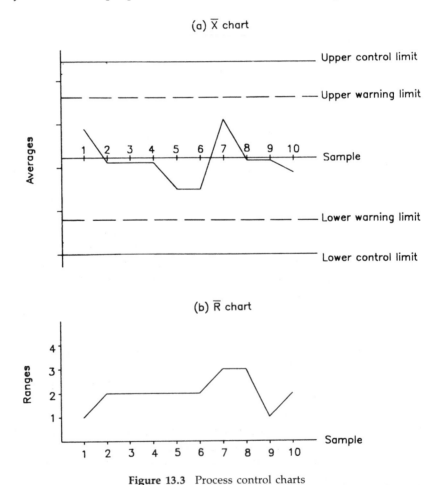

Figure 13.3 Process control charts

is taken. However, any point falling outside the control limit indicates a need for immediate investigation and corrective action.

Figure 13.3(b) is a *range chart* ($\bar{R}$ chart). The plotted points show the range of values within the sample. The chart indicates the repeatability of the process.

$\bar{X}$ and $\bar{R}$ charts (also called *Shewhart charts*) are the basic tools of SPC for control of manufacturing processes. Their ease of use and effectiveness make them very suitable for use by production operators for controlling their own work, and therefore they are commonly used in operator control and quality circles (see later in this chapter). Computer programs are available which produce $\bar{X}$ and $\bar{R}$ charts automatically when process data are input. Integrated measurement and control systems provide for direct input of measured values to the control chart program, or include SPC capabilities (analysis and graphics).

Statistical process control is applicable to relatively long, stable production runs, so that the process capability can be evaluated and monitored with reasonable statistical and engineering confidence. Methods have, however, been developed for batch production involving smaller quantities. Other types of control chart have also been developed, including variations on the basic Shewhart charts, and non-statistical graphical methods. These are all described in References 1 to 8.

SPC is not a panacea for production quality control. The methods must be applied carefully, and selected and adapted for the particular processes. Personnel involved must be adequately trained and motivated, and the methods and criteria must be refined as experience develops.

It is important to apply SPC to the processes that influence the quality of the product, not just to the final output parameter, whenever such upstream process variables can be controlled. For example, if the final dimension of an item is affected by the variation in more than one process, these should be statistically monitored and controlled, not just the final dimension. Applying SPC only to the final dimension would not indicate the causes of variation, and so would not provide effective and timely control of the processes.

CONTROL OF HUMAN VARIATION

Several methods have been developed for controlling the variability inherent in human operations in manufacturing, and these are well documented in the references on quality assurance. Psychological approaches, such as improving motivation by better work organization, exhortation and training, have been used since early industrialization, particularly since the 1940s. These were supported by the development of statistical methods, described earlier.

Inspection

One way of monitoring and controlling human performance is by independent inspection. This was the standard QC approach until the 1950s, and is still used to some extent. An inspector can be made independent of production requirements and can be given authority to reject work for correction or scrap. However, inspection is subject to three major drawbacks:

1. Inspectors are not perfect; they can fail to detect defects. On some tasks, such as inspecting large numbers of solder joints or small assemblies, inspection can be a very poor screen, missing 10 to 50 per cent of defects. Inspector performance is also as variable as any other human process.
2. Independent inspection can reduce the motivation of production people to produce high quality work. They will be concerned with production quantity, relying on inspection to detect defects.
3. Inspection is expensive. It is essentially non-productive, the staff employed are often more highly paid than production people and output is delayed while inspection takes place. Probably worse, independent inspection can result in an overlarge QC department, unresponsive to the needs of the organization.

These drawbacks, particularly the last, have led increasingly to the introduction of operator control of quality, described below. Automatic inspection aids and systems have also been developed, including computerized optical comparators and automatic gauging systems.

Operator control

Under operator control, the production worker is responsible for monitoring and controlling his or her own performance. For example, in a machining operation the operator will measure the finished article, log the results and monitor performance on SPC charts. Inspection becomes part of the production operation and worker motivation is increased. The production people must obviously be trained in inspection, measurement and SPC methods, but this is usually found to present few problems. Operator control becomes even more relevant with the increasing use of production machinery which includes measuring facilities, such as self-monitoring computer numerically controlled (CNC) machines.

A variation of operator control is to have production workers inspect the work of preceding workers in the manufacturing sequence, before starting their production task. This provides the advantages of independent inspection, whilst maintaining the advantages of an integrated approach.

ACCEPTANCE SAMPLING

Acceptance sampling provides a method for deciding whether to accept a particular production lot, based upon measurements of samples drawn at random from the lot. Sampling can be by *attributes* or by *variables*. Criteria are set for the allowable proportion defective, and the sampling risks.

Sampling by attributes

Sampling by attributes is applicable to go/no-go tests, using binomial and Poisson statistics. Sampling by attributes is covered in standard plans such as US MIL-STD-105 and BS 6001 (References 9 and 10). These give accept and reject criteria for various sampling plans, based upon sample size and risk levels. The main criterion is the *acceptable quality level* (AQL), defined as the maximum percentage defective which can be accepted as a process average. The tables in the standards give accept and reject criteria for stated AQLs, related to sample size, and for 'tightened', 'normal' and 'reduced' inspection. These inspection levels relate to the consumer's risk in accepting a lot with a percentage defective higher than the AQL. Table 13.1 shows a typical sampling plan. MIL-S-19500 and MIL-M-38510 (see Chapter 9) give sampling plans based upon the *lot tolerance percentage defective* (LTPD). The plans provide the minimum sample size to assure, with given risk, that a lot with a percentage defective equal to or more than the specified LTPD will be rejected. LTPD tests give lower consumers' risks that substandard lots will be accepted. LTPD sampling plans are shown in Table 13.2.

For any attribute sampling plan, an *operating characteristic* curve can be derived. The OC curve shows the power of the sampling plan in rejecting lots with a given percentage defective. For example, Fig. 13.4 shows OC curves for single sampling plans for 10 per cent samples drawn from lots of 100, 200 and 1000, when one or more defectives in the sample will lead to rejection (acceptance number = 0). If the lot contains, say, 2 per cent defective the probability of acceptance will be 10 per cent for a lot of 1000, 65 per cent for a lot of 200, and 80 per cent for a lot of 100. Therefore the lot size is very important in selecting a sampling plan.

Double sampling plans are also used. In these the reject decision can be deferred pending the inspection of a second sample. Inspection of the second sample is required if the number of defectives in the first sample is greater than allowable for immediate acceptance but less than the value set for immediate rejection. Tables and OC curves for double (and multiple) sampling plans are also provided in the references quoted above.

Sampling by variables

Sampling by variables involves using actual measured values rather than individual attribute ('good or bad') data. The methods are based upon use of the *s*-normal distribution. They are described in US MIL-STD-414 (Reference 11) and in References 1 to 8.

Sampling by variables is not as popular as sampling by attributes, since it is a more complex method. However, it can be useful when a particular production variable is important enough to warrant extra control.

General comments on sampling

Whilst standard sampling plans can provide some assurance that the proportion defective is below a specified figure, they do not provide the high assurance necessary for many modern products. For example, if an electronic assembly consists of 100 components, all with an AQL of 0.1 per cent, there is on average a probability of about 0.9 that an assembly will be free of defective components. If 10 000 assemblies are produced, about 1000 on average will be defective. The costs involved in diagnosis and repair or scrap during manufacture would obviously be very high. With such quantities typical of much modern manufacturing, higher assurance than can

Reliability in Manufacture

Table 13.1 Master table for normal inspection–single sampling (MIL-STD-105D, Table II-A)

Sample size code letter	Sample size	Acceptable quality											
		0.010	0.015	0.025	0.040	0.065	0.10	0.15	0.25	0.40	0.65	1.0	1.5
		Ac Re	Ac Re	Ac Re	Ac Re	Ac Re	Ac Re	Ac Re	Ac Re	Ac Re	Ac Re	Ac Re	Ac Re
A	2	⇩	⇩	⇩	⇩	⇩	⇩	⇩	⇩	⇩	⇩	⇩	⇧
B	3												
C	5												
D	8												0 1
E	13											0 1	⇧
F	20										0 1	⇧	⇩
G	32									0 1	⇧	⇩	1 2
H	50								0 1	⇧	⇩	1 2	2 3
I	80							0 1	⇧	⇩	1 2	2 3	3 4
K	125						0 1	⇧	⇩	1 2	2 3	3 4	5 6
L	200					0 1	⇧	⇩	1 2	2 3	3 4	5 6	7 8
M	315				0 1	⇧	⇩	1 2	2 3	3 4	5 6	7 8	10 11
N	500			0 1	⇧	⇩	1 2	2 3	3 4	5 6	7 8	10 11	14 15
P	800		0 1	⇧	⇩	1 2	2 3	3 4	5 6	7 8	10 11	14 15	21 22
Q	1250	0 1	⇧	⇩	1 2	2 3	3 4	5 6	7 8	10 11	14 15	21 22	⇧
R	2000	⇧	⇧		1 2	2 3	3 4	5 6	7 8	10 11	14 15	21 22	⇧

⇩ = Use first sampling plan below arrow. If sample size equals, or exceeds, lot or batch

⇧ = Use first sampling plan above arrow.

realistically be obtained from statistical sampling plans is obviously necessary. Also, standard QC sampling plans often do not provide assurance of long-term reliability.

Electronic component manufacturers often quote outgoing quality levels in parts defective per million (p.p.m.). The figures are quoted as averages, derived from their own 100 per cent outgoing inspection and test. Typical figures for integrated circuits are 50 to 300 p.p.m. (0.005 to 0.03 per cent defective), and lower for simpler components such as transitors, resistors and passive components.

Statistical sampling techniques are now little used. However, they can be useful in the early stages of a production run, to monitor performance and for setting targets for improvement, as well as for detecting gross changes. In such situations it is better to use a simple plan, and not to be too concerned with statistical refinement. Such refinement makes sense only when the process is s-normally distributed, no special causes of variation exist, and the process capability index is low enough to permit levels (normal inspection)

	2.5		4.0		6.5		10		15		25		40		65		100		150		250		400		650		1000	
	Ac	Re	Ac	Re	Ac	Re	Ac	Re	Ac	Re	Ac	Re	Ac	Re	Ac	Re	Ac	Re	Ac	Re	Ac	Re	Ac	Re	Ac	Re	Ac	Re
	↓		↓		0	1	↓		↓		1	2	2	3	3	4	5	6	7	8	10	11	14	15	21	22	30	31
	↓		0	1	↑		↓		1	2	2	3	3	4	5	6	7	8	10	11	14	15	21	22	30	31	44	45
	0	1	↑		↓		1	2	2	3	3	4	5	6	7	8	10	11	14	15	21	22	30	31	44	45	↑	
	↑		↓		1	2	2	3	3	4	5	6	7	8	10	11	14	15	21	22	30	31	44	45	↑		↑	
	↓		1	2	2	3	3	4	5	6	7	8	10	11	14	15	21	22	30	31	44	45	↑					
	1	2	2	3	3	4	5	6	7	8	10	11	14	15	21	22	↑		↑		↑		↑					
	2	3	3	4	5	6	7	8	10	11	14	15	21	22	↑													
	3	4	5	6	7	8	10	11	14	15	21	22	↑															
	5	6	7	8	10	11	14	15	21	22	↑																	
	7	8	10	11	14	15	21	22	↑																			
	10	11	14	15	21	22	↑																					
	14	15	21	22	↑																							
	21	22	↑																									

size, do 100 percent inspection. Ac = Acceptance number.

Re = Rejection number.

a relatively high proportion of defectives. It is clear that such a situation is both unlikely and incompatible with the modern approaches to production quality control. Therefore if sampling methods of monitoring are used, they should be reviewed continuously, and stopped when the process is brought under statistical control.

IMPROVING THE PROCESS

When a production process has been started, and is under statistical control, it is likely still to produce an output with some variation, even if this is well within the allowable tolerance. Also, occasional special causes might lead to out-of-tolerance or otherwise defective items. It is important that steps are taken to improve variation and yield, even when these appear to be at satisfactory levels. Continuous

Table 13.2 LTPD sampling plans.[a] Minimum size of sample to be tested to assure, with 90 per cent confidence, that a lot having percentage defective equal to the specified LTPD will not be accepted (single sample)

Minimum sample sizes
(for device-hours required for life test, multiply by 1000)

Acceptance number (c) (r = c+1)	30	20	15	10	7	5	3	2	1.5	1	0.7	0.5	0.3
0	8 (0.64)	11 (0.46)	15 (0.34)	22 (0.23)	32 (0.16)	45 (0.11)	76 (0.07)	116 (0.04)	153 (0.03)	231 (0.02)	328 (0.02)	461 (0.01)	767 (0.007)
1	13 (2.7)	18 (2.0)	25 (1.4)	38 (0.94)	55 (0.65)	77 (0.46)	129 (0.28)	195 (0.18)	258 (0.14)	390 (0.09)	555 (0.06)	778 (0.045)	1296 (0.027)
2	18 (4.5)	25 (3.4)	34 (2.24)	52 (1.6)	75 (1.1)	105 (0.78)	176 (0.47)	266 (0.31)	354 (0.23)	533 (0.15)	759 (0.11)	1065 (0.080)	1773 (0.045)
3	22 (6.2)	32 (4.4)	43 (3.2)	65 (2.1)	94 (1.5)	132 (1.0)	221 (0.62)	333 (0.41)	444 (0.31)	668 (0.20)	953 (0.14)	1337 (0.10)	2226 (0.062)
4	27 (7.3)	38 (5.3)	52 (3.9)	78 (2.6)	113 (1.8)	158 (1.3)	265 (0.75)	398 (0.50)	531 (0.37)	798 (0.25)	1140 (0.17)	1599 (0.12)	2663 (0.074)
5	31 (8.4)	45 (6.0)	60 (4.4)	91 (2.9)	131 (2.0)	184 (1.4)	308 (0.85)	462 (0.57)	617 (0.42)	927 (0.28)	1323 (0.20)	1855 (0.14)	3090 (0.085)
6	35 (9.4)	51 (6.6)	68 (4.9)	104 (3.2)	149 (2.2)	209 (1.6)	349 (0.94)	528 (0.62)	700 (0.47)	1054 (0.31)	1503 (0.22)	2107 (0.155)	3509 (0.093)
7	39 (10.2)	57 (7.2)	77 (5.3)	116 (3.5)	186 (2.4)	234 (1.7)	390 (1.0)	589 (0.57)	783 (0.51)	1178 (0.34)	1680 (0.24)	2355 (0.17)	3922 (0.101)

Max. percentage defective (LTPD) or λ

[a]MIL-S-19500 and MIL-M-38510. Sample sizes are based on the Poisson exponential binomial limit. The minimum quality (approximate AQL) required to accept (on the average) 19 of 20 lots is shown in parentheses for information only. The life test failure rate, λ, shall be defined as the LTPD per 1000 h.

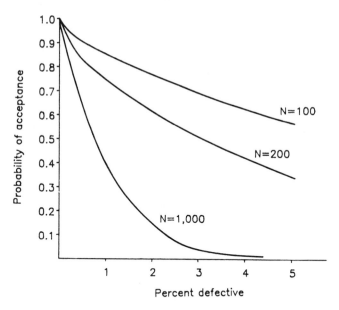

Figure 13.4 Operating characteristic (OC) curves for single sampling plans (10 per cent sample, acceptance number = 0)

improvement nearly always leads to reduced costs, higher productivity, and higher reliability. The concept of continuous improvement was first put forward by W. E. Deming (Reference 12), and taken up enthusiastically in Japan, where it is called *Kaizen*.

The idea of the quality loss function, due to Taguchi (page 181), also provides economic justification for continuous process improvement.

Methods that are available to generate process improvement are described below, and in References 3–7 and 14.

Simple charts

A variety of simple charting techniques can be used to help to identify and solve process variability problems. The Pareto chart (page 270) is often used as the starting point to identify the most important problems and the most likely causes. Where problems can be distributed over an area, for example defective solder joints on electronic assemblies, or defects in surface treatments, the *measles chart* is a useful aid. This consists simply of a diagram of the item, on which the locations of defects are marked as they are identified. Eventually a pattern of defect locations builds up, and this can indicate appropriate corrective action. For example, if solder defects cluster at one part of a PCB, this might be due to incorrect adjustment of the solder system.

The *cause-and-effect diagram* was invented by K. Ishikawa (Reference 13) as an aid to structuring and recording problem-solving and process improvement efforts. The diagram is also called a *fishbone*, or Ishikawa, diagram. The main problem is indicated on a horizontal line, and possible causes are shown as branches, which in turn can have sub-causes, indicated by sub-branches, and so on. An example is shown in Fig. 13.5.

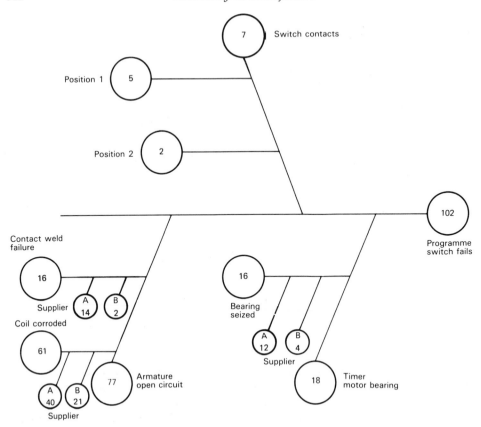

Figure 13.5 Cause and effective diagram

Control charts

When process control charts are in use, they should be monitored continuously for trends that might indicate special causes of variation, so that the causes can be eliminated. Trends can be a continuous run high or low on the chart, or any cyclic pattern. A continuous high or low trend indicates a need for process or measuring adjustment. A cyclic trend might be caused by temperature fluctuations, process drifts between settings, operator changeover, change of material, etc. Therefore it is important to record supporting data on the SPC chart, such as time and date, to help with the identification of causes. When a process is being run on different machines the SPC charts of the separate processes should be compared, and all significant differences investigated.

Multi-vari charts

A *multi-vari chart* is a graphical method for identifying the major causes of variation in a process. Multi-vari charts can be used for process development and for problem solving, and they can be very effective in reducing the number of variables to include in a statistical experiment.

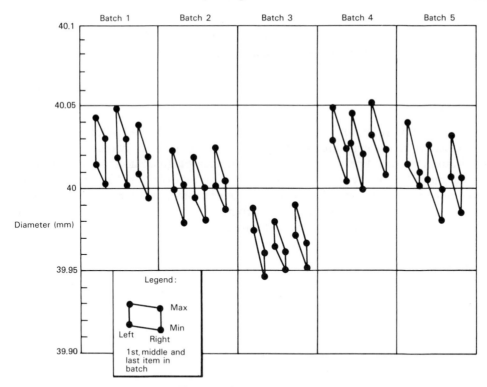

Figure 13.6 Multi-vari chart

Multi-vari charts show whether the major causes of variation are spatial, cyclic or temporal. The principle of operation is very simple: the parameter being monitored is measured in different positions (e.g. locations for measurement of a dimension, hardness, etc.), at different points in the production cycle (e.g. batch number from tool change), and at different times. The results are plotted as shown in Fig. 13.6, which shows a machined dimension plotted against two measurement locations, e.g. diameters at each end of a shaft, plotted against batch number from set-up. It shows that batch-to-batch variation is the most significant cause, with a significant pattern of end-to-end variation (taper). This information would then be used to seek the reasons for the major cause, if necessary by running further experiments. Finally, statistical experiments can be run to refine the process further, particularly if interactions are significant. The multi-vari method is described in Reference 14.

Statistical methods

The methods for analysis of variation, described in Chapter 7, can be used just as effectively for variation reduction in production processes. They should be used for process improvement, in the same way as for product and process initial design. If a particular process has been the subject of such experiments during development, then the results can be used to guide studies for further improvement.

The methods described above can also be used to identify the major causes of variation, prior to setting up statistical experiments. In this way the number of variables to be investigated in the statistical experiment can be reduced, leading to cost savings.

'Zero defects'

The *'zero defects'* (ZD) approach to QC was developed in the United States in the 1960s. ZD is based very much upon setting QC targets, publicizing results and exhortation by award presentations and poster campaigns. Successes were claimed for ZD but it has always been controversial. The motivational basis is evangelical and emotional, and the initial enthusiasm is hard to sustain. There are few managers who can set up and maintain a ZD programme as originally publicized, and consequently the approach is now seldom used.

Quality circles

The quality circles movement started in Japan in the 1950s, and is now used world wide. The idea is largely based on Drucker's management teaching, developed and taught for QC application by W. E. Deming and K. Ishikawa. It uses the methods of operator control, consistent with Drucker's teaching that the most effective management is that nearest to the action; this is combined with basic SPC and problem solving methods to identify and correct problems at their sources. The operator is often the person most likely to understand the problems of the process he or she operates, and how to solve them. However, the individual operator does not usually have the authority or the motivation to make changes. Also, he or she might not be able to influence problems elsewhere in the manufacturing system. The quality circles system gives workers this knowledge and influence, by organizing them into small work groups, trained to monitor quality performance, to analyse problems and to recommend solutions to management.

Quality circle teams manage themselves, select their leaders and members, and the problems to be addressed. They introduce the improvements if the methods are under their control. If not, they recommend the solutions to management, who must respond positively.

It is therefore a very different approach to that of ZD, since it introduces quality motivation as a normal working practice at the individual and team level, rather than by exhortation from above. Whilst management must be closely involved and supportive, it does not have to be continually active and visible in the way ZD requires.

Quality circles are taught to use analytical techniques to help to identify problems and generate solutions. The methods include Pareto analysis, SPC, and other charting techniques. For example, the team would be trained to interpret SPC charts to identify special causes of variation, and to use cause-and-effect diagrams. The cause-and-effect diagram is used by the team leader, usually on a flip chart, to put on view the problem being addressed and the ideas and solutions that are generated by the team, during the 'brainstorming' stage.

Quality circles must be organized with care and with the right training, and must have full support from senior and middle management. In particular, quality circles recommendations must be carefully assessed and actioned whenever they will be effective, or good reasons given for not following the recommendation.

The concept is really straightforward, enlightened management applied to the quality control problem, and in retrospect it might seem surprising that it has taken so long to be developed. It has proved to be highly successful in motivating people to produce better quality, and has been part of the foundation of the Japanese industrial revolution since the Second World War. The quality circles approach can be very effective when there is no formal quality control organization, for example in a small company.

The quality circles approach to quality improvement is described fully in Reference 15.

QUALITY CONTROL IN ELECTRONICS PRODUCTION

Test methods

Electronic equipment production is characterized by very distinct assembly stages, and specialist test equipment has been developed for each of these. Since electronic production is so ubiquitous, and since test methods can greatly affect quality costs and reliability, it is appropriate to consider test methods for electronics in this context. Automatic test equipment (ATE) for electronic production falls into the following main categories:

1. *Component testers*. These range from simple bench-top testers to very complex automatic testers for high speed testing of large-scale integrated circuits (e.g. microprocessors, memories).
2. *Bare board testers*. These test for shorts and opens on bare printed circuit boards (PCBs) before components are mounted to them.
3. *In-circuit testers*. In-circuit testers (ICT) test individual components, sequentially, after they have been mounted (soldered) on to PCBs, by making contact via an array of test pins to test points on the PCB surface.
4. *Functional testers*. Functional testers, of either assembled PCBs or higher levels of assembly, involve applying power, operating the unit under test through its specified functions and measuring the outputs. Functional testers may either be general purpose or designed for testing particular systems.

Nearly all electronic test equipment is software-controlled, and so can be configured to test, for example, any PCB pattern or assembled PCB. There is also some overlap of functions: e.g. modern PCB functional testers often include ICT facilities. ATE also includes diagnostic capabilities. ICT equipment will indicate which components are defective and the nature of the fault (e.g. shorted capacitors, IC faulty logic). Functional testers have guided probes, which the operator uses under machine instruction to isolate fault locations.

The rapid development of more complex circuits has led to a corresponding effort on the part of manufacturers to provide ATE which can adequately test and diagnose modern electronic systems. Generally speaking, ATE has not managed to keep up-to-date, and testing of electronic systems containing modern ICs can be difficult and expensive.

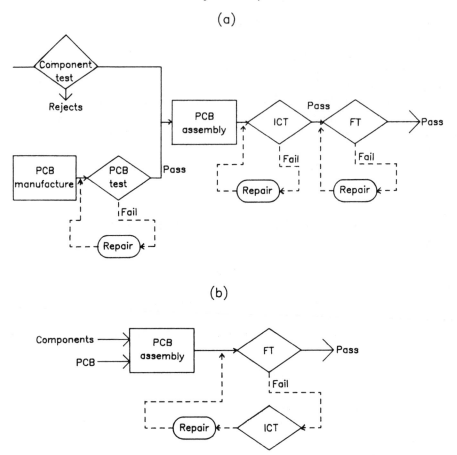

Figure 13.7 Electronic equipment test strategies

It is very important to design circuits to be testable by providing test access points and by including additional circuitry, or it will not be possible to test all functions or to diagnose the causes of certain failures. Design for testability can have a major impact on quality costs and on future maintenance costs. These aspects are covered in more detail in Chapters 9 and 14.

The optimum test strategy for a particular electronic product will depend upon factors such as component quality, quality of the assembly processes, test equipment capability, costs of diagnosis and repair at each stage, and production throughput. Generally, the earlier a defect is detected, the lower will be the cost. For example, if a defective component is detected and rejected at the component test, the cost will be the cost of the component. If the defective component is not detected until the PCB functional test, the cost will include time for diagnosis and repair, interruption to production, retest and additional documentation. A common rule of thumb states that the cost of correcting a defect increases by a factor of 10 at each test stage (component/PCB, ICT, functional test stages, in-service). Therefore the test strategy must be based on detecting and correcting defects as early as practicable in the production cycle, but defect probability and test cost must also be considered. Reference 17 covers test economics.

No test is 100 per cent effective in detecting defects. For example, a defective component might survive the component test and ICT, but fail at the functional test. Sometimes it is argued that defects detected at early test stages (e.g. a marginally out-of-tolerance component) would not cause later failure, and therefore early test stages might be too effective. This, however, ignores the fact that a marginal component might be more likely to fail later, possibly in service, when the cost of failure is much higher.

Since defects can be introduced at any manufacturing stage it is not sufficient to rely upon early testing alone.

The many variables involved in electronic equipment testing can be assessed by using computer models of the test options, under the range of assumed input conditions. Figure 13.7 shows some typical test flow arrangements. In Fig. 13.7(a), the manufacturer performs all test stages. In (b), the manufacturer relies on his suppliers to provide tested components and PCBs, applies only functional test and uses ICT only for diagnosis of PCBs which fail the functional test. Depending upon the circumstances, either strategy might be optimal.

Test results must be monitored continuously to ensure that costs are controlled and minimized. There will inevitably be variation over time. It is important to analyse the causes of failures at later test stages, to determine whether they could have been detected and corrected earlier. Throughout, the causes of defects must be rapidly detected and eliminated, and this requires a very responsive data collection and analysis system (see page 319). Some ATE systems provide data logging and analysis, and data networking between test stations is also available.

References 16 and 17 provide good introductions to ATE systems and economics.

Reliability of connections

Solder connections for electronic components on PCBs are not usually a reliability problem, but for equipment subject to long periods in storage, or which must operate in severe environments of vibration, temperature cycling or corrosive atmospheres, solder joint quality can be critical, particularly as the number involved is always large. Complete opens and shorts will nearly always be detected during functional test, but open-circuit and intermittent failures can occur in use due to corrosion or fatigue of joints which pass initial visual and functional tests. The main points to watch to ensure solder joint reliability are:

1. *Process control.* Solder temperature, solder mix (when this is variable, e.g. in wave solder machines), soldering time, fluxes, PCB cleaning.
2. *Component mounting.* The solder joint should not be used to provide structural support, particularly in equipment subject to vibration or shock, or for components of relatively large mass, such as trimpots and some capacitors.
3. *Component preparation.* Component leads must be clean and wettable by the solder. Components which have been stored unpackaged for more than a few days, or packaged for more than six months, require special attention, as oxide formation on the leads may inhibit solderability, particularly on wave solder machines,

where all joints are subject to the same time in the solder wave. If necessary, such components should have their leads cleaned and retinned prior to assembly. All components should be subject to sampling tests for solderability, as near in time to the assembly stage as practicable.

4. *Solder joint inspection.* Inspectors performing visual inspection of solder joints are typically about 80 per cent effective in seeing joints which do not pass visual inspection standards. Also, it is possible to have unreliable joints which meet appearance criteria. If automatic testing for opens and shorts is used instead of 100 per cent visual inspection, it will not show up marginal joints which can fail later.

Surface mounted devices, as described in Chapter 9, present particular problems, since the solder connections are so much smaller and more closely spaced. Manual soldering is not practicable, so automatic placement and soldering systems must be used. Visual inspection is difficult and this has resulted in the development of semi-automatic and automated optical inspection systems, though these cannot be considered to be totally reliable. SMD solderability and soldering must be very carefully controlled to minimize the creation of defective joints. Also, SMD solder joints can fail owing to fatigue in shear brought about by thermal cycling, so thermal design is important for systems that must operate reliably over many cycles.

Burn-in (environmental stress screening)

'*Burn-in*' is the name given to the processes to stimulate failure in defective electronic components and assemblies by accelerating the stresses that will cause defective items to fail, without damaging good items. The term '*environmental stress screening*' (ESS) is also used, usually in relation to assemblies. Component burn-in for microelectronic devices was described in Chapter 9.

Burn-in of assemblies

Since electronic assemblies are collections of components which are subject mainly to a decreasing hazard rate, and since the assembly processes generate similar failure patterns, burn-in of electronic assemblies is an effective way of improving reliability of delivered equipment. Generally it is cheaper and most effective to burn-in the complete equipment, unless it is a large system made up of several separate testable assemblies, but sometimes burn-in of PCBs may be performed as well, particularly for equipment where PCBs are wired in, making repair expensive at the full assembly stage.

Electronic equipment is often burned-in using test cycles given in MIL-STD-781 (see Chapter 11) or MIL-STD-2164. Burn-in ovens are available which provide the environmental cycling. The equipment under test may be stimulated and monitored manually, but automatic systems are more often used, coupled with automatic data logging. Most evidence supports burn-in of 50–150 h as being effective in showing up 80–90 per cent of component and production-induced defects (e.g. solder joints, component drift or mismatch, weak components) and reducing the instantaneous failure rate by factors ranging from 2 to 10. The effectiveness of burn-in depends upon the severity of the environmental cycles, and on the adequacy of the preceding

QC methods. However, since equipment burn-in temperatures seldom exceed about 70 °C, burn-in at this level should not be relied upon to screen out defective ICs.

If burn-in shows up very few defects, it is either insufficiently severe or the product being burned-in is already highly reliable. Obviously the latter situation is preferable, and all failures during burn-in should be analysed to determine if QC methods should have prevented them or discovered them earlier, particularly prior to assembly. At this stage, repairs are expensive, so eliminating the need for them by using high quality components and tight QC during production is a worthwhile objective. However, for relatively complex equipment or when reliability is important, burn-in of assemblies is usually necessary and is often stipulated in government contracts.

Equipment burn-in is expensive, so its application must be carefully monitored. Burn-in failure data should be analysed continuously to enable the process to be optimized in terms of operating conditions and duration. Times between failures should be logged to enable the burn-in operation to be optimized.

Component and equipment burn-in must be considered in the development of the production test strategy. The costs and effects in terms of reduced failure costs in service, and the relationships with other test methods and QC methods, must be assessed as part of the integrated quality assurance approach. Much depends upon the reliability requirement and the costs of failures in service. Also, burn-in will ensure that manufacturing quality problems are detected before shipment, so that they can be corrected before they affect much production output. With large-scale production, particularly of commercial and domestic equipment, burn-in of samples is sometimes applied for this purpose.

Reference 18 describes methods and analytical techniques for burn-in.

FAILURE REPORTING AND ANALYSIS

Internal failure reporting and analysis is an important part of the QA function. The system must provide for:

1. Reporting of all test and inspection failures with sufficient detail to enable investigation and corrective action to be taken.
2. Reporting the results of investigation and action.
3. Analysis of failure patterns and trends, and reporting on these.

The data system should be computerized for economy and accuracy. Modern ATE sometimes includes direct test data recording and inputting to a central system by networking. Manual input to computer terminals connected to the network also speeds up the system, but data input using paper forms is still common. The data analysis system should provide Pareto analysis, probability plots and trend analyses, for management reporting.

Production defect data reporting and analysis must be very quick to be effective. Trends should be analysed daily, or weekly at most, particularly for high rates of production, to enable timely corrective action to be taken. Production problems usually arise quickly, and the system must be able to detect a bad batch of components or an improperly adjusted process as soon as possible. Many problems become immediately apparent without the aid of a data analysis system, but a change of, say, 50 per cent in the proportion of a particular component in a system failing on test might not be noticed otherwise. The data analysis system is also necessary for indicating areas for priority action, using the Pareto principle of concentrating action on the few problem areas that contribute the most to quality costs. For this purpose longer term analysis, say monthly, is necessary.

Defective components should not be scrapped immediately, but should be labelled and stored for a period, say 1 to 2 months, so that they are available for more detailed investigation if necessary.

Production defect data should not be analysed in isolation by people whose task is primarily data management. The people involved (production, supervisors, QC engineers, test operators, etc.) must participate to ensure that the data are interpreted by those involved and that practical results are derived. The quality circles approach provides very effectively for this.

Production defect data are important for highlighting possible in-service reliability problems. Many in-service failure modes manifest themselves during production inspection and test. For example, if a component or process generates failures on the final functional test, and these are corrected before delivery, it is possible that the failure mechanism exists in products which pass test and are shipped. Metal surface protection and soldering processes present such risks, as can almost any component in electronic production. Therefore production defects should always be analysed to determine the likely effects on reliability and on external failure costs, as well as on internal production quality costs.

QUALITY ASSURANCE STANDARDS

Standard procedures have been published to provide baselines for evaluating the quality assurance systems of companies. The first of these was US Military Standard Q-9858 (Reference 19). Similar commercial standards have since been produced in the USA (ASQC/ANSI Q-90), in the UK (British Standard BS 5750); in other countries, and internationally (ISO 9000) (References 20–22). The national standards are now generally 'harmonised' with ISO 9000, so that a company which has passed the assessment criteria of the national standard is considered to meet the standards required of ISO 9000. Similar standards exist for military applications, notably NATO AQAP-1 (Reference 23). Approval to these standards can be a requirement for companies working to contracts, particularly in defence products and systems.

However, these standards fall far short of the best modern approaches, as described in this book and as used by companies operating in competitive, commercial fields. Therefore, whilst being assessed and registered under such schemes might be necessary from a business point of view, the fact that a company is registered should not by itself be considered as assurance that it can meet the most stringent quality requirements. For this reason, the best modern manufacturing companies impose much stricter standards on their suppliers, including requirements for statistical process control and continuous improvement.

CONCLUSIONS

The modern approach to production quality control and improvement is based heavily on the use of statistical methods and on organizing, motivating and training production people at all levels to work for continuously improving performance, of people and of processes. A very close link must exist between design and development of the product and of the production processes, and the criteria and methods to be used to control the processes. This integrated approach to management of the design and production processes is described in more detail in Chapter 15, and also in References 12, 14, 24 and 25. The journals of the main quality assurance professional societies (e.g. References 26 and 27) also provide valuable information on new developments.

BIBLIOGRAPHY

1. J. M. Juran, *Quality Control Handbook* 3rd edn. McGraw-Hill (1974).
2. A. V. Feigenbaum, *Total Quality Control* 3rd edn. McGraw-Hill (1983).
3. J. M. Juran, F. M. Gryna, *Quality Planning and Analysis* 2nd edn. McGraw-Hill (1980).
4. E. L. Grant, R. S. Leavenworth, *Statistical Quality Control* 5th edn. McGraw-Hill Kogakusha Ltd (1980).
5. D. C. Montgomery, *Introduction to Statistical Quality Control*. Wiley (1985).
6. J. S. Oakland, R. F. Followell, *Statistical Process Control, a Practical Guide* 2nd edn. Heinemann (1990).
7. T. P. Ryan, *Statistical Methods for Quality Improvement*. Wiley–Interscience (1989).
8. A. J. Duncan, *Quality Control and Industrial Statistics*, 5th edn. Irwin (1986).
9. US Military Standard 105D, *Sampling Procedures and Tables for Inspection by Attributes*.
10. British Standard BS 6001, *Sampling Procedures and Tables for Inspection by Attributes*.
11. US Military Standard 414, *Sampling Procedures and Tables for Inspection by Variables*.
12. W. E. Deming, *Out of the Crisis*. MIT University Press (1987).
13. K. Ishikawa, *Guide to Quality Control*. Asian Productivity Association/Unipub (1984).
14. K. R. Bhote, *World Class Quality*. American Management Assocation (1988).
15. D. C. Hutchins, *Quality Circles Handbook*. Pitman (1985).
16. A. C. Stover, *ATE: Automatic Test Equipment*. McGraw-Hill (1984).
17. B. Davis, *The Economics of Automatic Test Equipment*. McGraw-Hill (1982).
18. F. Jensen, N. E. Peterson, *Burn-in: An Engineering Approach to the Design and Analysis of Burn-in Procedures*. Wiley (1983).
19. US Military Standard (Q) 9858 — *Quality Program Requirements*.
20. American Society for Quality Control/*ANSI Q-90: Quality Systems*.
21. British Standard BS 5750, *Quality Systems*.
22. International Standards Organization *ISO 9000: Quality Systems*.
23. NATO Allied Quality Assurance Procedure AQAP-1: *Quality System Requirements*.
24. J. M. Groocock, *The Cost of Quality*. Pitman (1974).
25. J. M. Groocock, *The Chain of Quality*. Wiley (1986).
26. *Quality Progress*, Journal of the American Society for Quality Control.
27. *Quality Assurance*, Journal of the Institute of Quality Assurance (UK).

14

Maintainability, Maintenance and Availability

INTRODUCTION

Most systems are maintained, i.e. they are repaired when they fail, and work is performed on them to keep them operating. The ease with which repairs and other maintenance work can be carried out determines a system's maintainability.

Maintained systems may be subject to *corrective* and *preventive* maintenance. Corrective maintenance includes all action to return a system from a failed to an operating or available state. The amount of corrective maintenance is therefore determined by reliability. Corrective maintenance action cannot be planned; it happens when we do not want it to.

Corrective maintenance can be quantified as the *mean time to repair* (MTTR). The time to repair, however, includes several activities, usually divided into three groups:

1. Preparation time: finding the person for the job, travel, obtaining tools and test equipment, etc.
2. Active maintenance time: actually doing the job.
3. Delay time (logistics time): waiting for spares, etc., once the job has been started.

Active maintenance time includes time for studying repair charts, etc., before the actual repair is started, and time spent in verifying that the repair is satisfactory. It might also include time for post-repair documentation when this must be completed before the equipment can be made available, e.g. on aircraft. Corrective maintenance is also specified as a *mean active maintenance time* (MAMT), since it is only the active time (excluding documentation) that the designer can influence.

Preventive maintenance seeks to retain the system in an operational or available state by preventing failures from occurring. This can be by servicing, such as cleaning and lubrication, or by inspection to find and rectify incipient failures, e.g. by crack detection or calibration. Preventive maintenance affects reliability directly. It is planned and should be performed when we want it to be. Preventive maintenance is measured by the time taken to perform the specified maintenance tasks and their specified frequency.

Maintainability affects availability directly. The time taken to repair failures and to carry out routine preventive maintenance removes the system from the available state. There is thus a close relationship between reliability and maintainability, one affecting the other and both affecting availability and costs. In the steady state, i.e. after any transient behaviour has settled down and assuming that maintenance actions occur at a constant rate:

$$\text{Availability} = \frac{\text{MTBF}}{\text{MTBF} + \text{MTTR} + \text{mean preventive maintenance time}}$$

Availability analysis and prediction were covered in Chapter 5.

The maintainability of a system is clearly governed by the design. The design determines features such as accessibility, ease of test and diagnosis, and requirements for calibration, lubrication and other preventive maintenance actions.

This chapter describes how maintainability can be optimized by design, and how it can be predicted and measured. It also shows how plans for preventive maintenance can be optimized in relation to reliability, to minimize downtime and costs.

MAINTENANCE TIME DISTRIBUTIONS

Maintenance times tend to be lognormally distributed (see Fig. 14.1). This has been shown by analysis of data. It also fits our experience and intuition that, for a task or group of tasks, there are occasions when the work is performed rather quickly, but it is relatively unlikely that the work will be done in much less time than usual, whereas it is relatively more likely that problems will occur which will cause the work to take much longer than usual.

In addition to the job-to-job variability, leading typically to a lognormal distribution of repair times, there is also variability due to learning. Depending upon how data are collected, this variability might be included in the job-to-job variability, e.g. if technicians of different experience are being used simultaneously. However, both the mean time and the variance should reduce with experience and training.

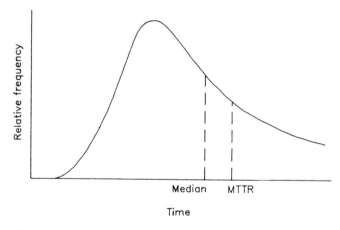

Figure 14.1 The lognormal distribution of maintenance times

The properties of the lognormal distribution are described in Chapter 2. Lognormal or Weibull probability paper can be used for plotting maintenance time data (Chapter 3).

PREVENTIVE MAINTENANCE STRATEGY

The effectiveness and economy of preventive maintenance can be maximized by taking account of the time-to-failure distributions of the maintained parts and of the failure rate trend of the system.

In general, if a part has a decreasing hazard rate, any replacement will increase the probability of failure. If the hazard rate is constant, replacement will make no difference to the failure probability. If a part has an increasing hazard rate, then scheduled replacement at any time will in theory improve reliability of the system. However, if the part has a failure-free life (Weibull $\gamma > 0$), then replacement before this time will ensure that failures do not occur. These situations are shown in Fig. 14.2.

These are theoretical considerations. They assume that the replacement action does not introduce any other defects and that the time-to-failure distributions are exactly defined. As explained in Chapter 5, these assumptions must not be made without question. However, it is obviously of prime importance to take account of the time-to-failure distributions of parts in planning a preventive maintenance strategy.

In addition to the effect of replacement on reliability as theoretically determined by considering the time-to-failure distributions of the replaced parts, we must also take account of the effects of the maintenance action on reliability. For example, data might show that a high pressure hydraulic hose has an increasing hazard rate after a failure-free life, in terms of hose leaks. A sensible maintenance policy might therefore be to replace the hose after, say, 80 per cent of the failure-free life. However, if the replacement action increases the probability of hydraulic leaks from the hose end connectors, it might be more economical to replace hoses on failure.

The effects of failures, both in terms of effects on the system and of costs of downtime and repair, must also be considered. In the hydraulic hose example, for instance, a hose leak might be serious if severe loss of fluid results, but end connector leaks might generally be only slight, not affecting performance or safety. A good example of replacement strategy being optimized from the cost point of view is the scheduled replacement of incandescent and fluorescent light units. It is cheaper to replace all units at a scheduled time before an expected proportion will have failed, rather than to replace each unit on failure.

In order to optimize preventive replacement, it is therefore necessary to know the following for each part:

1. The time-to-failure distribution parameters for the main failure modes.
2. The effects of all failure modes.
3. The cost of failure.
4. The cost of scheduled replacement.
5. The likely effect of maintenance on reliability.

(m = scheduled replacement interval)

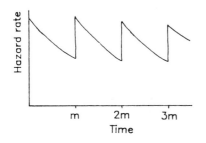

Decreasing hazard rate: scheduled replacement increases failure probability.

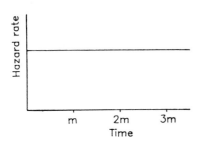

Constant hazard rate: scheduled replacement has no effect on failure probability.

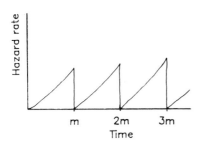

Increasing hazard rate: scheduled replacement reduces failure probability.

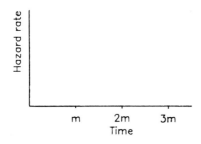

Increasing hazard rate with failure—free life >m: scheduled replacement makes failure probability = 0.

Figure 14.2 Theoretical reliability and scheduled replacement relationships

We have considered so far parts which do not give any warning of the onset of failure. If incipient failure can be detected, e.g. by inspection, non-destructive testing, etc., we must also consider:

6. The rate at which defects propagate to cause failure.
7. The cost of inspection or test.

Note that, from 2, an FMECA is therefore an essential input to maintenance planning.

This systematic approach to maintenance planning, taking account of reliability aspects, is called *reliability centred maintenance* (RCM).

Example 14.1

A flexible cable on a robot assembly line has a time-to-failure distribution which is Weibull, with $\gamma = 150$ h, $\beta = 1.7$ and $\eta = 300$ h. If failure occurs whilst in use the cost of stopping the line and replacing the cable is $5000. The cost of replacement during scheduled maintenance is $500. If the line runs for 5000 hours a year and scheduled maintenance takes place every week (100 hours), what would be the annual expected cost of replacement at one-weekly or two-weekly intervals?

With no scheduled replacement the probability of a failure occurring in t hours will be

$$1 - \exp\left[-\left(\frac{t-150}{300}\right)^{1.7} \right] \tag{2.38}$$

With scheduled replacement after m hours, the scheduled maintenance cost in 5000 h will be

$$\frac{5000}{m} \times 500 = \frac{2.5 \times 10^6}{m}$$

and the expected failure cost in each scheduled replacement interval will be (assuming not more than one failure in any replacement interval):

$$5000\left\{1 - \exp\left[-\left(\frac{m-150}{300}\right)^{1.7} \right]\right\}$$

Then the total cost per year

$$C = \frac{2.5 \times 10^6}{m} + \frac{5000 \times 5000}{m}\left\{1 - \exp\left[-\left(\frac{m-150}{300}\right)^{1.7} \right]\right\}$$

Results are as follows:

m	No. of scheduled replacements	Expected failures	C
100	50	0	$25 000
200	25	1.2	$18 304
400	12	6.5	$38 735

Therefore the optimum policy might be to replace the cables at alternate scheduled maintenance intervals, taking a slight risk of failure. (Note that the example assumes that not more than one failure occurs in any scheduled maintenance interval. If m is only a little more than γ this is a reasonable assumption.)

A more complete analysis could be performed using Monte Carlo simulation. We could then take account of more detailed maintenance policies; e.g. it might be decided that if a cable had been replaced due to failure shortly before a scheduled maintenance period, it would not be replaced at that time.

Practical implications

The time-to-failure patterns of components in a system therefore largely dictate the optimum maintenance policy. Generally, since electronic components do not wear out, scheduled tests and replacements do not improve reliability. Indeed they are more likely to induce failures (real or reported). Electronic equipment should only be subjected to periodic test or calibration when drifts in parameters or other failures can cause the equipment to operate outside specification without the user being aware. Built-in test and autocalibration can reduce or eliminate the need for periodic test.

Mechanical equipment subject to wear, corrosion, fatigue, etc., should be considered for preventive maintenance.

FMECA AND FTA IN MAINTENANCE PLANNING

The FMECA is an important prerequisite to effective maintenance planning and maintainability analysis. As shown earlier, the effects of failure modes (costs, safety implications, detectability) must be considered in determining scheduled maintenance requirements. The FMECA is also a very useful input for preparation of diagnostic procedures and checklists, since the likely causes of failure symptoms can be traced back using the FMECA results. When a fault tree analysis (FTA) has been performed. It can also be used for this purpose.

BUILT-IN TEST (BIT)

Complex electronic systems such as laboratory instruments, avionics and process control systems now frequently include built-in test (BIT) facilities. BIT consists of additional hardware (and often software) which is used for carrying out functional test on the system. BIT might be designed to be activated by the operator, or it might monitor the system continuously or at set intervals.

BIT can be very effective in increasing system availability and user confidence in the system. However, BIT inevitably adds complexity and cost and can therefore increase the probability of failure. Additional sensors might be needed as well as BIT circuitry and displays. In microprocessor-controlled systems BIT can be largely implemented in software, but even then additional memory might be required.

BIT can also adversely affect apparent reliability by falsely indicating that the system is in a failed condition. This can be caused by failures within the BIT, such as failures of sensors, connections, or other components. BIT should therefore be kept simple, and limited to monitoring of essential functions which cannot otherwise be easily monitored.

It is important to optimize the design of BIT in relation to reliability, availability and cost. Sometimes BIT performance is specified (e.g. '90 per cent of failures must be detected and correctly diagnosed by BIT'). An FMECA can be useful in checking designs against BIT requirements since BIT detection can be assessed against all the important failure modes identified.

MAINTAINABILITY PREDICTION

Maintainability prediction is the estimation of the maintenance workload which will be imposed by scheduled and unscheduled maintenance. The standard method used for this work is US MIL-HDBK-472 (Reference 11), which contains four methods for predicting the mean time to repair (MTTR) of a system. Method II is the most frequently used. This is based simply on summing the products of the expected repair times of the individual failure modes and dividing by the sum of the individual failure rates, i.e.:

$$\text{MTTR} = \frac{\sum(\lambda t_r)}{\sum \lambda} \tag{14.1}$$

The same approach is used for predicting the mean preventive maintenance time, with λ replaced by the frequency of occurrence of the preventive maintenance action.

MIL-HDBK-472 describes the methods to be used for predicting individual task times, based upon design considerations such as accessibility, skill levels required, etc. It also describes the procedures for calculating and documenting the analysis, and for selection of maintenance tasks when a sampling basis is to be used (method III), rather than by considering all maintenance activities, which is impracticable on complex systems.

MAINTAINABILITY DEMONSTRATION

The standard approach to maintainability demonstration is MIL-STD-471 (Reference 10). The technique is the same as for maintainability prediction using method III of MIL-HDBK-472, except that the individual task times are measured rather than estimated from the design. Selection of task times to be demonstrated might be by agreement or by random selection from a list of maintenance activities.

DESIGN FOR MAINTAINABILITY

It is obviously important that maintained systems are designed so that maintenance tasks are easily performed, and that the skill level required for diagnosis, repair and scheduled maintenance are not too high, considering the experience and training of likely maintenance personnel and users. Features such as ease of access and handling, the use of standard tools and equipment rather than specials, and the elimination of the need for delicate adjustment or calibration are desirable in maintained systems. As far as is practicable, the need for scheduled maintenance should be eliminated. Whilst the designer has no control over the performance of maintenance people, he or she can directly affect the inherent maintainability of a system.

Design rules and checklists should include guidance, based on experience of the relevant systems, to aid design for maintainability and to guide design review teams.

Design for maintainability is closely related to design for ease of production. If a product is easy to assemble and test maintenance will usually be easier. Design for testability of electronic circuits is particularly important in this respect, since circuit testability can greatly affect the ease and accuracy of failure diagnosis, and thus maintenance and logistics costs. Design of electronic equipment for testability is covered in more detail in Chapter 9.

Interchangeability is another important aspect of design for ease of maintenance of repairable systems. Replaceable components and assemblies must be designed so that no adjustment or recalibration is necessary after replacement. Interface tolerances must be specified to ensure that replacement units are interchangeable.

INTEGRATED LOGISTIC SUPPORT

Integrated logistic support (ILS) is a concept developed by the military, in which all aspects of design and of support and maintenance planning are brought together, to ensure that the design and the support system are optimized. Operational effectiveness, availability, and total costs of deployment and support are all considered. The approach is described in US-MIL-STD 1388 (Reference 13).

ILS, and the associated logistic support analysis (LSA), require inputs of reliability and maintainability data and forecasts, as well as data on costs, weights, special tools and test equipment, training requirements, etc. MIL-STD-1388 requires that all analyses are computerized, and lays down standard input and output formats. Several commercial computer programs have been developed for the tasks.

ILS/LSA outputs are obviously very sensitive to the accuracy of the inputs. In particular, reliability forecasts can be highly uncertain, as explained in Chapter 5. Therefore such analyses, and decisions based upon them, should take full account of these uncertainties.

BIBLIOGRAPHY

1. J. D. Patton, *Maintainability and Maintenance Management*. Instrument Society of America, Pittsburgh (1980).
2. A. S. Goldman and T. B. Slattery, *Maintainability: A Major Element of Systems Effectiveness*. Wiley (1964).
3. B. S. Blanchard and E. E. Lowery, *Maintainability Principles and Practices*. McGraw-Hill (1969).
4. C. E. Cunningham and W. Cox, *Applied Maintainability Engineering*. Wiley (1972).

5. F. S. Nowlan and H. F. Heap, *Reliability Centred Maintenance*. Dolby Access Press (1979).
6. A. K. S. Jardine, *Maintenance, Replacement and Reliability*, Pitman (1973).
7. D. J. Smith, *Reliability and Maintainability in Perspective*, 2nd edn. Macmillan (1985).
8. J. E. Arsenault and J. A. Roberts, *Reliability and Maintainability of Electronic Systems*. Computer Science Press (1980).
9. US MIL-STD-470: *Maintainability Program Requirements*. Available from the National Technical Information Service, Springfield, Virginia.
10. US MIL-STD-471: *Maintainability Demonstration*. Available from the National Technical Information Service, Springfield, Virginia.
11. US MIL-STD-472: *Maintainability Prediction*. Available from the National Technical Information Service, Springfield, Virginia.
12. UK Defence Standard 00-40: *The Management of Reliability and Maintainability*. HMSO.
13. US MIL-STD-1388: *Integrated Logistic Support*. Available from the National Technical Information Service, Springfield, Virginia.

15

Reliability Management

CORPORATE POLICY FOR RELIABILITY

A really effective reliability function can exist only in an organization where the achievement of high reliability is recognized as part of the corporate strategy and is given top management attention. If these conditions are not fulfilled, and if it receives only lip service, reliability effort will be cut back whenever cost or time pressures arise. Reliability staff will suffer low morale and will not be accepted as part of project teams. Therefore, quality and reliability awareness and direction must start at the top and must permeate all functions and levels where reliability can be affected. It is significant that in Japan the government has made quality a national objective, with a requirement that a product attains set quality standards as a condition of being granted an export licence. It is common in Japanese corporations for reliability training to start at senior executive level and to be extended downwards to include every designer. The effects of this high level attention have been dramatic in leading Japanese industry to the forefront in many areas of technological competition, and many Western companies now adopt this approach.

Several factors of modern industrial business make such high level awareness essential. The high costs of repairs under warranty, and of those borne by the user, even for relatively simple items such as domestic electronic and electrical equipment, make reliability a high value property. Other less easily quantifiable effects of reliability, such as customer goodwill and product reputation, and the relative reliability of competitive products, are also important in determining market penetration and retention.

INTEGRATED RELIABILITY PROGRAMMES

The reliability effort should always be treated as an integral part of the product development and not as a parallel activity unresponsive to the rest of the development programme. This is the major justification for placing responsibility for reliability with the project manager. Whilst specialist reliability services and support can be provided from a central department in a matrix management structure, the responsibility for reliability achievement must not be taken away from the project manager, who is the only person who can ensure that the right balance is struck in allocating resources and time between the various competing aspects of product development.

331

The elements of a comprehensive reliability programme are shown, related to the overall development and production programme, in Fig. 1.6. This shows the continuous feedback of information, so that design iteration can be most effective.

Since production quality will be the final determinant of reliability, quality control is an integral part of the reliability programme. Quality control cannot make up for design shortfalls, but poor quality can negate much of the reliability effort. The quality control effort must be responsive to the reliability requirement and must not be directed only at reducing production costs and the passing of a final test or inspection. Quality control can be made to contribute most effectively to the reliability effort if:

1. Quality procedures, such as test and inspection criteria, are related to factors which can affect reliability, and not only to form and function. Examples are tolerances, inspection for flaws which can cause weakening, and the need for adequate burn-in when appropriate.
2. Quality control test and inspection data are integrated with the other reliability data.
3. Quality control personnel are trained to recognize the relevance of their work to reliability, and trained and motivated to contribute.

An integrated reliability programme must be disciplined. Whilst creative work such as design is usually most effective when not constrained by too many rules and guidelines, the reliability (and quality) effort must be tightly controlled and supported by mandatory procedures. The disciplines of design analysis, test, reporting, failure analysis and corrective action must be strictly imposed, since any relaxation can result in a reduction of reliability, without any reduction in the cost of the programme. There will always be pressure to relax the severity of design analyses or to classify a failure as non-relevant if doubt exists, but this must be resisted. The most effective way to ensure this is to have the agreed reliability program activities written down as mandatory procedures, with defined responsibilities for completing and reporting all tasks, and to check by audit and during programme reviews that they have been carried out.

RELIABILITY AND COSTS

Achieving high reliability is expensive, particularly when the product is complex or involves relatively untried technology. The techniques described in earlier chapters require the resources of trained engineers, management time, test equipment and products for testing, and it often appears difficult to justify the necessary expenditure in the quest for an inexact quantity such as reliability. It can be tempting to trust to good basic design and production and to dispense with specific reliability effort, or to provide just sufficient effort to placate a customer who insists upon a visible programme without interfering with the 'real' development activity. However, experience points to the fact that all well-managed reliability efforts pay off. There are usually practical limits to how much can be spent on reliability during a development programme. However, the author is unaware of any programme in which experience indicated that too much effort was devoted to reliability or that the law of diminishing returns was observed to be operating to a degree which indicated that the programme was saturated. This is mainly due to the fact that nearly every failure mode experienced in service is worth discovering and correcting during development, owing to the very large cost disparity between corrective action taken during development and similar action (or the cost of living with the failure mode) once the equipment is in service. The earlier in a development programme that the failure mode is identified and corrected the cheaper it will be, and so the reliability effort must be instituted at the outset and as many failure modes as possible eliminated during the early analysis, review and test phases. Likewise, it is nearly always less costly to correct causes of production defects than to live with the consequences in terms of production costs and unreliability.

It is dangerous to generalize about the cost of achieving a given reliability value, or of the effect on reliability of stated levels of expenditure on reliability programme activities. Some texts show a relationship as in Fig. 1.7 (page 15) with the lowest total cost (life cycle cost—LCC) indicating the 'optimum reliability' (or quality) point. However, this is a very misleading picture. The direct failure costs can usually be estimated fairly accurately, related to assumed reliability levels and yields of production processes, but the cost of achieving these levels is much more difficult to forecast. In fact, as described above, the relationship is more likely to be a decreasing one, so that the optimum quality and reliability is in fact 100 per cent, as shown in Fig. 1.8 (page 15).

Several standard references on quality management suggest considering costs under three headings, so that they can be identified, measured and controlled. These *quality costs* are the costs of all activities specifically directed at reliability and quality control, and the costs of failure. Quality costs are usually considered in three categories:

1. Prevention costs
2. Appraisal costs
3. Failure costs

Prevention costs are those related to activities which prevent failures occurring. These include reliability efforts, quality control of bought-in components and materials, training and management.

Appraisal costs are those related to test and measurement, process control and quality audit.

Failure costs are the actual costs of failure. Internal failure costs are those incurred during manufacture. These cover scrap and rework costs (including costs of related work in progress, space requirements for scrap and rework, associated documentation, and related overheads). Failure costs also include external or post-delivery failure costs, such as warranty costs; these are the costs of unreliability.

Obviously it is necessary to minimize the sum of quality and reliability costs over a suitably long period. Therefore the immediate costs of prevention and appraisal must be related to the anticipated effects on failure costs, which might be affected over several years. Investment analysis related to Q & R is an uncertain business, because of the impossibility of accurately predicting and quantifying the results. Therefore the analysis should be performed using a range of assumptions to determine the sensitivity of the results to assumed effects, such as the yield at test stages and reliability in service.

For example, two similar products, developed with similar budgets, may have markedly different reliabilities, due to differences in quality control in production, differences in the quality of the initial design or differences in the way the reliability aspects of the development programme were managed. It is even harder to say by how much a particular reliability activity will affect reliability. $20 000 spent on FMECA might make a large or a negligible difference to achieved reliability, depending upon whether the failure modes uncovered would have manifested themselves and been corrected during the development phase, or the extent to which the initial design was free of shortcomings.

The value gained from a reliability programme must, to a large extent, be a subjective judgement based upon experience and related to the way the programme is managed. The reliability programme will usually be constrained by the resources which can be usefully applied within the development time-scale. Allocation of resources to reliability programme activities should be based upon an assessment of the risks. For a complex new design, design analysis must be thorough and searching, and performed early in the programme. For a relatively simple adaptation of an existing product, less emphasis may be placed on analysis. In both cases the test programme should be related to the reliability requirement, the risks assessed in achieving it and the costs of non-achievement. The two most important features of the programme are (1) the statement of the reliability aim in such a way that it is understood, feasible, mandatory and demonstrable, (2) dedicated, integrated management of the programme.

Provided these two features are present, the exact balance of resources between activities will not be critical, and will also depend upon the type of product. A strong test–analyse-fix programme can make up for deficiencies in design analysis, albeit probably at higher cost; an excellent design team, well controlled and supported by good design rules, can reduce the need for testing. The reliability programme for an electronic equipment will not be the same as for a power station. As a general rule, all the reliability programme activities described in this book are worth applying insofar as they are appropriate to the product, and the earlier in the programme they can be applied the more cost-effective they are likely to prove.

In a well-integrated design, development and production effort, with all contributing to the achievement of high quality and reliability, and supported by effective management and training, it is not possible to isolate the costs of reliability and quality effort. The most realistic and effective approach is to consider all such effort as investments to enhance product performance and excellence, and not to try to classify or analyse them as though they were burdens.

Costs of unreliability

The costs of unreliability in service should be evaluated early in the development phase, so that the effort on reliability can be justified and requirements can be set, related to expected costs. The analysis of unreliability costs takes different forms, depending on the type of development programme and how the product is maintained. Two examples are given to illustrate these differences in typical programmes.

Example 15.1

A commercial electronic communication equipment is to be developed as a risk venture. The product will be sold outright, with a 2 year parts and labour warranty. Outline the LCC analysis approach and comment on the support policy options.

The analysis must take account of direct and indirect costs. The direct costs can be related directly to failure rate (or removal rate, which is likely to be higher).

The *direct costs* are:

1. Warranty repair costs.
   The annual warranty repair cost will be:

   (Number of warranted units in use)×(annual call rate per unit)×(cost per call).

   The number of warranted units will be obtained from market projections. The call rate will be related to MTBF and expected utilization.
2. Spares production and inventory costs for warranty support.
   Spares costs: to be determined by analysis (e.g. Poisson model, simulation) using inputs of call rate, proportion of calls requiring spares, spares costs, probability levels of having spares in stock, repair time to have spares back in stock, repair and stockholding costs.
3. Net of profits on post-warranty repairs and spares.
   Annual profit on post-warranty spares and repairs: analysis to be similar to warranty costs analysis, but related to post-warranty equipment utilization.

Indirect costs (not directly related to failure or removal rate):

1. Service organization (training manuals, overheads). (Warranty period contribution.)
2. Product reputation.

These costs cannot be derived directly. A service organization will be required in any case and its performance will affect the product's reputation. However, a part of its costs will be related to servicing the warranty. A parametric estimate should be made under these headings, for example:

Service organization: 50 per cent of annual warranty cost in first 2 years, 25 per cent thereafter.
Product reputation: agreed function of call rate.

Since these costs will accrue at different rates during the years following launch, they must all be evaluated for, say, the first 5 years. The unreliability costs progression should then be plotted (Fig. 15.1) to show the relationship between cost and reliability.

The net present values of unreliability cost should then be used as the basis for planning the expenditure on the reliability programme.

This situation would be worth analysing from the point of view of what support policy might show the lowest cost for varying call rates. For example, a very low call rate might make a 'direct exchange, no repair' policy cost-effective, or might make a longer warranty period worth considering, to enhance the product's

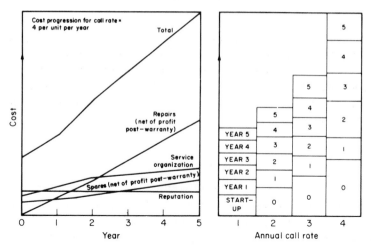

Figure 15.1 Reliability cost progression

reputation. Direct exchange would result in service department savings, but a higher spares cost.

Example 15.2

A cabin air-conditioning unit is to be developed for a military aircraft. The planned deployment is 400 aircraft, each utilizing one unit. The failure rate of a similar unit in a previous application was 2.4 per 1000 flight hours, and the average flight time per aircraft per year is 350 h. It is decided to carry out an additional reliability test programme with the objective of forcing the MTBF to 1000 h for the new unit. Assuming a Duane growth slope of 0.3, a cost per test hour of $80 and a starting MTBF of 417 h (1000/2.4) after 1500 h of development testing, comment on the cost-effectiveness of the reliability growth programme, taking into account the first 4 years of operation. The cost of a unit is $6000 and the cost of replacing a unit is $900. Make the simplifying assumptions:

(a) The fleet starts at 400, i.e. there is no build-up period.
(b) Use constant money values.
(c) There will be no reliability growth in service.
(d) Consider only removals for failure.

The total cost of operating with a 417 h MTBF, over 4 years, would be:

$$\frac{400 \times 350 \times 4 \times 900}{417} = \$1\,210\,000$$

The total cost for a 1 000 h MTBF is $500 000. Therefore the LCC saving on repair costs would be about $700 000.

The instantaneous MTBF θ_i is equal to $\theta_c/(1-\alpha)$, where θ_c is the cumulative MTBF on the Duane MTBF growth plot (Chapter 12) and α is the Duane slope. Therefore,

$\theta_c = \theta_i(1 - \alpha)$
$\quad = 1000 \ (1 - 0.3) = 700 \ \text{h}$

We must determine the number of test hours required to increase the cumulative MTBF from an initial value of 417 h to 700 h, at a slope of 0.3. With $T_0 = 1500$ h and using the formula

$$\theta_c = \theta_0 \left(\frac{T}{T_0}\right)^\alpha \tag{12.6}$$

we obtain

$\quad T = 8435 \ \text{h}$

At a cost of $80 per test hour, the test cost would be $670 000. Therefore on repair cost considerations alone there would be an approximate breakeven. However, we should also consider the value of reduced spares procurement.

If the aircraft are to be deployed, on ten bases of 40 aircraft each, and we desired at least a 90 per cent probability that a spare unit was available when needed, assuming Poisson arisings and a 1 month repair cycle, we can calculate the base spares requirements as

$$\text{Flying hours per month per base} = \frac{40 \times 350}{12}$$

$$= 1167 \ \text{h}$$

The expected monthly arising rate with a failure rate of 2.4 per 1000 h is 2.8, and with a failure rate of 1 per 1000 h is 1.17.

Referring to Fig. 2.8, the cumulative Poisson probability curves, five spare units are required per base for a 2.8 monthly arising rate, but only two per base for a 1.17 monthly arising rate. Therefore a total saving of $10(5 - 2) = 30$ units could be made in the spares buy. This represents a further saving of $180 000.

The two examples given above involve very simple analysis and simplifying assumptions. In both cases a Monte Carlo simulation would be a more suitable approach if we needed to consider more complex dynamic effects, such as distributed repair times and costs, multiechelon repair and progressive increase in units at risk. However, simple analysis is often sufficient to indicate the magnitude of costs, and in many cases this is all that is needed, as the input variables in logistics analysis are usually somewhat imprecise, particularly failure (removal) rate values. Simple analysis is adequate if relatively gross decisions are required. However, if it is necessary to attempt to make more precise judgements or to perform sensitivity analyses, then more powerful methods such as simulation should be considered.

There are of course other costs which can be incurred as a result of a product's unreliability. Some of these are hard to quantify, such as goodwill and market share, though these can be very large in a competitive situation and where consumer organizations are quick to publicize failure. In extreme cases unreliability can lead to litigation, especially if damage or injury results. An unreliability cost often overlooked is that due to failures in production due to unreliable features of the design. A reliable product will usually be cheaper to manufacture, and the production quality cost monitoring system should be able to highlight those costs which are due to design shortfalls.

PRODUCT LIABILITY

Recent product liability legislation in the United States and in Europe adds a new dimension to the importance of eliminating safety-related failure modes, as well as to the total quality assurance approach in product development and manufacture. Before product liability (PL), the law relating to risks in using a product was based upon the principle of *caveat emptor* ('let the buyer beware'). PL introduced *caveat venditor* ('let the supplier beware'). PL was an outgrowth of the Ralph Nader campaigns in the United States, and it makes the manufacturer of a product liable for injury or death sustained as a result of failure of his product. A designer can now be held liable for a failure of his design, even if the product is old and the user did not operate or maintain it correctly. Claims for death or injury in many product liability cases can only be defended successfully if the producer can demonstrate that he has taken all practical steps towards identifying and eliminating the risk, and that the injury was entirely unrelated to failure or to inadequate design or manufacture. Since these risks may extend over ten years or even indefinitely, depending upon the law in the country concerned, long-term reliability of safety-related features becomes a critical requirement. The size of the claims, liability being unlimited in the United States, necessitates top management involvement in minimizing these risks, by ensuring that the organization and resources are provided to manage and execute the quality and reliability tasks which will ensure reasonable protection. PL insurance is a new business area for the insurance companies, who naturally expect to see a suitable reliability and safety programme being operated by the manufacturers they insure.

RELIABILITY STANDARDS

Reliability programme standard requirements are issued by several large agencies which place development contracts on industry. The best known of these is US MIL-STD-785—*Reliability Programs for Systems and Equipments, Development and Production*—which covers all development programmes for the US Department of Defense. Most reliability programme standards issued by other agencies in the United States and in Europe cover the same specific requirements. MIL-STD-785 is supported by other military standards, handbooks and specifications, and these have been referenced in earlier chapters. It is necessary for personnel involved in a reliability programme, whether from the customer or supplier side, to be familiar with the appropriate standards. This book has referred mainly to US military documents, since in many cases they are the most highly developed and best known.

In the United Kingdom, Defence Standards 00-40 and 00-41 cover reliability programme management and methods for defence equipment, and BS 5760 has been published for commercial use, and can be referenced by any organization in developing contracts. ARMP-1 is the NATO standard on reliability and maintainability. Other national standards exist, and some large agencies such as NASA, major utilities and corporations issue their own reliability standards. International standards are also being prepared.

These official standards generally (but not all) tend to over-emphasize documentation, quantitative analysis, and formal test. They do not reflect the integrated approach described in this book and used by many modern engineering companies. They suffer from the same problems of slow response to new ideas as do the quality standards described in Chapter 13. Therefore they are not much used outside the defence and related industries.

SPECIFYING RELIABILITY

Designs are usually based upon specifications, which define the problems the designer must overcome. Where the specification is deficient, it is possible that the unspecified parameter or feature will be traded against when compromises are needed. This is accepted without question for features which are deterministic, such as weight, size, and input and output parameter values.

However, it is more difficult to specify non-deterministic features, such as appearance or reliability. It is relatively easy to assess a design for conformance with deterministic features, or even for appearance. The inherent reliability of a design is not as easily apparent, since it depends upon external factors such as load cycles and the environment in which it will be used.

Deterministic performance characteristics can be accurately tested and assessed with 'breadboard' or prototype models. Reliability cannot be assessed adequately from such tests. If a prototype model passes specified performance tests, and reliability has not been specified, it is likely that production will be authorized, without any reliability testing being performed. The effects of this deficiency are apparent in many domestic, commercial and military products, which enter production with irritating design deficiencies which should have been eliminated by even a cursory design review or a limited reliability test programme.

In order to ensure that reliability does not suffer in this way, the requirement must be specified. Before describing how to specify reliability adequately, we will cover some of the ways *not* to do it:

1. Do not write vague requirements, such as 'as reliable as possible', 'high reliability is to be a feature of the design', or 'the target reliability is to be 99 per cent'. Such statements do not provide assurance against reliability being compromised.
2. Do not write unrealistic requirements. 'Will not fail under the specified operation conditions' is a realistic requirement in many cases. However, an unrealistically high reliability requirement for, say, a complex electronic equipment will not be accepted as a credible design parameter, and is likely therefore to be ignored.

The reliability specification *must* contain:

1. A definition of failure related to the product's function. The definition should cover all failure modes relevant to the function.
2. A full description of the environments in which the product will be stored, transported, operated and maintained.
3. A statement of the reliability requirement, and/or a statement of failure modes and effects which are particularly critical and which must therefore have a very low (or zero) probability of occurrence. The reliability specification may be a separate document, or it may be covered in the range of other specifications (design, test, maintenance, etc.). Reference 3 in the Bibliography covers the preparation of reliability specifications in detail.

Definition of failure

Care must be taken in defining failure to ensure that the failure criteria are unambiguous. Failure should always be related to a measurable parameter or to a clear indication. A seized bearing indicates itself clearly, but a leaking seal might or might not constitute a failure, depending upon the leak rate, or whether or not the leak can be rectified by a simple adjustment. An electronic equipment may have modes of failure which do not affect function in normal operation, but which may do so under other conditions. For example, the failure of a diode used to block transient voltage spikes may not be apparent during functional test, and will probably not affect normal function. Defects such as changes in appearance or minor degradation that do not affect function are not usually relevant to reliability. However, sometimes a perceived degradation is an indication that failure will occur and therefore such incidents can be classified as failures.

Inevitably there will be subjective variations in assessing failure, particularly when data are not obtained from controlled tests. For example, failure data from repairs carried out under warranty might differ from data on the same equipment after the end of the warranty period, and both will differ from data derived from a controlled reliability demonstration. The failure criteria in reliability specifications can go a long way to reducing the uncertainty of relating failure data to the specification and in helping the designer to understand the reliability requirement.

Environmental specifications

The environmental specification must cover all aspects of the many loads and other effects that can influence the product's strength or probability of failure. Without a clear definition of the conditions which the product will face, the designer will not be briefed on what he is designing against. Of course, aspects of the environmental specification might sometimes be taken for granted and the designer might be expected to cater for these conditions without an explicit instruction. It is generally preferable, though, to prepare a complete environmental specification for a new product, since the discipline of considering and analysing the likely usage conditions is a worthwhile exercise if it focuses attention on any aspect which might otherwise be overlooked in the design. For most design groups only a limited number of standard environmental specifications is necessary. For example, the environmental requirements and methods of test for military equipment are covered in specifications such as US MIL-STD-810 and UK Defence Standard 07-55.

The environments to be covered must include handling, transport, storage, normal use, foreseeable misuse, maintenance and any special conditions. For example, the type of test equipment likely to be used, the skill level of users and test technicians, and the conditions under which testing might be performed should be stated if these factors might affect the observed reliability.

Stating the reliability requirement

The reliability requirement should be stated in a way which can be verified, and which makes sense relative to the use of the product. The simplest requirement to state is that no failure will occur under the stated conditions. The requirement should not include statements on the s-confidence levels of the measured reliability. The requirement relates to the population; s-confidence levels apply to the results of tests or other limited data. s-Confidence limits may be used for pass/fail decision-making and test-planning, but they should not be included in the requirement. The designer is concerned with reliability, but not with planning the reliability tests.

Levels of reliability less than unity can be stated as a success ratio, or as a life. For 'one-shot' items the success ratio is the only relevant criterion. For example, a missile solid propellant gas generator might be required to have a success ratio of 99.5 per cent after a stated period in specified storage conditions. The definition of success in terms of pressure rise, burning time and pressure variations in a specified environment would have to be stated. This specification could then form the basis for batch acceptance testing, with the test plan selected to provide the required s-confidence.

Reliability specifications based on life parameters must be framed in relation to the appropriate life distributions. Two common parameters used are MTBF, when a constant failure rate is assumed, and B-life, related to Weibull life distributions. MTBFs should not be specified if a constant failure rate assumption cannot be justified. This assumption can usually be made for complex, repairable systems (see Chapter 5), e.g. complex domestic equipment and military electronic systems. Otherwise a B-life (e.g. B_{10}, the life by which not more than 10 per cent of the population will be expected to have failed) should be specified.

Specified life parameters must clearly state the life characteristic. For example, the life of a switch, a sequence valve or a radio-cassette recorder cannot be usefully stated merely as a number of hours. The life must be related to the duty cycle (in these cases switch reversals and frequency, sequencing operations and frequency, and anticipated operating cycles on receive, record, playback and switch on/off). The life parameter may be stated as some time-dependent function, e.g. miles travelled, switching cycles, load reversals, or it may be stated as a time, with a stipulated operating cycle. US MIL-STD-781 is often used as a basis for specifying time-dependent reliability tests for constant failure rate items. MIL-STD-781 tests are covered in detail in Chapter 11.

CONTRACTING FOR RELIABILITY ACHIEVEMENT

Users of equipment which can have high unreliability costs have for some time imposed contractual conditions relative to reliability. Of course, every product warranty is a type of reliability contract. However, contracts which stipulate specific incentives or penalties related to reliability achievement have been developed, mainly by the military, but also by other major equipment users such as airlines and public utilities.

The most common form of reliability contract is one which ties an incentive or penalty to a reliability demonstration. The demonstration may either be a formal test (e.g. MIL-STD-781) or may be based upon the user's experience. In either case, careful definition of what constitutes a relevant failure is necessary, and a procedure for failure classification must be agreed. If the contract is based only on incentive payments, it can be agreed that the customer will classify failures and determine the award, since no penalty is involved. A well-known form of reliability incentive contract is that used for spacecraft, whereby the customer pays an incentive fee for successful operation for up to, say, 2 years. Straight incentive payments have advantages over incentive/penalty arrangements. It is important to create a positive motivation, rather than a framework which can result in argument or litigation, and incentives are preferable in this respect. Also, an incentive is easier to negotiate, as it is likely to be accepted as offered. Incentive payments can be structured so that, whilst they represent a relatively small percentage of the customer's saving due to increased reliability, they provide a substantial increase in profit to the supplier. The receipt of an incentive fee has significant indirect advantages, as a morale booster and as a point worth quoting in future bid situations. A typical award fee structure is shown in Fig. 15.2.

When planning incentive contracts it is necessary to ensure that other performance aspects are sufficiently well specified and, if appropriate, also covered by financial provisions such as incentives or guarantees, so that the supplier is not motivated to aim for the reliability incentive at the expense of other features. Incentive contracting requires careful planning so that the supplier's motivation is aligned with the customer's requirements. The parameter values selected must provide a realistic challenge and the fee must be high enough to make extra effort worth while.

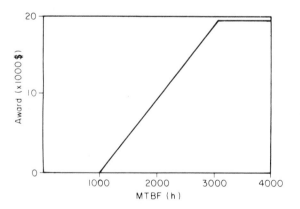

Figure 15.2 Reliability incentive structure

Reliability improvement warranty

A type of reliability incentive contract which has recently attracted a lot of attention is reliability improvement warranty (RIW). It has been employed by the US Department of Defense and others, such as airlines. An RIW contract requires that the supplier carries out all repairs and provides all spares needed, for a fixed period, typically 4 years, for a once-off fee. The supplier's motivation is then to maximize his profit by ensuring that the repair arising rate is minimized. The customer benefits by not having to be involved in monitoring the reliability programme and not having to administer the supply and repair work. Guidelines have been developed for RIW contracting, based upon experience. The main points which need to be considered are:

1. RIW contracts should only be applied to products where there is not a high development risk, and where the utilization will be reasonably stable and centralized, so that both parties to the contract can agree on the likely reliability achievement. The product should be manufactured and used in quantity, to ensure even work flow.
2. The contract fee must provide a good chance for the supplier to make a high profit, and yet contain a reasonable risk element. There is no advantage to either side in an RIW contract which bankrupts the supplier.
3. Real difficulties can arise in administering RIW contracts in conjunction with other, conventional, repair policies. For example, hardware subject to RIW needs special handling and marking, to ensure that units are not opened or repaired by anyone other than the RIW contractor. Personnel involved must be trained, and procedures must be written to cover the operation of the RIW contract. For example, arrangements have to be made for dealing with units which are reported defective, but which are shown to have no failure on investigation.
4. The contractor must be given freedom to modify the equipment to improve its reliability (which he would do at his own expense). However, the customer may wish to have some control over modifications, as they may affect interchangeability or performance. The contract must define the arrangements for notification, approval and incorporation of changes.
5. The contract should stipulate the way in which the equipment will be used and maintained, if there is possibility that these factors can affect reliability.
6. The equipment should be put into service immediately when delivered, and failures must be reported promptly.

RIW contracts sometimes include an MTBF option, which provides for a further incentive payment related to reliability achievement.

RIW contracts can be very rewarding to both parties, but there are pitfalls to be avoided. Careful planning and management, coupled with goodwill and willingness to compromise, are essential to their success.

THE RELIABILITY MANUAL

Just as most medium to large design and development organizations have internal manuals covering design practices, organizational structure, QA procedures, etc., so reliability management and engineering should be covered. Depending on the type of product and the organization adopted, reliability can be adequately covered by appropriate sections in the engineering and QA manuals, or a separate reliability manual may be necessary. In-house reliability procedures should not attempt to teach basic principles in detail, but rather should refer to appropriate standards and literature, which should of course then be made available. Since most reliability programme activities, particularly as required for defence contracting, are described in military standards and handbooks as well as in other national and industry standards, these should always be referred to and followed when appropriate. The bibliographies at the end of each chapter of this book list the major references. The in-house documents should cover, as a minimum, the following subjects:

1. Corporate policy for reliability.
2. Organization for reliability.
3. Reliability procedures in design (e.g. design analysis, parts derating policy, parts, materials and process selection, approval and review, critical items listing, design review).
4. Reliability test procedures.
5. Reliability data collection, analysis and action system, including data from test, warranty, etc. (See Appendix 9.)

The written procedures must state, in every case, who carries responsibility for action and who is responsible for providing the resources and capability. They must also state who provides supporting services. A section from the reliability manual may appear as shown in Table 15.1.

Table 15.1 Reliability manual: responsibilities

| Task | Reference | Department responsible | | |
		Prime	Resources	Support
Stress analysis (electronic)	Procedure XX	Project design	Reliability	Reliability
Reliability test	Procedure YY	Reliability	Environmental test	Project design
Reliability data	Procedure ZZ	Reliability	Reliability	QA

THE PROJECT RELIABILITY PLAN

It is normal for customer-funded development projects to include a requirement for a reliability plan to be produced. US MIL-STD-785 and UK Defence Standard 00-40, for example, stipulate this, and define the contents of the plans.

The reliability plan should include:

1. A brief statement of the reliability requirement.
2. The supplier's organization for reliability.
3. The reliability activities that will be performed (design analysis, test, reports).

4. The timing of all major activities, in relation to the project development milestones.
5. Reliability management of subcontractors.
6. The standards, specifications and internal procedures (e.g. the reliability manual) which will be used, as well as cross-references to other plans such as for safety, maintainability and quality assurance.

When a reliability plan is submitted as part of a response to a customer request for proposals (RFP) in a competitive bid situation, it is important that the plan reflects complete awareness and understanding of the requirements and competence in compliance. A response to a competitive RFP should never query the requirements, since the responses will be judged by the people who prepared the RFP. If it is considered sensible to propose any alternative approaches, these should be included in a separate annex to the main proposal, and separately costed.

RFP responses should not include references to internal procedures, but should be complete in themselves. They should be brief, and should not repeat material in the RFP.

A reliability plan prepared as part of a project development (e.g. in response to a statement of work), after a contract has been accepted, is more comprehensive than an RFP response, since it gives more detail of activities, time-scales and reporting. The project reliability plan may include references to internal procedures, if these are made available to the customer. Since the project reliability plan usually forms part of the contract once accepted by the customer, it is important that every aspect is covered clearly and explicitly.

A well-prepared reliability plan is useful for instilling confidence in the supplier's competence to undertake the tasks, and for providing a sound reliability management plan for the project to follow.

Specification tailoring

Specification tailoring is a term used to describe the process of suggesting alternatives to the customer's specification. 'Tailoring' is often invited in RFPs and in development contracts. A typical example occurs when a customer specifies a system and requires a formal reliability demonstration. If a potential supplier can supply a system for which adequate in-service reliability records exist, the specification could be tailored by proposing that these data be used in place of the reliability demonstration. This could save the customer the considerable expense of the demonstration. Other examples might arise out of trade-off studies, which might show, for instance, that a reduced performance parameter could lead to cost savings or reliability improvement.

USE OF EXTERNAL SERVICES

The retention of staff and facilities for analysis and test and the maintenance of procedures and training can only be cost-effective when the products involve fairly intensive and continuous development. In advanced product areas such as defence and aerospace, electronic instrumentation, control and communications, vehicles, and for large manufacturers of less advanced products such as domestic equipment and less complex industrial equipment, a dedicated reliability engineering organization is necessary, even if it is not a contractual requirement. Smaller companies with less involvement in risk-type development may have as great a need for reliability engineering expertise, but not on a continuous basis. External reliability engineering services can fulfil the requirements of smaller companies by providing the specialist support and facilities when needed. Reliability engineering consultants and specialist test establishments can often be useful to larger companies also, in support of internal staff and facilities. Since they are engaged full time across a number of different types of project they should be considered whenever new problems arise.

A summary of organizations which could be consulted is given in Appendix 8.

Small companies should also be prepared to seek the help of their major customers when appropriate. This cooperative approach benefits both supplier and customer.

CUSTOMER MANAGEMENT OF RELIABILITY

When a product is being developed under a development contract, as is often the case with military and other public purchasing, the purchasing organization plays an important role in the reliability and quality programme. As has been shown, such organizations often produce standards for application to development contracts, covering topics such as reliability programme management, design analysis methods and test methods.

There is often a tendency for reliability (and quality, safety and other 'ilities') to become bureaucratized and inflexible in large purchasing organizations. It is important for such organizations to set up effective, responsive reliability management, with the main effort devoted to projects rather than to policies.

A reliability manager should be assigned to each project. The reliability manager might have other responsibilities, such as for production quality control. Project reliability management by a centralized reliability department, not responsible to the project manager, is just as likely to result in lower effectiveness, as is this approach in the contractor's organization. A central reliability department is necessary to provide general standards, training and advice, but should not be relied upon to manage reliability programmes across a range of projects. If there is a tendency for this to happen it is usually an indication that inadequate standards or training have been provided for project staff, and these problems should then be corrected.

The prime responsibilities of the purchaser in a development reliability programme are to:

1. Specify the reliability requirements (page 339).
2. Specify the standards and methods to be used.
3. Set up the financial and contractual framework (page 342).
4. Specify the reporting requirements.
5. Monitor contract performance.

The purchaser should not attempt to run the programme, since this would usurp the supplier's management responsibilities. Proper attention to the first three items above should ensure that the supplier is effectively directed and motivated, so that the purchaser has visibility of activities and progress without having to become too deeply involved.

It is usually necessary to negotiate aspects of the specification and contract. During the specification and negotiation phases it is usual for a central reliability organization to be involved, since it is important that uniform approaches are applied. Specification tailoring (page 345) is now a common feature of development contracting and this is an important aspect in the negotiation phase, requiring experience and knowledge of the situation of other contracts being operated or negotiated.

The supplier's reliability plan, prepared in response to the purchaser's requirement, should also be reviewed by the central organization, particularly for major contracts.

The contractor's reporting tasks are often specified in the statement of work (SOW). These usually include:

1. The reliability plan.
2. Design analysis reports and updates (prediction, FMECA, FTA, etc.)
3. Test reports.

Reporting should be limited to what would be useful for monitoring performance. For example, a 50-page FMECA report, tabulating every failure mode in a system, is unlikely to be useful to the purchaser. Therefore the statement of work should specify the content, format and size of reports. The detailed analyses leading to the reports should be available for specific queries or for audit.

The purchaser should observe the supplier's design reviews. Some large organizations assign staff to suppliers' premises, to monitor development and to advise on problems such as interpretation of specifications. This can be very useful on major projects such as aircraft, ships and plant, particularly if the assigned staff are subsequently involved in operation and maintenance of the system.

There are many purchasers of equipment who do not specify complete systems or let total development contracts. Also, many such purchasers do not have their own reliability standards. Nevertheless, they can usually influence the reliability and availability of equipment they buy. We will use an example to illustrate how a typical purchaser might do this.

Example 15.3

A medium-sized food-processing plant is being planned by a small group of entrepreneurs. Among other things, the plant will consist of:

1. Two large continuous-feed ovens, which are catalogue items but have some modifications added by the supplier, to the purchaser's specification. These are the most expensive items in the plant. There is only one potential supplier.
2. A conveyor feed system.
3. Several standard machines (flakers, packaging machines, etc.).

4. A process control system, operated by a central computer, for which both the hardware and software will be provided by a specialist supplier to the purchaser's specification.

The major installations except item 4 will be designed and fitted by a specialist contractor; the process control system integration will be handled by the purchasers. The plant must comply with the statutory safety standards, and the group is keen that both safety and plant availability are maximized. What should they do to ensure this?

The first step is to ensure that every supplier has, as far as can be ascertained, a good reputation for reliability and service. The purchasers should survey the range of equipment available, and if possible obtain information on reliability and service from other users. Equipment and supplier selection should be based to a large extent on these factors.

For the standard machines, the warranties provided should be studied. Since plant availability is important, the purchasers should attempt to negotiate service agreements which will guarantee up-time, e.g. for guaranteed repair or replacement within 24 hours. If this is not practicable, they should consider, in conjunction with the supplier, what spares they should hold.

Since the ovens are critical items and are being modified, the purchasers should ensure that the supplier's normal warranty applies, and service support should be guaranteed as for the standard items. They should consider negotiating an extended warranty for these items.

The process control system, being a totally new development (except for the computer), should be very carefully specified, with particular attention given to reliability, safety and maintainability, as described below. Key features of the specification and contract should be:

1. Definition of safety-critical failure effects.
2. Definition of operational failure effects.
3. Validation of correct operation when installed.
4. Guaranteed support for hardware and software, covering all repairs and corrections found to be necessary.
5. Clear, comprehensive documentation (test, operating and maintenance instructions, program listings, program notes).

For this development work, the purchasers should consider invoking appropriate standards in the contract, such as BS 5760. For example, FMECA and FTA could be very valuable for this system, and the software development should be properly controlled and documented. The supplier should be required to show how those aspects of the specification and contract will be addressed, to ensure that the requirements are fully understood. A suitable consultant engineer might be employed to specify and manage this effort.

The installation contract should also cover reliability, safety and maintainability, and service.

During commissioning, all operating modes should be tested. Safety aspects should be particularly covered, by simulating as far as possible all safety-critical failure modes.

The purchasers should formulate a maintenance plan, based upon the guidelines given in Chapter 14. A consultant engineer might be employed for this work also.

Finally, the purchasers should insure themselves against the risks. They should use the record of careful risk control during development to negotiate favourable terms with their insurers.

SELECTING AND TRAINING FOR RELIABILITY

Within the reliability organization, staff are required who are familiar with the product (its design, manufacture and test) and with statistical engineering techniques. Therefore the same qualifications and experience as apply to the other engineering departments should be represented within the reliability organization. The objective should be to create a balanced organization, in which some of the staff are drawn from product engineering departments and given the necessary reliability training, and the others are specialists in the reliability engineering techniques who should receive training to familiarize them with the product. Reliability engineering should be included as part of the normal engineering staff rotation for career development purposes. By having a balanced department, and engineers in other departments with experience of reliability engineering, the reliability effort will have credibility and will make the most effective contribution.

Reliability engineers need not necessarily be specialists in particular disciplines, such as electronic circuit design or metallurgy. Rather, a more widely based experience and sufficient knowledge to understand the specialists' problems is appropriate. The reliability engineer's task is not to solve design or production problems but to help to prevent them, and to ascertain causes of failure. He or she must, therefore, be a communicator, competent to participate with the engineering specialists in the team and able to demonstrate the value and relevance of the reliability methods applied. Experience and knowledge of the product, including manufacturing, operation and maintenance, enables the reliability engineer to contribute effectively and with credibility. Therefore engineers with backgrounds in areas such as test, product support, and user maintenance should be short-listed for reliability engineering positions.

Since reliability engineering and quality control have much in common, quality control work often provides suitable experience from which to draw, provided that the QC experience has been deeper than the traditional test and inspection approach, with no design or development involvement. For those in the reliability organization providing data analysis and statistical engineering support, specialist training is relatively more important than product familiarity.

The qualities required of the reliability engineering staff obviously are equally relevant for the head of the reliability function. Since reliability engineering should involve interfaces with several other functions, including such non-engineering areas as marketing and forecasting, this position should not be viewed as the end of the line for moderately competent engineers, but rather as one in which potential top management staff can develop general talents and further insight into the overall business, as well as providing further reliability awareness at higher levels in due course.

Since reliability engineering is often suited to general as opposed to specialist engineers, it has often been made the final resting place for 'failed' engineers. Also, because there is a statistical element, statisticians have been given reliability engineering titles and responsibilities. A combination of second-rate engineers, known as such in the other departments, and mathematical statisticians masquerading as engineers, is a recipe for an ineffective reliability organization which will lack credibility. Since reliability is a relatively new branch of engineering there is often a shortage of suitable candidates, but it is usually wiser to operate undermanned than to recruit unsuitable staff, since the reputation of the reliability organization within the firm is essential to its success. It may be that an engineer who does not excel in a specialist area can, with the right training in reliability methods, make a useful contribution, but the reliability organization must not be seen to attract more of this type of staff than do other departments.

Statistical specialists can make a very significant contribution to the integrated reliability effort. Such skills are needed for design of experiments and analysis of data, and not many engineers are suitably trained and experienced. It is important that statisticians working in engineering are made aware of the 'noisy' nature of the statistics generated, as described in earlier chapters. They should be taught the main engineering and scientific principles of the problems being addressed, and integrated into the engineering teams. They also have an important role to play in training engineers to understand and use the appropriate statistical methods.

Whilst selection and training of reliability people is important, it is also necessary to train and motivate all other members of the engineering team (design, test, production, etc.). Since product failures are nearly always due to human short-comings, in terms of lack of knowledge, skill or effort, all involved with the product must be trained so that the chances of such failures are minimized. For example, if electronics designers understand electromagnetic interference as it affects their system they are less likely to provide inadequate protection, and test engineers who understand variation will conduct more searching tests. Therefore the reliability training effort must be related to the whole team, and not just to the reliability specialists.

ORGANIZATION FOR RELIABILITY

Because several different activities contribute to the reliability of a product it is difficult to be categorical about the optimum organization to ensure effective management of reliability. Reliability is affected by design, development, production quality control, control of subcontractors and maintenance. These activities need to be coordinated, and the resources applied to them must be related to the requirements of the product. The requirements may be determined by a market assessment, by warranty cost considerations or by the customer. The amount of customer involvement in the reliability effort varies. The military and other public organizations often stipulate the activities required in detail, and demand access to design data, test records and other information, particularly when the procurement agency funds the development. At the other extreme, domestic customers are not involved in any way directly with the development and production programme. Different activities will have greater or lesser importance depending on whether the product involves innovative or complex design, or is simple and based upon considerable experience. The reliability effort also varies as the project moves through the development, production and in-use phases, so that the design department will be very much involved to begin with, but later the emphasis will shift to the production, quality control and maintenance functions. However, the design must take account of production, test and maintenance, so these downstream activities must be considered by the specification writers and designers.

Since the knowledge, skills and techniques required for the reliability engineering tasks are essentially the same as those required for safety analysis and for maintainability engineering, it is logical and effective to combine these responsibilities in the same department or project team.

Reliability management must be integrated with other project management functions, to ensure that reliability is given the appropriate attention and resources in relation to all the other project requirements and constraints.

Two main forms of reliability organization have evolved. These are described below.

Quality assurance based organization

The quality assurance (QA) based organization places responsibility for reliability with QA management, which then controls the 'quality' of design, maintenance, etc., as well as of production. This organizational form is based upon the definition of *quality* as *the totality of features which bear on a product's ability to satisfy the requirement*. This is the formal European (including UK) definition of quality. Consequently, in Europe the QA department or project QA manager is often responsible for all aspects of product reliability. Figure 15.3 shows a typical organization. The reliability engineering team interfaces mainly with the engineering departments, while quality control is mainly concerned with production. However, there is close coordination of reliability engineering and quality control, and shared functions: e.g. a common failure data collection and analysis system can be operated, covering development, production and in-use. The QA department then provides the feedback loop from in-use experience to future design and production. This form of organization is used by most manufacturers of commercial and domestic products.

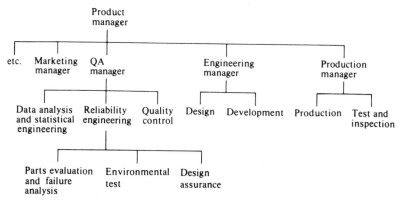

Figure 15.3 QA based reliability organization

Engineering based organization

In the engineering based organization, reliability is made the responsibility of the engineering manager. The QA (or quality control) manager is responsible only for controlling production quality and may report direct to the product manager or to the production manager. Figure 15.4 shows a typical organization. This type of organization is more common in the United States.

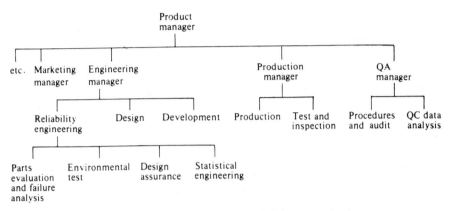

Figure 15.4 Engineering based reliability organization

Comparison of types of organization

The QA based organization for reliability allows easier integration of some tasks that are common to design, development and production. The ability to operate a common failure data system has been mentioned. In addition, the statistical methods used to design experiments and to analyse development test and production failure data are the same, as is much of the test equipment and test methods. For example, the environmental test equipment used to perform reliability qualification tests in development might be the same as that used for production reliability acceptance tests and burn-in. Engineers with experience or qualifications in QA are often familiar with reliability engineering methods, as their professional associations on both sides of the Atlantic include reliability in their areas of interest. However, for products of systems where a considerable amount of innovative design is required, the engineering based organization has advantages, since more of the reliability effort will have to be directed towards design assurance, such as stress analysis, design review and development testing.

The main question to be addressed in deciding upon which type of organization should be adopted is whether the split of responsibility for reliability activities inherent in the engineering based organization can be justified in relation to the amount of reliability effort considered necessary during design and development. In fact the type of organization adopted is much less important than the need to ensure integrated management of the reliability programme. So long as the engineers performing reliability activities are properly absorbed into the project team, and report to the same manager as the engineers responsible for other performance aspects, functional departmental loyalties are of secondary importance. To ensure an integrated team approach reliability engineers should be attached to and work alongside the design and other staff directly involved with the project. These engineers should have access to the departmental supporting services, such as data analysis and component evaluation, but their prime responsibility should be to the project.

MANAGING PRODUCTION QUALITY CONTROL

The production department should have ultimate responsibility for the manufacturing quality of the product. It is often said that quality cannot be 'inspected in' or 'tested in' to a product. The QC department is responsible for assessing the quality of production but not for the operations which determine quality. QC thus has the same relationship to production as reliability engineering has to design.

In much modern production, inspection and test operations have become integrated with production operations. For example, in operator control of NC machine tools the machine operator might carry out workpiece gauging and machine calibration. Also, the costs of inspection and test can be considered to be production costs, particularly when it is not practicable to separate the functions or when, as in electronics production, the test policy can have a great impact on production costs. For these reasons, there is a trend towards routine inspection and test work being made the responsibility of production, with QC providing support services such as patrol inspection, and possibly final inspection, as well as training, calibration, etc. Determination of inspection and test policy methods and staffing should then be primarily a production responsibility, with QC in a supporting role, providing advice and ensuring that quality standards will be met.

This approach to modern QC results in much smaller QC departments than under the older system whereby production produced and passed the products to QC for inspection and test at each stage. It also obviously reduces the total cost of production (production cost plus inspection and test costs). Motivation for quality is enhanced and QC staff are better placed to contribute positively, rather than acting primarily in a policing role. The quality circles movement has also heavily influenced this trend; quality circles could not operate effectively under the old approach.

The QC department should be responsible for:

1. Setting production quality standards.
2. Monitoring production quality performance and costs.
3. QC training (SPC, motivational, etc.).
4. Specialist facilities and services.

These will be discussed in turn.

Setting production quality standards

The quality manager must decide the production quality standards to be met. These might have been set by the customer, as is increasingly the case in commercial as well as in defence equipment manufacture, in which case the quality manager is the interface with the customer on production quality matters, leaving production people to concentrate on producing. Quality standards apply to the finished product, to production processes and to bought-in materials and components. Therefore the quality manager should decide, or approve, the final inspection and test to ensure conformance. He or she should also determine such details as quality levels of components (e.g. screening requirements for semiconductor devices), quality control of suppliers and calibration requirements for test and measuring equipment.

Monitoring production quality performance and costs

The quality manager must be satisfied that the quality objectives are being attained or that action is being taken to ensure this. These include quality cost objectives, as described earlier. Therefore the resources must be available to perform this task, as far as practicable independently of the production organization. QC staff should therefore oversee and monitor functions such as defect reporting and final conformance inspection and test. The QC department should prepare or approve quality performance and cost reports, and should monitor and assist with problem-solving. The methods described in Chapters 7 and 13 are particularly appropriate for this task.

Quality training

The quality manager is responsible for all quality control training. This is particularly important in training for operator control and quality circles, since all production people must understand and apply basic quality concepts such as simple SPC and data analysis.

Specialist facilities and services

The quality department provides facilities such as calibration services and records, vendor appraisal, component and material assessment, and defect data collection and analysis.

The assessment facilities used for testing components and materials so that their use can be approved are also the best services to use for failure investigation, since this makes the optimum use of expensive resources such as spectroscopic analysis equipment and scanning electron microscopes, and the associated specialist staff.

The defect data collection and analysis service must cover all failures detected during production test and inspection, as well as during development and in service (see Appendix 9).

The joint use of these services in support of development, manufacturing and in-service is best achieved by operating an integrated approach to quality and reliability engineering.

QUALITY AUDIT

Quality audit is an independent appraisal of all of the operations, processes and management activities that can affect the quality of a product. The objective is to ensure that procedures are effective, that they are understood and that they are being followed. The idea of independent quality audit originated in the United States, with the objective of reducing the level of government inspection at factories. Instead of products being manufactured, then being submitted for a final customer inspection, with customer inspection of intermediate processes, the control of quality was passed to the manufacturer, with the government retaining the authority to audit the effectiveness of the suppliers' quality system. MIL-STD-9858 describes the policy, and all US military contracts for equipment manufacture call up this standard. Quality audit has become the common approach for most large defence and non-defence customers. In the United Kingdom, BS 5750 is the controlling document. AQAP-1 (Allied Quality Assurance Procedure) describes the policy for NATO contracts, and ISO 9000 is the international standard.

Quality audit, like financial audit, requires both internal and external audit. Internal audit is a continuing function whereby independent QA staff review the operations and controls, and report on discrepancies. External audit is imposed by the customer, on a regular schedule, typically annually or bi-annually. Companies which pass the audit are 'approved suppliers', a status which can confer advantages in selling to other customers, particularly in the defence equipment field. To a large extent approval to one national quality audit standard is accepted by customers from other countries. However, as described in Chapter 13, these standards present a rather bureaucratic approach, not in tune with the best modern principles of design and production. Therefore such approval should be considered as a baseline only, to be continually improved upon. Likewise, the fact that a supplier is approved to such standards should not be taken as representing sufficient assurance of quality, reliability and service. For these reasons, major manufacturing companies have developed quality systems and audit standards, for application internally and to their suppliers, that are much stricter than the national and international standards.

Quality audit includes review of all design, development and production, test and inspection operations, as well as associated procedures and documentation. An important aspect is the assurance that personnel know and understand their role in the quality system, including relevant procedures and responsibilities. Areas covered by quality audit include:

Organization
Procedures
Problem-reporting and corrective action
Calibration of measuring and test equipment
Quality cost monitoring
Material and process traceability

Reliability aspects can be effectively included in quality audit, since there is so much common ground, particularly in relation to failure reporting and corrective action, and this is done in some quality audit systems.

An important feature of quality audit is that equipment manufacturers in turn audit their suppliers. In practice this has led to companies which supply many customers being overwhelmed by external auditors, and subcontractor audit can be a controversial aspect of the system.

The quality manager's responsibility for audit includes all internal audit, for ensuring that the company is successful in customer audits and for quality auditing of suppliers. Preparation for external audit and being subjected to it can be a very important task, and much effort is involved. The quality department should be skilled in undertaking this responsibility with minimum disruption to normal design and production work. This demands thorough knowledge of the appropriate standards and the ways in which they are applied. Training is an important feature to ensure that personnel will respond correctly during audit.

TOTAL QUALITY ASSURANCE

The terms 'total quality assurance' and 'total quality control' are often used to describe a system whereby all the activities that contribute to product quality, not just production quality control, are appraised and controlled by one manager. In this context quality is defined as the totality of features which determine a product's acceptability, and as such includes appearance, performance, reliability, support, etc.

Under this concept the QA manager has very wide authority for setting and monitoring quality standards, in this wide sense, throughout all functions of the organization. The QA manager then reports directly to the chief executive. It remains essential for line functions such as design, test and production to retain responsibility for their contributions to quality and reliability. However, the QA manager is responsible for ensuring that the total approach is coordinated, through the setting of standards, training and performance monitoring.

The total QA approach to reliability and quality can be very effective, particularly when applied to correct a situation in which quality is perceived as being lower than is required, but the reasons cannot be pinned down.

However, there are problems in the total QA approach. It is not easy to find people who can effectively fulfil the total QA management role. The task demands rather exceptional talents of persuasiveness and ability. It is easy for the QA manager and the organization to become dissociated from corporate realities, and the authority of the QA manager might be questioned by line departments and project managers.

The obvious solution to this is for the chief executive to undertake the responsibility. This has the supreme advantage of showing that quality and reliability are of top level concern. Functions such as design reliability and production quality control can then be integrated with design and production, and coordination of standards, training, etc., can be achieved through a chief executive's QA committee.

Only the chief executive can ensure total integration of the quality and reliability functions with the management of specifying, designing, producing and supporting the product. The increasing integration of design and production, and the pace and competitiveness of modern markets for technology-based products, demand that a fully integrated approach be used. This is to be found in many of the modern high technology companies that have grown up in the last 20 years, and in those older companies that have perceived quality and reliability as being matters too important to be left to chance or to lower levels of management. Their success has been largely due to this recognition, and to the commitment and involvement of the most senior executives.

CONCLUSIONS: GREED, FEAR AND FREEDOM

The last 20 years or so have been marked by a revolution in reliability and quality which has quietly affected the lives of all of us. Most people are unaware of the forces involved and the methods used to provide the reliability we now so often take for granted. Of course, people are hardly ever satisfied with less than perfect reliability, and we all experience failures of products. However, a few facts should set the perspective:

1. Modern electronic equipment, despite the incredible complexity of individual parts, hardly ever fails. Twenty years ago equivalent systems built with thermionic valves or discrete electronic transistors, if feasible at all, would have been extremely unreliable.
2. Automobile manufacturers used to grow fat on the sale of spare parts for their unreliable products. Now cars are much more reliable, and reliability is a selling point in advertising.
3. Spacecraft travel to the outer planets, functioning for years with no maintenance.
4. Modern transport systems, particularly aircraft, are extremely safe and reliable.

So much for the facts. What have been the driving forces behind such performance?

There have been two forces—one to show what could be done, the other a new awareness that people want reliability and can design and produce reliable products if properly motivated. There has been a change in the balance between greed and fear in relation to reliability.

The American space programme has provided the most dramatic demonstration of what could be achieved. Here the balance between greed and fear was very heavily weighted on the side of fear. If a mission failed, particularly if there was loss of life, the future funding for NASA projects could have been drastically curtailed. Therefore everything had to work. NASA developed new techniques for reliability analysis, testing of new designs and quality control that ensured this success. We know of three accidents, one which cost the lives of three astronauts in the capsule fire, the Apollo 13 failure which nearly ended in disaster, and the Challenger disaster; but consider the magnitude of the success in reliability terms. For example, in all the Apollo launches, over 200 rocket engines worked with only 1 failure, and these were new, complex, highly stressed systems unproven in previous applications. On the other hand, the Challenger space shuttle explosion showed how safety and reliability ultimately depend on human behaviour, and how serious can be the consequences of a lapse from standards of excellence.

The awareness that ordinary people want reliable products, and that reliability is a saleable property, has been most highly developed in Japan. The Japanese have the knack, apparently not prevalent in other countries, of deciding at a high level what needs to be done and then executing the decision right down to where the action is. They decided on quality and reliability as national priorities, and we can all see the results.

The awareness of a need for high reliability (the fear side of the balance) has also been a powerful motivator in the other fields mentioned. The new electronics gave us the opportunity to manufacture far more complex systems for everyday use, but these had to be reliable. Competition, reputation and the costs of warranties have made manufacturers aware as never before. Once national pride ('British is Best') provided motivation for quality, but sadly we do not see much of that now, and anyhow it is not enough for the new technologies and markets.

Public safety consciousness has been a powerful spur to quality and reliability in some areas, such as nuclear power and air travel, where government agencies set up and monitor reliability and safety standards. Product liability legislation is a new factor which is striking fear, if not dread, into manufacturers' hearts.

Competition has provided a sharp awareness of the need for more reliable products in many consumer and industrial areas. Again, the Japanese have generally led the way, though some Western manufacturers have also been in the forefront. Now we are all trying to catch up, in quality, reliability and value, and the consumer benefits, as of course do the leading suppliers.

There has also been a drive for high reliability in military products, and in fact most of the formal methods for design reliability improvement started in the military area in the United States, so that the US military standards on reliability analysis and methods are now used in many non-military areas. The military interest in reliability stemmed from the need to reduce the enormous cost of maintaining very complex systems. Whilst the commercial world adopted many of the techniques developed by the military, there is now a swing the other way, with military buyers insisting on commercial-type warranties.

The awareness that people can produce very reliable products has evolved from the debunking of the theories of scientific management. Scientific management was born in the 1930s, and taught that people will produce economically if given good conditions and if work was carefully planned. People did produce more economically, but were separated from involvement in the product. Quality of work was a separate 'scientific' function of measurement and control. Scientific management could result in higher quality, but a worker was not supposed to think, take decisions or solve problems. Scientific management led to the production line, and it dehumanized labour by forgetting that people must think and solve problems to obtain fulfilment at work.

Peter Drucker buried scientific management with publication of his book *The Practice of Management*, published in 1955 (Reference 4). Despite this, the theories of the 1930s are still taught in Western countries. Production Drucker-style involves making the worker assess and solve problems. The solution to problems is usually known at the point where the problems originate. Scientific management made it the job of management to find solutions. Drucker makes the worker interested in finding and either implementing solutions or in telling management how to solve them. This is, of course, only a small part of Drucker's teaching, but it is particularly appropriate to our subject. For example, the quality circles movement is obviously Drucker-inspired.

It was W. E. Deming who took the Drucker philosophy to the management of production, and showed how continuous improvement could be achieved while at the same time reducing costs and increasing productivity (Reference 5). Other pioneers, mentioned earlier in this book, have also made notable contributions to the drive for ever-increasing quality and reliability. The liberation of human talent at all levels in design, development, production and support, and the enhancement of those talents through training, commitment, trust and teamwork, generate levels of performance and productivity that far exceed what can be delivered by 'scientific' management.

The new philosophy of engineering management is a total one. Many companies in the West have adopted part of the philosophy, trying to combine it with cherished traditional approaches, such as functional as opposed to integrated engineering, or by making only token increases in training effort. The new philosophy of excellence requires that management inspires, supports, trusts, teaches and leads, and does not inhibit, frighten or constrain. The effects are dramatic, and the improvement never ends.

Quality and freedom

It is notable that no undemocratic state has been able to make any significant contribution to the reliability and quality revolution. Quality represents the essence of freedom—freedom to make decisions at work and as a consumer. Centralized bureaucratic state systems do not allow this freedom. They are stuck with scientific management, if they can even get that far. The products needed today must be complex to be competitive, whether they are toys, domestic equipment or weaponry. Modern technology has given us the ability to mass-produce complex products at low cost, but complexity is the enemy of reliability. The new techniques for controlling the reliability of design and quality of production enable us to produce complex yet reliable products, but the techniques are dependent for their success on the motivation that comes only with personal freedom.

BIBLIOGRAPHY

1. US MIL-STD-785: *Reliability Programs for Systems and Equipment—Development and Production*. Available from the National Technical Information Service, Springfield, Virginia.
2. UK Defence Standard 00-40: *The Management of Reliability and Maintainability*. HMSO.
3. British Standard, BS 5760: *Reliability of Systems, Equipments and Components*. British Standards Institution, London.
4. P. F. Drucker, *The Practice of Management*. Heinemann (1955).
5. W. E. Deming, *Out of the Crisis*, MIT Press (1987).
6. J. A. Edosomwan, *Integrating Quality and Productivity Management*. Dekker (1987).
7. D. G. Raheja, *Assurance Technologies: Principles and Practices*. McGraw-Hill (1990).

Appendix 1. The Standard Cumulative Normal Distribution Function

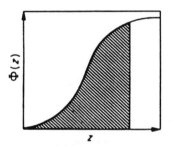

$$\Phi(z)=\frac{1}{(2\pi)^{1/2}}\int_{-\infty}^{z}\exp\!\left(\frac{-x^2}{2}\right)\mathrm{d}x$$

for $0.00 \leqslant z \leqslant 4.00$

$$1-\Phi(z)=\Phi(-z)$$

z	0.00	0.01	0.02	0.03	0.04	0.05	0.06	0.07	0.08	0.09
0.0	0.5000	0.5040	0.5080	0.5120	0.5160	0.5199	0.5239	0.5279	0.5319	0.5359
0.1	0.5398	0.5438	0.5478	0.5517	0.5557	0.5596	0.5636	0.5675	0.5714	0.5753
0.2	0.5793	0.5832	0.5871	0.5910	0.5948	0.5987	0.6026	0.6064	0.6103	0.6141
0.3	0.6179	0.6217	0.6255	0.6293	0.6331	0.6368	0.6406	0.6443	0.6480	0.6517
0.4	0.6554	0.6591	0.6628	0.6664	0.6700	0.6736	0.6772	0.6808	0.6844	0.6879
0.5	0.6915	0.6985	0.6985	0.7019	0.7054	0.7088	0.7123	0.7157	0.7190	0.7224
0.6	0.7257	0.7291	0.7324	0.7357	0.7389	0.7422	0.7454	0.7486	0.7517	0.7549
0.7	0.7580	0.7611	0.7642	0.7673	0.7703	0.7734	0.7764	0.7794	0.7823	0.7852
0.8	0.7881	0.7910	0.7939	0.7967	0.7995	0.8023	0.8051	0.8078	0.8106	0.8133
0.9	0.8159	0.8186	0.8212	0.8238	0.8264	0.8289	0.8315	0.8340	0.8365	0.8389
1.0	0.8413	0.8438	0.8461	0.8485	0.8508	0.8531	0.8554	0.8577	0.8599	0.8621
1.1	0.8643	0.8665	0.8686	0.8708	0.8729	0.8749	0.8770	0.8790	0.8810	0.8830
1.2	0.8849	0.8869	0.8888	0.8907	0.8925	0.8944	0.8962	0.8980	0.8997	0.9015
1.3	0.9032	0.9049	0.9066	0.9082	0.9099	0.9115	0.9131	0.9147	0.9162	0.9177
1.4	0.9192	0.9207	0.9222	0.9236	0.9251	0.9265	0.9279	0.9292	0.9306	0.9319
1.5	0.9332	0.9345	0.9357	0.9370	0.9382	0.9394	0.9406	0.9418	0.9430	0.9440
1.6	0.9452	0.9463	0.9474	0.9485	0.9495	0.9505	0.9515	0.9525	0.9535	0.9545
1.7	0.9554	0.9564	0.9573	0.9582	0.9591	0.9599	0.9608	0.9616	0.9625	0.9633
1.8	0.9641	0.9649	0.9656	0.9664	0.9671	0.9678	0.9686	0.9693	0.9700	0.9706
1.9	0.9713	0.9719	0.9726	0.9732	0.9738	0.9744	0.9750	0.9756	0.9762	0.9767
2.0	0.9773	0.9778	0.9783	0.9788	0.9793	0.9798	0.9803	0.9808	0.9812	0.9817
2.1	0.9821	0.9826	0.9830	0.9834	0.9838	0.9842	0.9846	0.9850	0.9854	0.9857
2.2	0.9861	0.9865	0.9868	0.9871	0.9875	0.9878	0.9881	0.9884	0.9887	0.9890
2.3	0.9893	0.9896	0.9898	0.9^2010	0.9^2061	0.9^2035	0.9^2086	0.9^2111	0.9^2134	0.9^2158
2.4	0.9^2180	0.9^2202	0.9^2224	0.9^2245	0.9^2266	0.9^2286	0.9^2305	0.9^2324	0.9^2343	0.9^2361
2.5	0.9^2379	0.9^2396	0.9^2413	0.9^2430	0.9^2446	0.9^2461	0.9^2477	0.9^2492	0.9^2506	0.9^2520
2.6	0.9^2534	0.9^2547	0.9^2560	0.9^2573	0.9^2586	0.9^2598	0.9^2609	0.9^2621	0.9^2632	0.9^2643
2.7	0.9^2653	0.9^2664	0.9^2674	0.9^2683	0.9^2693	0.9^2702	0.9^2711	0.9^2720	0.9^2728	0.9^2737
2.8	0.9^2745	0.9^2752	0.9^2760	0.9^2767	0.9^2774	0.9^2781	0.9^2788	0.9^2795	0.9^2801	0.9^2807
2.9	0.9^2813	0.9^2819	0.9^2825	0.9^2831	0.9^2836	0.9^2841	0.9^2846	0.9^2851	0.9^2856	0.9^2861

z	0.00	0.01	0.02	0.03	0.04	0.05	0.06	0.07	0.08	0.09
3.0	0.9^2865	0.9^2869	0.9^2874	0.9^2878	0.9^2882	0.9^2886	0.9^2889	0.9^2893	0.9^2897	0.9^2900
3.1	0.9^3032	0.9^3065	0.9^3096	0.9^3126	0.9^3155	0.9^3184	0.9^3211	0.9^3238	0.9^3264	0.9^3289
3.2	0.9^3313	0.9^3336	0.9^3359	0.9^3381	0.9^3402	0.9^3423	0.9^3443	0.9^3462	0.9^3481	0.9^3499
3.3	0.9^3517	0.9^3534	0.9^3550	0.9^3566	0.9^3581	0.9^3596	0.9^3610	0.9^3624	0.9^3638	0.9^3651
3.4	0.9^3663	0.9^3675	0.9^3687	0.9^3698	0.9^3709	0.9^3720	0.9^3730	0.9^3740	0.9^3749	0.9^3759
3.5	0.9^3767	0.9^3776	0.9^3784	0.9^3792	0.9^3800	0.9^3807	0.9^3815	0.9^3822	0.9^3822	0.9^3835
3.6	0.9^3841	0.9^3847	0.9^3853	0.9^3858	0.9^3864	0.9^3869	0.9^3874	0.9^3879	0.9^3883	0.9^3888
3.7	0.9^3892	0.9^3896	0.9^4004	0.9^4043	0.9^4116	0.9^4116	0.9^4150	0.9^4184	0.9^4216	0.9^4257
3.8	0.9^4277	0.9^4305	0.9^4333	0.9^4359	0.9^4385	0.9^4409	0.9^4433	0.9^4456	0.9^4478	0.9^4499
3.9	0.9^4519	0.9^4539	0.9^4557	0.9^4575	0.9^4593	0.9^4609	0.9^4625	0.9^4641	0.9^4655	0.9^4670

Appendix 2. Values of $y = \exp(-x)$

x	e^{-x}	x	e^{-x}	x	e^{-x}	x	e^{-x}	x	e^{-x}	x	e^{-x}
0.00	1.0000	0.50	0.6065	1.00	0.3679	1.50	0.2231	2.00	0.1353	2.50	0.0821
0.01	0.9900	0.51	0.6005	1.01	0.3642	1.51	0.2209	2.01	0.1340	2.51	0.0813
0.02	0.9802	0.52	0.5945	1.02	0.3606	1.52	0.2187	2.02	0.1327	2.52	0.0805
0.03	0.9704	0.53	0.5886	1.03	0.3570	1.53	0.2165	2.03	0.1313	2.53	0.0797
0.04	0.9608	0.54	0.5827	1.04	0.3535	1.54	0.2144	2.04	0.1300	2.54	0.0789
0.05	0.9512	0.55	0.5769	1.05	0.3499	1.55	0.2122	2.05	0.1287	2.55	0.0781
0.06	0.9418	0.56	0.5712	1.06	0.3465	1.56	0.2101	2.06	0.1275	2.56	0.0773
0.07	0.9324	0.57	0.5655	1.07	0.3430	1.57	0.2080	2.07	0.1262	2.57	0.0765
0.08	0.9231	0.58	0.5599	1.08	0.3396	1.58	0.2060	2.08	0.1249	2.58	0.0758
0.09	0.9139	0.59	0.5543	1.09	0.3362	1.59	0.2039	2.09	0.1237	2.59	0.0750
0.10	0.9048	0.60	0.5488	1.10	0.3329	1.60	0.2019	2.10	0.1225	2.60	0.0743
0.11	0.8958	0.61	0.5434	1.11	0.3296	1.61	0.1999	2.11	0.1212	2.61	0.0735
0.12	0.8869	0.62	0.5379	1.12	0.3263	1.62	0.1979	2.12	0.1200	2.62	0.0728
0.13	0.8781	0.63	0.5326	1.13	0.3230	1.63	0.1959	2.13	0.1188	2.63	0.0721
0.14	0.8694	0.64	0.5273	1.14	0.3198	1.64	0.1940	2.14	0.1177	2.64	0.0714
0.15	0.8607	0.65	0.5220	1.15	0.3166	1.65	0.1920	2.15	0.1165	2.65	0.0707
0.16	0.8521	0.66	0.5169	1.16	0.3135	1.66	0.1901	2.16	0.1153	2.66	0.0699
0.17	0.8437	0.67	0.5117	1.17	0.3104	1.67	0.1882	2.17	0.1142	2.67	0.0693
0.18	0.8353	0.68	0.5066	1.18	0.3073	1.68	0.1864	2.18	0.1130	2.68	0.0686
0.19	0.8270	0.69	0.5016	1.19	0.3042	1.69	0.1845	2.19	0.1119	2.69	0.0679
0.20	0.8187	0.70	0.4966	1.20	0.3012	1.70	0.1827	2.20	0.1108	2.70	0.0672
0.21	0.8106	0.71	0.4916	1.21	0.2982	1.71	0.1809	2.21	0.1097	2.71	0.0665
0.22	0.8025	0.72	0.4868	1.22	0.2952	1.72	0.1791	2.22	0.1086	2.72	0.0659
0.23	0.7945	0.73	0.4819	1.23	0.2923	1.73	0.1773	2.23	0.1075	2.73	0.0652
0.24	0.7866	0.74	0.4771	1.24	0.2894	1.74	0.1755	2.24	0.1065	2.74	0.0646
0.25	0.7788	0.75	0.4724	1.25	0.2865	1.75	0.1738	2.25	0.1054	2.75	0.0639
0.26	0.7711	0.76	0.4677	1.26	0.2837	1.76	0.1720	2.26	0.1044	2.76	0.0633
0.27	0.7634	0.77	0.4630	1.27	0.2808	1.77	0.1703	2.27	0.1033	2.77	0.0627
0.28	0.7558	0.78	0.4584	1.28	0.2780	1.78	0.1686	2.28	0.1023	2.78	0.0620
0.29	0.7483	0.79	0.4538	1.29	0.2753	1.79	0.1670	2.29	0.1013	2.79	0.0614
0.30	0.7408	0.80	0.4493	1.30	0.2725	1.80	0.1653	2.30	0.1003	2.80	0.0608
0.31	0.7334	0.81	0.4449	1.31	0.2698	1.81	0.1637	2.31	0.0993	2.81	0.0602
0.32	0.7261	0.82	0.4404	1.32	0.2671	1.82	0.1620	2.32	0.0983	2.82	0.0596
0.33	0.7189	0.83	0.4360	1.33	0.2645	1.83	0.1604	2.33	0.0973	2.83	0.0590
0.34	0.7118	0.84	0.4317	1.34	0.2618	1.84	0.1588	2.34	0.0963	2.84	0.0584
0.35	0.7047	0.85	0.4274	1.35	0.2592	1.85	0.1572	2.35	0.0954	2.85	0.0578
0.36	0.6977	0.86	0.4322	1.36	0.2567	1.86	0.1557	2.36	0.0944	2.86	0.0573
0.37	0.6907	0.87	0.4190	1.37	0.2541	1.87	0.1541	2.37	0.0935	2.87	0.0567
0.38	0.6839	0.88	0.4148	1.38	0.2516	1.88	0.1526	2.38	0.0926	2.88	0.0561
0.39	0.6771	0.89	0.4107	1.39	0.2491	1.89	0.1511	2.39	0.0916	2.89	0.0556
0.40	0.6703	0.90	0.4066	1.40	0.2466	1.90	0.1496	2.40	0.0907	2.90	0.0550
0.41	0.6637	0.91	0.4025	1.41	0.2441	1.91	0.1481	2.41	0.0898	2.91	0.0545
0.42	0.6570	0.92	0.3985	1.42	0.2417	1.92	0.1466	2.42	0.0889	2.92	0.0539
0.43	0.6505	0.93	0.3946	1.43	0.2393	1.93	0.1451	2.43	0.0880	2.93	0.0534
0.44	0.6440	0.94	0.3906	1.44	0.2369	1.94	0.1437	2.44	0.0872	2.94	0.0529
0.45	0.6376	0.95	0.3867	1.45	0.2346	1.95	0.1423	2.45	0.0863	2.95	0.0523
0.46	0.6313	0.96	0.3829	1.46	0.2322	1.96	0.1409	2.46	0.0854	2.96	0.0518
0.47	0.6250	0.97	0.3791	1.47	0.2299	1.97	0.1395	2.47	0.0846	2.97	0.0513
0.48	0.6188	0.98	0.3753	1.48	0.2277	1.98	0.1381	2.48	0.0837	2.98	0.0508
0.49	0.6126	0.99	0.3716	1.49	0.2254	1.99	0.1367	2.49	0.0829	2.99	0.0503
0.50	0.6065	1.00	0.3679	1.50	0.2231	2.00	0.1353	2.50	0.0821	3.00	0.0498

For $x < 0.01$, use the approximation $y \approx 1 - x$. If greater accuracy is needed, use $y \approx 1 - x + \dfrac{x^2}{2}$.

Appendix 3. Percentiles of the χ^2 Distribution

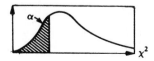

Degrees of freedom ν	α							
	0.005	0.010	0.025	0.05	0.10	0.20	0.30	0.40
1	0.0^4393	0.0^3157	0.0^3982	0.0^2393	0.0158	0.0642	0.148	0.275
2	0.0100	0.0201	0.0506	0.103	0.211	0.446	0.713	1.02
3	0.0717	0.115	0.216	0.352	0.584	1.00	1.42	1.87
4	0.207	0.297	0.484	0.711	1.06	1.65	2.19	2.75
5	0.412	0.554	0.831	1.15	1.61	2.34	3.00	3.66
6	0.676	0.872	1.24	1.64	2.20	3.07	3.83	4.57
7	0.989	1.24	1.69	2.17	2.83	3.82	4.67	5.49
8	1.34	1.65	2.18	2.73	3.49	4.59	5.53	6.42
9	1.73	2.09	2.70	3.33	4.17	5.38	6.39	7.36
10	2.16	2.56	3.25	3.94	4.87	6.18	7.27	8.30
11	2.60	3.05	3.82	4.57	5.58	6.99	8.15	9.24
12	3.07	3.57	4.40	5.23	6.30	7.81	9.03	10.2
13	3.57	4.11	5.01	5.89	7.04	8.63	9.93	11.1
14	4.07	4.66	5.63	6.57	7.79	9.47	10.8	12.1
15	4.60	5.23	6.26	7.26	8.55	10.3	11.7	13.0
16	5.14	5.81	6.91	7.96	9.31	11.2	12.6	14.0
17	5.70	6.41	7.56	8.67	10.1	12.0	13.5	14.9
18	6.26	7.01	8.23	9.39	10.9	12.9	14.4	15.9
19	6.84	7.63	8.91	10.1	11.7	13.7	15.4	16.9
20	7.43	8.26	9.59	10.9	12.4	14.6	16.3	17.8
21	8.03	8.90	10.3	11.6	13.2	15.4	17.2	18.8
22	8.64	9.54	11.0	12.3	14.0	16.3	18.1	19.7
23	9.26	10.2	11.7	13.1	14.8	17.2	19.0	20.7
24	9.89	10.9	12.4	13.8	15.7	18.1	19.9	21.7
25	10.5	11.5	13.1	14.6	16.5	18.9	20.9	22.6
26	11.2	12.2	13.8	15.4	17.3	19.8	21.8	23.6
27	11.8	12.9	14.6	16.2	18.1	20.7	22.7	24.5
28	12.5	13.6	15.3	16.9	18.9	21.6	23.6	25.5
29	13.1	14.3	16.0	17.7	19.8	22.5	24.6	26.5
30	13.8	15.0	16.8	18.5	20.6	23.4	25.5	27.4
35	17.2	18.5	20.6	22.5	24.8	27.8	30.2	32.3
40	20.7	22.2	24.4	26.5	29.1	32.3	34.9	37.1
45	24.3	25.9	28.4	30.6	33.4	36.9	39.6	42.0
50	28.0	29.7	32.4	34.8	37.7	41.4	44.3	46.9
75	47.2	49.5	52.9	56.1	59.8	64.5	68.1	71.3
100	67.3	70.1	74.2	77.9	82.4	87.9	92.1	95.8

| | | | | | | | | α | |
0.50	0.60	0.70	0.80	0.90	0.95	0.975	0.990	0.995	ν
0.455	0.708	1.07	1.64	2.71	3.84	5.02	6.63	7.88	1
1.39	1.83	2.41	3.22	4.61	5.99	7.38	9.21	10.6	2
2.37	2.95	3.67	4.64	6.25	7.81	9.35	11.3	12.8	3
3.36	4.04	4.88	5.99	7.78	9.49	11.1	13.3	14.9	4
4.35	5.13	6.06	7.29	9.24	11.1	12.8	15.1	16.7	5
5.35	6.21	7.23	8.56	10.6	12.6	14.4	16.8	18.5	6
6.35	7.28	8.38	9.80	12.0	14.1	16.0	18.5	20.3	7
7.34	8.35	9.52	11.0	13.4	15.5	17.5	20.1	22.0	8
8.34	9.41	10.7	12.2	14.7	16.9	19.0	21.7	23.6	9
9.34	10.5	11.8	13.4	16.0	18.3	20.5	23.2	25.2	10
10.3	11.5	12.9	14.6	17.3	19.7	21.9	24.7	26.8	11
11.3	12.6	14.0	15.8	18.5	21.0	23.3	26.2	28.3	12
12.3	13.6	15.1	17.0	19.8	22.4	24.7	27.7	29.8	13
13.3	14.7	16.2	18.2	21.1	23.7	26.1	29.1	31.3	14
14.3	15.7	17.3	19.3	22.3	25.0	27.5	30.6	32.8	15
15.3	16.8	18.4	20.5	23.5	26.3	28.8	32.0	34.3	16
16.3	17.8	19.5	21.6	24.8	27.6	30.2	33.4	35.7	17
17.3	18.9	20.6	22.8	26.0	28.9	31.5	34.8	37.2	18
18.3	19.9	21.7	23.9	27.2	30.1	32.9	36.2	38.6	19
19.3	21.0	22.8	25.0	28.4	31.4	34.2	37.6	40.0	20
20.3	22.0	23.9	26.2	29.6	32.7	35.5	38.9	41.4	21
21.3	23.0	24.9	27.3	30.8	33.9	36.8	40.3	42.8	22
22.3	24.1	26.0	28.4	32.0	35.2	38.1	41.6	44.2	23
23.3	25.1	27.1	29.6	33.2	36.4	39.4	43.0	45.6	24
24.3	26.1	28.2	30.7	34.4	37.7	40.6	44.3	46.9	25
25.3	27.2	29.2	31.8	35.6	38.9	41.9	45.6	48.3	26
26.3	28.2	30.3	32.9	36.7	40.1	43.2	47.0	49.6	27
27.3	29.2	31.4	34.0	37.9	41.3	44.5	48.3	51.0	28
28.3	30.3	32.5	35.1	39.1	42.6	45.7	49.6	52.3	29
29.3	31.3	33.5	36.3	40.3	43.8	47.0	50.9	53.7	30
34.3	36.5	38.9	41.8	46.1	49.8	53.2	57.3	60.3	35
39.3	41.6	44.2	47.3	51.8	55.8	59.3	63.7	66.8	40
44.3	46.8	49.5	52.7	57.5	61.7	65.4	70.0	73.2	45
49.3	51.9	54.7	58.2	63.2	67.5	71.4	76.2	79.5	50
74.3	77.5	80.9	85.1	91.1	96.2	100.8	106.4	110.3	75
99.3	102.9	106.9	111.7	118.5	124.3	129.6	135.6	140.2	100

Appendix 4. Values of the F-distribution

(A. Hald, *Statistical Tables and Formulas*, copyright © 1952 John Wiley & Sons Inc. Reprinted by permission of John Wiley & Sons Inc.)

Tabulation of the values of $F_{0.10;\ \nu_1;\nu_2}$ versus ν_1 and ν_2

ν_2	Degrees of freedom for the numerator (ν_1)																	
	1	2	3	4	5	6	7	8	9	10	15	20	30	50	100	200	500	∞
1	39.9	49.5	53.6	55.8	57.2	58.2	58.9	59.4	59.9	60.2	61.2	61.7	62.3	62.7	63.0	63.2	63.3	63.3
2	8.53	9.00	9.16	9.24	9.29	9.33	9.35	9.37	9.38	9.39	9.42	9.44	9.46	9.47	9.48	9.49	9.49	9.49
3	5.54	5.46	5.39	5.34	5.31	5.28	5.27	5.25	5.24	5.23	5.20	5.18	5.17	5.15	5.14	5.14	5.14	5.13
4	4.54	4.32	4.19	4.11	4.05	4.01	3.98	3.95	3.94	3.92	3.87	3.84	3.82	3.80	3.78	3.77	3.76	3.76
5	4.06	3.78	3.62	3.52	3.45	3.40	3.37	3.34	3.32	3.30	3.24	3.21	3.17	3.15	3.13	3.12	3.11	3.10
6	3.78	3.46	3.29	3.18	3.11	3.05	3.01	2.98	2.96	2.94	2.87	2.84	2.80	2.77	2.75	2.73	2.73	2.72
7	3.59	3.26	3.07	2.96	2.88	2.83	2.78	2.75	2.72	2.70	2.63	2.59	2.56	2.52	2.50	2.48	2.48	2.47
8	3.46	3.11	2.92	2.81	2.73	2.67	2.62	2.59	2.56	2.54	2.46	2.42	2.38	2.35	2.32	2.31	2.30	2.29
9	3.36	3.01	2.81	2.69	2.61	2.55	2.51	2.47	2.44	2.42	2.34	2.30	2.25	2.22	2.19	2.17	2.17	2.16
10	3.28	2.92	2.73	2.61	2.52	2.46	2.41	2.38	2.35	2.32	2.24	2.20	2.16	2.12	2.09	2.07	2.06	2.06
11	3.23	2.86	2.66	2.54	2.45	2.39	2.34	2.30	2.27	2.25	2.17	2.12	2.08	2.04	2.00	1.99	1.98	1.97
12	3.18	2.81	2.61	2.48	2.39	2.33	2.28	2.24	2.21	2.19	2.10	2.06	2.01	1.97	1.94	1.92	1.91	1.90
13	3.14	2.76	2.56	2.43	2.35	2.28	2.23	2.20	2.16	2.14	2.05	2.01	1.96	1.92	1.88	1.86	1.85	1.85
14	3.10	2.73	2.52	2.39	2.31	2.24	2.19	2.15	2.12	2.10	2.01	1.96	1.91	1.87	1.83	1.82	1.80	1.80
15	3.07	2.70	2.49	2.36	2.27	2.21	2.16	2.12	2.09	2.06	1.97	1.92	1.87	1.83	1.79	1.77	1.76	1.76
16	3.05	2.67	2.46	2.33	2.24	2.18	2.13	2.09	2.06	2.03	1.94	1.89	1.84	1.79	1.76	1.74	1.73	1.72
17	3.03	2.64	2.44	2.31	2.22	2.15	2.10	2.06	2.03	2.00	1.91	1.86	1.81	1.76	1.73	1.71	1.69	1.69
18	3.01	2.62	2.42	2.29	2.20	2.13	2.08	2.04	2.00	1.98	1.89	1.84	1.78	1.74	1.70	1.68	1.67	1.66
19	2.99	2.61	2.40	2.27	2.18	2.11	2.06	2.02	1.98	1.96	1.86	1.81	1.76	1.71	1.67	1.65	1.64	1.63
20	2.97	2.59	2.38	2.25	2.16	2.09	2.04	2.00	1.96	1.94	1.84	1.79	1.74	1.69	1.65	1.63	1.62	1.61
22	2.95	2.56	2.35	2.22	2.13	2.06	2.01	1.97	1.93	1.90	1.81	1.76	1.70	1.65	1.61	1.59	1.58	1.57
24	2.93	2.54	2.33	2.19	2.10	2.04	1.98	1.94	1.91	1.88	1.78	1.73	1.67	1.62	1.58	1.56	1.54	1.53
26	2.91	2.52	2.31	2.17	2.08	2.01	1.96	1.92	1.88	1.86	1.76	1.71	1.65	1.59	1.55	1.53	1.51	1.50
28	2.89	2.50	2.29	2.16	2.06	2.00	1.94	1.90	1.87	1.84	1.74	1.69	1.63	1.57	1.53	1.50	1.49	1.48
30	2.88	2.49	2.28	2.14	2.05	1.98	1.93	1.88	1.85	1.82	1.72	1.67	1.61	1.55	1.51	1.48	1.47	1.46
40	2.84	2.44	2.23	2.09	2.00	1.93	1.87	1.83	1.79	1.76	1.66	1.61	1.54	1.48	1.43	1.41	1.39	1.38
50	2.81	2.41	2.20	2.06	1.97	1.90	1.84	1.80	1.76	1.73	1.63	1.57	1.50	1.44	1.39	1.36	1.34	1.33
60	2.79	2.39	2.18	2.04	1.95	1.87	1.82	1.77	1.74	1.71	1.60	1.54	1.48	1.41	1.36	1.33	1.31	1.29
80	2.77	2.37	2.15	2.02	1.92	1.85	1.79	1.75	1.71	1.68	1.57	1.51	1.44	1.38	1.32	1.28	1.26	1.24
100	2.76	2.36	2.14	2.00	1.91	1.83	1.78	1.73	1.70	1.66	1.56	1.49	1.42	1.35	1.29	1.26	1.23	1.21
200	2.73	2.33	2.11	1.97	1.88	1.80	1.75	1.70	1.66	1.63	1.52	1.46	1.38	1.31	1.24	1.20	1.17	1.14
500	2.72	2.31	2.10	1.96	1.86	1.79	1.73	1.68	1.64	1.61	1.50	1.44	1.36	1.28	1.21	1.16	1.12	1.09
∞	2.71	2.30	2.08	1.94	1.85	1.77	1.72	1.67	1.63	1.60	1.49	1.42	1.34	1.26	1.18	1.13	1.08	1.00

Degrees of freedom for the denominator (ν_2)

Appendix 4

Tabulation of the values of $F_{0.05;\nu_1;\nu_2}$ versus ν_1 and ν_2

Degrees of freedom for the numerator (ν_1)

	1	2	3	4	5	6	7	8	9	10	11	12	13	14	15	16	17	18
1	161	200	216	225	230	234	237	239	241	242	243	244	245	245	246	246	247	247
2	18.5	19.0	19.2	19.2	19.3	19.3	19.4	19.4	19.4	19.4	19.4	19.4	19.4	19.4	19.4	19.4	19.4	19.4
3	10.1	9.55	9.28	9.12	9.01	8.94	8.89	8.85	8.81	8.79	8.76	8.74	8.73	8.71	8.70	8.69	8.68	8.67
4	7.71	6.94	6.59	6.39	6.26	6.16	6.09	6.04	6.00	5.96	5.94	5.91	5.82	5.87	5.86	5.84	5.83	5.82
5	6.61	5.79	5.41	5.19	5.05	4.95	4.88	4.82	4.77	4.74	4.70	4.08	4.66	4.64	4.62	4.60	4.59	4.58
6	5.99	5.14	4.76	4.53	4.39	4.28	4.21	4.15	4.10	4.06	4.03	4.00	3.98	3.96	3.94	3.92	3.91	390
7	5.59	4.74	4.35	4.12	3.97	3.87	3.79	3.73	3.68	3.64	3.60	3.57	3.55	3.53	3.51	3.49	3.48	3.47
8	5.32	4.46	4.07	3.84	3.69	3.58	3.50	3.44	3.39	3.35	3.31	3.28	3.26	3.24	3.22	3.20	3.19	3.17
9	5.12	4.26	3.86	3.63	3.48	3.37	3.29	3.23	3.18	3.14	3.10	3.07	3.05	3.03	3.01	2.99	2.97	2.96
10	4.96	4.10	3.71	3.48	3.33	3.22	3.14	3.07	3.02	2.98	2.94	2.91	2.89	2.86	2.85	2.83	2.81	2.80
11	4.84	2.98	3.50	3.36	3.20	3.01	2.95	2.90	2.85	2.82	2.82	2.79	2.76	2.74	2.72	2.70	2.69	2.67
12	4.75	3.89	3.49	3.26	3.11	3.00	2.91	2.85	2.80	2.75	2.72	2.69	2.66	2.64	2.62	2.60	2.58	2.57
13	4.67	3.81	3.41	3.18	3.03	2.92	2.83	2.77	2.71	2.67	2.63	2.60	2.58	2.55	2.53	2.51	2.50	2.48
14	4.60	3.74	3.34	3.11	2.96	2.85	2.76	2.70	2.65	2.60	2.57	2.53	2.51	2.48	2.46	2.44	2.43	2.41
15	4.54	3.68	3.29	3.06	2.90	2.79	2.71	2.64	2.59	2.54	2.51	2.48	2.45	2.42	2.40	2.38	2.37	2.35
16	4.49	3.63	3.24	3.01	2.85	2.74	2.66	2.59	2.54	2.49	2.46	2.42	2.40	2.37	2.35	2.33	2.32	2.30
17	4.45	3.59	3.20	2.96	2.81	2.70	2.61	2.55	2.49	2.45	2.41	2.38	2.36	2.33	2.31	2.29	2.27	2.26
18	4.41	3.55	3.16	2.93	2.77	2.66	2.58	2.51	2.46	2.41	2.37	2.34	2.31	2.29	2.27	2.25	2.23	2.22
19	4.38	3.52	3.13	2.90	2.74	2.63	2.54	2.48	2.42	2.38	2.34	2.31	2.28	2.26	2.23	2.21	2.20	2.18
20	4.35	3.49	3.10	2.87	2.71	2.60	2.51	2.45	2.39	2.35	2.31	2.28	2.25	2.22	2.20	2.18	2.17	2.15
21	4.32	3.47	3.07	2.82	2.68	2.57	2.49	2.42	2.37	2.32	2.28	2.25	2.22	2.20	2.18	2.16	2.14	2.12
22	4.30	3.44	3.05	2.84	2.66	2.55	2.46	2.40	2.34	2.30	2.26	2.23	2.20	2.17	2.15	2.13	2.11	2.10
23	4.28	3.42	3.03	2.80	2.64	2.53	2.44	2.37	2.32	2.27	2.23	2.20	2.18	2.15	2.13	2.11	2.09	2.07
24	4.26	3.40	3.01	2.78	2.62	2.51	2.42	2.36	2.30	2.25	2.21	2.18	2.15	2.13	2.11	2.09	2.07	2.05
25	4.24	3.39	2.99	2.76	2.60	2.49	2.40	2.34	2.28	2.24	2.20	2.16	2.14	2.11	2.09	2.07	2.05	2.04
26	4.23	3.37	2.98	2.74	2.59	2.47	2.39	2.32	2.27	2.22	2.18	2.15	2.12	2.09	2.07	2.05	2.03	2.02
27	4.21	3.35	2.96	2.73	2.57	2.46	2.37	2.31	2.25	2.20	2.17	2.13	2.10	2.08	2.06	2.04	2.02	2.00
28	4.20	3.34	2.95	2.71	2.56	2.45	2.36	2.29	2.24	2.19	2.15	2.12	2.09	2.06	2.04	2.02	2.00	1.99
29	4.18	3.33	2.93	2.70	2.55	2.43	2.35	2.28	2.22	2.18	2.14	2.10	2.08	2.05	2.03	2.01	1.99	1.97
30	4.17	3.32	2.92	2.69	2.53	2.42	2.33	2.27	2.21	2.16	2.13	2.09	2.06	2.04	2.01	1.99	1.98	1.96
32	4.15	3.29	2.90	2.67	2.51	2.40	2.31	2.24	2.19	2.14	2.10	2.07	2.04	2.01	1.99	1.97	1.95	1.94
34	4.13	3.28	2.88	2.65	2.49	2.38	2.29	2.23	2.17	2.12	2.08	2.05	2.02	1.99	1.97	1.95	1.93	1.92
36	4.11	3.26	2.87	2.63	2.48	2.36	2.28	2.21	2.15	2.11	2.07	2.03	2.00	1.98	1.95	1.93	1.92	1.90
38	4.10	3.24	2.85	2.62	2.46	2.35	2.26	2.19	2.14	2.09	2.05	2.02	1.99	1.96	1.94	1.92	1.90	1.88
40	4.08	3.23	2.84	2.61	2.45	2.34	2.25	2.18	2.12	2.08	2.04	2.00	1.97	1.95	1.92	1.90	1.89	1.87

Degrees of freedom for the denominator (ν_2)

		Degrees of freedom for the numerator (ν_1)															
19	20	22	24	26	28	30	35	40	45	50	60	80	100	200	500	∞	
248	248	249	249	249	250	250	251	251	251	252	252	252	253	254	254	254	1
19.4	19.4	19.5	19.5	19.5	19.5	19.5	19.5	19.5	19.5	19.5	19.5	19.5	19.5	19.5	19.5	19.5	2
8.67	8.66	8.65	8.64	8.63	8.62	8.62	8.60	8.59	8.59	8.58	8.57	8.56	8.55	8.54	8.53	8.53	3
5.81	5.80	5.79	5.77	5.76	5.75	5.75	5.73	5.72	5.71	5.70	5.69	5.67	5.66	5.65	5.64	5.63	4
4.57	4.56	4.54	4.53	4.52	4.50	4.50	4.48	4.46	4.45	4.44	4.43	4.41	4.41	4.30	4.37	4.37	5
3.88	3.87	3.88	3.84	3.83	3.82	3.81	3.79	3.77	3.76	3.75	3.74	3.72	3.71	3.09	3.63	3.67	6
3.46	3.44	3.43	3.41	3.40	3.39	3.38	3.36	3.34	3.33	3.32	3.30	3.20	3.29	2.25	3.24	3.23	7
3.16	3.15	3.13	3.12	3.10	3.09	3.08	3.06	3.04	3.03	3.02	3.01	2.99	2.97	2.95	2.94	2.93	8
2.95	2.94	2.92	2.90	2.89	2.87	2.86	2.84	2.83	2.81	2.80	2.79	2.77	2.76	2.23	2.72	2.71	9
2.78	2.77	2.75	2.74	2.72	2.71	2.70	2.68	2.66	2.65	2.64	2.62	2.60	2.59	2.55	2.55	2.54	10
2.66	2.65	2.63	2.61	2.59	2.58	2.57	2.55	2.53	2.52	2.51	2.49	2.47	2.46	2.43	2.42	2.40	11
2.56	2.54	2.52	2.51	2.49	2.48	2.47	2.44	2.43	2.41	2.40	2.38	2.36	2.35	2.32	2.31	2.30	12
2.47	2.46	2.44	2.42	2.41	2.39	2.38	2.36	2.34	2.33	2.31	2.30	2.27	2.26	2.23	2.22	2.21	13
2.40	2.39	2.37	2.35	2.33	2.32	2.31	2.28	2.27	2.26	2.24	2.22	2.20	2.19	2.16	2.14	2.13	14
2.34	2.33	2.31	2.29	2.27	2.26	2.25	2.22	2.20	2.19	2.18	2.16	2.14	2.12	2.10	2.08	2.07	15
2.29	2.28	2.25	2.24	2.22	2.21	2.19	2.17	2.15	2.14	2.12	2.11	2.08	2.07	2.04	2.02	2.01	16
2.24	2.23	2.21	2.19	2.17	2.16	2.15	2.12	2.10	2.09	2.08	2.06	2.03	2.02	1.09	1.97	1.96	17
2.20	2.19	2.17	2.15	2.13	2.12	2.11	2.08	2.06	2.05	2.04	2.02	1.99	1.98	1.95	1.93	1.92	18
2.17	2.16	2.13	2.11	2.10	2.08	2.07	2.05	2.03	2.01	2.00	1.98	1.96	1.94	1.91	1.89	1.88	19
2.14	2.12	2.10	2.08	2.07	2.05	2.04	2.01	1.99	1.98	1.97	1.95	1.92	1.91	1.88	1.86	1.84	20
2.11	2.10	2.07	2.05	2.04	2.02	2.01	1.98	1.96	1.95	1.94	1.92	1.89	1.88	1.84	1.82	1.81	21
2.08	2.07	2.03	2.03	2.01	2.00	1.98	1.96	1.94	1.92	1.91	1.89	1.86	1.85	1.82	1.80	1.78	22
2.06	2.05	2.02	2.00	1.99	1.97	1.96	1.93	1.91	1.90	1.88	1.85	1.84	1.82	1.79	1.77	1.76	23
2.04	2.03	2.00	1.98	1.97	1.95	1.94	1.91	1.89	1.88	1.86	1.84	1.82	1.80	1.77	1.75	1.73	24
2.02	2.01	1.98	1.96	1.95	1.93	1.92	1.89	1.87	1.85	1.84	1.82	1.80	1.78	1.75	1.73	1.71	25
2.00	1.99	1.97	1.95	1.93	1.91	1.90	1.87	1.85	1.84	1.82	1.80	1.78	1.76	1.73	1.71	1.69	26
1.99	1.97	1.95	1.93	1.91	1.90	1.88	1.86	1.84	1.82	1.81	1.79	1.76	1.74	1.71	1.69	1.67	27
1.97	1.96	1.93	1.91	1.90	1.88	1.87	1.84	1.82	1.80	1.79	1.77	1.74	1.73	1.69	1.67	1.65	28
1.96	1.94	1.92	1.90	1.88	1.87	1.85	1.83	1.81	1.79	1.77	1.75	1.73	1.71	1.67	1.65	1.64	29
1.95	1.93	1.91	1.89	1.87	1.85	1.84	1.81	1.79	1.77	1.76	1.74	1.71	1.70	1.65	1.64	1.62	30
1.92	1.91	1.88	1.86	1.85	1.83	1.82	1.79	1.77	1.75	1.74	1.71	1.69	1.67	1.63	1.61	1.59	32
1.90	1.89	1.86	1.84	1.82	1.80	1.80	1.77	1.75	1.73	1.71	1.69	1.66	1.65	1.61	1.59	1.57	34
1.88	1.87	1.85	1.82	1.81	1.79	1.78	1.75	1.73	1.71	1.69	1.67	1.64	1.62	1.59	1.56	1.55	36
1.87	1.85	1.83	1.81	1.79	1.77	1.76	1.73	1.71	1.69	1.68	1.65	1.62	1.61	1.57	1.54	1.53	38
1.85	1.84	1.81	1.79	1.77	1.76	1.74	1.72	1.69	1.67	1.66	1.64	1.61	1.50	1.55	1.53	1.51	40

Degrees of freedom for the denominator (ν_2)

Appendix 4

		1	2	3	4	5	6	7	8	9	10	11	12	13	14	15	16	17	18
	42	4.07	3.22	2.83	2.59	2.44	2.32	2.24	2.16	2.11	2.06	2.03	1.99	1.96	1.93	1.91	1.89	1.87	1.86
	44	4.06	3.21	2.82	2.58	2.43	2.31	2.23	2.16	2.10	2.05	2.01	1.98	1.95	1.92	1.90	1.88	1.86	1.84
	46	4.05	3.20	2.81	2.57	2.42	2.30	2.22	2.15	2.09	2.04	2.00	1.97	1.94	1.91	1.89	1.87	1.85	1.83
	48	4.04	3.19	2.80	2.57	2.41	2.29	2.21	2.14	2.08	2.03	1.99	1.96	1.93	1.90	1.88	1.86	1.84	1.82
	50	4.03	3.18	2.79	2.56	2.40	2.29	2.20	2.13	2.07	2.03	1.99	1.95	1.92	1.89	1.87	1.85	1.83	1.81
	55	4.02	3.16	2.77	2.54	2.38	2.27	2.18	2.11	2.06	2.01	1.97	1.93	1.90	1.88	1.85	1.83	1.81	1.79
	60	4.00	3.15	2.76	2.53	2.37	2.25	2.17	2.10	2.04	1.99	1.95	1.92	1.89	1.86	1.84	1.82	1.80	1.78
	65	3.99	3.14	2.75	2.51	2.36	2.24	2.15	2.08	2.03	1.98	1.94	1.90	1.87	1.85	1.82	1.80	1.78	1.76
	70	3.98	3.13	2.74	2.50	2.35	2.23	2.14	2.07	2.02	1.97	1.93	1.89	1.86	1.84	1.81	1.79	1.77	1.75
	80	3.96	3.11	2.73	2.49	2.33	2.21	2.13	2.06	2.00	1.95	1.91	1.88	1.84	1.82	1.79	1.77	1.75	1.73
	90	3.95	3.10	2.71	2.47	2.32	2.20	2.11	2.04	1.99	1.94	1.90	1.86	1.83	1.80	1.78	1.76	1.74	1.72
	100	3.94	3.09	2.70	2.46	2.31	2.19	2.10	2.03	1.97	1.93	1.89	1.85	1.82	1.79	1.77	1.75	1.73	1.71
	125	3.92	3.07	2.68	2.44	2.29	2.17	2.08	2.01	1.96	1.91	1.87	1.83	1.80	1.77	1.76	1.72	1.70	1.69
	150	3.90	3.08	2.66	2.43	2.27	2.16	2.07	2.00	1.94	1.89	1.85	1.82	1.79	1.76	1.73	1.71	1.69	1.67
	200	3.89	3.04	2.65	2.42	2.26	2.14	2.06	1.98	1.93	1.88	1.84	1.80	1.77	1.74	1.72	1.69	1.67	1.65
	300	3.87	3.03	2.63	2.40	2.24	2.13	2.04	1.97	1.91	1.86	1.82	1.78	1.75	1.72	1.70	1.68	1.66	1.64
	500	3.86	3.01	2.62	2.39	2.23	2.12	2.03	1.96	1.90	1.85	1.81	1.77	1.74	1.71	1.69	1.66	1.64	1.62
	1000	3.85	3.00	2.61	2.38	2.22	2.11	2.02	1.95	1.89	1.84	1.80	1.76	1.73	1.70	1.68	1.65	1.63	1.61
	∞	3.84	3.00	2.60	2.37	2.21	2.10	2.01	1.94	1.88	1.83	1.79	1.75	1.72	1.69	1.67	1.64	1.62	1.60

Degrees of freedom for the numerator (ν_1)

Degrees of freedom for the denominator (ν_2)

19	20	22	24	26	28	30	35	40	45	50	60	80	100	200	500	∞	ν_2
1.84	1.83	1.80	1.78	1.76	1.74	1.73	1.70	1.68	1.66	1.65	1.62	1.59	1.57	1.53	1.51	1.49	42
1.83	1.81	1.79	1.77	1.75	1.73	1.72	1.69	1.67	1.65	1.63	1.61	1.58	1.56	1.52	1.49	1.48	44
1.82	1.80	1.78	1.76	1.74	1.72	1.71	1.68	1.65	1.64	1.62	1.60	1.57	1.55	1.51	1.48	1.46	46
1.81	1.79	1.77	1.75	1.73	1.71	1.70	1.67	1.64	1.62	1.61	1.59	1.56	1.54	1.49	1.47	1.45	48
1.80	1.78	1.76	1.74	1.72	1.70	1.69	1.66	1.63	1.61	1.60	1.58	1.54	1.52	1.48	1.46	1.44	50
1.78	1.76	1.74	1.72	1.70	1.68	1.67	1.64	1.61	1.59	1.58	1.55	1.52	1.50	1.46	1.43	1.41	55
1.76	1.75	1.72	1.70	1.68	1.66	1.65	1.62	1.59	1.57	1.56	1.53	1.50	1.48	1.44	1.41	1.39	60
1.75	1.73	1.71	1.69	1.67	1.65	1.63	1.60	1.58	1.56	1.54	1.52	1.49	1.48	1.42	1.39	1.37	65
1.74	1.72	1.70	1.67	1.65	1.64	1.62	1.59	1.57	1.55	1.53	1.50	1.47	1.45	1.40	1.37	1.35	70
1.72	1.70	1.68	1.65	1.63	1.62	1.60	1.57	1.54	1.52	1.51	1.48	1.45	1.43	1.38	1.35	1.32	80
1.70	1.69	1.66	1.64	1.62	1.60	1.59	1.55	1.53	1.51	1.49	1.46	1.43	1.41	1.36	1.32	1.30	90
1.69	1.68	1.65	1.63	1.61	1.59	1.57	1.54	1.52	1.49	1.48	1.45	1.41	1.39	1.34	1.31	1.28	100
1.67	1.65	1.63	1.60	1.58	1.57	1.55	1.52	1.49	1.47	1.45	1.42	1.39	1.36	1.31	1.27	1.25	125
1.66	1.64	1.61	1.59	1.57	1.55	1.53	1.50	1.48	1.45	1.44	1.41	1.37	1.34	1.29	1.23	1.22	150
1.64	1.62	1.60	1.57	1.55	1.53	1.52	1.48	1.46	1.43	1.41	1.39	1.35	1.32	1.26	1.22	1.19	200
1.62	1.61	1.58	1.55	1.53	1.51	1.50	1.46	1.43	1.41	1.39	1.38	1.32	1.30	1.23	1.19	1.15	300
1.61	1.50	1.56	1.54	1.52	1.50	1.48	1.45	1.42	1.40	1.38	1.34	1.30	1.28	1.21	1.16	1.11	500
1.60	1.58	1.55	1.53	1.51	1.49	1.47	1.44	1.41	1.38	1.36	1.33	1.29	1.26	1.19	1.13	1.08	1000
1.59	1.57	1.54	1.52	1.50	1.48	1.46	1.42	1.39	1.37	1.35	1.32	1.27	1.24	1.17	1.11	1.00	∞

Degrees of freedom for the numerator (ν_1)

Degrees of freedom for the denominator (ν_2)

Tabulation of the values of $F_{0.025;v_1;v_2}$ versus v_1 and v_2

		Degrees of freedom for the numerator (v_1)																	
		1	*2*	*3*	*4*	*5*	*6*	*7*	*8*	*9*	*10*	*11*	*12*	*13*	*14*	*15*	*16*	*17*	*18*
Degrees of freedom for the denominator (v_2)	1	648	800	864	900	922	937	948	957	963	969	975	977	980	983	985	987	989	990
	2	38.5	39.0	39.2	29.2	39.3	39.3	39.4	39.4	39.4	39.4	39.4	39.4	39.4	39.4	39.4	39.4	39.4	39.4
	3	17.4	16.0	15.4	15.1	14.9	14.7	14.6	14.5	14.5	14.4	14.4	13.3	13.3	13.3	14.3	14.2	14.2	14.2
	4	12.2	10.6	9.98	9.60	9.36	9.20	9.07	8.98	8.90	8.84	8.79	8.75	8.79	8.69	8.66	8.64	8.62	8.60
	5	10.0	8.43	7.76	7.39	7.15	6.98	6.85	6.76	6.68	6.62	6.57	6.52	6.49	6.46	6.43	6.41	6.39	6.37
	6	8.81	7.28	6.00	6.23	5.90	5.82	5.70	5.60	5.52	5.48	5.41	5.37	5.33	5.30	5.27	5.25	5.23	5.21
	7	8.07	6.54	5.89	5.52	5.29	5.12	4.99	4.90	4.82	4.76	4.71	4.67	4.63	4.60	4.57	4.54	4.52	4.50
	8	7.57	6.06	5.42	5.05	4.62	4.65	4.53	4.43	4.66	4.30	4.24	4.20	4.16	4.13	4.10	4.06	4.05	4.03
	9	7.21	5.71	5.08	4.72	4.48	4.32	4.20	4.10	4.03	3.96	3.91	3.87	3.83	3.80	3.77	3.74	3.72	3.70
	10	6.94	5.46	4.83	4.47	4.24	4.07	3.95	3.85	3.78	3.72	3.86	3.67	3.59	3.55	3.52	3.50	3.47	3.45
	11	6.72	5.26	4.63	4.28	4.04	3.88	3.76	3.66	3.59	3.53	3.47	3.43	3.39	3.36	3.33	3.30	3.28	3.26
	12	6.55	5.10	4.47	4.12	3.89	3.73	3.61	3.51	3.44	3.37	3.32	3.28	3.24	3.21	3.18	3.15	3.13	3.11
	13	6.41	4.97	4.35	4.00	3.77	3.70	3.48	3.39	3.31	3.24	3.20	3.14	3.12	3.08	3.05	3.03	3.00	2.98
	14	6.30	4.86	4.24	3.89	3.66	3.50	3.38	3.29	3.21	3.15	3.09	3.05	3.01	2.98	2.95	2.92	2.90	2.88
	15	6.20	4.76	4.15	3.80	3.58	3.41	3.29	3.20	3.12	3.06	3.01	2.96	2.92	2.89	2.86	2.84	2.81	2.79
	16	6.12	4.69	4.08	3.73	3.50	3.34	3.22	3.12	3.05	2.99	2.93	2.89	2.85	2.82	2.79	2.76	2.74	2.72
	17	6.04	4.62	4.01	3.66	3.44	3.28	3.16	3.06	2.98	2.92	2.87	2.82	2.79	2.75	2.72	2.70	2.67	2.65
	18	5.98	4.56	3.95	3.61	3.38	3.22	3.10	3.01	2.93	2.87	2.81	2.77	2.73	2.70	2.67	2.64	2.62	2.60
	19	5.92	4.51	3.90	3.56	3.33	3.17	3.05	2.96	2.88	2.82	2.76	2.72	2.68	2.65	2.62	2.59	2.57	2.55
	20	5.87	4.48	3.86	3.51	3.29	3.13	3.01	2.91	2.84	2.77	2.72	2.68	2.64	2.60	2.57	2.55	2.52	2.50
	21	5.83	4.42	3.82	3.48	3.25	3.09	2.97	2.87	2.80	2.73	2.68	2.64	2.60	2.56	2.53	2.51	2.48	2.46
	22	5.79	4.38	3.78	3.44	3.22	3.05	2.93	2.84	2.76	2.70	2.65	2.60	2.56	2.53	2.50	2.47	2.45	2.43
	23	5.75	4.35	3.75	3.41	3.18	3.02	2.90	2.81	2.73	2.67	2.62	2.57	2.53	2.50	2.47	2.46	2.42	2.39
	24	5.72	4.32	3.72	3.38	3.15	2.99	2.87	2.78	2.70	2.64	2.59	2.54	2.50	2.47	2.44	2.41	2.39	2.36
	25	5.69	4.29	3.69	3.35	3.13	2.97	2.85	2.75	2.68	2.61	2.56	2.51	2.48	2.44	2.41	2.38	2.36	2.34
	26	5.66	4.27	3.67	3.33	3.10	2.94	2.82	2.73	2.65	2.59	2.54	2.49	2.45	2.42	2.39	2.36	2.34	2.31
	27	5.63	4.24	3.65	3.31	3.08	2.92	2.80	2.71	2.63	2.57	2.51	2.47	2.43	2.39	2.36	2.34	2.31	2.29
	28	5.61	4.22	3.63	3.29	3.06	2.90	2.78	2.69	2.61	2.55	2.49	2.45	2.41	2.37	2.34	2.32	2.29	2.27
	29	5.59	4.20	3.61	3.27	3.04	2.88	2.76	2.67	2.59	2.53	2.48	2.43	2.39	2.36	2.32	2.30	2.27	2.25
	30	5.57	4.18	3.59	3.25	3.03	2.87	2.75	2.65	2.57	2.51	2.46	2.41	2.37	2.34	2.31	2.28	2.26	2.23
	32	5.53	4.15	3.56	3.22	3.00	2.84	2.72	2.62	2.54	2.48	2.43	2.38	2.34	2.31	2.28	2.25	2.22	2.20
	34	5.50	4.12	3.53	3.19	2.97	2.81	2.69	2.59	2.52	2.45	2.40	2.35	2.31	2.28	2.25	2.22	2.19	2.17
	36	5.47	4.09	3.51	3.17	2.94	2.79	2.56	2.57	2.49	2.43	2.37	2.33	2.29	2.25	2.22	2.20	2.17	2.15
	38	5.45	4.07	3.48	3.15	2.92	2.76	2.64	2.55	2.47	2.41	2.35	2.31	2.27	2.23	2.20	2.17	2.15	2.13
	40	5.42	4.05	3.46	3.13	2.90	2.74	2.62	2.53	2.45	2.39	2.33	2.29	2.25	2.21	2.18	2.15	2.13	2.11

					Degrees of freedom for the numerator (ν_1)													
19	20	22	24	25	28	30	35	40	45	50	60	80	100	200	500	∞	
992	923	995	997	999	1000	1001	1004	1005	1007	1008	1010	1012	1013	1016	1017	1018	1
23.4	30.4	29.5	39.5	39.5	39.5	39.5	39.5	39.5	39.5	39.5	39.5	39.5	39.5	39.5	39.5	39.5	2
14.2	14.2	14.1	14.1	14.1	14.1	14.1	14.1	10.0	14.0	14.0	14.0	14.0	14.0	13.9	13.9	13.9	3
8.53	8.56	8.53	8.51	8.49	8.48	8.48	8.44	8.41	8.39	8.38	8.36	8.33	8.32	8.29	8.27	8.26	4
6.35	6.33	6.30	6.28	6.26	6.24	6.23	6.20	6.18	6.16	6.14	6.12	6.10	6.06	6.05	6.03	6.02	5
5.19	5.17	5.14	5.12	5.10	5.08	5.07	5.04	5.01	4.99	4.96	4.96	4.93	4.92	4.88	4.86	4.85	6
4.48	4.47	4.44	4.42	4.92	4.38	4.38	4.33	4.31	4.29	4.28	4.25	4.23	4.21	4.18	4.16	4.14	7
4.02	4.00	3.97	3.95	3.93	3.91	3.90	3.86	3.84	3.82	3.81	3.78	3.76	3.74	3.70	3.68	3.67	8
3.68	3.67	3.64	3.61	3.59	3.58	3.56	3.53	3.51	3.49	3.47	3.45	3.42	3.40	3.37	3.35	3.33	9
3.44	3.42	3.39	3.37	3.34	3.33	3.31	3.28	3.26	3.24	3.22	3.20	3.17	3.15	3.12	3.09	3.08	10
3.24	3.23	3.20	3.17	3.15	3.13	3.12	3.09	3.06	3.04	3.03	3.00	2.97	2.96	2.92	2.90	2.88	11
3.09	3.07	3.04	3.02	3.00	2.98	2.96	2.93	2.91	2.89	2.87	2.85	2.82	2.80	2.76	2.74	2.72	12
2.96	2.95	2.92	2.89	2.87	2.85	2.84	2.80	2.78	2.76	2.74	2.72	2.69	2.67	2.63	2.61	2.60	13
2.86	2.84	2.81	2.79	2.77	2.75	2.73	2.70	2.67	2.65	2.64	2.61	2.58	2.56	2.53	2.50	2.49	14
2.77	2.76	2.73	2.70	2.68	2.66	2.64	2.61	2.55	2.56	2.55	2.52	2.49	2.47	2.44	2.41	2.40	15
2.70	2.68	2.65	2.63	2.60	2.58	2.57	2.53	2.51	2.49	2.47	2.45	2.42	2.40	2.36	2.33	2.32	16
2.63	2.62	2.59	2.56	2.54	2.52	2.50	2.47	2.44	2.42	2.41	2.38	2.35	2.33	2.29	2.28	2.25	17
2.58	2.56	2.53	2.50	2.48	2.46	2.44	2.41	2.38	2.36	2.35	2.32	2.29	2.27	2.23	2.20	2.19	18
2.53	2.51	2.48	2.45	2.43	2.41	2.39	2.36	2.33	2.31	2.30	2.27	2.24	2.22	2.18	2.15	2.13	19
2.43	2.46	2.43	2.41	2.39	2.37	2.35	2.31	2.29	2.27	2.25	2.22	2.19	2.17	2.13	2.10	2.09	20
2.44	2.42	2.39	2.37	2.34	2.33	2.31	2.27	2.25	2.23	2.21	2.18	2.15	2.13	2.09	2.06	2.04	21
2.41	2.39	2.36	2.33	2.31	2.29	2.27	2.24	2.21	2.19	2.17	2.14	2.11	2.09	2.05	2.02	2.00	22
2.37	2.36	2.33	2.30	2.28	2.26	2.24	2.20	2.18	2.15	2.14	2.11	2.08	2.06	2.01	1.99	1.97	23
2.35	2.33	2.30	2.27	2.25	2.23	2.21	2.17	2.15	2.12	2.11	2.08	2.05	2.02	1.98	1.95	1.94	24
2.32	2.30	2.27	2.24	2.22	2.20	2.18	2.13	2.12	2.10	2.08	2.05	2.02	2.00	1.95	1.92	1.91	25
2.29	2.28	2.24	2.22	2.19	2.17	2.16	2.12	2.09	2.07	2.05	2.03	1.99	1.97	1.92	1.90	1.88	26
2.27	2.25	2.22	2.19	2.17	2.15	2.13	2.10	2.07	2.05	2.03	2.00	1.97	1.94	1.90	1.87	1.85	27
2.25	2.23	2.20	2.17	2.15	2.13	2.11	2.08	2.05	2.03	2.01	1.98	1.94	1.92	1.88	1.85	1.83	28
2.23	2.21	2.18	2.15	2.13	2.11	2.09	2.06	2.03	2.01	1.99	1.96	1.92	1.90	1.86	1.83	1.81	29
2.21	2.20	2.16	2.14	2.11	2.08	2.07	2.04	2.01	1.99	1.97	1.94	1.90	1.88	1.84	1.81	1.79	30
2.18	2.16	2.13	2.10	2.08	2.06	2.04	2.00	1.98	1.95	1.93	1.91	1.87	1.85	1.80	1.77	1.75	32
2.15	2.13	2.10	2.07	2.05	2.03	2.01	1.97	1.95	1.92	1.90	1.88	1.84	1.82	1.77	1.74	1.72	34
2.12	2.11	2.08	2.05	2.03	2.00	1.99	1.95	1.92	1.90	1.88	1.85	1.81	1.79	1.74	1.71	1.69	36
2.11	2.09	2.05	2.03	2.00	1.98	1.96	1.93	1.90	1.87	1.85	1.82	1.79	1.76	1.71	1.68	1.66	38
2.08	2.07	2.03	2.01	1.98	1.96	1.94	1.90	1.88	1.85	1.83	1.80	1.76	1.74	1.69	1.66	1.64	40

Degrees of freedom for the denominator (ν_2)

Appendix 4

		Degrees of freedom for the numerator (ν_1)																
		1	2	3	4	5	6	7	8	9	10	11	12	13	14	15	16	17	18
	42	5.40	4.03	3.45	3.11	2.89	2.73	2.61	2.51	2.44	2.37	2.32	2.27	2.23	2.20	2.16	2.14	2.11	2.09
	44	5.39	4.02	3.43	3.09	2.87	2.71	2.59	2.50	2.42	2.36	2.30	2.26	2.21	2.18	2.15	2.12	2.10	2.07
	46	5.37	4.00	3.42	3.08	2.88	2.70	2.58	2.48	2.41	2.34	2.29	2.24	2.20	2.17	2.13	2.11	2.08	2.06
	48	5.35	3.99	3.40	3.07	2.84	2.69	2.57	2.47	2.39	2.33	2.27	2.23	2.19	2.15	2.12	2.09	2.07	2.05
	50	3.34	3.98	3.39	3.06	2.83	2.67	2.55	2.46	2.38	2.32	2.26	2.22	2.18	2.14	2.11	2.06	2.06	2.03
	55	5.31	3.95	3.36	3.03	2.81	2.65	2.53	2.43	2.36	2.29	2.24	2.19	2.15	2.11	2.08	2.05	2.03	2.01
	60	5.29	3.93	3.34	3.01	2.79	2.63	2.51	2.41	2.33	2.27	2.22	2.17	2.13	2.09	2.06	2.03	2.01	1.98
	65	5.27	3.91	3.32	2.99	2.77	2.61	2.49	2.39	2.32	2.25	2.20	2.15	2.11	2.07	2.04	2.01	1.99	1.97
	70	5.25	3.89	3.31	2.98	2.75	2.60	2.48	2.38	2.30	2.24	2.18	2.14	2.10	2.06	2.03	2.00	1.97	1.95
	80	5.22	3.86	3.28	2.95	2.73	2.57	2.45	2.36	2.28	2.21	2.16	2.11	2.07	2.03	2.00	1.97	1.95	1.93
	90	5.20	3.84	3.27	2.93	2.71	2.55	2.43	2.34	2.26	2.19	2.14	2.09	2.05	2.02	1.98	1.95	1.93	1.91
	100	5.18	3.83	3.25	2.92	2.70	2.54	2.42	2.32	2.24	2.18	2.12	2.08	2.04	2.00	1.97	1.94	1.91	1.89
	125	5.15	3.80	3.22	2.89	2.67	2.51	2.39	2.30	2.22	2.14	2.10	2.05	2.01	1.97	1.94	1.91	1.89	1.86
	150	5.13	3.78	3.20	2.87	2.65	2.49	2.37	2.28	2.20	2.13	2.08	2.03	1.99	1.95	1.92	1.89	1.87	1.84
	200	5.10	3.76	3.18	2.85	2.63	2.47	2.35	2.26	2.18	2.11	2.06	2.01	1.97	1.93	1.90	1.87	1.84	1.82
	300	5.08	3.74	3.16	2.83	2.61	2.45	2.33	2.23	2.16	2.09	2.04	1.99	1.95	1.91	1.88	1.85	1.82	1.80
	500	5.05	3.72	3.14	2.81	2.59	2.43	2.31	2.22	2.14	2.07	2.02	1.97	1.93	1.89	1.86	1.83	1.80	1.78
	1000	5.04	3.70	3.13	2.80	2.58	2.42	2.30	2.20	2.13	2.06	2.01	1.96	1.92	1.88	1.85	1.82	1.79	1.77
	∞	5.02	3.69	3.12	2.79	2.57	2.41	2.29	2.19	2.11	2.05	1.99	1.94	1.90	1.87	1.83	1.80	1.78	1.75

Degrees of freedom for the denominator (ν_2)

Degrees of freedom for the numerator (ν_1)																		
19	20	22	24	25	28	30	35	40	45	50	60	80	100	200	500	∞	
2.07	2.05	2.02	1.99	1.96	1.94	1.92	1.89	1.86	1.83	1.81	1.78	1.74	1.72	1.67	1.64	1.62	42
2.05	2.03	2.00	1.97	1.95	1.93	1.91	1.87	1.84	1.82	1.80	1.77	1.73	1.70	1.65	1.62	1.60	44
2.04	2.02	1.99	1.96	1.93	1.91	1.89	1.85	1.82	1.80	1.78	1.75	1.71	1.69	1.63	1.60	1.58	46
2.03	2.01	1.97	1.94	1.92	1.90	1.88	1.84	1.81	1.79	1.77	1.73	1.69	1.67	1.62	1.58	1.56	48
2.01	1.99	1.96	1.93	1.91	1.88	1.87	1.83	1.80	1.77	1.75	1.72	1.68	1.66	1.59	1.57	1.55	50
1.99	1.97	1.93	1.90	1.88	1.86	1.84	1.80	1.77	1.74	1.72	1.69	1.65	1.62	1.57	1.54	1.51	55
1.96	1.94	1.91	1.88	1.86	1.83	1.82	1.78	1.74	1.72	1.70	1.67	1.62	1.60	1.54	1.51	1.48	60
1.95	1.93	1.89	1.86	1.84	1.82	1.80	1.76	1.72	1.70	1.68	1.65	1.60	1.58	1.52	1.48	1.46	65
1.93	1.91	1.88	1.85	1.82	1.80	1.78	1.74	1.71	1.68	1.66	1.63	1.58	1.56	1.50	1.46	1.44	70
1.90	1.88	1.85	1.82	1.79	1.77	1.75	1.71	1.68	1.65	1.63	1.60	1.55	1.53	1.47	1.43	1.40	80
1.88	1.86	1.83	1.80	1.77	1.75	1.73	1.69	1.66	1.63	1.61	1.58	1.53	1.50	1.44	1.40	1.37	90
1.87	1.85	1.81	1.78	1.76	1.74	1.71	1.67	1.64	1.61	1.59	1.56	1.51	1.48	1.42	1.38	1.35	100
1.84	1.82	1.79	1.75	1.73	1.71	1.68	1.64	1.61	1.58	1.56	1.52	1.48	1.45	1.38	1.34	1.30	125
1.82	1.80	1.77	1.74	1.71	1.69	1.67	1.62	1.58	1.56	1.54	1.50	1.45	1.42	1.35	1.31	1.27	150
1.80	1.78	1.74	1.71	1.68	1.66	1.64	1.60	1.56	1.53	1.51	1.47	1.42	1.39	1.32	1.27	1.23	200
1.77	1.75	1.72	1.69	1.66	1.64	1.62	1.57	1.54	1.51	1.48	1.45	1.39	1.36	1.28	1.23	1.18	200
1.78	1.74	1.70	1.67	1.64	1.62	1.60	1.55	1.51	1.49	1.46	1.42	1.37	1.34	1.25	1.19	1.14	500
1.74	1.72	1.69	1.65	1.63	1.60	1.58	1.54	1.50	1.47	1.44	1.41	1.35	1.32	1.23	1.16	1.09	1000
1.73	1.71	1.67	1.64	1.61	1.59	1.57	1.52	1.48	1.45	1.43	1.39	1.33	1.30	1.21	1.13	1.00	∞

Degrees of freedom for the denominator (ν_2)

Tabulation of the values of $F_{0.01;\nu_1;\nu_2}$ versus ν_1 and ν_2

Degrees of freedom for the numerator (ν_1)

Multiply the numbers of the first row ($\nu_2=1$) by 10

ν_2	1	2	3	4	5	6	7	8	9	10	11	12	13	14	15	16	17	18
1	405	500	540	563	576	596	598	598	602	606	608	611	613	614	616	617	618	619
2	93.5	99.0	99.3	99.3	99.3	99.3	99.4	99.4	99.4	99.4	99.4	99.4	99.4	99.4	99.4	99.4	99.4	99.4
3	34.1	30.8	30.5	28.7	28.2	27.9	27.7	27.5	27.3	27.2	27.1	27.1	27.0	26.9	26.9	25.8	26.8	26.8
4	21.2	18.0	16.7	16.0	15.5	15.2	15.0	14.8	14.7	14.5	14.4	14.4	14.3	14.2	14.2	14.2	14.1	14.1
5	16.8	13.2	12.1	11.4	11.0	10.7	10.5	10.3	10.2	10.1	9.06	9.89	9.82	9.77	9.72	9.68	9.64	9.61
6	13.7	10.9	9.78	9.15	8.75	8.47	8.28	8.10	7.98	7.87	7.79	7.72	7.66	7.60	7.56	7.52	7.48	7.45
7	12.2	9.55	8.45	7.85	7.46	7.19	6.99	6.94	6.72	6.62	6.54	6.47	6.41	6.36	5.31	6.27	6.24	6.21
8	11.3	8.65	7.89	7.01	6.63	6.37	6.18	6.03	5.91	5.81	5.73	5.67	5.61	5.56	5.52	5.48	5.44	5.41
9	10.6	8.02	6.99	6.42	6.06	5.80	5.61	5.47	5.35	5.26	5.13	5.11	5.05	5.00	4.96	4.92	4.89	4.86
10	10.0	7.56	6.55	5.99	5.64	5.39	5.20	5.06	4.94	4.85	4.77	4.71	4.65	4.60	4.56	4.52	4.49	4.46
11	9.65	7.21	6.22	5.67	5.32	5.07	4.89	4.74	4.63	4.54	4.46	4.40	4.34	4.39	4.25	4.21	4.18	4.15
12	9.33	6.93	5.95	5.41	5.06	4.82	4.64	4.50	4.30	4.30	4.22	4.16	4.10	4.05	4.01	3.97	3.94	3.91
13	9.07	6.70	5.74	5.21	4.86	4.62	4.44	4.30	4.19	4.10	4.02	3.96	3.91	3.86	3.82	3.78	3.75	3.72
14	8.86	6.51	5.58	5.04	4.70	4.46	4.28	4.14	4.03	3.94	3.88	3.80	3.75	3.70	3.66	3.62	3.50	3.56
15	8.68	6.26	5.42	4.89	4.56	4.32	4.14	4.00	3.89	3.80	3.72	3.67	3.61	3.56	3.52	3.49	3.45	3.42
16	8.53	6.22	5.29	4.77	4.44	4.20	4.03	3.89	3.78	3.69	3.62	3.55	3.50	3.45	3.41	3.37	3.34	3.31
17	8.60	6.11	5.18	4.67	4.34	4.10	3.93	3.79	3.68	3.59	3.52	3.46	3.40	3.35	3.31	3.27	3.24	3.21
18	8.20	6.01	5.09	4.58	4.25	4.01	3.84	3.71	3.60	3.51	3.43	3.37	3.32	3.27	3.22	3.19	3.16	3.13
19	8.18	5.93	5.01	4.50	4.17	3.94	3.77	3.68	3.52	3.43	3.36	3.30	3.24	3.19	3.15	3.12	3.08	3.05
20	8.10	5.85	4.94	4.43	4.10	3.87	3.70	3.56	3.46	3.37	3.29	3.23	3.18	3.13	3.09	3.05	3.02	2.99
21	8.02	5.78	4.87	4.37	4.04	3.81	3.64	3.51	3.40	3.31	3.24	3.17	3.12	3.07	3.03	2.99	2.96	2.93
22	7.95	5.72	4.82	4.31	3.99	3.76	3.59	3.45	3.35	3.26	3.18	3.12	3.07	3.02	2.98	2.94	2.91	2.88
23	7.86	5.66	4.76	4.26	3.94	3.71	3.54	3.41	3.30	3.21	3.14	3.07	3.02	2.97	2.93	2.89	2.86	2.83
24	7.82	5.61	4.72	4.22	3.90	3.67	3.50	3.36	3.26	3.17	3.09	3.03	2.98	2.93	2.89	2.85	2.83	2.79
25	7.77	5.57	4.68	4.18	3.86	3.63	3.46	3.32	3.22	3.13	3.06	2.99	2.94	2.89	2.85	2.81	2.78	2.75
26	7.72	5.53	4.64	4.14	3.82	3.59	3.42	3.29	3.18	3.09	3.02	2.96	2.90	2.86	2.82	2.78	2.74	2.72
27	7.66	5.49	4.60	4.11	3.78	3.56	3.39	3.26	3.15	3.06	2.99	2.93	2.87	2.82	2.78	2.75	2.71	2.68
28	7.64	5.45	4.57	4.07	3.75	3.53	3.36	3.23	3.12	3.03	2.96	2.90	2.84	2.79	2.75	2.72	2.68	2.65
29	7.60	5.42	4.54	4.04	3.73	3.50	3.33	3.20	3.09	3.00	2.93	2.87	2.81	2.77	2.73	2.69	2.66	2.63
30	7.56	5.39	4.51	4.03	3.70	3.47	3.30	3.17	3.07	2.98	2.91	2.84	2.79	2.74	2.70	2.66	2.63	2.60
32	7.50	5.34	4.46	3.97	3.65	3.43	3.26	3.13	3.02	2.93	2.86	2.80	2.74	2.70	2.66	2.62	2.58	2.55
34	7.44	5.29	4.42	3.93	3.61	3.39	3.23	3.09	2.96	2.89	2.82	2.76	2.70	2.66	2.62	2.58	2.55	2.51
36	7.40	5.25	4.36	3.89	3.57	3.35	3.18	3.05	2.95	2.86	2.79	2.72	2.67	2.62	2.58	2.54	2.51	2.48
38	7.35	5.21	4.34	3.86	3.54	3.32	3.15	3.02	2.92	2.83	2.75	2.69	2.64	2.59	2.55	2.51	2.48	2.45
40	7.31	5.18	4.31	3.83	3.51	3.29	3.12	2.99	2.90	2.80	2.73	2.66	2.61	2.56	2.52	2.48	2.45	2.42

Degrees of freedom for the denominator (ν_2)

																		v_2

Degrees of freedom for the numerator (v_1)

19	20	22	24	26	28	30	35	40	45	50	60	80	100	200	500	∞	

Multiply the numbers of the first row ($v_2 = 1$) by 10

19	20	22	24	26	28	30	35	40	45	50	60	80	100	200	500	∞	v_2
620	621	623	623	624	625	626	628	629	630	630	631	633	633	635	636	637	1
99.4	99.4	99.5	99.5	99.5	99.5	99.5	99.5	99.5	99.5	99.5	99.5	99.5	99.5	99.5	99.5	99.5	2
26.7	26.7	26.6	26.6	26.6	26.5	26.5	26.5	26.4	26.4	26.4	26.3	26.3	26.2	26.2	26.1	26.1	3
14.0	14.0	14.0	13.9	13.9	13.9	13.8	13.8	13.7	13.7	13.7	13.7	13.6	13.6	13.5	13.5	13.5	4
9.58	9.55	9.51	9.47	9.43	9.40	9.38	9.33	9.39	9.36	9.24	9.20	9.16	9.13	9.08	9.04	9.02	5
7.42	7.40	7.35	7.31	7.28	7.25	7.23	7.18	7.14	7.11	7.09	7.06	7.01	6.99	6.93	6.90	6.88	6
6.18	6.16	6.11	6.07	6.04	6.02	5.99	5.94	5.91	5.88	5.88	5.82	5.78	5.75	5.70	5.67	5.65	7
5.38	5.28	5.32	5.28	5.25	5.22	5.20	5.15	5.12	5.09	5.07	5.03	4.99	4.96	4.91	4.88	4.86	8
4.53	4.81	4.77	4.73	4.70	4.67	4.65	4.60	4.57	4.54	4.52	4.48	4.44	4.42	4.36	4.33	4.31	9
4.43	4.41	4.36	4.33	4.30	4.27	4.25	4.20	4.17	4.14	4.12	4.08	4.04	4.01	3.96	3.93	3.91	10
4.12	4.10	4.06	4.02	3.99	3.95	3.94	3.89	3.88	3.83	3.81	3.78	3.73	3.71	3.66	3.62	3.60	11
3.88	3.86	3.82	3.78	3.75	3.72	3.70	3.65	3.62	3.59	3.57	3.54	3.49	3.47	3.41	3.38	3.36	12
3.69	3.66	3.62	3.59	3.56	3.53	3.51	3.46	3.43	3.40	3.38	3.34	3.30	3.27	3.22	3.19	3.17	13
3.53	3.51	3.46	3.43	3.40	3.37	3.35	3.30	3.27	3.24	3.22	3.18	3.14	3.11	3.06	3.03	3.00	14
3.40	3.37	3.33	3.29	3.26	3.24	3.21	3.17	3.13	3.10	3.08	3.05	3.00	2.98	2.92	2.89	2.87	15
3.28	3.26	3.22	3.18	3.15	3.12	3.10	3.05	3.02	2.99	2.97	2.93	2.89	2.88	2.81	2.78	2.75	16
3.18	3.16	3.12	3.08	3.05	3.03	3.00	2.96	2.92	2.89	2.87	2.83	2.79	2.76	2.71	2.68	2.68	17
3.10	3.08	3.03	3.00	2.97	2.94	2.92	2.87	2.84	2.81	2.78	2.75	2.70	2.68	2.62	2.59	2.57	18
3.03	3.00	2.96	2.92	2.89	2.87	2.84	2.80	2.76	2.73	2.71	2.67	2.63	2.60	2.55	2.51	2.49	19
2.93	2.94	2.90	2.88	2.83	2.80	2.78	2.73	2.69	2.67	2.64	2.61	2.56	2.54	2.48	2.44	2.42	20
2.90	2.88	2.84	2.80	2.77	2.74	2.72	2.67	2.64	2.61	2.58	2.55	2.50	2.46	2.42	2.38	2.36	21
2.85	2.83	2.78	2.75	2.72	2.69	2.67	2.62	2.58	2.55	2.53	2.50	2.45	2.42	2.36	2.33	2.31	22
2.80	2.78	2.74	2.70	2.67	2.64	2.62	2.57	2.54	2.51	2.48	2.45	2.40	2.37	2.32	2.28	2.26	23
2.76	2.74	2.70	2.66	2.63	2.60	2.58	2.53	2.49	2.46	2.44	2.40	2.36	2.33	2.27	2.24	2.21	24
2.72	2.70	2.66	2.62	2.50	2.56	2.54	2.49	2.45	2.42	2.40	2.36	2.32	2.29	2.23	2.19	2.17	25
2.69	2.66	2.62	2.58	2.55	2.53	2.50	2.45	2.42	2.39	2.36	2.33	2.28	2.25	2.19	2.16	2.13	26
2.66	2.63	2.59	2.55	2.52	2.49	2.47	2.42	2.38	2.35	2.33	2.29	2.25	2.22	2.16	2.12	2.10	27
2.63	2.60	2.56	2.52	2.49	2.46	2.44	2.39	2.35	2.32	2.30	2.26	2.22	2.19	2.13	2.09	2.06	28
2.60	2.57	2.53	2.49	2.46	2.44	2.41	2.36	2.33	2.30	2.27	2.23	2.19	2.16	2.10	2.06	2.03	29
2.57	2.55	2.51	2.47	2.44	2.41	2.39	2.34	2.30	2.27	2.24	2.21	2.16	2.13	2.07	2.03	2.01	30
2.53	2.50	2.46	2.42	2.39	2.36	2.34	2.29	2.25	2.22	2.20	2.16	2.11	2.08	2.02	1.98	1.96	32
2.49	2.46	2.42	2.38	2.35	2.32	2.30	2.25	2.21	2.18	2.16	2.12	2.07	2.04	1.98	1.94	1.91	34
2.45	2.43	2.38	2.35	2.32	2.29	2.26	2.21	2.17	2.14	2.12	2.08	2.03	2.00	1.94	1.90	1.87	36
2.42	2.40	2.35	2.32	2.28	2.26	2.23	2.18	2.14	2.11	2.09	2.05	2.00	1.97	1.90	1.86	1.84	38
2.39	2.37	2.33	2.39	2.26	2.23	2.20	2.15	2.11	2.08	2.06	2.02	1.97	1.94	1.87	1.83	1.80	40

Degrees of freedom for the denominator (v_2)

		Degrees of freedom for the numerator (ν_1)																
	1	*2*	*3*	*4*	*5*	*6*	*7*	*8*	*9*	*10*	*11*	*12*	*13*	*14*	*15*	*16*	*17*	*18*
	Multiply the numbers of the first row ($\nu_2 = 1$) by 10																	
42	7.28	5.15	4.29	3.80	3.49	3.27	3.10	2.97	2.86	2.78	2.70	2.64	2.59	2.54	2.50	2.46	2.43	2.40
44	7.25	5.12	4.26	3.78	3.47	3.24	3.08	2.95	2.84	2.75	2.68	2.62	2.56	2.52	2.47	2.44	2.40	2.37
46	7.22	5.10	4.24	3.76	3.44	3.22	3.06	2.93	2.82	2.73	2.66	2.60	2.54	2.50	2.45	2.42	2.38	2.35
48	7.19	5.08	4.22	3.74	3.43	3.20	3.04	2.91	2.80	2.72	2.64	2.58	2.53	2.48	2.44	2.40	2.37	2.33
50	7.17	5.06	4.20	3.72	3.41	3.19	3.02	2.89	2.79	2.70	2.63	2.56	2.51	2.46	2.42	2.38	2.35	2.32
55	7.12	5.01	4.16	3.68	3.37	3.15	2.98	2.85	2.75	2.66	2.59	2.53	2.47	2.42	2.38	2.34	2.31	2.28
60	7.08	4.98	4.12	3.65	3.34	3.12	2.95	2.82	2.72	2.63	2.56	2.50	2.44	2.39	2.35	2.31	2.28	2.24
65	7.04	4.95	4.10	3.62	3.31	3.09	2.93	2.80	2.69	2.61	2.53	2.47	2.42	2.37	2.33	2.29	2.26	2.23
70	7.01	4.92	4.08	3.60	3.29	3.07	2.91	2.78	2.67	2.59	2.51	2.45	2.40	2.24	2.31	2.27	2.23	2.20
80	6.98	4.88	4.04	3.56	3.26	3.04	2.87	2.74	2.64	2.55	2.48	2.42	2.36	2.21	2.27	2.23	2.20	2.17
90	6.93	4.85	4.01	3.54	3.23	3.01	2.84	2.72	2.61	2.52	2.45	2.39	2.33	2.29	2.24	2.21	2.17	2.14
100	6.90	4.83	3.96	3.51	3.21	2.99	2.82	2.69	2.59	2.50	2.43	2.37	2.31	2.26	2.22	2.19	2.15	2.12
125	6.84	4.78	3.94	3.47	3.17	2.95	2.79	2.66	2.55	2.47	2.39	2.33	2.28	2.23	2.19	2.15	2.11	2.08
150	6.81	4.75	3.92	3.45	3.14	2.92	2.76	2.63	2.53	2.44	2.37	2.31	2.25	2.20	2.16	2.12	2.09	2.06
200	6.76	4.71	3.88	3.41	3.11	2.89	2.73	2.60	2.50	2.41	2.34	2.27	2.22	2.17	2.13	2.09	2.06	2.02
300	6.72	4.68	3.85	3.38	3.08	2.86	2.70	2.57	2.47	2.36	2.31	2.24	2.19	2.14	2.10	2.06	2.03	1.99
500	6.69	4.65	3.82	3.36	3.05	2.84	2.68	2.55	2.44	2.36	2.28	2.22	2.17	2.12	2.07	2.04	2.00	1.97
1000	6.66	4.63	3.80	3.34	3.04	2.82	2.66	2.53	2.43	2.34	2.27	2.20	2.15	2.10	2.06	2.02	1.98	1.95
∞	6.66	4.61	3.78	3.32	3.02	2.80	2.64	2.51	2.41	2.32	2.25	2.18	2.13	2.08	2.04	2.00	1.97	1.00

Degrees of freedom for the denominator (ν_2)

Degrees of freedom for the numerator (ν_1)

Multiply the numbers of the first row ($\nu_2 = 1$) by 10

19	20	22	24	26	28	30	35	40	45	50	60	80	100	200	500	∞	ν_2
2.37	2.34	2.30	2.26	2.23	2.20	2.18	2.13	2.09	2.08	2.03	1.99	1.94	1.91	1.85	1.80	1.78	42
2.35	2.32	2.28	2.24	2.21	2.18	2.15	2.10	2.06	2.03	2.01	1.97	1.92	1.89	1.82	1.78	1.75	44
2.33	2.30	2.26	2.22	2.19	2.16	2.13	2.08	2.04	2.01	1.99	1.95	1.90	1.86	1.80	1.75	1.73	46
2.31	2.28	2.24	2.20	2.17	2.14	2.12	2.06	2.02	1.99	1.97	1.93	1.88	1.84	1.78	1.73	1.70	48
2.29	2.27	2.22	2.18	2.15	2.12	2.10	2.05	2.01	1.97	1.95	1.91	1.86	1.82	1.76	1.71	1.68	50
2.25	2.23	2.18	2.15	2.11	2.08	2.06	2.01	1.97	1.92	1.91	1.87	1.81	1.78	1.71	1.67	1.64	55
2.22	2.20	2.15	2.12	2.08	2.05	2.03	1.98	1.94	1.90	1.88	1.84	1.78	1.75	1.68	1.63	1.60	60
2.20	2.17	2.13	2.09	2.06	2.03	2.00	1.95	1.91	1.88	1.85	1.81	1.75	1.72	1.65	1.60	1.57	65
2.18	2.15	2.11	2.07	2.03	2.01	1.98	1.93	1.89	1.85	1.83	1.78	1.73	1.70	1.62	1.57	1.54	70
2.14	2.12	2.07	2.03	2.00	1.97	1.94	1.89	1.85	1.81	1.79	1.75	1.69	1.66	1.58	1.53	1.49	80
2.11	2.09	2.04	2.00	1.97	1.94	1.92	1.86	1.82	1.79	1.76	1.72	1.66	1.62	1.54	1.49	1.46	90
2.09	2.07	2.02	1.98	1.94	1.92	1.89	1.84	1.80	1.76	1.73	1.69	1.63	1.60	1.52	1.47	1.43	100
2.05	2.03	1.98	1.94	1.91	1.88	1.85	1.80	1.79	1.72	1.69	1.65	1.59	1.55	1.47	1.41	1.37	125
2.03	2.00	1.96	1.92	1.88	1.85	1.83	1.77	1.73	1.69	1.66	1.63	1.56	1.52	1.43	1.35	1.33	150
2.00	1.97	1.93	1.89	1.84	1.82	1.79	1.74	1.69	1.66	1.63	1.58	1.52	1.48	1.39	1.33	1.28	200
1.97	1.94	1.89	1.85	1.82	1.79	1.76	1.71	1.68	1.62	1.58	1.55	1.48	1.44	1.35	1.28	1.22	300
1.94	1.92	1.87	1.83	1.79	1.76	1.74	1.68	1.63	1.60	1.55	1.53	1.45	1.41	1.31	1.23	1.16	500
1.92	1.90	1.85	1.81	1.77	1.74	1.72	1.66	1.61	1.57	1.54	1.50	1.43	1.38	1.28	1.19	1.11	1000
1.90	1.86	1.83	1.79	1.76	1.72	1.70	1.64	1.58	1.55	1.52	1.47	1.40	1.36	1.25	1.15	1.00	∞

Degrees of freedom for the denominator (ν_2)

Tabulation of the values of $F_{0.005; \nu_1, \nu_2}$ versus ν_1 and ν_2

						Degrees of freedom for the numerator (ν_1)												
	1	*2*	*3*	*4*	*5*	*6*	*7*	*8*	*9*	*10*	*11*	*12*	*13*	*14*	*15*	*16*	*17*	*18*
						Multiply the numbers of the first row ($\nu_2=1$) *by 100*												
1	162	200	216	225	231	234	237	239	241	242	243	244	245	246	246	247	247	248
2	198	199	199	199	199	199	199	199	199	199	199	199	199	199	199	199	199	199
3	55.6	49.8	47.5	46.2	45.4	44.3	44.4	44.1	43.9	43.7	43.5	43.4	43.3	43.2	43.1	43.0	42.9	42.9
4	31.2	26.3	24.3	23.2	22.5	22.0	21.6	21.4	21.1	21.0	20.8	20.7	20.6	20.5	20.4	20.4	20.3	20.2
5	22.8	18.2	16.5	15.6	14.3	14.5	14.2	14.0	13.8	13.6	13.5	13.4	13.3	12.2	12.1	12.1	13.0	13.0
6	18.6	14.5	12.9	13.0	11.5	11.1	10.8	10.6	10.4	10.2	10.1	10.0	9.95	9.88	9.81	9.76	9.71	9.08
7	16.2	12.4	10.9	10.0	9.52	9.16	8.89	8.68	8.51	8.38	8.27	8.18	8.10	8.03	7.97	7.93	7.87	7.83
8	14.7	11.0	9.60	8.81	8.30	7.95	7.69	7.50	7.34	7.21	7.10	7.01	6.94	6.37	6.34	6.76	6.72	6.68
9	13.6	10.1	8.72	7.96	7.47	7.13	6.88	6.69	6.54	6.42	6.31	6.23	6.15	6.09	6.03	5.98	5.94	5.90
10	12.8	9.43	8.06	7.34	6.87	6.54	6.30	6.12	5.97	5.85	5.75	5.66	5.50	5.53	5.47	5.42	5.38	5.34
11	12.2	8.91	7.60	6.88	6.42	6.10	5.86	5.68	5.54	5.42	5.32	5.24	5.16	5.10	5.05	5.00	4.96	4.92
12	11.8	8.51	7.23	6.52	6.07	5.76	5.52	5.35	5.20	5.09	4.99	4.91	4.84	4.77	4.72	4.67	4.63	4.50
13	11.4	8.19	6.93	6.23	5.79	5.48	5.25	5.08	4.94	4.82	4.72	4.54	4.57	4.54	4.46	4.41	4.37	4.23
14	11.1	7.92	6.68	6.00	5.56	5.26	5.03	4.86	4.72	4.60	4.51	4.43	4.36	4.30	4.25	4.20	4.18	4.12
15	10.8	7.70	6.48	5.80	5.37	5.07	4.85	4.67	4.54	4.42	4.33	4.25	4.18	4.12	4.07	4.02	3.93	3.95
16	10.6	7.51	6.30	5.64	5.21	4.91	4.69	4.52	4.48	4.27	4.18	4.10	4.03	3.97	3.92	3.87	3.83	3.80
17	10.4	7.35	6.16	5.50	5.07	4.78	4.56	4.39	4.25	4.14	4.05	3.97	3.90	3.84	3.79	3.75	3.71	3.67
18	10.2	7.21	6.03	5.37	4.98	4.66	4.44	4.28	4.14	4.03	3.94	3.86	3.79	3.73	3.68	3.64	3.60	3.56
19	10.1	7.09	5.92	5.27	4.85	4.56	4.34	4.18	4.04	3.93	3.84	3.76	3.70	3.64	3.59	3.54	3.50	3.46
20	9.94	6.99	5.82	5.17	4.76	4.47	4.28	4.09	3.96	3.85	3.76	3.68	3.61	3.55	3.50	3.48	3.42	3.28
21	9.82	6.89	5.73	5.09	4.39	4.63	4.18	4.01	3.88	3.77	3.68	3.60	3.54	3.48	3.43	3.38	3.34	3.31
22	9.73	6.81	5.65	5.02	4.61	4.32	4.11	3.94	3.81	3.70	3.61	3.54	3.47	3.41	3.36	3.31	3.27	3.24
23	9.63	6.72	5.58	4.95	4.54	4.26	4.05	3.85	3.75	3.64	3.55	3.47	3.41	3.35	3.30	3.25	3.21	3.18
24	9.55	6.66	5.52	4.89	4.49	4.20	3.99	3.83	3.69	3.59	3.50	3.42	3.35	3.30	3.25	3.20	3.16	3.12
25	9.48	6.60	5.46	4.84	4.43	4.15	3.94	3.78	3.64	3.54	3.45	3.37	3.30	3.25	3.20	3.15	3.11	3.08
26	9.41	6.54	5.41	4.79	4.36	4.10	3.89	3.73	3.60	3.49	3.40	3.33	3.26	3.20	3.15	3.17	3.07	3.03
27	9.34	6.49	5.36	4.74	3.44	4.06	3.85	3.69	3.56	3.45	3.36	3.28	3.22	3.16	3.11	3.07	3.03	2.99
28	9.28	6.44	5.32	4.70	4.30	4.02	3.81	3.65	3.52	3.41	3.32	3.25	3.18	3.12	3.07	2.08	2.99	2.95
29	9.23	6.40	5.26	4.66	4.26	3.98	3.77	3.61	3.48	3.38	3.29	3.21	3.15	3.09	3.04	2.09	2.95	2.92
30	9.18	6.35	5.24	4.62	4.23	3.95	3.74	3.58	3.45	3.34	3.25	3.18	3.11	3.06	3.01	2.98	2.92	2.89
32	9.09	6.28	5.17	4.56	4.17	3.89	3.68	3.52	3.39	3.29	3.20	3.12	3.06	3.00	2.95	2.90	2.86	2.83
34	9.01	6.22	5.11	4.50	4.11	3.84	3.63	3.47	3.34	3.24	3.15	3.07	3.01	2.95	2.90	2.85	2.81	2.78
36	8.94	6.15	5.06	4.46	4.06	3.79	3.58	3.42	3.30	3.19	3.10	3.03	2.96	2.90	2.85	2.81	2.77	2.73
38	8.88	6.11	5.02	4.41	4.02	3.75	3.54	3.39	3.25	3.15	3.06	2.99	2.92	2.87	2.82	2.77	2.73	2.70
40	8.83	6.07	4.98	4.37	3.99	3.71	3.51	3.35	3.22	3.12	3.03	2.95	2.90	2.83	2.78	2.74	2.70	2.66

Degrees of freedom for the denominator (ν_2)

Degrees of freedom for the numerator (ν_1)

19	20	22	24	26	28	30	35	40	45	50	60	80	100	200	500	∞	
							Multiply the numbers of the first row ($\nu_2 = 1$) by 100										
248	248	249	249	250	250	250	251	251	252	252	253	253	253	254	254	255	1
199	199	199	199	199	199	199	199	199	199	199	199	199	199	199	200	200	2
42.8	42.8	42.7	42.6	42.6	42.5	42.5	42.4	42.3	42.3	42.2	42.1	42.1	42.0	41.9	41.9	41.8	3
20.2	20.2	20.1	20.0	20.0	19.9	19.9	19.8	19.8	19.7	19.7	19.6	19.5	19.5	19.4	19.4	19.3	4
12.9	12.9	12.8	12.8	12.7	12.6	12.7	12.6	12.5	12.5	12.5	12.4	12.3	12.3	12.2	12.2	12.1	5
9.62	9.59	9.53	9.47	9.43	9.39	9.36	9.29	9.24	9.20	9.17	9.12	9.06	9.03	8.95	8.91	8.83	6
7.79	7.75	7.69	7.64	7.60	7.57	7.53	7.47	7.42	7.38	7.25	7.21	7.25	7.22	7.15	7.10	7.08	7
6.64	6.61	6.55	6.50	6.46	6.43	6.40	6.33	6.29	6.25	6.22	6.18	6.12	6.09	6.02	5.98	5.95	8
5.86	5.83	5.78	5.73	5.69	5.65	5.62	5.56	5.52	5.48	5.45	5.41	5.36	5.32	5.26	5.21	5.19	9
5.30	5.27	5.22	5.17	5.13	5.10	5.07	5.01	4.97	4.93	4.90	4.98	4.80	4.77	4.71	4.67	4.64	10
4.89	4.86	4.80	4.76	4.72	4.68	4.65	4.60	4.55	4.52	4.49	4.44	4.39	4.36	4.20	4.25	4.23	11
4.56	4.53	4.48	4.43	4.39	4.36	4.33	4.27	4.23	4.19	4.17	4.12	4.07	4.04	3.97	3.93	3.90	12
4.30	4.27	4.22	4.17	4.13	4.10	4.07	4.01	3.97	3.94	3.91	3.87	3.81	3.78	3.71	3.67	3.65	13
4.09	4.08	4.01	3.96	3.92	3.89	3.86	3.80	3.76	3.73	3.70	3.66	3.60	3.57	3.50	3.46	3.44	14
3.91	3.88	3.83	3.79	3.75	3.72	3.69	3.63	3.58	3.55	3.52	3.43	3.43	3.30	3.33	3.29	3.28	15
3.76	3.73	3.68	3.64	3.60	3.57	3.54	3.48	3.44	3.40	3.37	3.33	3.28	3.25	3.18	3.14	3.11	16
3.64	3.61	3.56	3.51	3.47	3.44	3.41	3.35	3.31	3.28	3.25	3.21	3.15	3.12	3.05	3.01	2.98	17
3.53	3.50	3.45	3.40	3.36	3.33	3.33	3.25	3.20	3.17	3.14	3.10	3.04	3.01	2.94	2.90	2.87	18
3.43	3.40	3.35	3.31	3.27	3.24	3.21	3.15	3.11	3.07	3.04	3.00	2.95	2.91	2.85	2.80	2.78	19
3.35	3.32	3.27	3.22	3.18	3.15	3.12	3.07	3.02	2.99	2.96	2.92	2.86	2.83	2.76	2.72	2.69	20
3.27	3.24	3.19	3.15	3.11	3.08	3.05	2.99	2.95	2.91	2.88	2.84	2.78	2.75	2.68	2.64	2.61	21
3.20	3.18	3.12	3.08	3.04	3.01	2.98	2.92	2.88	2.84	2.82	2.77	2.72	2.69	2.62	2.57	2.55	22
3.15	3.12	3.06	3.02	2.98	2.95	2.92	2.86	2.82	2.78	2.76	2.71	2.66	2.62	2.56	2.51	2.48	23
3.09	3.06	3.01	2.97	2.93	2.90	2.87	2.81	2.77	2.73	2.70	2.68	2.60	2.57	2.50	2.46	2.43	24
3.04	3.01	2.96	2.92	2.88	2.85	2.82	2.76	2.72	2.68	2.65	2.61	2.55	2.52	2.45	2.41	2.38	25
3.00	2.97	2.92	2.87	2.83	2.80	2.77	2.72	2.67	2.64	2.61	2.56	2.51	2.47	2.40	2.36	2.33	26
2.96	2.93	2.88	2.83	2.79	2.76	2.73	2.67	2.63	2.58	2.57	2.52	2.47	2.43	2.36	2.32	2.29	27
2.92	2.89	2.84	2.79	2.76	2.72	2.69	2.64	2.59	2.56	2.53	2.48	2.43	2.39	2.32	2.28	2.25	28
2.88	2.86	2.80	2.76	2.72	2.69	2.66	2.60	2.56	2.52	2.49	2.45	2.39	2.36	2.28	2.24	2.21	29
2.85	2.82	2.77	2.73	2.69	2.66	2.63	2.57	2.52	2.49	2.46	2.42	2.36	2.32	2.25	2.21	2.18	30
2.80	2.77	2.71	2.67	2.63	2.60	2.57	2.51	2.47	2.43	2.40	2.36	2.30	2.26	2.19	2.15	2.11	32
2.75	2.72	2.66	2.62	2.58	2.55	2.52	2.46	2.42	2.38	2.35	2.30	2.25	2.21	2.14	2.09	2.06	34
2.70	2.67	2.62	2.58	2.54	2.50	2.48	2.42	2.37	2.33	2.30	2.26	2.20	2.17	2.09	2.04	2.01	36
2.66	2.63	2.58	2.54	2.50	2.47	2.44	2.38	2.33	2.29	2.27	2.22	2.16	2.12	2.05	2.00	1.97	38
2.63	2.60	2.55	2.50	2.46	2.43	2.40	2.34	2.30	2.28	2.23	2.18	2.12	2.09	2.01	1.96	1.93	40

Degrees of freedom for the denominator (ν_2)

	v_1	1	2	3	4	5	6	7	8	9	10	11	12	13	14	15	16	17	18
		\multicolumn{18}{	c	}{Degrees of freedom for the numerator (v_1)}

v_2																			
	\multicolumn{18}{c}{Multiply the numbers of the first row ($v_2=1$) by 100}
42	8.78	6.03	4.94	4.34	3.95	3.68	3.48	3.32	3.19	3.09	3.00	2.92	2.86	2.80	2.75	2.71	2.67	2.63
44	8.74	5.99	4.91	4.31	3.92	3.65	3.45	3.29	3.16	3.06	2.97	2.89	2.83	2.77	2.72	2.68	2.64	2.60
46	8.70	5.96	4.88	4.28	3.90	3.62	3.42	3.26	3.14	3.03	2.94	2.87	2.80	2.75	2.70	2.65	2.61	2.58
48	8.66	5.93	4.85	4.25	3.87	3.60	3.40	3.24	3.11	3.01	2.92	2.85	2.78	2.72	2.67	2.63	2.59	2.55
50	8.63	5.90	4.83	4.23	3.85	3.58	3.38	3.22	3.09	2.99	2.90	2.82	2.76	2.70	2.65	2.61	2.57	2.53
55	8.55	5.84	4.77	4.18	3.80	3.53	3.33	3.17	3.05	2.94	2.85	2.78	2.71	2.66	2.61	2.56	2.52	2.49
60	8.49	5.80	4.73	4.14	3.76	3.49	3.29	3.12	3.01	2.90	2.82	2.74	2.68	2.62	2.57	2.53	2.49	2.45
65	8.44	5.75	4.68	4.11	3.73	3.45	3.26	3.10	2.98	2.87	2.79	2.71	2.63	2.59	2.54	2.49	2.45	2.42
70	8.40	5.72	4.65	4.08	3.70	3.43	3.23	3.08	2.95	2.85	2.76	2.68	2.62	2.56	2.51	2.47	2.43	2.39
80	8.33	5.67	4.61	4.03	3.65	3.39	3.19	3.03	2.91	2.80	2.72	2.64	2.58	2.52	2.47	2.43	2.39	2.35
90	8.28	5.62	4.57	3.99	3.62	3.35	3.15	3.00	2.87	2.77	2.68	2.61	2.54	2.49	2.44	2.39	2.35	2.32
100	8.24	5.59	4.54	3.96	3.59	3.33	3.13	2.97	2.85	2.74	2.66	2.58	2.52	2.46	2.41	2.37	2.33	2.29
125	8.17	5.53	4.49	3.91	3.54	3.28	3.08	2.93	2.80	2.70	2.61	2.54	2.47	2.42	2.37	2.32	2.28	2.24
150	8.12	5.49	4.43	3.88	3.51	3.25	3.05	2.89	2.77	2.67	2.58	2.51	2.44	2.38	2.33	2.29	2.25	2.21
200	8.06	5.44	4.41	3.84	3.47	3.21	3.01	2.85	2.73	2.63	2.54	2.47	2.40	2.35	2.30	2.26	2.21	2.18
300	8.00	5.39	4.37	3.80	3.43	3.17	2.97	2.81	2.69	2.59	2.51	2.43	2.37	2.31	2.26	2.21	2.17	2.14
500	7.95	5.36	4.33	3.76	3.40	3.14	2.94	2.79	2.66	2.56	2.48	2.40	2.34	2.28	2.23	2.19	2.14	2.11
1000	7.92	5.33	4.31	3.74	3.37	3.11	2.92	2.77	2.64	2.54	2.45	2.38	2.32	2.28	2.21	2.16	2.12	2.09
∞	7.88	5.30	4.28	3.72	3.35	3.09	2.90	2.74	2.62	2.52	2.43	2.36	2.29	2.24	2.19	2.14	2.10	2.08

Degrees of freedom for the denominator (v_2)

							Degrees of freedom for the numerator (ν_1)										
19	20	22	24	26	28	30	35	40	45	50	60	80	100	200	500	∞	
						Multiply the numbers of the first row ($\nu_2=1$) by 100											
2.60	2.57	2.52	2.47	2.43	2.40	2.37	2.31	2.26	2.23	2.20	2.15	2.09	2.06	1.98	1.93	1.90	42
2.57	2.54	2.49	2.44	2.40	2.37	2.34	2.28	2.24	2.20	2.17	2.12	2.06	2.03	1.95	1.90	1.87	44
2.54	2.51	2.46	2.42	2.38	2.34	2.32	2.26	2.21	2.17	2.14	2.10	2.04	2.00	1.92	1.87	1.84	46
2.52	2.49	2.44	2.39	2.36	2.32	2.29	2.23	2.19	2.15	2.12	2.07	2.01	1.97	1.89	1.84	1.81	48
2.50	2.47	2.42	2.37	2.33	2.30	2.27	2.21	2.16	2.13	2.10	2.05	1.99	1.95	1.87	1.82	1.79	50
2.45	2.42	2.37	2.33	2.29	2.26	2.23	2.16	2.12	2.08	2.05	2.00	1.94	1.90	1.82	1.77	1.73	55
2.42	2.39	2.33	2.29	2.24	2.22	2.19	2.13	2.08	2.04	2.01	1.98	1.90	1.86	1.78	1.73	1.69	60
2.39	2.36	2.30	2.26	2.22	2.19	2.16	2.09	2.05	2.01	1.98	1.93	1.87	1.83	1.74	1.69	1.65	65
2.36	2.33	2.28	2.23	2.19	2.16	2.13	2.07	2.02	1.98	1.93	1.90	1.84	1.80	1.71	1.65	1.62	70
2.32	2.29	2.23	2.19	2.15	2.11	2.08	2.02	1.97	1.93	1.90	1.85	1.79	1.75	1.66	1.60	1.56	80
2.28	2.25	2.20	2.15	2.12	2.08	2.05	1.99	1.94	1.90	1.87	1.82	1.75	1.71	1.62	1.56	1.52	90
2.26	2.23	2.17	2.13	2.09	2.05	2.02	1.96	1.91	1.87	1.84	1.79	1.72	1.68	1.59	1.53	1.49	100
2.21	2.18	2.13	2.08	2.04	2.01	1.98	1.91	1.86	1.82	1.79	1.74	1.67	1.63	1.53	1.47	1.42	125
2.18	2.15	2.10	2.05	2.01	1.98	1.94	1.88	1.83	1.79	1.76	1.70	1.63	1.59	1.49	1.42	1.37	150
2.14	2.11	2.06	2.01	1.97	1.94	1.91	1.84	1.79	1.75	1.71	1.66	1.58	1.54	1.44	1.37	1.31	200
2.10	2.07	2.02	1.97	1.93	1.90	1.87	1.80	1.75	1.71	1.67	1.61	1.54	1.50	1.39	1.31	1.25	300
2.07	2.04	1.99	1.94	1.90	1.87	1.84	1.77	1.72	1.67	1.64	1.58	1.51	1.46	1.35	1.26	1.18	500
2.05	2.02	1.97	1.92	1.88	1.84	1.81	1.75	1.69	1.65	1.61	1.56	1.48	1.43	1.31	1.22	1.12	1000
2.03	2.00	1.95	1.90	1.86	1.82	1.79	1.72	1.67	1.63	1.59	1.53	1.45	1.40	1.28	1.17	1.00	∞

Degrees of freedom for the denominator (ν_2)

Appendix 4

Tabulation of the values of $F_{0.001;\nu_1;\nu_2}$ versus ν_1 and ν_2

	Degrees of freedom for the numerator (ν_1)																	
	1	2	3	4	5	6	7	8	9	10	15	20	30	50	100	200	500	∞
	Multiply the numbers of the first row ($\nu_2 = 1$) by 1000																	
1	405	500	540	562	576	586	593	598	602	606	616	621	626	630	633	635	636	637
2	998	999	999	999	999	999	999	999	999	999	999	999	999	999	999	999	999	999
3	168	148	141	137	135	133	132	131	130	129	127	126	125	125	124	124	124	124
4	74.1	61.2	56.2	53.4	51.7	50.5	49.7	49.0	48.5	48.0	46.8	46.1	45.4	44.9	44.5	44.3	44.1	44.0
5	47.0	36.6	33.2	31.1	29.8	28.8	28.2	27.6	27.2	26.9	25.9	25.4	24.9	24.4	24.1	23.9	23.8	23.8
6	35.5	27.0	23.7	21.9	20.8	20.0	19.5	19.0	18.7	18.4	17.6	17.1	16.7	16.3	16.0	15.9	15.8	15.8
7	29.2	21.7	18.8	17.2	16.2	15.5	15.0	14.6	14.3	14.1	13.3	12.9	12.5	12.2	11.9	11.8	11.7	11.7
8	25.4	18.5	15.8	14.4	13.5	12.9	12.4	12.0	11.8	11.5	10.8	10.5	10.1	9.80	9.57	9.46	9.39	9.34
9	22.9	16.4	13.9	12.6	11.7	11.1	10.7	10.4	10.1	9.89	9.24	8.90	8.55	8.26	8.04	7.93	7.86	7.81
10	21.0	14.9	12.6	11.3	10.5	9.92	9.52	9.20	8.96	8.75	8.13	7.80	7.47	7.19	6.98	6.87	6.81	6.76
11	19.7	13.8	11.6	10.4	9.58	9.05	8.66	8.35	8.12	7.92	7.32	7.01	6.68	6.41	6.21	6.10	6.04	6.00
12	18.6	13.0	10.8	9.63	8.89	8.38	8.00	7.71	7.48	7.29	6.71	6.40	6.09	5.83	5.63	5.52	5.46	5.42
13	17.8	12.3	10.2	9.07	8.35	7.86	7.49	7.21	6.98	6.80	6.23	5.93	5.62	5.37	5.17	5.07	5.01	4.97
14	17.1	11.8	9.73	8.62	7.92	7.43	7.08	6.80	6.58	6.40	5.85	5.56	5.25	5.00	4.80	4.70	4.64	4.60
15	16.6	11.3	9.34	8.25	7.57	7.09	6.74	6.47	6.26	6.08	5.53	5.25	4.95	4.70	4.51	4.41	4.35	4.31
16	16.1	11.0	9.00	7.94	7.27	6.81	6.46	6.19	5.98	5.81	˙5.27	4.99	4.70	4.45	4.26	4.16	4.10	4.06
17	15.7	10.7	8.73	7.68	7.02	6.56	6.22	5.96	5.75	5.58	5.05	4.78	4.48	4.24	4.05	3.95	3.89	3.85
18	15.4	10.4	8.49	7.46	6.81	6.35	6.02	5.76	5.56	5.39	4.87	4.59	4.30	4.06	3.87	3.77	3.71	3.67
19	15.1	10.2	8.28	7.26	6.61	6.18	5.84	5.59	5.39	5.22	4.70	4.43	4.14	3.90	3.71	3.61	3.55	3.51
20	14.8	9.95	8.10	7.10	6.46	6.02	5.69	5.44	5.24	5.08	4.56	4.29	4.01	3.77	3.58	3.48	3.42	3.38
22	14.4	9.61	7.80	6.81	6.19	5.76	5.44	5.19	4.99	4.83	4.32	4.06	3.77	3.53	3.34	3.25	3.19	3.15
24	14.0	9.34	7.55	6.59	5.98	5.55	5.23	4.99	4.80	4.64	4.14	3.87	3.59	3.35	3.16	3.07	3.01	2.97
26	13.7	9.12	7.36	6.41	5.80	5.38	5.07	4.83	4.64	4.48	3.99	3.72	3.45	3.20	3.01	2.92	2.86	2.82
28	13.5	8.93	7.19	6.25	5.66	5.24	4.93	4.69	4.50	4.35	3.86	3.60	3.32	3.08	2.89	2.79	2.73	2.70
30	13.3	8.77	7.05	6.12	5.53	5.12	4.82	4.58	4.39	4.24	3.75	3.49	3.22	2.98	2.79	2.69	2.63	2.59
40	12.6	8.25	6.60	5.70	5.13	4.73	4.43	4.21	4.02	3.87	3.40	3.15	2.87	2.64	2.44	2.34	2.28	2.23
50	12.2	7.95	6.34	5.46	4.90	4.51	4.22	4.00	3.83	3.67	3.20	2.95	2.68	2.44	2.24	2.14	2.07	2.03
60	12.0	7.76	6.17	5.31	4.76	4.37	4.09	3.87	3.69	3.54	3.08	2.83	2.56	2.31	2.11	2.01	1.93	1.89
80	11.7	7.54	5.97	5.13	4.58	4.21	3.92	3.70	3.53	3.39	2.93	2.68	2.40	2.16	1.95	1.84	1.77	1.72
100	11.5	7.41	5.85	5.01	4.48	4.11	3.83	3.61	3.44	3.30	2.84	2.59	2.32	2.07	1.87	1.75	1.68	1.62
200	11.2	7.15	5.64	4.81	4.29	3.92	3.65	3.43	3.26	3.12	2.67	2.42	2.15	1.90	1.68	1.55	1.46	1.39
500	11.0	7.01	5.51	4.69	4.18	3.82	3.54	3.33	3.16	3.02	2.58	2.33	2.05	1.80	1.57	1.43	1.32	1.23
∞	10.8	6.91	5.42	4.62	4.10	3.74	3.47	3.27	3.10	2.96	2.51	2.27	1.99	1.73	1.49	1.34	1.21	1.00

Degrees of freedom for the denominator (ν_2)

Appendix 5. Kolmogorov–Smirnov Tables

Critical values, $d_\alpha(n)^a$, of the maximum absolute difference between sample $F_n(x)$ and population $F(x)$ cumulative distribution.

Number of trials, n	Level of significance, α			
	0.10	0.05	0.02	0.01
1	0.95000	0.97500	0.99000	0.99500
2	0.77639	0.84189	0.90000	0.92929
3	0.63604	0.70760	0.78456	0.82900
4	0.56522	0.62394	0.68887	0.73424
5	0.50945	0.56328	0.62718	0.66853
6	0.46799	0.51926	0.57741	0.61661
7	0.43607	0.48342	0.53844	0.57581
8	0.40962	0.45427	0.50654	0.54179
9	0.38746	0.43001	0.47960	0.51332
10	0.36866	0.40925	0.45662	0.48893
11	0.35242	0.39122	0.43670	0.46770
12	0.33815	0.37543	0.41918	0.44905
13	0.32549	0.36143	0.40362	0.43247
14	0.31417	0.34890	0.38970	0.41762
15	0.30397	0.33760	0.37713	0.40420
16	0.29472	0.32733	0.36571	0.39201
17	0.28627	0.31796	0.35528	0.38086
18	0.27851	0.30936	0.34569	0.37062
19	0.27136	0.30143	0.33685	0.36117
20	0.26473	0.29408	0.32866	0.35241
21	0.25858	0.28724	0.32104	0.34427
22	0.25283	0.28087	0.31394	0.33666
23	0.24746	0.27490	0.30728	0.32954
24	0.24242	0.26931	0.30104	0.32286
25	0.23768	0.26404	0.29516	0.31657
26	0.23320	0.25907	0.28962	0.31064
27	0.22898	0.25438	0.28438	0.30502
28	0.22497	0.24993	0.27942	0.29971
29	0.22117	0.24571	0.27471	0.29466
30	0.21756	0.24170	0.27023	0.28987
31	0.21412	0.23788	0.26596	0.28530
32	0.21085	0.23424	0.26189	0.28094
33	0.20771	0.23076	0.25801	0.27677
34	0.20472	0.22743	0.25429	0.27279
35	0.20185	0.22425	0.26073	0.26897

Critical values, $d_\alpha(n)$[a], of the maximum absolute difference between sample $F_n(x)$ and population $F(x)$ cumulative distribution.

Number of trials, n	Level of significance α			
	0.10	0.05	0.02	0.01
36	0.19910	0.22119	0.24732	0.26532
37	0.19646	0.21826	0.24404	0.26180
38	0.19392	0.21544	0.24089	0.25843
39	0.19148	0.21273	0.23786	0.25518
40[b]	0.18913	0.21012	0.23494	0.25205

[a]Values of $d_\alpha(n)$ such that $p(\max)|F^n(x) - F(x)|d_\alpha(n) = \alpha$.

[b]$N > 40 \approx \dfrac{1.22}{N^{1/2}}, \dfrac{1.36}{N^{1/2}}, \dfrac{1.51}{N^{1/2}}$ and $\dfrac{1.63}{N^{1/2}}$ for the four levels of significance.

Appendix 6. Rank Tables (Median, 5%, 95%)

MEDIAN RANKS

					SAMPLE SIZE					
$j \setminus n$	1	2	3	4	5	6	7	8	9	10
1	50.000	29.289	20.630	15.910	12.945	10.910	9.428	8.300	7.412	6.697
2		70.711	50.000	38.573	31.381	26.445	22.849	20.113	17.962	16.226
3			79.370	61.427	50.000	42.141	36.412	32.052	28.624	25.857
4				84.090	68.619	57.859	50.000	44.015	39.308	35.510
5					87.055	73.555	63.588	55.984	50.000	45.169
6						89.090	77.151	67.948	60.691	54.831
7							90.572	79.887	71.376	64.490
8								91.700	82.038	74.142
9									92.587	83.774
10										93.303

MEDIAN RANKS

					SAMPLE SIZE					
$j \setminus n$	11	12	13	14	15	16	17	18	19	20
1	6.107	5.613	5.192	4.830	4.516	4.240	3.995	3.778	3.582	3.406
2	14.796	13.598	12.579	11.702	10.940	10.270	9.678	9.151	8.677	8.251
3	23.578	21.669	20.045	18.647	17.432	16.365	15.422	14.581	13.827	13.147
4	32.380	29.758	27.528	25.608	23.939	22.474	21.178	20.024	18.988	18.055
5	41.189	37.853	35.016	32.575	30.452	28.589	26.940	25.471	24.154	22.967
6	50.000	45.951	42.508	39.544	36.967	34.605	32.704	30.921	29.322	27.880
7	58.811	54.049	50.000	46.515	43.483	40.823	38.469	36.371	34.491	32.795
8	67.620	62.147	57.492	53.485	50.000	46.941	44.234	41.823	39.660	37.710
9	76.421	70.242	64.984	60.456	56.517	53.059	50.000	47.274	44.830	42.626
10	85.204	78.331	72.472	67.425	63.033	59.177	55.766	52.726	50.000	47.542
11	93.893	86.402	79.955	74.392	69.548	65.295	61.531	58.177	55.170	52.458
12		94.387	87.421	81.353	76.061	71.411	67.296	63.629	60.340	57.374
13			94.808	88.298	82.568	77.525	73.060	69.079	65.509	62.289
14				95.169	89.060	83.635	78.821	74.529	70.678	67.205
15					95.484	89.730	84.578	79.976	75.846	72.119
16						95.760	90.322	85.419	81.011	77.033
17							96.005	90.849	86.173	81.945
18								96.222	91.322	86.853
19									96.418	91.749
20										96.594

MEDIAN RANKS

$j \diagdown n$	SAMPLE SIZE									
	21	22	23	24	25	26	27	28	29	30
1	3.247	3.101	2.969	2.847	2.734	2.631	2.534	2.445	2.362	2.284
2	7.864	7.512	7.191	6.895	6.623	6.372	6.139	5.922	5.720	5.532
3	12.531	11.970	11.458	10.987	10.553	10.153	9.781	9.436	9.114	8.814
4	17.209	16.439	15.734	15.088	14.492	13.942	13.432	12.958	12.517	12.104
5	21.890	20.911	20.015	19.192	18.435	17.735	17.086	16.483	15.922	15.397
6	26.574	25.384	24.297	23.299	22.379	21.529	20.742	20.010	19.328	18.691
7	31.258	29.859	28.580	27.406	26.324	25.325	24.398	23.537	22.735	21.986
8	35.943	34.334	32.863	31.513	30.269	29.120	28.055	27.065	26.143	25.281
9	40.629	38.810	37.147	35.621	34.215	32.916	31.712	30.593	29.550	28.576
10	45.314	43.286	41.431	39.729	38.161	36.712	35.370	34.121	32.958	31.872
11	50.000	47.762	45.716	43.837	42.107	40.509	39.027	37.650	36.367	35.168
12	54.686	52.238	50.000	47.946	46.054	44.305	42.685	41.178	39.775	38.464
13	59.371	56.714	54.284	52.054	50.000	48.102	46.342	44.707	43.183	41.760
14	64.057	61.190	58.568	56.162	53.946	51.898	50.000	48.236	46.592	45.056
15	68.742	65.665	62.853	60.271	57.892	55.695	53.658	51.764	50.000	48.352
16	73.426	70.141	67.137	64.379	61.839	59.491	57.315	55.293	53.408	51.648
17	78.109	74.616	71.420	68.487	65.785	63.287	60.973	58.821	56.817	54.944
18	82.791	70.089	75.703	72.594	69.730	67.084	64.630	62.350	60.225	58.240
19	87.469	83.561	79.985	76.701	73.676	70.880	68.288	65.878	63.633	61.536
20	92.136	88.030	84.266	80.808	77.621	74.675	71.945	69.407	67.041	64.852
21	96.753	92.488	88.542	84.912	81.565	78.471	75.602	72.935	70.450	68.128
22		96.898	92.809	89.013	85.507	82.265	79.258	76.463	73.857	71.424
23			97.031	93.105	89.447	86.058	82.914	79.990	77.265	74.719
24				97.153	93.377	89.847	86.568	83.517	80.672	78.014
25					97.265	93.628	90.219	87.042	84.078	81.309
26						97.369	93.861	90.564	87.483	84.603
27							97.465	94.078	90.865	87.896
28								97.555	94.280	91.186
29									97.638	94.468
30										97.716

MEDIAN RANKS

$j \setminus n$	SAMPLE SIZE									
	31	32	33	34	35	36	37	38	39	40
1	2.211	2.143	2.078	2.018	1.961	1.907	1.856	1.807	1.762	1.718
2	5.355	5.190	5.034	4.887	4.749	4.618	4.495	4.377	4.266	4.160
3	8.533	8.269	8.021	7.787	7.567	7.359	7.162	6.975	6.798	6.629
4	11.716	11.355	11.015	10.694	10.391	10.105	9.835	9.578	9.335	9.103
5	14.905	14.445	14.011	13.603	13.218	12.855	12.510	12.184	11.874	11.580
6	18.094	17.535	17.009	16.514	16.046	15.605	15.187	14.791	14.415	14.057
7	21.284	20.626	20.007	19.425	18.875	18.355	17.864	17.398	16.956	16.535
8	24.474	23.717	23.006	22.336	21.704	21.107	20.541	20.005	19.497	19.013
9	27.664	26.809	26.005	25.247	24.533	23.858	23.219	22.613	22.038	21.492
10	30.855	29.901	29.004	28.159	27.362	26.609	25.897	25.221	24.580	23.971
11	34.046	32.993	32.003	31.071	30.192	29.361	28.575	27.829	27.122	26.449
12	37.236	36.085	35.003	33.983	33.022	32.113	31.253	30.437	29.664	28.928
13	40.427	39.177	38.002	36.895	35.851	34.865	33.931	33.046	32.206	31.407
14	43.618	42.269	41.001	39.807	38.681	37.616	36.609	35.654	34.748	33.886
15	46.809	45.362	44.001	42.720	41.511	40.368	39.287	38.262	37.290	36.365
16	50.000	48.454	47.000	45.632	44.340	43.120	41.965	40.871	39.832	38.844
17	53.191	51.546	50.000	48.544	47.170	45.872	44.644	43.479	42.374	41.323
18	56.382	54.638	52.999	51.456	50.000	48.624	47.322	46.087	44.916	43.802
19	59.573	57.731	55.999	54.368	52.830	51.376	50.000	48.696	47.458	46.281
20	62.763	60.823	58.998	57.280	55.660	54.128	52.678	51.304	50.000	48.760
21	65.954	63.915	61.998	60.193	58.489	56.830	55.356	53.913	52.542	51.239
22	69.145	67.007	64.997	63.105	61.319	59.632	58.035	56.521	55.084	53.719
23	72.335	70.099	67.997	66.017	64.149	62.383	60.713	59.129	57.626	56.198
24	75.526	73.191	70.996	68.929	66.973	65.135	63.391	61.738	60.168	58.677
25	78.716	76.283	73.995	71.841	69.808	67.837	66.069	64.346	62.710	61.156
26	81.906	79.374	76.994	74.752	72.637	70.639	68.747	66.954	65.252	63.635
27	85.094	82.465	79.993	77.664	75.467	73.391	71.425	69.562	67.794	66.114
28	88.282	85.555	82.991	80.575	78.296	76.142	74.103	72.171	70.336	68.593
29	91.467	88.644	85.989	83.486	81.125	78.899	76.781	74.779	72.878	71.072
30	94.645	91.731	88.985	86.397	83.954	81.645	79.459	77.387	75.420	73.550
31	97.789	94.810	91.979	89.306	86.782	84.395	82.136	79.994	77.962	76.029
32		97.857	94.966	92.213	89.608	87.145	84.813	82.602	80.503	78.508
33			97.921	95.113	92.433	89.894	87.490	85.209	83.044	80.986
34				97.982	95.251	92.641	90.165	87.816	85.585	83.465
35					98.039	95.382	92.838	90.422	88.126	85.943
36						98.093	95.505	93.025	90.665	88.420
37							98.144	95.622	93.202	90.897
38								98.192	95.734	93.371
39									98.238	95.839
40										98.282

MEDIAN RANKS

					SAMPLE SIZE					
$j \setminus n$	41	42	43	44	45	46	47	48	49	50
1	1.676	1.637	1.599	1.563	1.528	1.495	1.464	1.434	1.405	1.377
2	4.060	3.964	3.872	3.785	3.702	3.622	3.545	3.472	3.402	3.334
3	6.649	6.316	6.170	6.031	5.898	5.771	5.649	5.532	5.420	5.312
4	8.883	8.673	8.473	8.282	8.099	7.925	7.757	7.597	7.443	7.295
5	11.300	11.033	10.778	10.535	10.303	10.080	9.867	9.663	9.467	9.279
6	13.717	13.393	13.084	12.789	12.507	12.237	11.979	11.731	11.493	11.265
7	16.135	15.754	15.391	15.043	14.712	14.394	14.090	13.799	13.519	13.250
8	18.554	18.115	17.697	17.298	16.917	16.551	16.202	15.867	15.545	15.236
9	20.972	20.477	20.004	19.553	19.122	18.709	18.314	17.935	17.571	17.222
10	23.391	22.838	22.311	21.808	21.327	20.867	20.426	20.003	19.598	19.209
11	25.810	25.200	24.618	24.063	23.532	23.025	22.538	22.072	21.625	21.195
12	28.228	27.562	26.926	26.318	25.738	25.182	24.650	24.140	23.651	23.181
13	30.647	29.924	29.233	28.574	27.943	27.340	26.763	26.209	25.678	25.168
14	33.066	32.285	31.540	30.829	30.149	29.498	28.875	28.278	27.705	27.154
15	35.485	34.647	33.848	33.084	32.355	31.656	30.988	30.347	29.731	29.141
16	37.905	37.009	36.155	35.340	34.560	33.814	33.100	32.415	31.758	31.127
17	40.324	39.371	38.463	37.595	36.766	35.972	35.212	34.484	33.785	33.114
18	42.743	41.733	40.770	39.851	38.972	38.130	37.325	36.553	35.822	35.100
19	45.162	44.095	43.078	42.106	41.177	40.289	39.437	38.622	37.839	37.087
20	47.581	46.457	45.385	44.361	43.383	42.447	41.550	40.690	39.866	39.074
21	50.000	48.819	47.692	46.617	45.589	44.605	43.662	42.759	41.892	41.060
22	52.419	51.181	50.000	48.872	47.794	46.763	45.775	44.825	43.919	43.047
23	54.838	53.543	52.307	51.128	50.000	48.921	47.887	46.897	45.946	45.033
24	57.257	55.905	54.615	53.383	52.206	51.079	50.000	48.966	47.973	47.020
25	59.676	58.267	56.922	55.639	54.411	53.237	52.112	51.034	50.000	49.007
26	62.095	60.629	59.230	57.894	56.617	55.395	54.225	53.103	52.027	50.993
27	64.514	62.991	61.537	60.149	58.823	57.553	56.337	55.172	54.054	52.980
28	66.933	65.353	63.845	62.405	61.028	59.711	58.450	57.241	56.081	54.966
29	69.352	67.714	66.152	64.660	63.234	61.869	60.562	59.310	58.107	56.953
30	71.771	70.076	68.459	66.916	65.440	64.027	62.675	61.378	60.134	58.940
31	74.190	72.438	70.767	69.171	67.645	66.186	64.767	63.447	62.161	60.926
32	76.609	74.800	73.074	71.426	69.851	68.344	66.900	65.516	64.188	62.913
33	79.028	77.162	75.381	73.681	72.056	70.502	69.012	67.585	66.215	64.899
34	81.446	79.523	77.689	75.937	74.262	72.660	71.125	69.653	68.242	66.886
35	83.865	81.885	79.996	78.192	76.467	74.817	73.237	71.722	70.268	68.873
36	86.283	84.246	82.303	80.447	78.673	76.975	75.349	73.791	72.295	70.859
37	88.700	86.607	84.609	82.702	80.878	79.133	77.462	75.859	74.322	72.546
38	91.117	88.967	86.916	84.956	83.083	81.291	79.574	77.928	76.349	74.832
39	93.531	91.327	89.222	87.211	85.283	83.448	81.686	79.997	78.375	76.819
40	95.940	93.684	91.527	89.465	87.493	85.606	83.798	82.065	80.402	78.805
41	98.324	96.036	93.830	91.718	89.697	87.763	85.910	84.133	82.428	80.791
42		98.363	96.127	93.969	91.900	89.920	88.021	86.201	84.455	82.778
43			98.401	96.215	94.102	92.075	90.132	88.269	86.481	84.764
44				98.437	96.298	94.229	92.243	90.337	88.507	86.750
45					98.471	96.378	94.351	92.403	90.532	88.735
46						98.504	96.455	94.468	92.557	90.721
47							98.536	96.528	94.580	92.705
48								98.566	96.598	94.688
49									98.595	96.666
50										98.623

5 PER CENT RANKS

$j \setminus n$	SAMPLE SIZE 1	2	3	4	5	6	7	8	9	10
1	5.000	2.532	1.695	1.274	1.021	0.851	0.730	0.639	0.568	0.512
2		22.361	13.535	9.761	7.644	6.285	5.337	4.639	4.102	3.677
3			36.840	24.860	18.925	15.316	12.876	11.111	9.775	8.726
4				47.237	34.259	27.134	22.532	19.290	16.875	15.003
5					54.928	41.820	34.126	28.924	25.137	22.244
6						60.696	47.930	40.031	34.494	30.354
7							65.184	52.932	45.036	39.338
8								68.766	57.086	49.310
9									71.687	60.584
10										74.113

5 PER CENT RANKS

$j \setminus n$	11	12	13	14	15	16	17	18	19	20
1	0.465	0.426	0.394	0.366	0.341	0.320	0.301	0.285	0.270	0.256
2	3.332	3.046	2.805	2.600	2.423	2.268	2.132	2.011	1.903	1.806
3	7.882	7.187	6.605	6.110	5.685	5.315	4.990	4.702	4.446	4.217
4	13.507	12.285	11.267	10.405	9.666	9.025	8.464	7.969	7.529	7.135
5	19.958	18.102	16.566	15.272	14.166	13.211	12.377	11.643	10.991	10.408
6	27.125	24.530	22.395	20.607	19.086	17.777	16.636	15.634	14.747	13.955
7	34.981	31.524	28.705	26.358	24.373	22.669	21.191	19.895	18.750	17.731
8	43.563	39.086	35.480	32.503	29.999	27.860	26.011	24.396	22.972	21.707
9	52.991	47.267	42.738	39.041	35.956	33.337	31.083	29.120	27.395	25.865
10	63.564	56.189	50.535	45.999	42.256	39.101	36.401	34.060	32.009	30.195
11	76.160	66.132	58.990	53.434	48.925	45.165	41.970	39.215	36.811	34.693
12		77.908	68.366	61.461	56.022	51.560	47.808	44.595	41.806	39.358
13			79.418	70.327	63.656	58.343	53.945	50.217	47.003	44.197
14				80.736	72.060	65.617	60.436	56.112	52.420	49.218
15					81.896	73.604	67.381	62.332	58.088	54.442
16						82.925	74.988	68.974	64.057	59.897
17							83.843	76.234	70.420	65.634
18								84.668	77.363	71.738
19									85.413	78.389
20										86.089

5 PER CENT RANKS

$j \setminus n$	SAMPLE SIZE									
	21	22	23	24	25	26	27	28	29	30
1	0.244	0.233	0.223	0.213	0.205	0.197	0.190	0.183	0.177	0.171
2	1.719	1.640	1.567	1.501	1.440	1.384	1.332	1.284	1.239	1.198
3	4.010	3.822	3.651	3.495	3.352	3.220	3.098	2.985	2.879	2.781
4	6.781	6.460	6.167	5.901	5.656	5.431	5.223	5.031	4.852	4.685
5	9.884	9.411	8.981	8.588	8.229	7.899	7.594	7.311	7.049	6.806
6	13.245	12.603	12.021	11.491	11.006	10.560	10.148	9.768	9.415	9.087
7	16.818	15.994	15.248	14.569	13.947	13.377	12.852	12.367	11.917	11.499
8	20.575	19.556	18.634	17.796	17.030	16.328	15.682	15.085	14.532	14.018
9	24.499	23.272	22.164	21.157	20.238	19.396	18.622	17.908	17.246	16.633
10	28.580	27.131	25.824	24.639	23.559	22.570	21.662	20.824	20.050	19.331
11	32.811	31.126	29.609	28.236	26.985	25.842	24.793	23.827	22.934	22.106
12	37.190	35.254	33.515	31.942	30.513	29.508	28.012	26.911	25.894	24.953
13	41.720	39.516	37.539	35.756	34.139	32.664	31.314	30.072	28.927	27.867
14	46.406	43.913	41.684	39.678	37.862	36.209	34.697	33.309	32.030	30.846
15	51.261	48.454	45.954	43.711	41.684	39.842	38.161	36.620	35.200	33.889
16	56.302	53.151	50.356	47.858	45.607	43.566	41.707	40.004	38.439	36.995
17	61.559	58.020	54.902	52.127	49.636	47.384	45.336	43.464	41.746	40.163
18	67.079	63.091	59.610	56.531	53.779	51.300	49.052	47.002	45.123	43.394
19	72.945	68.409	64.507	61.086	58.048	55.323	52.861	50.621	48.573	46.691
20	79.327	74.053	69.636	65.819	62.459	59.465	56.770	54.327	52.099	50.056
21	86.705	80.188	75.075	70.773	67.039	63.740	60.790	58.127	55.706	53.493
22		87.269	80.980	76.020	71.828	68.176	64.936	62.033	59.403	57.007
23			87.788	81.711	76.896	72.810	69.237	66.060	63.200	60.605
24				88.265	82.388	77.711	73.726	70.231	67.113	64.299
25					88.707	83.017	78.470	74.583	71.168	68.103
26						89.117	83.603	79.179	75.386	72.038
27							89.498	84.149	79.844	76.140
28								89.853	84.661	80.467
29									90.185	85.140
30										90.497

5 PER CENT RANKS

	SAMPLE SIZE									
$j \setminus n$	31	32	33	34	35	36	37	38	39	40
1	0.165	0.160	0.155	0.151	0.146	0.142	0.138	0.135	0.131	0.128
2	1.158	1.122	1.086	1.055	1.025	0.996	0.969	0.943	0.919	0.896
3	2.690	2.604	2.524	2.448	2.377	2.310	2.246	2.186	2.129	2.075
4	4.530	4.384	4.246	4.120	3.999	3.885	3.778	3.676	3.580	3.488
5	6.578	6.365	6.166	5.978	5.802	5.636	5.479	5.331	5.190	5.057
6	8.781	8.495	8.227	7.976	7.739	7.516	7.306	7.107	6.919	6.740
7	11.109	10.745	10.404	10.084	9.783	9.499	9.232	8.979	8.740	8.513
8	13.540	13.093	12.675	12.283	11.914	11.567	11.240	10.931	10.638	10.361
9	16.061	15.528	15.029	14.561	14.122	13.708	13.318	12.950	12.601	12.271
10	18.662	18.038	17.455	16.909	16.396	15.913	15.458	15.028	14.622	14.237
11	21.336	20.618	19.948	19.319	18.730	18.175	17.653	17.160	16.694	16.252
12	24.077	23.262	22.501	21.788	21.119	20.491	19.898	19.340	18.812	18.312
13	26.883	25.966	25.111	24.310	23.560	22.855	22.191	21.565	20.973	20.413
14	29.749	28.727	27.775	26.884	26.049	25.265	24.527	23.832	23.175	22.553
15	32.674	31.544	30.491	29.507	28.585	27.719	26.905	26.138	25.414	24.729
16	35.657	34.415	33.258	32.177	31.165	30.216	29.324	28.483	27.690	26.940
17	38.698	37.339	36.074	34.894	33.789	32.754	31.781	30.865	30.001	29.185
18	41.797	40.317	38.940	37.657	36.457	35.332	34.276	33.283	32.346	31.461
19	44.956	43.349	41.656	40.466	39.167	37.951	36.809	35.736	34.725	33.770
20	48.175	46.436	44.823	43.321	41.920	40.609	39.380	38.224	37.136	36.109
21	51.458	49.581	47.841	46.225	44.717	43.309	41.988	40.748	39.581	38.480
22	54.810	52.786	50.914	49.177	47.560	46.049	44.634	43.307	42.058	40.881
23	58.234	56.055	54.344	52.181	50.448	48.832	47.320	45.902	44.569	43.314
24	64.739	59.314	57.235	55.239	53.385	51.658	50.045	48.534	47.114	45.778
25	65.336	62.810	60.493	58.355	56.374	54.532	52.812	51.204	49.694	48.275
26	69.036	66.313	63.824	61.534	59.416	57.454	55.624	53.914	52.311	50.805
27	72.563	69.916	67.237	64.754	62.523	60.429	58.483	56.666	54.966	53.370
28	76.650	73.640	70.748	68.113	65.695	63.483	61.392	59.463	57.661	55.972
29	81.054	77.518	74.375	71.535	68.944	66.561	64.357	62.309	60.399	58.612
30	85.591	81.606	76.150	75.069	72.282	69.732	67.384	65.209	63.185	61.294
31	90.789	86.015	82.127	78.747	75.728	72.990	70.482	68.168	66.021	64.021
32		91.063	86.415	82.619	79.312	76.352	73.663	71.196	68.916	66.797
33			91.322	86.793	83.085	79.848	76.946	74.304	71.876	69.629
34				91.566	87.150	83.526	80.357	77.510	74.915	72.525
35					91.797	87.488	83.946	80.841	78.048	75.497
36						92.015	87.809	84.344	81.302	78.560
37							92.222	88.115	84.723	81.741
38								92.419	88.405	85.085
39									92.606	88.681
40										92.784

5 PER CENT RANKS

	SAMPLE SIZE									
$j \setminus n$	41	42	43	44	45	46	47	48	49	50
1	0.125	0.122	0.119	0.116	0.114	0.111	0.109	0.107	0.105	0.102
2	0.874	0.853	0.833	0.814	0.795	0.778	0.761	0.745	0.730	0.715
3	2.024	1.975	1.928	1.884	1.842	1.801	1.762	1.725	1.689	1.655
4	3.402	3.319	3.240	3.165	3.093	3.025	2.959	2.897	2.836	2.779
5	4.930	4.810	4.695	4.586	4.481	4.382	4.286	4.195	4.108	4.024
6	6.570	6.409	6.256	6.109	5.969	5.836	5.708	5.586	5.469	5.357
7	8.298	8.093	7.898	7.713	7.536	7.366	7.205	7.050	6.902	6.760
8	10.097	9.847	9.609	9.382	9.166	8.959	8.762	8.573	8.392	8.218
9	11.958	11.660	11.377	11.107	10.850	10.605	10.370	10.146	9.931	9.725
10	13.872	13.525	13.195	12.881	12.582	12.296	12.023	11.762	11.512	11.272
11	15.833	15.436	15.058	14.698	14.355	14.028	13.715	13.416	13.130	12.856
12	17.838	17.389	16.961	16.554	16.166	15.796	15.443	15.105	14.782	14.472
13	19.883	19.379	18.901	18.445	18.012	17.598	17.203	16.825	16.464	16.117
14	21.964	21.406	20.875	20.370	19.889	19.430	18.993	18.574	18.174	17.790
15	24.081	23.466	22.881	22.326	21.796	21.292	20.810	20.350	19.910	19.488
16	26.230	25.557	24.918	24.311	23.732	23.180	22.654	22.151	21.671	21.210
17	28.412	27.679	26.984	26.323	25.694	25.095	24.523	23.977	23.455	22.955
18	30.624	29.831	29.078	28.363	27.683	27.034	26.416	25.825	25.261	24.721
19	32.867	32.011	31.200	30.429	29.696	28.997	28.331	27.696	27.088	26.507
20	35.138	34.219	33.348	32.520	31.733	30.984	30.269	29.588	28.936	28.313
21	37.440	36.455	35.522	34.636	33.794	32.993	32.229	31.500	30.804	30.138
22	39.770	38.719	37.722	36.777	35.879	35.025	34.210	33.434	32.692	31.980
23	42.129	41.009	39.949	38.943	37.987	37.078	36.212	35.387	34.599	33.845
24	44.518	43.328	42.201	41.133	40.118	39.154	38.235	37.360	36.524	35.726
25	46.937	45.674	44.480	43.347	42.273	41.251	40.279	39.353	38.469	37.625
26	49.388	48.050	46.785	45.587	44.451	43.371	42.344	41.366	40.432	39.541
27	51.869	50.454	49.117	47.852	46.652	45.513	44.430	43.398	42.415	41.476
28	54.385	52.889	51.478	50.143	48.878	47.678	46.537	45.451	44.416	43.428
29	56.935	55.356	53.868	52.461	51.129	49.866	48.666	47.524	46.436	45.399
30	59.522	57.857	56.288	54.807	53.406	52.078	50.817	49.618	48.477	47.388
31	62.149	60.393	58.741	57.183	55.710	54.315	52.991	51.734	50.537	49.396
32	64.820	62.968	61.228	59.590	58.042	56.578	55.190	53.871	52.617	51.423
33	67.539	65.585	63.753	62.029	60.404	58.868	57.413	56.032	54.720	53.470
34	70.311	68.248	66.318	64.505	62.798	61.187	59.662	58.217	56.844	55.538
35	73.146	70.963	68.927	67.020	65.227	63.537	61.940	60.427	58.991	57.627
36	76.053	73.738	71.587	69.578	67.694	65.921	64.247	62.664	61.164	59.738
37	79.049	76.584	74.306	72.185	70.203	68.341	66.587	64.931	63.362	61.874
38	82.160	79.517	77.093	74.849	72.759	70.805	68.963	67.228	65.589	64.034
39	85.429	82.561	79.964	77.580	75.370	73.309	71.378	69.561	67.846	66.222
40	88.945	85.759	82.944	80.392	78.046	75.870	73.838	71.932	70.136	68.440
41	92.954	89.196	86.073	83.310	80.802	78.494	76.350	74.347	72.465	70.691
42		93.116	89.437	86.374	83.661	81.196	78.924	76.812	74.836	72.978
43			93.270	89.666	86.662	83.998	81.573	79.337	77.256	75.306
44				93.418	89.887	86.939	84.321	81.936	79.734	77.683
45					93.560	90.098	87.204	84.631	82.285	80.117
46						93.695	90.300	87.459	84.929	82.621
47							93.825	90.494	87.703	85.216
48								93.950	90.681	87.939
49									94.069	90.860
50										94.184

95 PER CENT RANKS

	SAMPLE SIZE									
$j \setminus n$	1	2	3	4	5	6	7	8	9	10
1	95.000	77.639	63.160	52.713	45.072	39.304	34.816	31.234	28.313	25.887
2		97.468	86.465	75.139	65.741	58.180	52.070	47.068	42.914	39.416
3			98.305	90.239	81.075	72.866	65.874	59.969	54.964	50.690
4				98.726	92.356	84.684	77.468	71.076	65.506	60.662
5					98.979	93.715	87.124	80.710	74.863	69.646
6						99.149	94.662	88.889	83.125	77.756
7							99.270	95.361	90.225	84.997
8								99.361	95.898	91.274
9									99.432	96.323
10										99.488

95 PER CENT RANKS

	SAMPLE SIZE									
$j \setminus n$	11	12	13	14	15	16	17	18	19	20
1	23.840	22.092	20.582	19.264	18.104	17.075	16.157	15.332	14.587	13.911
2	36.436	33.868	31.634	29.673	27.940	26.396	25.012	23.766	22.637	21.611
3	47.009	43.811	41.010	38.539	36.344	34.383	32.619	31.026	29.580	28.262
4	56.437	52.733	49.465	46.566	43.978	41.657	39.564	37.668	35.943	34.366
5	65.019	60.914	57.262	54.000	51.075	48.440	46.055	43.888	41.912	40.103
6	72.875	68.476	64.520	60.928	57.744	54.835	52.192	49.783	47.580	45.558
7	80.042	75.470	71.295	67.497	64.043	60.899	58.029	55.404	52.997	50.782
8	86.492	81.898	77.604	73.641	70.001	66.663	63.599	60.784	58.194	55.803
9	92.118	87.715	83.434	79.393	75.627	72.140	68.917	65.940	63.188	60.641
10	96.668	92.813	88.733	84.728	80.913	77.331	73.989	70.880	67.991	65.307
11	99.535	96.954	93.395	89.595	85.834	82.223	78.809	75.604	72.605	69.805
12		99.573	97.195	93.890	90.334	86.789	83.364	80.105	77.028	74.135
13			99.606	97.400	94.315	90.975	87.623	84.366	81.250	78.293
14				99.634	97.577	94.685	91.535	88.357	85.253	82.269
15					99.659	97.732	95.010	92.030	89.009	86.045
16						99.680	97.868	95.297	92.471	89.592
17							99.699	97.989	95.553	92.865
18								99.715	98.097	95.783
19									99.730	98.193
20										99.744

Appendix 6

95 PER CENT RANKS

SAMPLE SIZE

$j \diagdown n$	21	22	23	24	25	26	27	28	29	30
1	13.295	12.731	12.212	11.735	11.293	10.883	10.502	10.147	9.814	9.503
2	20.673	19.812	19.020	18.289	17.612	16.983	16.397	15.851	15.339	14.860
3	27.055	25.947	24.925	23.980	23.104	22.289	21.530	20.821	20.156	19.533
4	32.921	31.591	30.364	29.227	28.172	27.190	26.274	25.417	24.614	23.860
5	38.441	36.909	35.193	34.181	32.961	31.824	30.763	29.769	28.837	27.962
6	43.698	41.980	40.390	38.914	37.541	36.260	35.062	33.940	32.887	31.897
7	48.739	46.849	45.097	43.469	41.952	40.535	39.210	37.967	36.800	35.701
8	53.954	51.546	49.643	47.873	46.221	44.677	43.230	41.873	40.597	39.395
9	58.280	56.087	54.046	52.142	50.364	48.700	47.139	45.673	44.294	42.993
10	62.810	60.484	58.315	56.289	54.393	52.616	50.948	49.379	47.901	46.507
11	67.189	64.746	62.461	60.321	58.316	56.434	54.664	52.998	51.427	49.944
12	71.420	68.874	66.485	64.244	62.138	60.158	58.293	56.536	54.877	53.309
13	75.501	72.869	70.391	68.058	65.861	63.791	61.839	59.996	58.254	56.605
14	79.425	76.728	74.176	71.764	69.487	67.336	65.303	63.380	61.561	59.837
15	83.182	80.444	77.836	75.361	73.015	70.792	68.686	66.691	64.799	63.005
16	86.755	84.006	81.366	78.843	76.441	74.158	71.988	69.927	67.970	66.111
17	90.116	87.397	84.752	82.204	79.762	77.430	75.207	73.089	71.073	69.154
18	93.219	90.589	87.978	85.431	82.970	80.604	78.338	76.173	74.106	72.133
19	95.990	93.540	91.019	88.509	86.052	83.672	81.378	79.176	77.066	75.047
20	98.281	96.178	93.832	91.411	88.994	86.623	84.318	82.092	79.950	77.894
21	99.756	98.360	96.348	94.099	91.771	89.440	87.148	84.915	82.753	80.669
22		99.767	98.433	96.505	94.344	92.101	89.851	87.633	85.468	83.367
23			99.777	98.499	96.648	94.569	92.406	90.232	88.083	85.981
24				99.786	98.560	96.780	94.777	92.689	90.584	88.501
25					99.795	98.616	96.902	94.969	92.951	90.913
26						99.803	98.668	97.015	95.148	93.194
27							99.810	98.716	97.120	95.314
28								99.817	98.761	97.218
29									99.823	98.802
30										99.829

95 PER CENT RANKS

					SAMPLE SIZE					
$j \setminus n$	31	32	33	34	35	36	37	38	39	40
1	9.211	8.937	8.678	8.434	8.203	7.985	7.778	7.581	7.394	7.216
2	14.409	13.985	13.585	13.207	12.850	12.512	12.191	11.885	11.595	11.319
3	18.946	18.394	17.873	17.381	16.915	16.474	16.054	15.656	15.277	14.915
4	23.150	22.482	21.850	21.253	20.688	20.152	19.643	19.159	18.698	18.259
5	27.137	26.360	25.625	24.931	24.272	23.648	23.054	22.490	21.952	21.440
6	30.964	30.084	29.252	28.465	27.718	27.010	26.337	25.696	25.085	24.503
7	34.665	33.687	32.763	31.887	31.056	30.268	29.518	28.804	28.124	27.475
8	38.261	37.190	36.176	35.216	34.305	33.439	32.616	31.832	31.084	30.371
9	41.766	40.606	39.507	38.466	37.477	36.537	35.643	34.791	33.979	33.203
10	45.190	43.945	42.765	41.645	40.582	39.571	38.608	37.691	36.815	35.979
11	48.542	47.214	45.956	44.761	43.626	42.546	41.517	40.537	39.601	38.706
12	51.825	50.419	49.086	47.819	46.615	45.468	44.376	43.334	42.339	41.388
13	55.044	53.564	52.159	50.823	49.552	48.341	47.187	46.086	45.034	44.028
14	58.203	56.651	55.177	53.775	52.440	51.168	49.955	48.796	47.689	46.630
15	61.302	59.683	58.144	56.678	55.282	53.951	52.680	51.466	50.305	49.195
16	64.343	62.661	61.060	59.534	58.080	56.691	55.366	54.098	52.886	51.725
17	67.326	65.585	63.926	62.343	60.833	59.391	58.012	56.693	55.431	54.222
18	70.251	68.456	66.742	65.106	63.543	62.049	60.620	59.252	57.942	56.686
19	73.117	71.272	69.509	67.823	66.210	64.668	63.190	61.776	60.419	59.119
20	75.922	74.034	72.225	70.493	68.835	67.246	65.723	64.264	62.864	61.520
21	78.664	76.738	74.889	73.116	71.415	69.784	68.219	66.717	65.275	63.891
22	81.338	79.382	77.499	75.689	73.951	72.280	70.676	69.135	67.654	66.230
23	83.939	81.961	80.052	78.212	76.440	74.735	73.094	71.517	69.999	68.539
24	86.460	84.472	82.545	80.680	78.881	77.145	75.473	73.862	72.310	70.815
25	88.891	86.907	84.971	83.091	81.270	79.509	77.809	76.168	74.586	73.060
26	91.219	89.255	87.325	85.439	83.604	81.825	80.101	78.435	76.825	75.270
27	93.422	91.505	89.596	87.717	85.878	84.087	82.347	80.660	79.027	77.447
28	95.470	93.635	91.772	89.916	88.086	86.292	84.542	82.840	81.188	79.587
29	97.310	95.615	93.834	92.024	90.217	88.433	86.682	84.972	83.306	81.688
30	98.841	97.396	95.752	94.021	92.261	90.501	88.760	87.050	85.378	83.746
31	99.835	98.878	97.476	95.880	94.198	92.483	90.768	89.069	87.399	85.763
32		99.840	98.912	97.552	96.001	94.364	92.694	91.021	89.362	87.729
33			99.845	98.945	97.623	96.114	94.521	92.893	91.260	89.639
34				99.849	98.975	97.690	96.222	94.669	93.081	91.487
35					99.854	99.004	97.754	96.324	94.810	93.260
36						99.858	99.031	97.814	96.420	94.943
37							99.861	99.057	97.871	96.511
38								99.865	99.081	97.925
39									99.869	99.104
40										99.872

95 PER CENT RANKS

$j \setminus n$	SAMPLE SIZE 41	42	43	44	45	46	47	48	49	50
1	7.046	6.884	6.730	6.582	6.440	6.305	6.175	6.050	5.931	5.816
2	11.055	10.804	10.563	10.334	10.113	9.902	9.700	9.506	9.319	9.140
3	14.571	14.241	13.927	13.626	13.338	13.061	12.796	12.541	12.297	12.061
4	17.840	17.439	17.056	16.690	16.339	16.002	15.679	15.369	15.071	14.784
5	20.951	20.483	20.036	19.608	19.198	18.804	18.427	18.064	17.715	17.379
6	23.947	23.416	22.907	22.420	21.954	21.506	21.076	20.663	20.266	19.883
7	26.854	26.262	25.694	25.151	24.630	24.130	23.650	23.188	22.744	22.317
8	29.689	29.037	28.413	27.814	27.241	26.691	26.162	25.623	25.164	24.694
9	32.461	31.752	31.073	30.422	29.797	29.198	28.622	28.068	27.535	27.022
10	35.180	34.415	33.682	32.980	32.306	31.659	31.037	30.439	29.864	29.309
11	37.851	37.032	36.247	35.495	34.773	34.079	33.413	32.772	32.154	31.560
12	40.478	39.607	38.772	37.971	37.202	36.463	35.753	35.069	34.411	33.778
13	43.065	42.143	41.259	40.410	39.596	38.813	38.060	37.336	36.698	35.933
14	45.615	44.644	43.712	42.817	41.958	41.132	40.338	39.573	38.836	38.126
15	48.131	47.110	46.132	45.193	44.290	43.422	42.587	41.783	41.008	40.262
16	50.612	49.546	48.522	47.539	46.594	45.665	44.810	43.968	43.156	42.373
17	53.062	51.950	50.883	49.857	48.871	47.922	47.009	46.129	45.280	44.462
18	55.482	54.326	53.215	52.148	51.122	50.134	49.183	48.266	47.382	46.530
19	57.871	56.672	55.520	54.413	53.348	52.322	51.334	50.382	49.463	48.577
20	60.230	58.991	57.799	56.653	55.549	54.487	53.463	52.476	51.523	50.604
21	62.560	61.281	60.051	58.867	57.727	56.629	55.570	54.549	53.563	52.612
22	64.861	63.545	62.273	61.057	59.882	58.749	57.556	56.602	55.584	54.801
23	67.133	65.781	64.478	63.223	62.013	60.846	59.721	58.634	57.585	56.572
24	69.376	67.989	66.652	65.363	64.121	62.922	61.765	60.647	59.568	58.524
25	71.588	70.169	68.800	67.480	66.205	64.975	63.787	62.640	61.531	60.459
26	73.769	72.320	70.922	69.571	68.267	67.007	65.790	64.613	63.476	62.375
27	75.919	74.443	73.016	71.637	70.304	69.016	67.771	66.566	65.401	64.274
28	78.035	76.534	75.082	73.677	72.317	71.002	69.730	68.500	67.308	66.155
29	80.117	78.594	77.119	75.689	74.306	72.966	71.668	70.412	69.196	68.017
30	82.162	80.621	79.125	77.674	76.268	74.905	73.584	72.304	71.064	69.862
31	84.166	82.611	81.099	79.630	78.203	76.819	75.477	74.175	72.912	71.687
32	86.128	84.564	83.039	81.554	80.111	78.708	77.346	76.023	74.739	73.493
33	88.042	86.475	84.942	83.446	81.988	80.569	79.190	77.848	76.545	75.279
34	89.903	88.340	86.805	85.302	83.834	82.402	81.007	79.650	78.329	77.045
35	91.702	90.153	88.623	87.119	85.645	84.204	82.797	81.426	80.090	78.790
36	93.430	91.907	90.391	88.892	87.418	85.972	84.557	83.175	81.826	80.511
37	95.070	93.591	92.102	90.618	89.150	87.704	86.285	84.895	83.536	82.210
38	96.598	95.190	93.744	92.287	90.834	89.395	87.977	86.584	85.218	83.882
39	97.976	96.681	95.305	93.891	92.464	91.041	89.630	88.238	86.870	85.528
40	99.126	98.025	96.760	95.414	94.030	92.633	91.238	89.854	88.488	87.144
41	99.875	99.147	98.071	96.835	95.518	94.164	92.795	91.427	90.069	88.728
42		99.878	99.167	98.116	96.907	95.618	94.291	92.950	91.608	90.275
43			99.881	99.186	98.158	96.975	95.714	94.414	93.098	91.781
44				99.883	99.205	98.199	97.041	95.805	94.531	93.240
45					99.886	99.222	98.238	97.103	95.892	94.643
46						99.889	99.239	98.275	97.163	95.976
47							99.891	99.255	98.311	97.221
48								99.893	99.270	98.345
49									99.895	99.285
50										99.897

Appendix 7. Matrix Algebra Revision

The solution of the second-order matrix

$$\begin{vmatrix} a_1 & b_1 \\ a_2 & b_2 \end{vmatrix}$$

is $a_1 b_2 - a_2 b_1$.

The solution of the third-order matrix

$$\begin{vmatrix} a_1 & b_1 & c_1 \\ a_2 & b_2 & c_2 \\ a_3 & b_3 & c_3 \end{vmatrix}$$

is

$$a_1 \begin{vmatrix} b_2 & c_2 \\ b_3 & c_3 \end{vmatrix} - b_1 \begin{vmatrix} a_2 & c_2 \\ a_3 & c_3 \end{vmatrix} + c_1 \begin{vmatrix} a_2 & b_2 \\ a_3 & b_3 \end{vmatrix}$$

$$= a_1 b_2 c_3 + a_2 b_3 c_1 + a_3 b_1 c_2 - a_1 b_3 c_2 - a_2 b_1 c_3 - a_3 b_2 c_1$$

$a_1, a_2, \ldots, c_2, c_3$ are called the *elements* of the matrix.
The lower order matrix associated with a_1, i.e.

$$\begin{vmatrix} b_2 & c_2 \\ b_3 & c_3 \end{vmatrix}$$

is called the *cofactor* of a_1, denoted A_1. Similarly,

$$- \begin{vmatrix} a_2 & c_2 \\ a_3 & c_3 \end{vmatrix}$$

is the cofactor of b_1, denoted B_1, and so on. Thus the solution of the third order matrix is

$$a_1 A_1 + b_1 B_1 + c_1 C_1$$

and so on for higher orders.

To get the cofactor signs correct, think of the element positions in the matrix as having positive and negative signs associated with them, as follows:

$$
\begin{vmatrix}
+ & - & + & - & . & . & . \\
- & + & - & + & . & . & . \\
+ & - & + & - & . & . & . \\
. & . & . & . & & & \\
. & . & . & . & & & \\
. & . & . & . & & &
\end{vmatrix}
$$

Matrix multiplication

$$
\begin{vmatrix} a_1 & b_1 \\ a_2 & b_2 \end{vmatrix} \times \begin{vmatrix} A_1 & B_1 \\ A_2 & B_2 \end{vmatrix}
$$

$$
= \begin{vmatrix} (a_1 A_1 + b_1 A_2) & (a_1 B_1 + b_1 B_2) \\ (a_2 A_1 + b_2 A_2) & (a_2 B_1 + b_2 B_2) \end{vmatrix}
$$

Appendix 8. Organizations Involved in Reliability Engineering

NORTH AMERICA

American Society for Quality Control (ASQC) (Reliability Society).
Institute of Electrical and Electronic Engineers (IEEE) (Reliability Division).
Institute of Environmental Sciences: Reliability and environmental testing.
Society of Reliability Engineers (SRE).
These societies and institutions all include reliability topics in their journals, and support conferences, courses, etc. on reliability. Several have overseas divisions.

USAF Rome Air Development Centre (RADC) (Reliability and Compatibility Division). RADC maintains and issues MIL-HDBK-217. The Reliability Analysis Centre (RAC) is operated on behalf on RADC by the Illinois Institute of Technology Research Institute (IITRI), and performs studies and produces reports for RADC. The Data and Analysis Center for Software (DACS) performs similar functions for software reliability. Both RAC and DACS provide useful newsletters.

Government–Industry Data Exchange Program (GIDEP). Data exchange programme on electronic parts reliability and problems.

UK/EUROPE

Institute of Quality Assurance (IQA) (UK).
Safety and Reliability Society (SRS) (UK).
National Quality Assurance Organizations in other countries.
National Centre for Systems Reliability (NCSR) (UK). NCSR is an offshoot of the UK Atomic Energy Authority, and provides a service on reliability of systems such as petrochemical and power generation plant.

Defence Quality Assurance Board (DQAB) (UK). DQAB operates the UK Ministry of Defence quality assurance organization, including the BS 9000 system for electronic components.

Eu Re Data. European data exchange system on reliability of components used in petrochem, generating plant, etc.

British Standards Institution. Reliability and quality standards, as well as design and safety standards.

Appendix 9. Reliability Data Systems

OUTPUTS

1. Listing of failures:

Failure Report No.	System	Sub-system	Assembly	Part

Output selectable by system, sub-system, assembly, part. Also by time period and other appropriate feature, e.g. location, modification status.
2. Pareto analysis of top 10–20 failure modes, selectable as above. (Chapter 12). See Note 1.
3. Full printout of failure report data, selectable (e.g. all in top 10, by assembly number, etc.), as follows:

FR No. System	Sub-system	Assembly	Part	Date	Run time	Symptom/ Effect
Part No. Serial No.						

4. MTBF for system, sub-system, assembly. Show number of failures for each MTBF value. Selectable as above.
5. Trend analyses, selectable as above. See Chapter 3.
6. Probability/hazard plots and derivation of distribution parameters. Selected as above. See chapter 3.

Appendix 9

INPUTS

1. For each failure:

Failure Report Number	Date	Run time	Location	
	System	Sub-system	Assembly	Part
Part/drawing No. Serial No. Modification state				
Failure symptoms Repair action Repair time				

2. For all units
   Total run time (regular update, say monthly. See Note 2).

Notes

1. The Pareto analysis should form the basis for the critical items list (page 160). Failure reporting for critical items should be amplified as necessary to aid investigation, and special reporting, e.g. by fax or telex, could be used.
2. Calendar time could be used instead of run time when appropriate. Then trend analysis, probability plots, and MTBF would be calculated on a calendar time basis. This is acceptable if run time is quite closely correlated with calendar time and if run time data are not easily obtainable, e.g. if the equipment does not have run time indicators. Using calendar time can be easier and cheaper, since it is then not necessary to obtain the run time at each failure and total (fleet) run time. Only the startup date for each unit and the total number of units in use need be ascertained.
3. The system should be made simple to operate and to understand.
4. Input data should be sufficiently detailed to be meaningful to users. Coding of data such as causes of failure, either by the person filling in the job report or by people at the data centre, can lead to ambiguity and errors.
5. Data input directly into portable computers, rather than onto paper, can greatly improve the quality and speed of data collection and analysis.

Index